ST...

Steve Berry est avocat. Il vit aux États-Unis, dans l'État de Géorgie. Il a publié plusieurs romans au Cherche Midi éditeur : *Le troisième secret* (2006), *L'héritage des Templiers* (2007), *L'énigme Alexandrie* (2008), *La conspiration du temple* (2009), *La prophétie Charlemagne*, *Le musée perdu* (2010) et *Le mystère Napoléon*. Traduits dans plus de quarante langues, ces thrillers ont figuré sur la liste des best-sellers dès leur parution aux États-Unis. Après *Le complot Romanov*, *Le monastère oublié* paraît également au Cherche Midi éditeur, en 2012.

Retrouvez l'actualité de Steve Berry sur
www.steveberry.org

LA PROPHÉTIE CHARLEMAGNE

STEVE BERRY

LA PROPHÉTIE CHARLEMAGNE

Traduit de l'anglais (États-Unis)
par Diniz Galhos

LE CHERCHE MIDI

Titre original :

THE CHARLEMAGNE PURSUIT

© 2008, Steve Berry
© David Lindroth, 2008, pour les cartes
© 2010, Éditions le cherche midi, pour la traduction française.
ISBN : 978-2-266-20400-2

REMERCIEMENTS

À chaque nouveau livre, je remercie tous les gens merveilleux de Random House. Ce roman ne sera pas l'exception. Aussi, à Gina Centrello, Libby McGuire, Cindy Murray, Kim Hovey, Christine Cabello, Beck Stvan, Carole Lowenstein et toutes celles et ceux du service commercial et presse, un grand et sincère merci. En outre, une révérence à Laura Jorstad, correctrice de tous mes romans. Nul auteur ne pourrait espérer travailler avec un meilleur groupe de professionnels. Vous êtes tous, sans discussion, les meilleurs.

Un remerciement spécial aux sympathiques habitants d'Aix-la-Chapelle, qui répondirent à mes questions insistantes avec une patience infinie. Je tiens également à remercier, quoique tardivement, Ron Chamblin, propriétaire de la Chamblin Bookmine à Jacksonville (Floride), librairie dans laquelle, depuis des années, j'ai mené le gros de mes recherches. C'est un lieu étonnant. Merci, Ron, de l'avoir fondé. Et un acquiescement reconnaissant à notre maman australienne, Kate Taperell, pour avoir fait la grâce de ses lumières sur la façon de parler de ses concitoyens.

Enfin, je dédie ce livre à mon agent, Pam Ahearn, et mon éditeur, Mark Tavani. En 1995, Pam m'a choisi comme client, et dut endurer quatre-vingt-cinq rejets au long de sept ans avant de nous trouver une maison d'édition. Quelle patience. Et puis n'oublions pas Mark, qui a couru le risque de miser sur un avocat fou qui désirait écrire des livres.

En fin de compte, nous avons survécu à toutes ces épreuves.

J'ai envers Pam et Mark une dette que personne au monde ne saurait rembourser.

Merci à vous.

Pour tout.

« Étudiez le passé
si vous voulez appréhender le futur. »

CONFUCIUS

« Les Anciens étaient subtils, mystérieux, profonds
et avisés. La profondeur de leurs connaissances est
inestimable. Parce qu'elle est inestimable, on ne peut
que décrire leur apparence. Ils étaient prudents, tels
des hommes traversant une rivière gelée en hiver.
Alertes, tels des hommes conscients du danger.
Courtois, tels des hôtes de passage.
Accommodants, telle la glace sur le point de fondre.
Simples, tels de grossiers blocs de bois. »

LAO-TSEU (VIe siècle avant Jésus-Christ)

« Celui qui jette le trouble dans sa maison
ne possédera que du vent. »

Proverbes, 11:29

PROLOGUE

L'alarme retentit, et Forrest Malone se concentra.

« Profondeur ? cria-t-il.

— 600 pieds.

— Qu'est-ce qu'on a en dessous de nous ?

— 2 000 pieds d'eau glacée. »

Il consulta d'un rapide regard les cadrans, jauges et thermomètres. Dans le poste central, le pilote de direction était assis à sa droite, tandis que le pilote de plongée se serrait à sa gauche. Tous deux avaient les mains crispées sur leurs commandes. Les instruments s'éteignaient et se rallumaient sans cesse.

« Ralentissez à 2 nœuds. »

Le sous-marin vacilla.

L'alarme s'interrompit. Le central fut soudain plongé dans l'obscurité.

« Capitaine, un rapport du compartiment réacteur. Le commutateur d'alarme a endommagé l'une des barres de contrôle. »

Il savait parfaitement ce qui s'était passé. Les mécanismes de sécurité intégrés à ce machin caractériel

11

avaient automatiquement abaissé les barres : le réacteur avait toussé un grand coup et s'était éteint. Il ne restait plus qu'une chose à faire. « Passez aux batteries auxiliaires. »

Les faibles lumières de secours s'allumèrent. L'ingénieur officier Flanders, un homme d'un très grand professionnalisme, rigoureux et réfléchi, et dont il avait appris à ne plus se passer, pénétra dans le central. « Dites-moi tout, Tom, lança Malone.

— Je ne sais pas à quel point c'est sérieux ni le temps que ça prendra pour tout réparer, mais il faut qu'on allège la consommation électrique au maximum. »

Ils avaient déjà essuyé une panne électrique, plusieurs même, et Malone savait que les batteries pouvaient leur fournir de l'énergie pendant deux jours, à condition qu'ils surveillent leur consommation. L'équipage était entraîné pour faire face à ce genre de situation, mais selon le manuel, lorsque le réacteur tombait en rade, ils devaient le remettre en route dans l'heure. Passée cette heure, le sous-marin devait relier le port le plus proche.

Et le port le plus proche se trouvait à plus de 1 500 milles marins, soit 2 778 kilomètres.

« Éteignez tout ce dont on n'a pas besoin, ordonna Malone.

— Capitaine, ça va être compliqué de le maintenir en place, notre bestiau », fit remarquer le pilote de direction.

Malone connaissait par cœur la loi d'Archimède. Un corps pesant le même poids qu'un volume égal d'eau ne flottait pas et ne coulait pas : il restait au même niveau, en flottaison neutre. Tous les sous-marins fonctionnaient selon cette règle simple, restant sous la surface de l'eau en se faisant propulser par des moteurs. Sans énergie, plus de moteurs, plus de propulseurs d'étrave et d'étambot, plus de caisses d'assiette, et plus de mouvement. Autant de problèmes sur lesquels on pouvait sereinement se pencher en refaisant surface. Mais ils ne

se trouvaient pas au-dessus des flots de la pleine mer :
ils étaient coincés sous un ciel de glace.

« Capitaine, la salle des moteurs rapporte une fuite
mineure dans le système hydraulique.

— Une fuite mineure ? demanda-t-il. Et c'est maintenant qu'elle se déclare ?

— Ils l'avaient remarquée plus tôt, mais maintenant
que le réacteur est à plat, ils demandent l'autorisation
de fermer la purge pour juguler la fuite et remplacer le
tuyau. »

Logique. « Permission accordée. Et j'espère qu'on en
a fini avec les mauvaises nouvelles. » Il se tourna vers
l'opérateur sonar. « Quelque chose droit devant nous ? »

Les sous-mariniers se servaient toujours de l'expérience de leurs prédécesseurs, et les premiers à avoir
affronté les mers de glace avaient laissé deux conseils
à la postérité. Premièrement, ne jamais heurter la glace
à moins d'y être contraint, et deuxièmement, si c'était
inévitable, positionner la proue contre la glace, pousser
doucement et prier.

« RAS, répondit le sonar.

— On commence à dériver, rapporta le pilote de
direction.

— Compensez. Mais tout doux avec l'énergie dépen-
sée. »

La proue du sous-marin piqua soudain vers le fond.

« Que se passe-t-il ? murmura-t-il.

— Les caisses d'assiette de la poupe amorcent une
plongée, cria le pilote de plongée en se levant brusquement sans cesser de tirer la manette vers lui. Elles ne
répondent plus.

— Blount, hurla Malone. Aidez-le. »

Le sous-marinier quitta son sonar et se précipita.
L'angle de plongée s'accentuait. Malone s'accrocha à la
table à cartes, tandis que tout ce qui n'était pas attaché se
renversait en une folle avalanche.

« Assiette », aboya Malone.

L'angle ne cessait de croître.

« Supérieur à 45 degrés, répondit le pilote de direction. On plonge toujours. Rien ne marche. »

Malone s'agrippa plus fort encore à la table, luttant pour ne pas tomber.

« 900 pieds, et on continue à tomber. »

Les chiffres qu'affichaient les manomètres défilaient si vite qu'ils se brouillaient. Le sous-marin était conçu pour évoluer jusqu'à 3 000 pieds de profondeur, mais le fond de l'océan se rapprochait à toute allure, et la pression exercée par l'eau augmentait, très vite, trop vite, menaçant de faire imploser la coque. En outre, le fait de percuter le fond océanique à pleine vitesse représentait une perspective aussi peu réjouissante.

Il ne restait plus qu'une chose à faire.

« En arrière toute. Chassez aux ballasts. Tous les ballasts. »

Le sous-marin trembla alors qu'on obéissait aux ordres. Les hélices tournèrent en sens inverse et l'air comprimé tonna dans les ballasts, chassant l'eau à l'extérieur. Le pilote de direction tint bon. Celui de plongée se préparait à ce qui, Malone ne l'ignorait pas, ne tarderait pas à se produire.

La flottaison devint positive.

La vitesse diminua.

La proue se redressa jusqu'à ce que l'assiette du sous-marin redevînt neutre.

« Contrôlez l'assiette et la flottaison, ordonna Malone. On reste neutres. Je n'ai aucune envie de remonter. »

Le pilote de plongée suivit ses ordres.

« Le fond se trouve à quelle distance ? »

Blount retourna à son poste. « 200 pieds. »

Malone jeta un coup d'œil au manomètre. 2 400 pieds. La coque grondait sous la contrainte, mais elle tenait bon. Son regard se fixa sur une rangée de témoins. Les diodes confirmaient que toutes les purges étaient fermées et qu'aucune brèche n'était à déplorer. Enfin de bonnes nouvelles.

« Posez-nous. »

L'avantage qu'avait ce sous-marin sur tous les autres était sa capacité à se poser sur les fonds marins. C'était l'une des nombreuses particularités de sa conception, parmi lesquelles se distinguaient également les caprices du système de commande et du réacteur, dont ils venaient de faire les frais.

Le sous-marin finit par s'immobiliser sur le fond océanique.

Tous les hommes présents dans le central se regardèrent. Nul ne prononça le moindre mot. C'était inutile. Malone savait ce qu'ils se disaient tous. *C'est pas passé loin.*

« Sait-on ce qui s'est passé ? demanda-t-il.

— La salle des moteurs vient de rapporter que, lorsqu'ils ont fermé la purge pour réparer la brèche, les systèmes de direction et de plongée sont tombés en rade, aussi bien le système central que celui d'urgence, répondit Flanders. Ça n'était encore jamais arrivé.

— Et est-ce qu'ils ont quelque chose à me dire que je ne sais pas déjà ?

— Ils ont à présent rouvert la purge. »

Cette façon de lui dire « *Si j'en savais plus, je vous l'aurais dit* » fit sourire Malone. « Très bien. Dites-leur de reprendre les réparations. Du neuf à propos du réacteur ? »

Ils avaient sérieusement entamé leurs réserves d'énergie auxiliaire dans leur lutte contre cette plongée imprévue.

« Toujours à plat », répondit son second.

L'heure fatidique toucherait vite à sa fin.

« Capitaine, lança Blount penché sur son sonar. Contact sonar. Solide. Multiple. On dirait que nous nous sommes posés sur un champ de blocs erratiques. »

Malone décida de puiser encore plus dans les batteries.

« Caméras et projecteurs extérieurs. Vite fait, histoire de jeter un coup d'œil. »

Les moniteurs s'allumèrent sur une eau cristalline où étincelaient de minuscules particules de vie. Des rochers entouraient le sous-marin, reposant à des angles variés sur le fond océanique.

« C'est étrange », remarqua l'un des hommes d'équipage.

Malone avait également remarqué. « Ce ne sont pas de simples boulders. Ce sont bel et bien des blocs. Et des gros. Des parallélépipèdes et des cubes. Zoomez sur celui-ci. »

Blount manipula les manettes et l'image se resserra sur l'une des faces du bloc désigné.

« Bordel de merde », lâcha le second de Malone.

La pierre était recouverte de marques. Cela ne ressemblait pas à de l'écriture, en tout cas à aucune de sa connaissance. Les caractères étaient cursifs, arrondis et fluides. Ils semblaient réunis en groupes, tels des mots, que Malone était bien incapable de lire.

« Il y en a aussi sur les autres blocs », dit Blount, et Malone considéra les autres moniteurs.

Ils étaient encerclés de ruines qui se dressaient tels des spectres sans âge.

« Éteignez les caméras », ordonna-t-il. À cet instant précis, son principal souci était de rationner leur énergie, pas de contempler des curiosités historiques. « Sommes-nous en sécurité ici, si nous ne bougeons pas ?

— Nous nous sommes posés dans une sorte de clairière, répondit Blount. Nous sommes en sécurité. »

Une alarme retentit. Malone repéra d'où elle provenait : la console du système électrique.

« Capitaine, ils veulent que vous veniez », dut hurler son second pour se faire entendre.

Malone quitta tant bien que mal le central et se

précipita vers l'échelle qui menait au massif, au pied de laquelle se trouvait déjà Flanders.

L'alarme s'interrompit.

Malone sentit une bouffée de chaleur et son regard se figea à ses pieds. Il se pencha et toucha le sol. Extrêmement chaud. Très mauvais signe. Sous cette couche de métal reposaient cent cinquante batteries zinc-argent au cœur d'un puits d'aluminium. Il avait déjà eu le déplaisir de constater que leur conception était plus artistique que scientifique. On ne les activait jamais sans mauvaise surprise.

L'un des seconds de Flanders s'attaqua aux quatre vis qui maintenaient en place la plaque de métal du pont, les libérant l'une après l'autre. On enleva la plaque, et des tourbillons de fumée bouillante s'élevèrent. Malone comprit aussitôt le problème. L'hydroxyde de potassium liquide avait coulé hors des batteries.

Une fois de plus.

La plaque de métal fut vite remise à sa place. Mais cela ne leur vaudrait qu'un répit de quelques minutes. Bientôt, le système de ventilation disperserait les fumées âcres dans l'ensemble du sous-marin, et s'ils ne trouvaient pas une façon d'assainir l'air empoisonné, ils ne tarderaient pas à mourir.

Malone rejoignit le central aussi vite qu'il put.

Il n'avait pas envie de mourir, mais leurs chances de survivre s'amenuisaient à chaque seconde qui passait. Cela faisait vingt-six ans qu'il servait son pays à bord de sous-marins, diesels ou nucléaires. Seul un aspirant sur cinq était accepté à l'académie des sous-mariniers, où les épreuves physiques, les entretiens psychologiques et les tests de réflexe poussaient chaque recrue dans ses retranchements. Son premier capitaine avait épinglé sur sa poitrine ses dauphins d'argent, et, depuis, il avait lui-même rendu cet honneur à de nombreux autres.

Alors il savait à quoi s'en tenir.

Fin de la partie.

Curieusement, il ne pensait qu'à une chose lorsqu'il rejoignit le central, résolu à agir comme s'il leur restait une chance, à défaut d'y croire. Il pensait à son fils. Son fils de dix ans. Qui grandirait sans son père.

Je t'aime, Cotton.

PREMIÈRE PARTIE

1

Cotton Malone avait horreur des espaces clos.

Son malaise était présentement accentué par le fait que le téléphérique était bondé. La plupart des passagers étaient des vacanciers, vêtus de tenues aux couleurs criardes, équipés de skis et de bâtons. Il discernait plusieurs nationalités. Quelques Italiens, de rares Suisses, une poignée de Français et une écrasante majorité d'Allemands. Il avait été l'un des premiers à entrer dans la cabine et, à son relatif soulagement, était parvenu à se trouver une place face à l'une des vitres recouvertes de givre. S'élevant à près de 3 000 mètres et grossissant à mesure que le téléphérique s'en approchait, la Zugspitze se détachait du ciel bleu métallique, son imposant sommet gris drapé d'une neige de fin d'automne.

Pas malin de se mettre à la fenêtre, se dit-il.

La cabine continuait son ascension vertigineuse, passant devant l'un des chevalets d'acier qui semblaient jaillir des escarpements rocheux.

Il avait les nerfs en boule, et pas seulement à cause

21

du peu d'espace dont il disposait. Au sommet du point culminant de l'Allemagne, des fantômes l'attendaient. Cela faisait à présent presque quarante ans qu'il avait évité ce rendez-vous. Ceux qui, comme Malone, enterraient résolument leur passé avaient toujours de grandes difficultés à le tirer de sa tombe.

Et pourtant, c'était bien ce que Malone était en train de faire.

Les vibrations s'affaiblirent alors que la cabine pénétrait dans la station, pour s'immobiliser presque aussitôt.

La foule de skieurs se répandit en direction d'un funiculaire qui les mènerait jusqu'à un cirque en contrebas, où les attendaient un chalet et plusieurs pistes. Malone ne skiait pas, n'avait jamais skié, ni même jamais voulu essayer.

Il se dirigea vers le centre réservé aux visiteurs, qui, à en croire le panneau jaune, se nommait Münchner Haus. Un restaurant occupait la moitié du bâtiment, l'autre moitié abritant un théâtre, un snack-bar, un observatoire, des boutiques de souvenirs et une station météorologique.

Il poussa une porte à double battant en verre épais et s'avança sur une terrasse munie d'un garde-fou. L'air vivifiant des Alpes lui piqua les lèvres. À en croire Stéphanie Nelle, l'agent de liaison devait l'attendre sur la terrasse, près des longues-vues. Une chose était certaine. Le fait de se trouver à près de 3 000 mètres au cœur des Alpes ajoutait à leur rencontre un certain degré de discrétion.

La Zugspitze se dressait à la frontière. Des escarpements recouverts de neige brillaient au sud, vers l'Autriche. Au nord se trouvait une vallée encaissée encerclée de pics abrupts. Un voile de brume givrante dissimulait légèrement le village allemand de Garmisch et son jumeau, Partenkirchen. Ces deux agglomérations étaient de véritables Mecque des sports d'hiver, et la région entière était toute dévouée au ski, au bobsleigh, au patinage et au curling.

Autant de sports que Malone évitait.

La terrasse était déserte, à l'exception d'un couple d'un certain âge et de quelques skieurs qui observaient manifestement une pause pour admirer le panorama. Malone était venu résoudre un mystère qui n'avait cessé de le ronger depuis ce jour où des hommes en uniforme avaient informé sa mère de la mort de son époux.

« Nous avons perdu tout contact avec le sous-marin il y a de cela quarante-huit heures. Nous avons envoyé dans l'Atlantique-Nord des bâtiments de sauvetage, qui ont passé au peigne fin la dernière localisation du sous-marin. L'épave a été retrouvée il y a six heures. Nous avons attendu d'avoir la certitude qu'il ne restait aucun survivant avant de prévenir les familles. »

Sa mère n'avait jamais pleuré la disparition de son mari. Ce n'était pas son genre. Mais cela ne signifiait pas pour autant qu'elle n'en éprouvait pas une douleur indicible. Ce n'est qu'adolescent que Malone avait commencé à se poser des questions à ce sujet. La version officielle n'offrait que des réponses peu satisfaisantes. Lorsqu'il était entré dans la Navy, il avait voulu accéder au rapport de la commission d'enquête militaire qui s'était penchée sur les circonstances du naufrage du sous-marin, mais on lui avait répondu que le dossier était classé secret défense. Il avait à nouveau tenté sa chance après avoir été nommé agent du département de la Justice des États-Unis, nanti d'un accès aux archives sensibles. En vain. Lorsque Gary, son fils de quinze ans, était venu le voir cet été, il avait été confronté à ses questions. Gary n'avait pas connu son grand-père, mais il voulait en savoir plus à son sujet, et plus particulièrement comment il avait péri en mer. La presse ayant traité le naufrage de l'*USS Blazek* en novembre 1971, ils avaient pu lire un certain nombre d'articles sur Internet.

Leurs discussions avaient réveillé ses propres doutes, suffisamment pour qu'il décide enfin d'en venir à bout.

Il fourra ses poings fermés dans les poches de son manteau et traversa tranquillement la terrasse. Les longues-vues jalonnaient le garde-fou. Une femme était penchée sur l'une d'elles. Ses cheveux étaient attachés en un chignon peu seyant. Elle était vêtue d'une combinaison aux couleurs vives, et avait posé ses skis et ses bâtons à côté d'elle pour admirer la vallée en contrebas.

Il s'approcha, l'air de rien. Une règle qu'il avait apprise longtemps auparavant. Ne jamais se précipiter. La précipitation n'amenait que des problèmes.

« Quel spectacle », observa-t-il.

Elle se retourna. « En effet. »

Elle avait la peau couleur cannelle, qui, alliée à ce qu'il interpréta comme une bouche, un nez et des yeux typiquement égyptiens, semblait signaler des origines levantines.

« Je suis Cotton Malone.

— Comment avez-vous deviné que c'était moi que vous deviez rencontrer ? »

Il désigna l'enveloppe marron qui reposait au pied de la longue-vue. « Apparemment, il ne s'agit pas d'une mission extrêmement périlleuse. » Il sourit. « Une simple commission, en définitive ?

— Ça y ressemble assez, oui. Je suis venue ici pour skier. Une semaine de vacances. Enfin. Ça faisait longtemps que j'avais envie de visiter ce coin. Stéphanie m'a demandé si je pouvais emmener... – elle indiqua l'enveloppe – ... ceci. » Elle se repencha sur sa longue-vue. « Vous permettez que je finisse de regarder ? Ça m'a coûté 1 euro, et j'aimerais bien voir ce qu'il y a en bas. »

Elle fit tourner la longue-vue, scrutant la vallée allemande qui s'étendait sur des kilomètres. « Vous vous appelez ? demanda-t-il.

— Jessica », répondit-elle sans éloigner son œil de l'objectif.

Il se pencha pour ramasser l'enveloppe.

Elle posa une botte entre ses doigts et le paquet. « Pas tout de suite. Stéphanie veut être sûre que vous comprenez qu'elle et vous êtes quittes, dorénavant. »

L'année précédente, il avait aidé son ancienne patronne en France. Elle lui avait alors dit qu'elle avait une dette envers lui, et qu'il serait avisé de réfléchir très sérieusement à la faveur qu'il lui demanderait.

Il avait suivi son conseil.

« C'est entendu. La dette est remboursée. »

Elle se retourna vers la longue-vue. Le vent rougissait ses joues. « On m'a parlé de vous, à l'unité Magellan. Vous êtes une vraie légende. L'un des douze premiers agents.

— Je ne me savais pas si populaire.

— Stéphanie m'a dit que vous étiez également très modeste. »

Il n'était pas d'humeur aux compliments. Le passé l'attendait. « Je peux prendre ce dossier ? »

Les yeux de la femme étincelèrent. « Bien sûr. »

Il saisit l'enveloppe. Comment quelque chose d'aussi peu épais pouvait-il contenir tant de réponses ?

« Ce doit être très important », fit-elle remarquer.

Une autre règle. Ignorer les questions auxquelles on ne désirait pas répondre. « Ça fait longtemps que vous faites partie de l'unité Magellan ?

— Deux ans environ. » Elle descendit du marchepied de la longue-vue. « Mais ça ne me plaît pas. J'envisage de me retirer. J'ai entendu dire que vous l'aviez quittée assez tôt, vous aussi. »

Vu l'insouciance qui semblait la guider, une démission semblait dans son cas un excellent choix professionnel. Au long de ses douze années de service, Malone n'avait pris que trois congés, durant lesquels il était resté constamment sur ses gardes. La paranoïa était l'une des déformations professionnelles propres au métier d'agent, et deux ans de retraite choisie et anticipée n'avaient pas suffi à l'en guérir.

« Skiez bien », lui dit-il.

Le lendemain, il prendrait son vol pour Copenhague. Là-bas, il irait voir les quelques spécialistes en livres rares et anciens, occupation inhérente à son nouveau métier : libraire.

Elle lui décocha un regard sombre en saisissant ses skis et ses bâtons. « J'en ai bien l'intention. »

Ils quittèrent la terrasse pour traverser la Münchner Haus déserte. Jessica se dirigea vers le funiculaire qui reliait le cirque. Malone s'avança vers le téléphérique qui le ramènerait près de 3 000 mètres en contrebas, sur le plancher des vaches.

Il pénétra dans la cabine vide, l'enveloppe à la main. Le fait d'être seul était loin de lui déplaire. Mais juste avant que les portes se referment, un homme et une femme s'y engouffrèrent, main dans la main. L'employé referma les portes de l'extérieur, et la cabine s'ébranla, en direction de la station en contrebas.

Malone jeta un regard par les vitres de devant.

Les espaces clos, c'était une chose. Mais les espaces clos et bondés, c'en était une tout autre. Il n'était pas claustrophobe. C'était plutôt l'impression de ne plus être libre qui le gênait. Il avait été confronté à ce genre de situation, se retrouvant plus d'une fois sous terre, mais c'était, entre autres raisons, à cause de cette impression désagréable que des années auparavant, lorsqu'il était entré dans la Navy, il n'avait pas postulé pour devenir sous-marinier, contrairement à son père.

« Monsieur Malone. »

Il se retourna.

La femme pointait un pistolet dans sa direction.

« Veuillez me donner cette enveloppe. »

2

L'amiral Langford C. Ramsey adorait s'adresser aux foules.

Il s'en était aperçu pour la première fois à l'École navale et, tout au long de ses quarante ans de carrière, il n'avait cessé de chercher des moyens de contenter ce désir. Aujourd'hui, il s'exprimait dans le cadre de la réunion nationale des Kiwanis américains, ce qui était assez inhabituel pour le chef du renseignement de la Navy. Il avait l'habitude d'évoluer dans un monde de faits, de rumeurs et de spéculations, et de ne s'adresser qu'au Congrès, à de très rares occasions. Mais récemment, avec l'accord enthousiaste de sa hiérarchie, il avait fait en sorte de se rendre un peu plus disponible. Sans frais, sans cachet et sans interdire à la presse l'accès à ces conférences. Plus grande était la foule, mieux c'était.

Et les personnes intéressées étaient légion.

C'était sa huitième allocution au cours du dernier mois.

« Je vais vous parler de quelque chose dont, j'en suis sûr, vous ne savez quasiment rien. Depuis longtemps, son existence a été tenue secrète. Je veux parler du plus petit sous-marin atomique des États-Unis. » Il scruta la foule attentive. « Vous êtes certainement en train de vous dire : "Le directeur du renseignement de la Navy ? Qui nous parlerait d'un sous-marin ultrasecret ? Il est timbré." »

Il acquiesça.

« C'est pourtant exactement ce que je me propose de faire. »

« Capitaine, on a un problème », dit le pilote de direction.

Ramsey somnolait derrière le siège du pilote de plongée. Le capitaine du sous-marin, assis à côté de lui, se redressa et considéra les moniteurs.

On pouvait voir des mines sur chaque écran vidéo.

« Sainte Marie mère de Dieu, murmura le capitaine. Halte. Ne bougez plus d'un cheveu. »

Le pilote obéit en appuyant sur une série de boutons. Ramsey avait beau n'être que lieutenant, il savait parfaitement que tout explosif immergé dans l'eau salée depuis trop longtemps devenait extrêmement sensible. Ils croisaient au fond de la Méditerranée, au large des côtes françaises, entourés par les vestiges de la Deuxième Guerre mondiale. Il suffisait que la coque frôle à peine l'une de ces sphères métalliques, et le NR-1 passerait aussitôt du statut « classé défense » à celui d'« inconnu au bataillon ».

Ce sous-marin était l'arme la plus perfectionnée de la Navy, imaginée par l'amiral Hyman Rickover, et conçue dans le plus grand secret pour un coût hallucinant de 100 millions de dollars. D'une longueur de 44 mètres pour une largeur de 4 mètres à peine, avec un équipage de onze hommes, ce sous-marin se distinguait tant par sa taille relativement petite que par l'ingéniosité de sa conception. Capable de plonger jusqu'à 3 000 pieds, il disposait d'un réacteur nucléaire hors du commun. Trois hublots permettaient une vision directe de l'extérieur. Des projecteurs permettaient l'emploi de caméras sous-marines. Une pince mécanique pouvait être utilisée pour récupérer divers objets. Un bras articulé pouvait être équipé de toute une gamme d'outils. Contrairement aux sous-marins d'attaque ou lanceurs d'engins, le NR-1 disposait d'un massif orange, d'un pont plat, d'un réceptacle de quille étrangement profilé et d'un certain nombre de curieuses protubérances, tels ses deux énormes pneus de poids lourd rétractables remplis d'alcool qui lui permettaient de rouler sur les fonds marins.

« Propulseurs d'étrave et d'étambot. Faites-nous descendre », ordonna le capitaine.

Ramsey comprit le but de la manœuvre. Le capitaine voulait maintenir la coque contre le fond océanique. Une excellente idée. Sur les moniteurs, les mines semblaient innombrables.

« Préparez-vous à chasser au ballast principal, ajouta le capitaine. Je veux que nous remontions complètement à la verticale. Sans roulis. »

Les hommes présents dans le central observèrent un silence absolu qui ne faisait qu'amplifier les gémissements des turbines, les souffles du système de ventilation, les grincements du système hydraulique et les signaux électroniques qui, plus tôt, avaient agi sur Ramsey comme un puissant sédatif.

« Maintenant, dit le capitaine. Tout doux. Équilibrez bien notre bestiau pendant l'ascension. »

Le pilote serrait les manettes de toutes ses forces.

Le sous-marin ne disposait pas d'une barre. Pour les commandes de direction, on avait récupéré les manches à balai d'avions de chasse. Ce détail résumait à lui seul le NR-1. Bien que sa conception et son moyen de propulsion eussent relevé de l'exploit technologique, la plupart de ses équipements tenaient plus de l'âge de pierre que de la conquête de l'espace. L'équipage préparait ses repas dans une mauvaise imitation de four utilisé sur les vols commerciaux. Le bras articulé était tout ce qui restait d'un autre projet de la Navy. Le système de navigation, inspiré de celui des avions de ligne transatlantiques, fonctionnait assez mal en immersion. Les quartiers de l'équipage étaient minuscules, les toilettes étaient constamment bouchées, et ils ne disposaient pour seule nourriture que de plats à réchauffer, achetés dans un supermarché juste avant de quitter le port d'attache.

« Le sonar ne nous avait pas signalé ces trucs avant qu'ils apparaissent ? demanda le capitaine.

— Aucun, répondit l'un des sous-mariniers. Ils ont simplement surgi de l'obscurité, comme ça, juste sous notre nez. »

L'air comprimé s'engouffra dans le ballast principal et le sous-marin amorça sa remontée. Le pilote tenait toujours aussi fermement ses manettes, prêt à tout moment à ajuster les propulseurs afin de maintenir le sous-marin en position.

Il leur fallait remonter d'une petite centaine de pieds à peine pour se tirer d'affaire.

« Comme vous le voyez, nous avons réussi à réchapper de ce champ de mines, dit Ramsey à son public. Cela s'est passé au printemps 1971. » Il acquiesça. « Vous avez raison. Ça remonte à longtemps. J'ai été l'un des rares hommes à avoir le privilège de servir son pays à bord du NR-1. »

Il observa les visages ébahis.

« Peu de personnes sont au courant de l'existence de ce sous-marin. Il a été conçu au milieu des années 1960 dans le plus grand secret, sans que la plupart des amiraux de l'époque en aient connaissance. Son équipement était hors du commun, et il pouvait plonger à une profondeur maximale trois fois supérieure à celle des autres sous-marins. Il n'avait pas de nom, pas d'armes, pas de torpilles, et aucun sous-marinier ne faisait officiellement partie de son équipage. Toutes les missions qui lui furent assignées sont, jusqu'à ce jour, classées "secret défense". Et le plus étonnant, c'est que ce navire est toujours opérationnel : il est à présent le deuxième submersible le plus vieux de la Navy, en activité depuis 1969. Il n'est cependant plus aussi secret qu'à l'époque. De nos jours, ses missions peuvent aussi bien être militaires que civiles. Dès qu'on a besoin d'yeux et d'oreilles tout au fond de l'océan, c'est le NR-1 qu'on dépêche. Vous vous souvenez de cette affaire, où l'on avait raconté que les États-Unis s'étaient branchés sur des câbles téléphoniques pour espionner le gouvernement soviétique ? C'était l'œuvre du NR-1. Lorsqu'un chasseur F-14 s'est abîmé en mer en 1976, avec un missile Phoenix, le NR-1 a récupéré cette arme avant que les Soviétiques ne puissent mettre la main dessus. Et à la suite de la catastrophe de *Challenger*, c'est le NR-1 qui ramena les restes du propulseur dont l'un des joints toriques fut le responsable de ce terrible accident. »

Rien de tel pour captiver son public qu'une histoire, et Ramsey en avait bon nombre au sujet de ce sous-marin. Loin d'être un chef-d'œuvre technologique, le NR-1 avait connu des avaries dès sa première plongée, et il n'avait dû sa survie qu'à l'ingéniosité de son équipage. Oubliez les routines : « innovation » avait été leur maître mot. Quasiment tous les officiers qui avaient servi à son bord avaient accédé au haut commandement des armées, Ramsey y compris. Il ne cachait pas sa joie de pouvoir enfin parler du NR-1, dans le cadre d'une opération séduction de la Navy afin d'attirer à elle de nouvelles recrues en faisant étalage de ses exploits et réussites. Les vétérans tels que Ramsey avaient un nombre incalculable d'histoires à raconter, et tous ceux qui les écoutaient, comme ces gens assis à leur table de petit déjeuner, les répéteraient mot pour mot sans se faire prier. La presse, qui, il le savait, était présente, assurerait une publicité plus large encore. « L'amiral Langford Ramsey, directeur du renseignement de la Navy, a révélé au cours d'un discours présenté à la réunion nationale des Kiwanis que… »

La conception qu'il se faisait de la réussite était toute simple.

C'était le contraire de l'échec, tout simplement.

Il aurait dû prendre sa retraite deux ans auparavant, mais il était l'homme de couleur le plus haut gradé de l'armée américaine, et le seul célibataire endurci à avoir atteint le grade d'amiral. Il avait tout planifié depuis si longtemps, progressant avec la plus grande circonspection. Son visage était toujours aussi calme que sa voix, son front ne se plissait jamais, et son regard doux restait franc et impassible en toutes circonstances. Il avait dressé le plan de sa carrière navale avec la précision d'un navigateur penché sur sa table à cartes. Il convenait que rien ne vienne entraver sa route, tout particulièrement alors que le but était en vue.

Il considéra à nouveau la foule et, d'une voix assurée, leur raconta d'autres histoires.

Un seul problème continuait à peser sur sa conscience.

Un nid-de-poule potentiel sur la route.

Garmisch.

3

GARMISCH

Malone observa le pistolet et garda contenance. Il s'était montré assez peu courtois avec Jessica. Et apparemment, il avait également un peu baissé sa garde. Il s'approcha, l'enveloppe à la main. « C'est ça que vous voulez ? Ce n'est rien d'autre que des brochures "Sauvons la montagne" que j'ai promis d'envoyer à mon groupe local Greenpeace. On a un petit budget pour les voyages à l'étranger. »

Le téléphérique poursuivait sa descente.

« Très amusant, répondit la femme.

— J'ai envisagé un temps de faire carrière dans le one-man show. Vous pensez que c'était une erreur ? »

C'était précisément à cause de ce genre de situation qu'il avait pris sa retraite. Avant imposition, un agent de l'unité Magellan gagnait 72 300 dollars par an. Après imposition, il gagnait plus que cela en tant que libraire. Et sans le moindre risque de ce type.

En tout cas, c'était ce qu'il croyait jusque-là.

Il fallait qu'il se remette à réfléchir comme avant.

Et tenter le tout pour le tout.

« Qui êtes-vous ? » demanda-t-il.

La femme était petite et trapue, et ses cheveux présentaient une combinaison assez malheureuse de brun et de roux. Une petite trentaine d'années. Elle portait un manteau de laine bleu et une écharpe dorée. L'homme était vêtu d'un manteau cramoisi et semblait être sous ses ordres. Elle remua son pistolet et lui ordonna : « Prends-la. »

L'homme s'avança et lui arracha l'enveloppe des mains.

Un bref instant, la femme regarda les escarpements rocheux qui défilaient à travers les vitres recouvertes de buée. Malone profita de l'occasion pour brandir son bras gauche et, d'un coup de poing, dévier la trajectoire du pistolet.

Elle tira.

La détonation bourdonna à ses oreilles et la balle traversa l'une des vitres.

Un vent glacial s'engouffra dans la cabine.

Il donna un autre coup de poing à l'homme, le déséquilibrant. D'une main gantée, il attrapa le menton de la femme et précipita sa tête contre une vitre. Le verre se fissura complètement, semblable à une toile d'araignée.

Les yeux de la femme se fermèrent, et il la laissa s'écrouler par terre.

L'homme au manteau cramoisi se releva d'un bond et se précipita dans sa direction. Tous deux percutèrent une paroi de la cabine et tombèrent sur le sol humide. Malone roula sur lui-même, tentant de se libérer d'un étranglement. Il entendit la femme grogner et comprit que, très vite, il aurait de nouveau affaire à deux adversaires, dont un armé. Il ouvrit les mains et les abattit de toutes ses forces sur les oreilles de l'homme. Au cours de ses classes dans la Navy, il avait appris que les oreilles faisaient partie des zones les plus sensibles du corps. Ses gants nuisaient un peu à l'efficacité de ses coups, mais, à la troisième reprise, l'homme geignit de douleur et relâcha son étreinte.

D'un coup de pied, Malone se débarrassa de son poids, pour se relever aussitôt. Avant qu'il ait pu réagir, l'homme enserra à nouveau sa gorge dans l'étau de son bras, pressant le visage de Malone contre l'une des vitres. La buée glaciale lui mordit la joue.

« Reste tranquille », ordonna l'homme.

Il tordait le bras de Malone dans un angle particulièrement inconfortable. Malone se débattit, mais l'homme était vraiment très fort.

« Je t'ai dit de rester tranquille. »

Malone décida de lui obéir.

« Panya, tu vas bien ? » L'homme tentait apparemment d'attirer l'attention de la femme.

Le visage toujours pressé contre le verre, Malone avait les yeux fixés droit devant, vers la destination du téléphérique.

« Panya ? »

Malone scruta l'un des chevalets d'acier qui soutenaient les câbles, à une quarantaine de mètres, et qui approchait rapidement. Il se rendit soudain compte que sa main gauche était plaquée contre ce qui, manifestement, était une poignée. L'homme l'avait apparemment immobilisé contre la portière de la cabine.

« Réponds-moi, Panya. Tu te sens comment ? Récupère le flingue. »

La pression exercée sur sa gorge était intense, autant que la clef de bras. Mais Newton avait raison. « À toute action est associée une réaction égale et opposée. »

Les bras maigres du chevalet d'acier seraient bientôt à leur hauteur. La cabine passerait tout près, assez près pour qu'on puisse toucher la structure du bout des doigts.

Il tira brusquement la poignée vers le haut, ouvrant la portière, et se laissa glisser à l'extérieur, dans le vent glacial des Alpes.

L'homme, surpris, fut projeté hors de la cabine, et son

corps percuta une saillie du chevalet. Malone s'agrippa de toutes ses forces, le bras passé entre la poignée et la portière. L'homme fut écrasé entre le chevalet et la cabine.

Il ne poussa qu'un cri fugace.

Malone réintégra l'intérieur de la cabine. Chaque bouffée expirée se transformait en un panache blanc. Sa gorge était aussi sèche qu'un désert.

La femme se releva au prix d'un grand effort.

Il lui décocha un coup de pied dans la mâchoire qui l'envoya au tapis.

Il chancela jusqu'à l'avant de la cabine et regarda en contrebas.

Deux hommes en pardessus noir se tenaient là où devait s'arrêter la cabine du téléphérique. Des renforts ? Trois cents mètres le séparaient encore du sol. Sous lui s'étendait une forêt dense qui remontait jusqu'aux pistes les plus basses de la montagne. Les branches vertes des conifères étaient chargées de neige. Il remarqua dans la cabine une console. Trois diodes vertes et deux rouges étaient allumées. Il regarda à nouveau par la vitre et vit approcher un autre chevalet d'acier. Il poussa le commutateur estampillé « ANHALTEN ».

La cabine tressauta, ralentit, mais ne s'arrêta pas complètement. Une fois de plus, l'inévitable Isaac Newton. La friction finirait d'elle-même par immobiliser la cabine.

Il prit l'enveloppe qui se trouvait à côté de la femme et la fourra dans son manteau. Il mit le pistolet dans sa poche. Il s'approcha ensuite de la portière et attendit d'arriver à hauteur du chevalet. La cabine avançait relativement lentement, mais, même ainsi, le saut était risqué. Malone estima la vitesse et la distance, se concentra et se lança en direction d'une des poutres en acier, mains en avant.

La neige crissa entre ses gants et la poutre.

Il s'accrocha de toutes ses forces.

La cabine poursuivit sa descente pour s'arrêter finalement trente mètres plus loin. Malone respira un peu, puis se rapprocha d'une échelle fixée à l'un des pieds du chevalet. Chaque mouvement soulevait des nuées de poudreuse qui flottaient dans l'air tel du talc. Arrivé à hauteur de l'échelle, il posa ses semelles de caoutchouc sur un barreau recouvert de neige. En contrebas, il vit les deux hommes en pardessus noir s'éloigner à toutes jambes de la station. Ça sentait le roussi, comme il s'y était attendu.

Il descendit jusqu'au bas de l'échelle et sauta au sol.

Il devait se trouver à cent cinquante mètres en haut de la piste forestière.

Il se fraya un chemin entre les arbres pour déboucher sur une route d'asphalte qui suivait le contour de la base de la montagne. Plus loin se trouvait un bâtiment en bois cerné de buissons enneigés. Sans doute une annexe d'exploitation agricole. La route poursuivait au-delà, totalement déneigée. Il s'approcha au pas de course de la barrière de la propriété. Un cadenas lui en interdisait l'accès. Il entendit le grondement d'un moteur qui descendait la côte d'asphalte. Il se cacha derrière un tracteur garé là et vit une Peugeot noire surgir d'un virage, et ralentir à hauteur de la barrière, sans doute pour inspecter alentour.

Pistolet au poing, Malone se prépara à une confrontation.

Mais la voiture reprit de la vitesse et poursuivit son chemin.

Il aperçut une autre route, plus petite, qui serpentait dans la forêt en direction de la vallée et de la station.

Il l'emprunta au pas de course.

Loin au-dessus de sa tête, la cabine du téléphérique restait immobile. À l'intérieur se trouvait une femme inconsciente vêtue d'un manteau bleu. Un cadavre vêtu d'un manteau cramoisi attendait quelque part en contre-bas, dans la neige épaisse.

Ni l'un ni l'autre n'avait la moindre importance aux yeux de Malone.

Ce qui en avait, c'était de découvrir qui était au courant de ce qui, en principe, ne regardait que Stéphanie Nelle et lui-même.

4

Stéphanie Nelle consulta sa montre. Elle avait commencé à travailler dans son bureau un petit peu avant 7 heures du matin, consultant les rapports de ses agents sur le terrain. Parmi les douze, huit étaient en ce moment en mission. Deux se trouvaient en Belgique, au sein d'une équipe internationale chargée de traîner des criminels de guerre en justice. Deux autres venaient d'arriver en Arabie Saoudite pour remplir une mission autrement plus délicate. Les derniers agents étaient éparpillés aux quatre coins de l'Europe et de l'Asie.

Une de ces agents était cependant en vacances.

En Allemagne.

À dessein, l'unité Magellan disposait d'effectifs restreints. En plus des douze avocats, le cabinet employait cinq assistants administratifs et trois secrétaires. Stéphanie Nelle avait insisté sur la nécessité de n'employer qu'un minimum de personnes. Un nombre minimal d'yeux et d'oreilles entraînait un nombre minimal de fuites d'informations, et, au long des quatorze ans d'existence de l'unité, la sécurité de l'organisation n'avait jamais été menacée, du moins à sa connaissance.

Elle se détourna de son ordinateur et s'adossa à son fauteuil.

Son bureau était simple et relativement petit. Rien de clinquant : cela n'était pas son genre. Elle avait faim, n'ayant pas pris de petit déjeuner avant de partir de chez elle, deux heures auparavant. À mesure que les années passaient, elle semblait se soucier de moins en moins de son alimentation. C'était dû en partie au fait qu'elle vivait seule, et en partie au fait qu'elle détestait cuisiner. Elle se résolut à aller grignoter quelque chose à la cafétéria. C'était de la nourriture d'entreprise, bien entendu, mais son estomac gargouillant exigeait qu'on l'apaise. Peut-être s'offrirait-elle le petit luxe d'un déjeuner dehors, plus tard dans la journée, des fruits de mer à la plancha, ou quelque chose du genre.

Elle quitta les bureaux sécurisés et se dirigea vers les ascenseurs. Le cinquième était occupé par le département de l'Intérieur des États-Unis, ainsi qu'une équipe du département de la Santé. L'unité Magellan avait été sciemment reléguée à un bout de couloir, avec pour seule enseigne des lettres tout à fait quelconques qui annonçaient : « département de la justice, cabinet d'avocats ». Cet anonymat plaisait à Stéphanie Nelle.

Les portes de l'ascenseur s'ouvrirent. Il en sortit un grand homme dégingandé, aux cheveux fins et gris, et aux yeux bleus.

Edwin Davis.

Il lui décocha un rapide sourire. « Stéphanie. Précisément la personne que je cherchais. »

Stéphanie Nelle fut aussitôt sur ses gardes. L'un des conseillers personnels du Président en matière de sécurité nationale. En Géorgie. Venu sans s'être annoncé. Tout cela ne présageait rien de bon.

« Et c'est un vrai plaisir de ne pas vous voir dans une cellule, pour une fois », ajouta Davis.

Elle se souvenait de la dernière apparition surprise de Davis.

« Vous alliez quelque part ? demanda-t-il.

— À la cafétéria.

— Ça vous pose un problème si je vous y accompagne ?

— Est-ce que j'ai vraiment le choix ? »

Il sourit. « Allez, ce n'est pas si terrible. »

Ils descendirent tous deux au deuxième étage et s'assirent à une table. Elle sirota un jus d'orange tandis que Davis se servait un verre d'eau minérale. Stéphanie Nelle avait perdu tout appétit.

« Pouvez-vous me dire pourquoi, il y a cinq jours, vous avez accédé au dossier d'enquête sur le naufrage de l'*USS Blazek* ? »

Le fait qu'il sache la décontenança, mais elle dissimula sa surprise. « J'ignorais que cette simple consultation alerterait la Maison Blanche.

— Ce dossier est classé "secret défense".

— Je n'ai enfreint aucune loi.

— Vous l'avez envoyé en Allemagne. À Cotton Malone. Avez-vous la moindre idée de ce que vous avez provoqué ? »

Ses sens étaient plus que jamais à l'affût. « Vos réseaux d'information sont vraiment excellents.

— C'est ce qui nous assure notre survie à tous.

— Cotton est habilité à consulter ce type de document classé.

— *Était habilité*. Il a pris sa retraite. »

Elle ne put contenir une certaine nervosité. « Ça ne vous a pas vraiment posé de problème lorsque vous l'avez mis dans ce pétrin en Asie centrale. J'imagine que tout cela était également classé "secret défense". Ça n'a pas non plus posé de problème lorsque le Président l'a mêlé à l'ordre de la Toison d'or. »

Le visage lisse de Davis se crispa, inquiet. « Vous ignorez encore ce qui s'est passé il y a moins d'une heure sur la Zugspitze, n'est-ce pas ? »

Elle pencha la tête, l'air interrogatif.

Il se lança dans un récit exhaustif, racontant comment un homme était tombé de la cabine d'un téléphérique, comment un autre en était sorti pour glisser le long d'un chevalet d'acier et comment on avait retrouvé une femme inconsciente dans la cabine arrivée à destination, avec une vitre percée d'un impact de balle.

« À votre avis, lequel de ces deux hommes est Cotton ? demanda Davis.

— J'espère qu'il s'agit de celui qui s'est enfui. »

Il acquiesça. « On a retrouvé le corps de celui qui est tombé. Ce n'était pas Malone.

— Comment savez-vous tout cela ?

— J'ai fait sécuriser toute la zone. »

La curiosité l'emporta un instant sur la nervosité. « Pourquoi ? »

Davis finit son eau minérale. « La façon soudaine avec laquelle Malone a quitté l'unité Magellan m'a toujours semblé curieuse. Douze ans de service et un retrait total des affaires.

— La mort de sept personnes à Mexico, voilà ce qui a brisé quelque chose en lui. Et c'est votre patron, le Président en personne, qui l'a autorisé à prendre sa retraite. Un retour de faveurs, si j'ai bonne mémoire. »

Davis semblait perdu dans ses pensées. « La monnaie courante en politique. Les gens pensent que c'est l'argent qui nourrit le système. » Il hocha la tête. « En réalité, ce sont les faveurs. Une faveur donnée est une faveur rendue. »

Elle surprit un ton étrange dans la voix de Davis.

« J'ai rendu une faveur à Malone en lui communiquant le dossier. Il veut en savoir plus sur son père…

— Cela ne vous concerne en rien. »

La nervosité de Stéphanie Nelle se changea en colère. « Je le croyais pourtant. »

Elle termina son jus d'orange en tentant de négliger la myriade de pensées inconfortables qui fusaient dans son esprit.

« L'affaire remonte à trente-huit ans », déclara-t-elle.

Davis sortit de sa poche une clef USB qu'il posa sur la table. « Avez-vous lu le dossier ? »

Elle hocha la tête. « Je n'y ai même pas jeté un œil. L'un de mes agents se l'est procuré et en a fait la copie qu'elle a communiquée. »

Davis pointa la clef USB. « Vous devez impérativement le lire. »

5

RAPPORT DE LA COMMISSION D'ENQUÊTE SUR LA DISPARITION DE L'*USS BLAZEK*

Au cours de la réunion de décembre 1971, et toujours en l'absence de la moindre trace de l'*USS Blazek*, la commission a jugé bon de ne se concentrer que sur les éléments les plus sûrs de l'affaire. Bien conscients du manque d'éléments tangibles, ses membres ont fait en sorte qu'aucune idée préconçue ne puisse influencer leur quête de la cause la plus vraisemblable de cette tragédie. Le caractère hautement confidentiel du sous-marin a rendu la tâche plus ardue encore, et tous les efforts ont été fournis afin de préserver le secret inhérent tant au navire qu'à son ultime mission. La commission, après avoir examiné l'ensemble des faits et circonstances connus liés à la disparition de l'*USS Blazek*, soumet ici son jugement :

Faits établis

1. Le terme « USS Blazek » est un nom d'emprunt. Le sous-marin qui fait l'objet de la présente enquête n'est autre que le NR-1A, en service depuis mai 1969. Ce navire est l'une des deux armes conçues dans le cadre d'un programme militaire classé « secret défense » visant à perfectionner la flotte des submersibles. Ni le

NR-1 ni le NR-1A ne portent de nom officiel. Suite à la tragédie et à l'inévitable attention du public qui en découla, un nom d'emprunt fut choisi. Le sous-marin garde cependant sa désignation officielle de NR-1A. Afin de faciliter le débat public, l'*USS Blazek* sera présenté comme un sous-marin hautement perfectionné, présent en Atlantique-Nord dans le cadre d'une opération test de sauvetage en immersion.

2. Le NR-1A était conçu pour une plongée maximale de 3 000 pieds. Les archives relatives au sous-marin indiquent la survenue d'une multitude de problèmes techniques au cours de ses deux années de service actif. Loin d'être considérés comme des défauts de fabrication, ces problèmes furent appréhendés comme des défis posés par sa conception révolutionnaire, qui repoussait la technologie des submersibles jusqu'à ses derniers retranchements. Le NR-1 a connu des incidents de nature similaire. Le fait que ce navire soit toujours en service ne vient que souligner l'importance de la présente enquête concernant l'identification de ces défauts et leur suppression.

3. Le réacteur nucléaire miniature présent à bord fut conçu à l'attention exclusive des deux navires de type NR. Bien qu'il s'agisse d'un prototype sans précédent, et problématique par définition, on n'a relevé aucun signe d'émanation radioactive lors du naufrage, ce qui semble indiquer qu'une déficience du réacteur n'est pas à l'origine du sinistre. Par ailleurs, les deux navires de type NR ont connu de nombreux incidents dus à leurs batteries.

4. Douze hommes se trouvaient à bord du NR-1A lors de son naufrage. Le capitaine de frégate Forrest Malone, commandant en chef du navire ; le capitaine de corvette Beck Stvan, second du commandant ; le capitaine de corvette Tim Morris, navigateur-timonier ; le technicien sonar et communication de première classe Tom Flanders ; le technicien nucléaire de première classe Gordon Jackson ; le technicien de première classe George Turner, affecté aux réparations du réacteur ; le technicien de deuxième classe Jeff Johnson, électricien de bord ; le technicien de deuxième classe Michael

Fender, électricien affecté aux communications internes ; le quartier-maître de première classe Mikey Blount, sonar et cuisinier ; le quartier-maître de deuxième classe Bill Jenkins, mécanicien de bord ; le quartier-maître de deuxième classe Dough Vaught, mécanicien affecté au réacteur ; et Dietz Oberhauser, expert scientifique.

5. Des signaux acoustiques attribués au NR-1A ont été interceptés par des bases en Argentine et en Afrique du Sud. Ces signaux et ces bases sont référencés en annexe (« Tableau historique du relevé des données acoustiques »). Le nombre d'événements sonores a été interprété par des experts comme le résultat d'une émission très puissante d'énergie, riche en basses fréquences et dénué de toute structure harmonique identifiable. Aucun des experts n'a pu déterminer s'il s'agissait d'une explosion ou d'une implosion.

6. Le NR-1A opérait sous la banquise antarctique. Sa mission étant des plus secrètes, son trajet et sa destination finale étaient inconnus du commandement de la flotte. Dans le cadre de la présente enquête, la commission fut informée des dernières coordonnées du NR-1A : 73 degrés sud, 15 degrés ouest, à environ 150 milles nautiques au nord du cap Norvegia. Le fait que le navire ait disparu dans des eaux fort mal connues a considérablement nui aux efforts fournis dans la quête de traces physiques. À ce jour, aucune épave n'a été retrouvée. Qui plus est, la surveillance acoustique sous-marine dans la zone Antarctique est minime.

7. Un contrôle poussé du NR-1, réalisé afin de déterminer quels dysfonctionnements flagrants étaient observables sur les navires jumeaux, a permis d'établir que les plaques négatives des batteries avaient été enrichies au mercure afin d'augmenter leur durée de vie. L'usage de mercure est interdit à bord des submersibles. Les raisons de la non-observation de cette règle demeurent obscures. Quoi qu'il en soit, si les batteries du NR-1A ont pris feu, ce qui, à en croire les archives des réparations, est déjà arrivé par le passé tant sur le NR-1 que sur le NR-1A, les vapeurs de mercure qui en ont résulté

ont très bien pu s'avérer fatales. Bien entendu, il n'existe aucune preuve de la survenue d'un incendie à bord ou d'un incident impliquant les batteries.

8. L'*USS Holden*, commandé par le capitaine de corvette Zachary Alexander, fut dépêché le 23 novembre 1971 sur la dernière position connue du NR-1A. Une unité spéciale de reconnaissance a déclaré n'avoir retrouvé aucune trace du NR-1A. Un balayage sonar approfondi s'avéra tout aussi improductif. Aucune radiation ne fut détectée. Soit, des recherches plus approfondies et plus complètes dans le cadre d'une opération de sauvetage auraient sans doute donné un résultat tout à fait différent, mais l'équipage entier du NR-1A avait signé avant de s'embarquer un ordre d'opération selon lequel, si une catastrophe devait survenir, aucune recherche ni aucune tentative de sauvetage ne serait lancée. L'accord pour cet acte extraordinaire fut donné par le chef des opérations navales sous couvert du « secret défense », ordre dont la présente commission a pu consulter une copie.

Conclusions

Le fait de n'avoir pas retrouvé le NR-1A ne saurait en aucun cas annuler l'obligation qui est la nôtre d'identifier et de corriger toute pratique, tout état de fait et/ou tout défaut existants et sujets à l'amélioration, le NR-1 étant toujours en service. Après avoir méticuleusement examiné les rares éléments mis à sa disposition, la commission déclare qu'il n'existe aucune preuve de la cause ou des causes de la disparition du NR-1A. Ces événements sont indéniablement tragiques, mais la position isolée du sous-marin lors du sinistre et la quasi-absence de repérage, de communications et d'aide terrestre rendent de fait purement spéculative toute conclusion que pourrait prononcer la présente commission quant à ce qui s'est véritablement passé.

Recommandations

Afin d'obtenir de nouvelles informations quant à la cause de cette tragédie, et afin de prévenir tout incident ultérieur dont pourrait pâtir le NR-1, un contrôle mécanique supplémentaire devra être entrepris en mettant à profit les techniques de pointe les plus poussées. L'objectif de ce contrôle sera de déterminer les mécanismes et éléments potentiellement défectueux, évaluer les conséquences qu'ils pourraient entraîner, obtenir de plus amples renseignements quant à une amélioration du projet de submersible, et, le cas échéant, élucider les raisons et circonstances précises de la disparition du NR-1A.

Malone était assis dans sa chambre, au deuxième étage de l'Hôtel de la Poste. Les fenêtres donnaient, au-delà de Garmisch, sur une superbe vue du massif du Wetterstein et de la Zugspitze. Mais ce pic distant ne faisait que lui rappeler ce qui s'était passé deux heures auparavant.

Il avait lu le rapport. À deux reprises.

Les règles en usage dans la Navy stipulaient qu'une commission d'enquête devait être réunie en cas de naufrage ou de sinistre en mer, une commission composée d'amiraux et chargée de découvrir la vérité.

Mais cette enquête n'avait été qu'un mensonge.

Son père n'avait pas péri en mission en Atlantique-Nord. L'*USS Blazek* n'existait même pas. En vérité, son père avait commandé un sous-marin ultrasecret, en Antarctique, poursuivant Dieu sait quelle mission.

Malone se souvint de ce qui s'était passé après l'annonce du naufrage.

Des navires avaient passé l'Atlantique-Nord au peigne fin, mais aucun débris n'avait été retrouvé. Les reporters avaient prétendu que l'*USS Blazek*, supposé être un submersible nucléaire, avait implosé au cours d'une mission d'entraînement au sauvetage en profondeur. Malone se souvint de ce que l'homme en uniforme (pas un vice-amiral sous-marinier, qui, comme il l'apprit plus tard, était le gradé censé annoncer la disparition d'un capitaine à l'épouse de celui-ci, mais un officier du Pentagone) avait dit à sa mère : « Ils se trouvaient en Atlantique-Nord, à une profondeur de 1 200 pieds. »

Ou bien il avait menti, ou bien c'était la Navy qui lui avait menti. Rien d'étonnant à ce que le dossier soit toujours classé secret.

Les sous-marins nucléaires américains ne coulaient que très rarement. Seuls trois s'étaient abîmés depuis 1945. Le *Thresher*, à cause d'une voie d'eau. Le *Scorpion*, à cause d'une explosion restée sans explication. Et le *Blazek*, pour une raison inconnue. Ou plutôt le NR-1A, pour une raison inconnue.

Toutes les coupures de presse qu'il avait relues avec Gary au cours de l'été parlaient de l'Atlantique-Nord. L'absence de débris avait été attribuée à la profondeur des eaux et au relief sous-marin, qui présentait une gorge encaissée. Ce détail l'avait toujours intrigué. La pression des profondeurs aurait dû faire céder la coque, remplissant d'eau l'intérieur du sous-marin : des débris auraient logiquement dû refaire surface. De plus, la Navy avait l'habitude de rester à l'affût du moindre son dans tous les océans. La commission d'enquête avait affirmé que des signaux acoustiques avaient été perçus, mais ces sons expliquaient bien peu et, de toute façon, ceux qui les avaient entendus étaient trop peu nombreux pour que cela ait la moindre importance.

Bon sang !

Malone avait servi dans la Navy, il s'était engagé de son plein gré, il avait promis de la servir et il avait tenu son serment.

Pas eux.

Lorsqu'un sous-marin s'était abîmé en Antarctique, aucune flottille n'avait passé les profondeurs de la zone au crible de ses sonars. Aucun témoignage, aucun graphique, aucun schéma, aucune lettre, aucune photographie, aucun ordre signé n'avait été réuni en vue de la constitution d'un véritable dossier d'enquête. Au lieu de tout cela, un simple navire, trois jours d'enquête, et un rapport de quatre pages qui ne valait même pas le papier sur lequel il avait été écrit.

Des cloches retentirent au loin.

Malone eut envie d'abattre son poing dans le mur. Mais à quoi cela l'aurait-il avancé ?

Il décida plutôt de se saisir de son téléphone portable.

6

Le capitaine Sterling Wilkerson, de l'US Navy, regardait à travers la fenêtre recouverte de givre de l'Hôtel de la Poste. Il avait pris discrètement position de l'autre côté de la rue, dans un McDonald's plein de clients. Dehors, les passants allaient et venaient à petits pas glissants, emmitouflés pour faire face au froid et à la neige qui tombait sans discontinuer.

Garmisch était un écheveau de routes embouteillées et de quartiers strictement piétonniers. L'endroit ressemblait assez à un village miniature dans la vitrine d'un grand magasin de jouets, avec ses chalets alpins nichés dans de la ouate, abondamment recouverts de flocons en plastique. Les touristes venaient ici pour l'ambiance du village et pour ses pistes de poudreuse. Lui était venu pour Cotton Malone. Un peu plus tôt, il avait vu l'ancien agent de l'unité Magellan, à présent libraire à Copenhague, tuer un homme, avant de sauter hors de la cabine du téléphérique, pour finalement rejoindre le plancher des vaches et s'enfuir dans sa voiture de location. Wilkerson l'avait pris en filature et, lorsque Malone s'était engouffré dans l'Hôtel de la Poste, il avait pris position de l'autre côté de la rue, agrémentant son attente d'une petite bière.

Il savait tout sur Cotton Malone.

Né en Géorgie. Quarante-huit ans. Ancien officier de la Navy. Diplômé de l'école de droit de Georgetown. Avocat de cour martiale de la Navy. Agent du département de la Justice. Deux ans auparavant, une fusillade à Mexico lui avait valu sa quatrième blessure dans l'exercice de ses fonctions, apparemment la limite à ne pas dépasser, puisque Malone avait opté pour une retraite anticipée que le Président lui avait personnellement accordée. Il avait quitté la Navy et avait déménagé à Copenhague, où il avait ouvert une librairie.

Tout cela, Wilkerson pouvait le comprendre.

Mais deux choses l'intriguaient.

Primo, le nom « Cotton ». Le dossier stipulait bien que le nom légal de Malone était « Harold Earl ». Aucune explication sur cet étrange surnom.

Et *secundo*, quelle importance avait réellement son père à ses yeux ? Ou, plus précisément, quelle importance avait le souvenir de son père à ses yeux ? Cela faisait à présent trente-huit ans que Forrest Malone était mort.

Cela avait-il encore la moindre importance ?

Apparemment oui : Malone avait tué afin de protéger ce que Stéphanie Nelle lui avait communiqué.

Il but une gorgée de bière.

Une bourrasque s'abattit dehors, soulevant une farandole de flocons de neige. Un traîneau coloré apparut, tiré par deux chevaux de trait. Les promeneurs se serraient sous de chaudes couvertures, tandis que le cocher donnait des coups secs sur les rênes.

Wilkerson comprenait tout à fait Cotton Malone.

Il lui ressemblait beaucoup.

Cela faisait trente et un ans qu'il était dans la marine. Rares étaient ceux qui accédaient au grade de capitaine, et plus rares encore ceux qui devenaient amiral. Depuis onze ans, il était affecté au service de renseignement de la Navy, les six dernières années à l'étranger, au poste de chef du bureau de Berlin. Ses états de service foisonnaient de missions très délicates, toutes couronnées de succès. Soit, il n'avait jamais bondi hors d'une cabine de téléphérique à trois cents mètres du sol, mais il avait affronté d'autres dangers.

Il jeta un coup d'œil à sa montre. 16 h 20.

La vie était belle.

Son divorce d'avec sa seconde épouse, l'année précédente, ne lui avait pas coûté trop cher. En fait, elle était partie assez discrètement. Il avait alors perdu une dizaine de kilos, avait ajouté un peu d'auburn sur ses cheveux blonds et paraissait à présent de dix ans plus jeune que ses cinquante-trois ans. Son regard était plus vif grâce à un chirurgien esthétique français qui avait gommé ses pattes-d'oie. Un autre spécialiste l'avait débarrassé de ses lunettes, tandis qu'un ami nutritionniste lui avait enseigné à rester plein de vigueur en suivant un régime végétarien. Son nez au dessin franc, ses joues lisses et ses paupières sans défaut seraient autant d'atouts lorsqu'il serait nommé amiral.

Amiral.

Tel était l'objectif.

Ce grade lui avait déjà été refusé par deux fois. Généralement, c'était le nombre maximal de demandes. Mais Langford Ramsey lui avait promis une troisième tentative.

Son téléphone portable se mit à vibrer.

« Malone a probablement fini de lire ce dossier, dit la voix lorsqu'il décrocha.

— De bout en bout, j'en suis sûr.

— Faites-le sortir de sa tanière.

— On ne presse pas ce genre d'hommes, répondit-il.

— Mais il est possible de les guider dans la bonne direction. »

Il ne put s'empêcher de faire remarquer :

« Cela fait mille deux cents ans que c'est caché…

— Raison de plus pour ne pas attendre une seconde de plus. »

53

Assise à son bureau, Stéphanie finissait de lire le rapport d'enquête de la commission. « Tout est faux ? »

Davis hocha la tête. « Le sous-marin était bien loin de l'Atlantique-Nord.

— Mais pourquoi avoir menti ?

— Rickover avait fait construire les deux navires NR. C'était ses bébés. Il leur a alloué une fortune au comble de la guerre froide, à une époque où personne n'hésitait une seconde à dépenser 200 millions de dollars pour dépasser d'une tête les Soviétiques. Mais il a bâclé le travail. La sécurité de l'équipage n'était pas sa première priorité, seuls les résultats importaient. Bon sang ! quasiment personne n'était au courant de l'existence de ces deux sous-marins. Mais le naufrage du NR-1A a soulevé des problèmes à plus d'un titre. À propos du sous-marin en soi. À propos de sa mission. Tout un tas de questions embarrassantes. Alors la Navy a décidé d'invoquer des raisons d'État et a concocté une histoire bidon.

— Ils n'ont envoyé qu'un seul navire rechercher d'éventuels survivants ? »

Davis acquiesça à nouveau. « Je suis d'accord avec vous, Stéphanie. Malone a le droit de consulter ce dossier, à tout point de vue. La question est de savoir si c'est vraiment une bonne chose. »

La réponse était évidente aux yeux de Stéphanie. « Bien sûr que oui. » Elle se souvenait des atroces questions sans réponse dont elle avait été la proie, à la suite du suicide de son époux et de la mort de son fils. Malone l'avait aidée à apaiser ces douleurs indicibles, et c'était précisément cette dette qu'elle avait rachetée.

Le téléphone de son bureau sonna : un membre de

l'unité l'informa que Cotton Malone était en ligne et qu'il demandait à lui parler.

Davis et elle échangèrent un regard surpris.

« Inutile de me regarder comme ça, dit Davis. Ce n'est pas moi qui lui ai passé ce dossier. »

Elle décrocha le combiné pour répondre. Davis pointa du doigt le petit haut-parleur. L'idée ne la réjouissait pas, mais elle activa le dispositif afin qu'il puisse entendre.

« Stéphanie. Je tiens à vous dire avant tout que je ne suis vraiment pas d'humeur à entendre des conneries.

— Moi aussi, ça me fait très plaisir de vous avoir au téléphone.

— Est-ce que vous avez lu ce dossier avant de me l'envoyer ?

— Non. » C'était la vérité.

« Nous sommes amis depuis un certain temps. Je vous suis très reconnaissant pour ce geste. Mais j'ai besoin d'autre chose encore, et j'aimerais que vous m'aidiez sans poser de question.

— Je croyais que nous étions quittes, objecta Stéphanie pour la forme.

— Vous mettrez ça sur mon ardoise. »

Elle savait pertinemment ce qu'il désirait.

« C'est à propos d'un navire militaire, dit-il. L'*USS Holden*. En novembre 1971, il a été dépêché en Antarctique. Je veux savoir si son capitaine est toujours en vie. Un homme du nom de Zachary Alexander. Si c'est le cas, je veux savoir où il se trouve. S'il a déjà poussé son dernier soupir, je veux savoir si l'un de ses seconds vit encore.

— J'imagine que vous n'allez pas m'expliquer pourquoi.

— Est-ce qu'à présent vous avez lu le dossier ? demanda Malone.

— Pourquoi cette question ?

— Je le sens dans votre voix. Vous savez donc pourquoi je veux ces informations.

— On m'a informée de ce qui est arrivé sur la Zugspitze. C'est à ce moment que j'ai décidé de consulter le dossier.

— Est-ce que vous avez des agents sur place ?

— Ce ne sont pas les miens.

— Si vous avez lu le rapport d'enquête, alors vous savez que ces fils de pute ont menti. Ils ont laissé le sous-marin en plan. Mon père et les dix hommes d'équipage sont restés au fond à attendre qu'on vienne les sauver. Et personne n'est venu. Je veux savoir pourquoi la Navy a agi de la sorte. »

Il était manifestement furieux.

Elle l'était aussi.

« Je veux parler avec au minimum un officier du *Holden*, dit-il. À vous de les retrouver.

— Vous rentrez au pays ?

— Dès que vous en aurez trouvé. »

Davis acquiesça pour lui exprimer son assentiment.

« Très bien. Je les localiserai. »

Toute cette mascarade commençait à lui peser. Edwin Davis était ici pour une bonne raison. Malone avait été manifestement dupé. Elle aussi, du reste.

« Autre chose, lança Malone, puisque vous êtes au courant pour le téléphérique. La femme qui se trouvait dans la cabine, je l'ai sacrément assommée, mais j'ai besoin de lui remettre la main dessus. Est-ce qu'on la retient en garde à vue ? Est-ce qu'on l'a laissée en liberté ? »

Davis articula sans le moindre son : « Vous le rappelez plus tard. »

C'en était assez. Malone était un ami. Il l'avait aidée lorsqu'elle en avait eu vraiment besoin : il était plus que temps de lui révéler ce qui se passait. Edwin Davis pouvait toujours aller au diable.

« Laissez tomber, déclara soudain Malone.

— Comment ça ?

— Je la retrouverai tout seul. »

7

De la fenêtre de sa chambre, Malone observa la foule du trottoir d'en face. La femme du téléphérique, Panya, marchait en direction d'un parking recouvert de neige, face à un McDonald's qui occupait un bâtiment de style bavarois. Seules une enseigne discrète, les deux arches jaunes et quelques décorations aux fenêtres signalaient la présence de la succursale.

Il lâcha les rideaux brodés. Que faisait-elle ici ? Avait-elle pris la fuite ? La police l'avait-elle laissée partir ?

Il attrapa sa veste de cuir, ses gants, et fourra dans une de ses poches le pistolet dont il l'avait soulagée. Il quitta sa chambre d'hôtel et descendit au rez-de-chaussée, prudent dans ses gestes, mais marchant d'un pas décontracté.

Dehors, l'air était aussi froid qu'à l'intérieur d'un congélateur industriel. La voiture qu'il louait se trouvait à quelques mètres de la porte de l'hôtel. De l'autre côté de la rue, il aperçut la Peugeot noire vers laquelle la femme s'était dirigée. L'automobile se préparait à quitter le parking, son clignotant droit enclenché.

Il bondit dans sa voiture et engagea la filature.

Wilkerson finit sa bière d'un trait. Il avait vu s'écarter les rideaux de la fenêtre du deuxième étage alors que la femme du téléphérique passait devant le McDonald's.

Le sens du timing, c'était véritablement l'essentiel.

Il avait cru que Malone ne se laisserait pas guider dans une direction.

Mais il s'était trompé.

Stéphanie était en rogne. « Je refuse de prendre part à tout cela, dit-elle à Edwin Davis. Je vais rappeler Cotton. Virez-moi si vous voulez. Je m'en contrefous.

— Ma présence ici n'a rien d'officiel. »

Elle le considéra d'un œil suspicieux. « Le Président n'est pas au courant ? »

Il hocha la tête. « Cette fois, c'est personnel.

— Il va falloir que vous m'expliquiez pourquoi. »

Elle n'avait travaillé directement avec Davis qu'une seule fois, et il ne s'était pas montré franchement communicatif. En fait, il avait même mis sa vie en péril. Mais elle avait fini par comprendre que cet homme était tout sauf un imbécile. Il avait deux doctorats, un en histoire américaine, l'autre en relations internationales, et possédait en outre des talents d'organisateur-né. Toujours courtois. Bon enfant. À l'image du président Daniels en personne. Elle avait constaté que tous, elle y compris, avaient tendance à le sous-estimer. Trois secrétaires d'État des États-Unis avaient eu recours à ses talents pour mettre en bon ordre leur département malmené. Il travaillait à présent pour la Maison Blanche, aidant l'administration à parcourir sans trop de problèmes les trois années qui les séparaient de la fin du dernier mandat du président Daniels.

Et voici qu'à présent ce bureaucrate de carrière violait ouvertement les règles du jeu.

« Moi qui croyais être la seule anticonformiste dans cette pièce, dit-elle.

— Vous n'auriez pas dû transmettre ce dossier à Malone. Mais lorsque j'ai appris que vous l'aviez fait, je me suis dit qu'un peu d'aide ne me serait pas inutile.

— À quel propos ?

— Au sujet d'une dette que j'ai contractée il y a un certain temps.

— Et que vous êtes à présent en mesure de rembourser, grâce au pouvoir et à l'influence que vous confère votre poste à la Maison Blanche.

— Quelque chose dans ce goût-là. »

Elle soupira. « Que voulez-vous que je fasse ?

— Malone a raison. Nous devons nous intéresser à l'*USS Holden* et à ses officiers de bord. Si certains d'entre eux sont toujours vivants, nous devons les localiser au plus vite. »

Malone suivait la Peugeot noire. Les montagnes en dents de scie, barrées de coulées de neige, se dressaient dans le ciel de part et d'autre de l'autoroute. Il venait de sortir de Garmisch, en prenant la direction du nord, grimpant une côte tout en zigzag. De grands arbres au tronc sombre conféraient au bas-côté une majesté certaine, que les rédacteurs de guides touristiques devaient avoir plaisir à décrire. L'hiver dans ces régions était connu pour ses longues nuits : il n'était pas encore 17 heures, et pourtant la lumière du jour avait déjà considérablement faibli.

Sur le siège passager, il attrapa une carte du coin et

constata que devant lui se trouvait la vallée de l'Ammer, qui s'étendait sur des kilomètres, à partir de la base de l'Ettaler Manndl, montagne d'un peu plus de 1 600 mètres. Un village marquait d'un point la carte, près de l'Ettaler Manndl, et Malone ralentit alors qu'il pénétrait dans ses environs.

Il aperçut sa proie se garer brusquement devant la façade blanche d'un édifice massif de deux étages, dont les lignes étaient régies par une puissante symétrie, qu'on retrouvait jusque dans les fenêtres gothiques. Une imposante coupole reposait en son centre, flanquée de deux petites tours, le tout recouvert d'une toiture de cuivre sombre et baignant dans la lumière de puissants projecteurs.

Gravé sur un panneau de bronze, on pouvait lire : « MONASTÈRE D'ETTAL ».

La femme quitta son véhicule et disparut dans l'ombre d'un portail en arc.

Il gara sa voiture et suivit ses pas.

L'air, nettement plus froid qu'à Garmisch, indiquait une altitude plus élevée. Il aurait dû enfiler un manteau plus chaud, mais il avait horreur de ces trucs. Le stéréotype de l'espion emmitouflé dans son trench-coat était tout à fait risible. Pas assez pratique. Il fourra ses mains dans les poches de sa veste en cuir et referma ses doigts sur le pistolet. La neige crissait sous ses pieds tandis qu'il empruntait un chemin de béton jusqu'à un cloître aussi grand qu'un terrain de rugby, entouré d'autres édifices baroques. La femme se hâtait sur un sentier en pente, en direction des portes d'une église.

Des gens y rentraient, d'autres en sortaient.

Il trotta pour la rattraper un peu, dans un silence que seuls brisaient le son des semelles battant les pavés gelés et le chant lointain d'un coucou.

Il pénétra dans l'église par un portail baroque coiffé d'un tympan complexe représentant un passage de la

Bible. Ses yeux furent immédiatement attirés par les fresques de la coupole, qui dépeignaient apparemment le paradis. Les murs intérieurs étaient puissamment décorés de statues de stuc, d'angelots, et de motifs complexes, aux riches teintes d'or, de rose, de gris et de vert, qui semblaient presque dotés de vie. Il avait déjà visité des églises rococo, certaines si surchargées que le bâtiment semblait s'effacer derrière les décorations, mais ce n'était pas le cas ici : les ornements étaient subordonnés à l'architecture.

Des visiteurs déambulaient, d'autres s'asseyaient sur les bancs. La femme qu'il suivait parcourut une quinzaine de mètres sur la droite, au-delà de la chaire, en direction d'un autre tympan ouvragé.

Elle le traversa et referma derrière elle une lourde porte de bois.

Malone s'arrêta pour passer en revue les possibilités qui s'offraient à lui.

Il n'avait pas le choix.

Il se dirigea vers la porte dont il saisit la poignée de fer. Les doigts de sa main droite se serrèrent plus encore sur le pistolet, qu'il préféra ne pas sortir de sa poche.

Il poussa et ouvrit la porte.

La pièce qui se trouvait derrière était moins grande, coiffée d'une voûte qui reposait sur des colonnes blanches et fines. De nouveaux éléments rococo semblaient jaillir des murs, mais avec un peu moins d'audace. C'était peut-être là la sacristie. Le mobilier n'était constitué que de deux armoires et deux tables. À côté de l'une de ces tables se tenaient deux femmes, celle du téléphérique et une inconnue.

« Soyez le bienvenu, *Herr* Malone, dit cette dernière. Je vous attendais. »

8

La maison était déserte, les bois avoisinants vides
d'âmes, et pourtant le vent chuchotait son nom sans relâche.

Ramsey.

Il s'arrêta.

Ce n'était pas tout à fait une voix, plutôt un murmure
porté par le vent d'hiver. Il avait pénétré dans la maison
par la porte de derrière, et se trouvait à présent dans un
salon spacieux, dont le mobilier était dissimulé sous des
couvertures d'un brun poussiéreux. Par les fenêtres du
mur opposé, on apercevait une vaste prairie. Ses jambes
restèrent immobiles, comme gelées, alors qu'il tendait
l'oreille. Il finit par se dire que personne n'avait prononcé son nom.

Langford Ramsey.

Était-ce bel et bien une voix, ou n'était-ce là que le
fruit de son imagination, influencée par ces lieux peu
rassurants ?

Son allocution face aux Kiwanis achevée, il avait
pris seul sa voiture pour se rendre dans la campagne

du Maryland. Il ne portait pas d'uniforme. Sa fonction de chef du renseignement de la Navy requérait de lui la plus grande discrétion, ce qui expliquait pourquoi il avait l'habitude de se passer tant de son costume officiel que d'un chauffeur. Dehors, l'absence de traces sur la terre gelée suggérait que personne n'avait visité les lieux récemment, et la clôture de barbelés avait rouillé depuis longtemps. La maison était une somme de bâtiments annexes, aux fenêtres brisées pour la plupart, et au toit percé d'un trou béant que personne n'avait apparemment tenté de combler. Elle devait dater du XIXe siècle, sans doute, une propriété jadis élégante, à présent sur le point de n'être plus qu'une ruine.

Le vent ne cessait de souffler. Les bulletins météorologiques indiquaient que la neige avait enfin décidé de se déplacer vers l'est. Il jeta un coup d'œil au plancher, tentant de déceler quelque empreinte sur la crasse, mais n'y vit que la marque de ses propres pas.

Un bruit retentit à l'autre bout de la maison. Un bris de verre ? Un cliquètement de métal ? Difficile à dire.

Finie la comédie.

Il déboutonna son pardessus et se saisit de son Walther automatique. Il s'avança prudemment vers la gauche. Le couloir qui lui faisait face était maculé d'ombres profondes, et un frisson le parcourut malgré lui. Il s'approcha à pas de loup du bout du couloir.

Un autre bruit retentit. Un grattement. Sur sa droite. Puis un autre bruit. Le frottement du métal sur le métal. Derrière la maison.

Apparemment, ils étaient deux à l'intérieur.

Il parcourut le couloir en silence, pressant le pas dans l'espoir de prendre l'avantage sur la personne qui n'avait de cesse de signaler sa présence par un raclement continuel.

Il inspira brièvement, positionna son pistolet et bondit dans la cuisine.

Sur le comptoir qui se trouvait à trois mètres, un chien releva les yeux dans sa direction. C'était un bâtard, aux oreilles rondes, à la robe fauve, plus claire en dessous, blanche au menton et à la gorge.

L'animal retroussa ses babines. Ses canines acérées apparurent, et ses pattes se raidirent.

Un aboiement retentit à l'autre bout de la maison.

Deux chiens ?

Le premier quitta le comptoir d'un bond et fila par la porte de la cuisine.

Ramsey se précipita vers le devant de la maison et eut tout juste le temps d'apercevoir l'autre animal s'enfuir par l'encadrement d'une fenêtre.

Il souffla un coup.

Ramsey.

On aurait dit que le vent s'agglomérait en voyelles et en consonnes pour parler. Les syllabes étaient faibles, à peine perceptibles. Mais elles étaient bel et bien audibles.

Ou n'était-ce là qu'une hallucination auditive ?

Ramsey se força à mépriser ces sons ridicules et quitta le salon principal pour suivre le couloir, passant devant plusieurs pièces aux meubles protégés par des couvertures et au papier peint gonflé par l'humidité. Un vieux piano reposait là sans protection. Des tableaux ne présentaient que le vide fantomatique des draps qui les recouvraient. Par curiosité, il en découvrit quelques-uns. Des gravures sépia de la guerre civile. L'une représentait Monticello, la demeure de Thomas Jefferson, l'autre Mount Vernon, celle de George Washington.

Dans la salle à manger, il ralentit le pas, imaginant un groupe d'hommes blancs, deux cents ans auparavant, se repaissant de steaks et de crumble. Avec peut-être en fin de repas un whisky-soda au salon. Une partie de bridge pour finir, tandis qu'un brasero chaufferait l'air de la pièce en y diffusant un parfum d'eucalyptus.

Alors qu'au même moment les ancêtres de Ramsey se trouvaient dehors, tremblant de froid dans les cases aux esclaves.

Il scruta un autre long couloir. La pièce qui se trouvait au bout l'attira à elle. Il inspecta le plancher, mais seule la poussière en recouvrait les lattes.

Il s'arrêta sur le seuil.

Une fenêtre en sale état donnait sur la prairie nue. Comme dans toutes les autres pièces, le mobilier était protégé, à l'exception d'un bureau. De l'ébène, ancien et abîmé, recouvert d'une couche de poussière grisbleu. Des bois de cerf en trophée étaient accrochés aux murs marronnasses, et des draps bruns dissimulaient ce qui semblait être une bibliothèque. De fines particules volaient dans l'air.

Ramsey.

Ce n'était pas le vent.

Il repéra l'origine du son, se précipita vers un fauteuil dont il tira le drap dans un nuage d'acariens et de poussière. Un lecteur-enregistreur cassette reposait sur la tapisserie du fauteuil, usée jusqu'à la trame. La bande magnétique était à mi-chemin.

Sa main se resserra sur son pistolet.

« Je vois que vous avez trouvé mon fantôme », dit une voix.

Il se retourna pour voir un homme sur le seuil. Petit, la quarantaine, un visage rond, une peau aussi blanche que la neige qui ne tarderait pas à tomber. Dans ses cheveux fins et noirs scintillaient quelques éclats argentés.

L'homme souriait. Comme toujours.

« À quoi bon toute cette mise en scène, Charlie ? demanda Ramsey en rangeant son pistolet.

— C'est bien plus marrant que de dire simplement "bonjour", et puis j'adore ces chiens. Ils ont l'air de bien se plaire, ici. »

Cela faisait quinze ans qu'ils travaillaient ensemble,

et Ramsey ne connaissait même pas son véritable nom. Il tenait à ce qu'on l'appelle Charles C. Smith Jr. et insistait sur le « Junior ». Ramsey avait un jour cherché à en savoir plus sur Smith Sr. et avait eu droit à une saga familiale de trente minutes, qui, il en était sûr, n'était qu'un ramassis de conneries.

« À qui appartient cet endroit ? demanda Ramsey.

— À moi, maintenant. J'ai acheté la propriété il y a un mois. Je me suis dit qu'un petit coin tranquille à la campagne était un sage investissement. Je pense à la retaper pour la louer. Je vais l'appeler Bailey Mill.

— Je ne vous paie pas assez ?

— Il faut savoir diversifier ses activités, amiral. On ne peut pas compter que sur quelques chèques pour vivre. L'investissement en Bourse, l'immobilier, voilà comment on se prépare de vieux jours à l'abri du besoin.

— Ça va vous coûter une fortune de réparer tout ça.

— Ce qui m'amène tout naturellement à vous faire part de cette note de service. Suite à une augmentation inattendue des prix du fioul domestique, à un dépassement des frais de déplacement, et à une hausse générale des frais généraux et des dépenses, nous sommes contraints d'augmenter légèrement le tarif de nos prestations. Bien que nous ayons à cœur d'assurer le meilleur des services à nos chers clients pour des prix minimaux, nos actionnaires exigent le maintien d'une marge de profits acceptable.

— Épargnez-moi vos salades, Charlie.

— En outre, cette propriété m'a coûté une fortune et j'ai besoin de plus de fric. »

Officiellement, Smith était un intervenant extérieur spécialisé dans les opérations de surveillance à l'étranger, là où les lois sur l'espionnage étaient moins strictes, tout particulièrement en Asie centrale et au Moyen-Orient. Aussi, Ramsey se moquait éperdument du prix que Smith demanderait. « Vous m'enverrez la facture. À présent, écoutez-moi bien. Il est temps d'agir. »

Il se félicitait que tout le travail en amont ait été réalisé au cours de l'année qui venait de s'écouler. Les dossiers avaient été constitués. Les plans dressés. Il avait toujours su qu'une occasion finirait par se présenter. Où et comment avait été les deux seules inconnues : il savait simplement que cela arriverait.

Et c'était arrivé.

« Commencez par la première cible, comme nous en sommes convenus. Puis partez plein sud et occupez-vous des deux autres, dans l'ordre établi. »

Smith lui adressa une révérence moqueuse. « Bien, capitaine Sparrow. Nous mettrons les voiles et suivrons la meilleure brise. »

Ramsey ignora la stupide remarque. « Aucun contact entre nous avant d'en avoir fini. Et le tout fait proprement, Charlie. Le plus proprement possible.

— Satisfait ou remboursé. La satisfaction du client est notre priorité. »

Certaines personnes savaient écrire des chansons, des romans, d'autres savaient peindre, d'autres encore sculpter ou dessiner. Smith savait tuer, avec un talent incomparable. Et s'il n'avait été le meilleur assassin qu'il ait jamais connu, Ramsey aurait abattu cet insupportable crétin depuis bien longtemps.

Il voulut cependant lui exposer clairement l'extrême gravité de la situation.

Aussi brandit-il son Walther dont il pressa le canon contre le visage de Smith. Ramsey mesurait bien quinze centimètres de plus que Smith. Il baissa donc les yeux pour lui dire : « Vous avez intérêt à ne pas tout faire foirer. J'ai écouté vos conneries, je veux bien vous laisser divaguer, mais ne faites pas tout foirer. »

Smith leva les mains, faisant semblant de se protéger. « S'il vous plaît, m'ame Scarlett, ne me frappez pas. S'il vous plaît, ne me frappez pas… » Sa voix était suraiguë, avec un accent populaire noir américain. Une imitation douteuse de Butterfly McQueen.

Ramsey était loin d'apprécier les blagues racistes : il maintint son pistolet contre la joue de Smith.

Celui-ci éclata de rire. « Oh, amiral, détendez-vous un peu ! »

Ramsey se demanda si quelque chose au monde pouvait déstabiliser cet homme. Il rangea l'arme à feu sous son manteau.

« J'ai néanmoins une question à vous poser, dit Smith. C'est très important. C'est quelque chose que je dois impérativement savoir. »

Ramsey attendit.

« Slip ou caleçon ? »

Assez. Il tourna les talons et quitta la pièce.

Smith éclata à nouveau de rire. « Allons, amiral. Slip ou caleçon ? Ou bien êtes-vous de ceux qui restent libres comme l'air ? CNN prétend que dix pour cent d'entre nous ne portent pas de sous-vêtements. Comme moi. Libre comme l'air. »

Ramsey se dirigeait vers la porte, sans se retourner.

« Que la Force soit avec vous, amiral, cria Smith. Un chevalier Jedi n'échoue jamais. Et ne vous inquiétez pas : ils seront tous morts avant que vous vous en avisiez. »

9

Malone parcourut la salle du regard. Chaque détail revêtait à présent une importance cruciale. Il fut alerté par une embrasure à sa droite ou, plus précisément, par les ténèbres impénétrables qui se trouvaient au-delà.

« Nous sommes seuls », dit sa singulière hôtesse. Son anglais était excellent, avec une légère touche d'accent allemand.

Elle fit un geste, et la femme du téléphérique s'avança vers lui avec un air satisfait. Il l'aperçut passer une main sur son visage, à l'endroit où le coup de pied qu'il lui avait donné avait laissé une ecchymose.

« J'aurai peut-être l'occasion de vous rendre la monnaie de votre pièce un de ces jours, lui dit-elle.

— J'ai l'impression que vous venez de le faire. Apparemment, je me suis fait piéger. »

Elle sourit, manifestement fière d'elle, puis quitta la pièce, en fermant la porte derrière elle.

Malone scruta l'inconnue restée seule avec lui. Elle était grande, athlétique, et ses cheveux blond cendré étaient coupés au sommet de la nuque, mettant en valeur son cou gracile. La douce patine de sa peau rosée ne présentait aucun défaut. Ses yeux avaient la couleur du café au lait, d'une teinte qu'il n'avait jamais vue auparavant, et il émanait de ce regard un charme qu'il eut le plus grand mal à ignorer. Elle portait un pull marron, un jean et un manteau de laine d'agneau.

Tout en elle sentait le privilège et les problèmes.

Elle était sublime et elle le savait.

« Qui êtes-vous ? demanda Malone en brandissant son pistolet.

— Je vous assure, je n'ai rien d'une menace. J'ai eu le plus grand mal à vous trouver.

— Si ça ne vous dérange pas trop, je vais garder mon pistolet : ça me rassure. »

Elle haussa les épaules. « Comme vous voudrez. Pour répondre à votre question, je m'appelle Dorothea Lindauer. J'habite près d'ici. Ma famille est bavaroise, descendante des Wittelsbach. L'une des plus illustres familles d'Oberbayern, la Bavière du Sud. Nous sommes intimement liés à ces montagnes, ainsi qu'à ce monastère. À tel point que les bénédictins nous permettent quelques libertés.

— Comme le meurtre d'un homme, et le fait d'amener le meurtrier jusqu'à leur sacristie ? »

Un pli délicat se dessina entre les sourcils de Dorothea Lindauer. « Entre autres. Mais c'est là une liberté assez inhabituelle, comme vous pouvez l'imaginer.

— Comment saviez-vous que je me trouverais sur cette montagne aujourd'hui ?

— J'ai des amis qui me tiennent au courant de ce genre de choses.

— Il me faut une réponse plus complète.

— L'histoire de l'*USS Blazek* m'intéresse. Moi aussi, je souhaite savoir ce qui est vraiment arrivé. Je suppose que vous avez déjà lu le dossier. Dites-moi, y avez-vous trouvé quelque chose d'intéressant ?

— Je vais vous laisser. » Il tourna les talons en direction de la porte.

« Vous et moi avons quelque chose en commun », dit-elle.

Il poursuivit son chemin.

« Nos pères respectifs se trouvaient à bord de ce sous-marin. »

Stéphanie appuya sur un bouton de son téléphone. Elle était toujours dans son bureau en compagnie d'Edwin Davis.

« C'est la Maison Blanche », l'informa son assistant.

Davis demeura silencieux. Elle répondit à l'appel.

« On dirait que les ennuis recommencent », tonna une voix dans le combiné et dans le haut-parleur qui permettait à Davis de suivre la conversation.

Le président Danny Daniels.

« Et qu'est-ce que j'ai fait, cette fois-ci ? répliqua-t-elle.

— Stéphanie, il serait beaucoup plus simple d'en venir directement au fait. » Une autre voix. Féminine. Diane McCoy. Une autre conseillère du Président en matière de sécurité. Elle était l'alter ego d'Edwin Davis, et pas dans les meilleurs termes avec Stéphanie.

« C'est-à-dire, Diane ?

— Il y a vingt minutes, vous avez téléchargé le dossier du capitaine Zachary Alexander. Officier de l'US Navy, à présent à la retraite. Ce que nous voulons savoir, c'est pourquoi les services de renseignement de la marine sont déjà en train d'enquêter au sujet de l'intérêt que vous portez à ce dossier, et pourquoi, quelques jours auparavant, vous avez autorisé la copie d'un dossier classé "secret défense", concernant la disparition d'un sous-marin, il y a de cela trente-huit ans.

— À mon avis, rétorqua Stéphanie, la seule vraie

question, c'est en quoi ça regarde les renseignements de la Navy ? C'est de l'histoire ancienne, après tout.

— Là-dessus, dit Daniels, nous sommes tout à fait d'accord. J'aimerais beaucoup avoir une réponse à cette question. J'ai consulté le dossier de l'officier auquel vous venez d'accéder et je n'y ai rien trouvé. Alexander a été un officier exemplaire qui a servi durant vingt ans, avant de partir à la retraite.

— Monsieur le Président, pourquoi vous penchez-vous sur cette affaire ?

— Parce que Diane est entrée dans mon bureau en me disant que nous devions vous appeler. »

Foutaises. Personne ne disait à Danny Daniels ce qu'il devait faire. Il avait été trois fois gouverneur, une fois sénateur, et avait réussi à se faire élire à deux reprises président des États-Unis. C'était tout sauf un imbécile, malgré ce que beaucoup croyaient.

« Avec tout le respect que je vous dois, monsieur le Président, j'ai eu le loisir de constater que vous n'agissez jamais que selon votre bon vouloir.

— C'est un des bons côtés de mon boulot. Quoi qu'il en soit, puisque vous ne voulez pas répondre à la question de Diane, voici la mienne. Savez-vous où se trouve Edwin ? »

Davis lui fit un signe de la main, lui indiquant de répondre négativement.

« Vous l'avez perdu ? »

Daniels gloussa. « Vous avez tenu tête à ce fils de pute de Brent Green et avez sauvé ma peau du même coup. Vous avez du cran, Stéphanie. Comme peu de personnes en ont. Mais dans le cas présent, nous avons un sérieux problème. Edwin a pris le large. Apparemment, c'est personnel, pour lui. Il a pris un congé de deux jours et a décollé hier. Diane pense qu'il est allé vous voir.

— Alors que je suis loin de l'apprécier. Il a failli me faire tuer à Venise.

72

— Le registre numérique des entrées indique qu'il est en ce moment même dans le bâtiment où vous vous trouvez, dit Diane McCoy.

— Stéphanie, reprit Daniels, quand j'étais gamin, un ami a raconté à l'institutrice que son père et lui étaient allés à la pêche et qu'ils avaient attrapé une perche de trente kilos en une heure. Notre maîtresse était loin d'être idiote et lui a répondu que c'était impossible. Afin d'apprendre à mon petit copain que c'était très vilain de mentir, elle lui a raconté à son tour qu'un ours avait voulu l'attaquer alors qu'elle se promenait dans les bois, et que l'animal avait finalement été mis en déroute par un tout petit chien, d'un simple aboiement. "Tu me crois ?" lui a demandé l'institutrice. "Bien sûr que oui, a répondu mon copain. C'était mon chien." »

Stéphanie sourit.

« Edwin est mon chien, Stéphanie. Ce qu'il fait me revient directement sur la tête. Et en ce moment même, il est en train de remuer quelque chose d'assez puant. Est-ce que vous pouvez m'aider sur ce coup ? Pourquoi vous intéressez-vous au capitaine Zachary Alexander ? »

C'en était assez. Elle était allée trop loin, pensant d'abord aider Malone, puis Davis. Elle décida de dire la vérité à Daniels. « Parce qu'Edwin m'a conseillée de m'y intéresser. »

Le visage de Davis se décomposa.

« Laissez-moi lui parler », demanda Daniels.

Elle tendit le combiné dans sa direction.

10

Malone faisait face à Dorothea Lindauer, attendant ses explications.

« Mon père, Dietz Oberhauser, se trouvait à bord de l'*USS Blazek* lorsqu'il a disparu. »

Il remarqua qu'elle ne faisait référence au navire que par son faux nom. Ou bien elle n'en savait pas long, ou bien elle tentait de le piéger. En tout cas, il y avait bien quelque chose de vrai dans ce qu'elle disait. Le rapport de la commission d'enquête citait un expert scientifique du nom de Dietz Oberhauser.

« Qu'est-ce que votre père faisait à bord ? » demanda-t-il.

Les traits de Dorothea Lindauer se radoucirent, sans que l'intensité de son regard envoûtant faiblisse pour autant. Elle lui rappelait Cassiopée Vitt, une autre femme qui avait réussi à le subjuguer.

« Mon père avait pour but de découvrir l'origine de toute civilisation.

— Rien que ça ? Je croyais qu'il s'agissait de quelque chose d'important.

— Je comprends bien, *Herr* Malone, que l'humour peut être utilisé pour désarmer son interlocuteur. Mais

74

mon père, comme c'est le cas pour le vôtre, je n'en doute pas, n'est pas un sujet de plaisanterie pour moi. »

Cotton ne fut pas désarçonné par sa remarque. « Répondez à ma question. Que faisait-il à bord ? »

Les joues de Dorothea Lindauer rougirent brièvement de colère, avant de reprendre leur couleur normale. « Je suis tout à fait sérieuse. Il se trouvait à bord dans le but de découvrir l'origine de toute civilisation. C'est là le mystère qu'il a tenté toute sa vie de résoudre.

— Je n'aime pas me faire mener par le bout du nez. J'ai tué un homme aujourd'hui à cause de vous.

— C'est sa faute. Il a commis un excès de zèle que personne ne lui demandait. Ou peut-être vous a-t-il sous-estimé. Quoi qu'il en soit, la façon dont vous vous êtes défendu a confirmé ce que j'avais entendu à votre propos.

— Le meurtre d'un homme est un sujet que vous semblez prendre à la légère. Pas moi.

— Pourtant, d'après ce que je me suis laissé dire, c'est quelque chose qui ne vous est pas étranger.

— Encore vos amis et leurs précieuses informations ?

— Ils n'en manquent pas, effectivement. » Elle indiqua la table d'un mouvement de la main. Il avait déjà remarqué auparavant l'ouvrage ancien qui reposait sur le vieux meuble de chêne. « Vous êtes libraire spécialiste en ouvrages anciens. Jetez donc un coup d'œil sur celui-ci. »

Il s'approcha en glissant le pistolet dans la poche de sa veste en cuir. Si cette femme avait voulu sa mort, elle s'y serait prise bien plus tôt.

L'ouvrage devait mesurer vingt-cinq centimètres sur quinze, pour un dos de cinq centimètres environ. Il chercha aussitôt à évaluer son origine. Couverture brune en veau. Un gaufrage sans dorure ni couleur. Un plat de derrière non ouvragé, qui indiquait son âge. Au Moyen Âge, les ouvrages étant rangés horizontalement, et non sur la tranche : leur partie postérieure restait assez neutre.

Il l'ouvrit précautionneusement et inspecta les pages de parchemin, dégradées et noircies par les siècles. D'étranges dessins en garnissaient les marges, et le corps du texte présentait un langage indéchiffrable qu'il ne parvint pas même à identifier.

« Qu'est-ce que c'est ?

— Permettez-moi de vous répondre en vous racontant ce qui arriva plus au nord, à Aix-la-Chapelle, un dimanche de mai, un millier d'années après Jésus-Christ. »

Les derniers obstacles au destin impérial d'Othon III étaient sur le point d'être écartés. Il se tenait à l'entrée de la chapelle du palais, un édifice sacré bâti deux cents ans plus tôt par l'homme dont il s'apprêtait à visiter la tombe.

« Voilà qui est fait, mon seigneur », déclara von Lomello.

Le comte était un personnage désagréable qui s'assurait que le palatinat restât en bon ordre en l'absence de l'empereur. Ce qui, dans le cas d'Othon, revenait à dire la plupart du temps. L'empereur n'avait que peu de goût pour les forêts germaniques, pas plus que pour les sources chaudes d'Aix-la-Chapelle, ses hivers rigoureux et ses us barbares. Il leur préférait la chaleur et la culture de Rome.

Les manouvriers soulevèrent du sol la dernière dalle brisée.

Ils ne savaient pas exactement où ils devaient creuser. La crypte avait été scellée depuis bien longtemps, et aucune marque n'avait été laissée pour indiquer son emplacement. Le but recherché avait alors été de préserver son auguste occupant des invasions vikings, et le subterfuge avait fonctionné à merveille. Lorsque les Normands avaient mis à sac la chapelle en 881, ils n'avaient rien trouvé. Mais von Lomello avait effectué des recherches avant l'arrivée d'Othon et avait réussi à localiser un endroit prometteur.

Et fort heureusement, le comte avait vu juste.

Othon n'avait aucun temps à gâcher en erreurs.

En vérité, c'était là une année d'apocalypse, la première du nouveau millénaire, celle où, selon beaucoup, le Christ reviendrait pour juger les hommes.

Les manouvriers s'attelèrent à leur tâche. Deux évêques assistaient à la scène, sans un mot. Le tombeau dans lequel ils s'apprêtaient à entrer était resté clos depuis le 29 janvier 814, le jour où mourut le sérénissime auguste couronné par Dieu, grand empereur qui maintient la paix, gouvernant l'Empire romain, roi des Francs et des Lombards par la grâce de Dieu. Il était d'une sagesse dépassant celle des hommes, faiseur de miracles, protecteur de Jérusalem, d'une clairvoyance de prophète, inflexible, et chef des évêques. Un poète avait déclaré que nul ne saurait s'approcher plus de l'esprit des apôtres que lui. De son vivant, on l'avait appelé Carolus. On lui avait associé l'épithète Magnus, d'abord en référence à sa grande taille, mais elle indiquait à présent sa magnificence. Son nom francisé était cependant le plus couramment utilisé, une contraction de Carolus et Magnus qu'on ne prononçait que tête baissée et à voix basse, comme s'il s'était agi du nom même de Dieu.

Charlemagne.

Les manouvriers s'extirpèrent du trou dans le sol, et von Lomello l'inspecta. Une étrange odeur s'en élevait, baignant l'entrée de la chapelle d'un parfum douceâtre, renfermé et nauséabond. Othon avait déjà senti de la viande décomposée, du lait tourné, des excréments humains. Cette pestilence était bien différente. C'était un air qui, depuis des siècles, protégeait des choses que les hommes n'étaient pas censés voir ou connaître.

On alluma une torche que l'un des manouvriers

plongea dans le trou béant. Il acquiesça alors, et on apporta une échelle de bois restée à l'extérieur.

C'était le jour de la Pentecôte, et, plus tôt dans la journée, la chapelle avait été remplie de fidèles. Othon était en pèlerinage. Il revenait à peine du tombeau de son vieil ami Adalbert, évêque de Prague, enterré à Gniezno, qu'Othon, en sa qualité d'empereur, avait élevé à la dignité d'archevêché. Et à présent, il s'apprêtait à contempler la dépouille mortelle de Charlemagne.

« J'entrerai en premier », déclara Othon aux autres.

Il avait vingt ans, était un véritable meneur d'hommes, fils d'un roi germanique et d'une princesse byzantine. Couronné empereur à son tour à l'âge de trois ans, il avait gouverné conjointement avec sa mère durant les huit premières années de son règne, et avec sa grand-mère au cours des trois ans qui avaient suivi. Depuis six ans, il régnait seul. Son objectif était de réaliser le renovatio imperii, la création d'un empire romain et chrétien qui regrouperait Teutons, Latins et Slaves, comme au temps de Charlemagne, sous la férule commune de l'empereur et du pape. Et ce qui se trouvait à ses pieds pouvait l'aider à faire de ce rêve une réalité.

Il posa le pied sur l'échelle, et von Lomello lui tendit une torche. Huit barreaux passèrent devant ses yeux avant qu'il eût atteint le sol. L'air y était douceureux et tiède, comme celui d'une grotte. L'odeur était si puissante qu'elle faillit lui faire tourner la tête, mais il resta maître de lui-même, se disant que c'était là l'odeur du pouvoir.

La flamme de la torche révéla une chambre de marbre et de mortier, de mêmes dimensions que l'entrée de la chapelle qui se trouvait au-dessus. Von Lomello et les deux évêques descendirent à leur tour le long de l'échelle.

C'est alors qu'il le vit.

Sous un dais, Charlemagne l'attendait, assis sur un trône de marbre.

Le cadavre était drapé de pourpre et tenait un sceptre dans sa main gauche gantée. Le roi était assis tel un vivant, une épaule contre le trône, la tête maintenue par une chaîne d'or accrochée à son diadème. Son visage était recouvert par une fine étoffe. La corruption de sa chair était évidente, mais aucune partie de son corps n'était tombée, à l'exception de l'extrémité de son nez.

Othon s'agenouilla, plein de déférence. Les autres ne tardèrent pas à l'imiter. Othon était en extase. Il n'avait espéré contempler pareil spectacle. Il avait entendu bien des contes au sujet de ce tombeau et n'y avait jamais prêté attention. Tout empereur avait besoin de légendes.

« On raconte qu'un morceau de la Croix est enchâssée dans le diadème », murmura von Lomello.

Othon connaissait cette rumeur. Le trône reposait sur une estrade de marbre sculptée de bas-reliefs. Des hommes. Des chevaux. Un char. Un chien infernal bicéphale. Des femmes portant des paniers de fleurs. Autant de motifs romains. Othon avait vu d'autres exemples de cette même magnificence en Italie. Il considéra leur présence en ces lieux, dans un tombeau chrétien, comme le signe que son rêve d'un nouvel empire était juste et bon.

Un bouclier et une épée avaient été posés de côté. Il connaissait l'histoire de ce bouclier. Le pape Léon en personne l'avait béni le jour où Charlemagne avait été couronné empereur, deux cents ans auparavant, et on y avait gravé le sceau royal. Othon avait déjà vu ce symbole dans des ouvrages de la bibliothèque impériale.

Othon se releva.

L'une des raisons pour lesquelles il était entré dans ce tombeau était de faire main basse sur le sceptre et la couronne. Lorsqu'il en avait conçu le projet, il ne s'attendait à n'y trouver rien d'autre que des ossements.

Mais ses espoirs se voyaient dépassés par la réalité.

Il remarqua sur les genoux de l'empereur des feuilles reliées entre elles. Prudemment, il approcha du dais et s'aperçut qu'il s'agissait de feuilles de parchemin enluminées, où les lettres et les illustrations, bien qu'estompées par le temps, étaient encore discernables. Othon se retourna vers les deux évêques : « Vous qui savez lire le latin, lisez donc ceci. »

L'un d'eux s'approcha en acquiesçant. Deux doigts gantés de Charlemagne indiquaient un passage du manuscrit ouvert.

L'évêque tendit le cou et examina les lettres. « Il s'agit de l'Évangile selon saint Marc.

— Lisez.

— "Quel profit, en effet, y a-t-il pour un homme à gagner le monde entier et perdre son âme ?" »

Othon posa un regard sombre sur le cadavre. Le pape lui avait dit que les symboles de Carolus Magnus seraient les outils parfaits pour ressusciter la splendeur du Saint Empire romain. Rien ne fortifiait mieux un pouvoir qu'un passé glorieux, et c'était bien ce qu'il avait sous les yeux. Éginhard avait décrit cet homme comme grand, puissant, à la forte carrure, au poitrail aussi large que celui d'un cheval de trait, aux yeux clairs, aux cheveux fauves, au teint rouge de santé, sans cesse actif, ne connaissant aucune fatigue, à l'énergie et au charisme tels que, jusque dans son dernier sommeil, il inspirait aux esprits timides et calmes une terreur respectueuse. Othon, face à Charlemagne, comprenait enfin la vérité de ces mots.

L'autre but de sa visite en ces lieux lui revint soudain en mémoire.

Il parcourut du regard l'ensemble de la crypte.

Sa grand-mère, morte quelques mois auparavant, lui avait conté l'histoire que son grand-père, Othon Ier, lui avait jadis narrée. Carolus Magnus avait ordonné que certaines choses le suivent jusque dans la tombe. Beaucoup savaient pour l'épée, le bouclier et le morceau de la Croix du Christ. Le passage de l'Évangile de saint Marc était cependant une véritable surprise.

Il l'aperçut soudain. Ce qu'il était réellement venu chercher. Reposant sur une table de marbre.

Il s'approcha, tendit la torche à von Lomello et considéra le petit ouvrage recouvert de poussière. Sur sa couverture se trouvait un symbole que sa grand-mère lui avait déjà décrit.

Avec mille précautions, il ouvrit le livre. Sur ses pages, il vit d'autres symboles, d'étranges dessins et des lettres indéchiffrables.

« Qu'est-ce, mon seigneur ? demanda von Lomello. Quel langage est-ce là ? »

En temps normal, Othon n'aurait pas souffert ces questions. Un empereur n'avait à répondre que devant Dieu. Mais la joie d'avoir trouvé ce dont sa grand-mère lui avait parlé, la joie de savoir que cet objet existait, le remplit d'un soulagement infini. Le pape était d'avis que sceptres et couronnes conféraient la vraie puissance, mais, à en croire sa grand-mère, ces mots singuliers et ces symboles recélaient une force bien supérieure.

Aussi, Othon répondit à von Lomello ce que sa grand-mère lui avait jadis répondu :

« C'est le langage du ciel. »

Malone écoutait d'une oreille sceptique.

« On raconte qu'Othon coupa ses ongles, prit une de ses dents, fit remplacer l'extrémité du nez manquant par de l'or et fit sceller le tombeau, conclut Dorothea Lindauer.

— À votre ton, j'ai l'impression que vous ne croyez pas à toute cette histoire.

— Le Moyen Âge est une époque pleine de mystères. Qui sait ? peut-être tout cela est-il vrai. »

Sur la dernière page du livre, il aperçut le même symbole que celui qui, à en croire Dorothea Lindauer, se trouvait sur le bouclier, dans le tombeau de Charlemagne : une curieuse combinaison des lettres K, R, L et S, assorties d'autres encore. Il lui demanda ce dont il s'agissait.

« C'est la signature complète de Charlemagne, répondit-elle. Le "A" de "Karl" se trouve au centre de la croix. Un clerc ajoutait de part et d'autre les mots *"Signum Caroli gloriosissimi regis"*, "monogramme du très glorieux roi Charles".

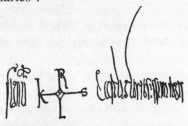

— Est-ce qu'il s'agit du livre qui se trouvait dans son tombeau ?

— Oui. »

11

ATLANTA, ÉTAT DE GÉORGIE

Stéphanie observa Edwin Davis remuer sur son siège, manifestement mal à l'aise.

« Edwin, parlez-moi, dit la voix de Daniels par le haut-parleur. Qu'est-ce qui se passe ?

— C'est assez compliqué.

— J'ai étudié à la fac. J'ai servi sous les drapeaux. J'ai été gouverneur et sénateur des États-Unis. Je crois être en mesure de comprendre même si c'est compliqué.

— Je dois m'occuper de cette affaire seul.

— Si ça ne tenait qu'à moi, Edwin, vous auriez mon feu vert, sans problème. Mais Diane est à deux doigts de faire une crise d'hystérie. Le service de renseignement de la Navy est en train de poser des questions dont nous ne connaissons pas les réponses. En temps normal, j'ai l'habitude de laisser les mioches régler leurs petits différends tout seuls dans le bac à sable, mais, maintenant qu'on m'a tiré par la manche jusqu'à l'aire de jeux, j'ai envie de savoir ce dont il retourne. Alors, qu'en est-il ? »

Stéphanie ne connaissait que très peu le conseiller adjoint chargé de la Sécurité nationale, et lui avait toujours vu une mine calme et placide. Ce n'était pas le cas à présent. Et s'il ne faisait aucun doute que Diane McCoy se serait délectée de l'anxiété de cet homme, c'était loin d'être le cas de Stéphanie.

« L'opération Highjump, lança Davis. Que savez-vous à son sujet ?

— OK, vous m'avez eu, répliqua le Président. Un point pour vous. »

Davis resta silencieux.

« J'attends vos lumières », dit Daniels.

L'an 1946 fut une année de victoire et de reconquête. La Seconde Guerre mondiale s'était achevée, et la face du monde en avait été changée pour toujours. D'anciens ennemis étaient devenus alliés. D'anciens alliés s'opposèrent. Les États-Unis d'Amérique, devenus l'une des plus grandes puissances mondiales, étaient à présent chargés d'une lourde responsabilité. La menace soviétique semblait dominer l'échiquier politique, et la guerre froide avait débuté. Cependant, d'un point de vue militaire, la marine américaine était en piètre état. Dans les grandes bases navales de Norfolk, San Diego, Pearl Harbor, Yokosuka et Quonset Point, tout n'était que ruine et désespoir. Les destroyers, les cuirassés et les porte-avions se contentaient de croiser dans des eaux désertes, au large de ports reculés. La Navy était sur le point de n'être plus que l'ombre de ce qu'elle avait été, ne fût-ce qu'un an auparavant.

En cette période de troubles, le chef des opérations navales émit une série d'ordres s'inscrivant dans le projet de développements antarctiques qui devait être conduit au cours de l'été austral, de décembre 1946 à mars 1947. L'opération Highjump fut menée par douze navires et plusieurs milliers d'hommes, dont la mission fut de se frayer un chemin dans les eaux glacées de l'Antarctique afin de s'entraîner et de tester du matériel en zone glaciaire; de déterminer la possibilité de l'établissement à court et long termes de bases en Antarctique et de chercher en conséquence d'éventuels sites appropriés; de développer des techniques pour établir et maintenir des bases aéronautiques sur la glace, en apportant une attention particulière à la possibilité d'appliquer ces techniques dans le cadre d'opérations au Groenland, où il avait été établi que les conditions physiques et climatiques étaient similaires à celles régnant en Antarctique; et, enfin, de parfaire les connaissances existantes quant aux conditions hydrographiques, géographiques, géologiques, météorologiques et électromagnétiques.

Les contre-amiraux Richard H. Cruzen et Richard Byrd, le célèbre explorateur connu sous le surnom d'Amiral de l'Antarctique, furent chargés de diriger l'opération sur le terrain. L'expédition serait divisée en trois unités. Le groupe central inclurait trois cargos, un sous-marin, un brise-glace, le navire amiral de l'expédition et un porte-avions à bord duquel se trouverait Byrd. Ce groupe aurait pour première mission d'établir la base antarctique Little America IV sur la banquise, dans la baie des Baleines. De part et d'autre se trouveraient le groupe est et le groupe ouest. Le groupe est, constitué d'un pétrolier, d'un destroyer et d'un transport d'hydravions, serait chargé de faire route jusqu'à la longitude 0. Le groupe ouest, composé d'une flotte similaire, se dirigerait pour sa part vers les îles Balleny, pour longer ensuite l'Antarctique par l'ouest jusqu'à rejoindre le groupe est. Si tout se passait comme prévu, l'Antarctique se verrait ainsi circonscrit. En l'espace de quelques semaines, on en apprendrait bien plus sur ce continent inconnu que ce que la précédente exploration avait permis de comprendre.

Quatre mille sept cents hommes prirent le large en août 1946. Au terme de sa mission, l'expédition avait *cartographié 5 400 milles de côte, dont 1 400 inconnus jusqu'alors. Elle découvrit vingt-deux chaînes monta-gneuses, vingt-six îles, neuf baies, vingt glaciers et cinq caps, tous inconnus, avec un total de près de soixante-dix mille photographies aériennes.*

Les machines furent testées jusqu'à leurs limites.

Quatre hommes périrent.

« Cette opération a littéralement ranimé la Navy, dit Davis. Ce fut un véritable succès.

— Et en quoi ça peut bien nous intéresser ? demanda Daniels.

— Saviez-vous que nous sommes retournés en Antarctique en 1948 ? Opération Windmill. Il semblerait que ces quelque soixante-dix mille photographies réali-sées au cours de l'opération Highjump aient été inutili-sables, pour la simple raison que personne n'avait pensé à disposer de repères géodésiques au sol afin d'interpréter les images. Celles-ci étaient blanches comme des feuilles vierges. Alors nous sommes retournés pour poser les repères.

— Edwin, dit Diane McCoy, où voulez-vous en venir ? Ça ne rime à rien.

— Nous dépensons des millions de dollars pour envoyer navires et soldats en Antarctique dans le but de faire des photos, sur un continent qui, nous le savons, est recouvert de glace, et pourtant nous ne disposons aucun repère durant l'opération ? Et nous n'envisageons même pas un instant que cela posera peut-être un problème ?

— Vous êtes en train de dire que l'opération Windmill avait un autre objectif ? demanda Daniels.

— Les deux opérations avaient un autre objectif. Dans ces deux expéditions se trouvait une petite unité de six hommes à peine. Spécialement entraînés, et avec une mission bien précise. Ils ont réalisé plusieurs sorties sur le continent antarctique. C'est précisément à cause de ce qu'ils y ont fait que le navire du capitaine Zachary Alexander a été dépêché en Antarctique en 1971.

— Son dossier personnel ne précise rien à propos de cette mission, dit Daniels. Rien à part le fait qu'il ait commandé l'*USS Holden* durant deux ans.

— Alexander a été envoyé en Antarctique afin de rechercher un sous-marin disparu. »

Le silence se fit à l'autre bout de la ligne.

« Le sous-marin d'il y a trente-huit ans, c'est ça ? finit par demander Daniels. Celui dont il est question dans le rapport d'enquête auquel Stéphanie a accédé ?

— Tout à fait, monsieur le Président. À la fin des années 1960, nous avons construit deux sous-marins dans le plus strict secret, le NR-1 et le NR-1A. Le NR-1 est toujours en activité, mais le NR-1A a disparu en Antarctique en 1971. Personne n'a été informé de cette catastrophe : l'histoire entière a été dissimulée. L'*USS Holden* a été le seul navire chargé de le rechercher. Le NR-1A était sous le commandement du capitaine de frégate Forrest Malone.

— Le père de Cotton ?

— Et en quoi cela vous regarde-t-il ? coupa Diane d'une voix dénuée d'émotion.

— L'un des membres d'équipage se nommait William Davis. Mon frère aîné. Je me suis juré que je tâcherais de découvrir ce qui lui est vraiment arrivé si j'occupais un jour un poste qui me le permettrait. » Davis observa une pause. « C'est le cas aujourd'hui.

— Et pourquoi le service de renseignement de la Navy s'intéresse-t-il autant à cette affaire ? demanda Diane.

— Ça ne vous paraît pas évident ? On a dissimulé les vraies circonstances du naufrage grâce à une campagne de désinformation. Ils n'ont rien fait pour retrouver le sous-marin, si ce n'est envoyer un seul navire. Imaginez un peu ce que les grandes chaînes de télévision feraient d'une telle information.

— Très bien, Edwin, dit Daniels. Vous avez réussi à démêler l'écheveau. 2 à 0 pour vous. Continuez sur cette piste. Mais restez loin de tout danger et ramenez vos fesses dans deux jours.

— Merci pour ce délai, monsieur le Président.

— Un dernier conseil, ajouta Daniels. Vous avez été le premier à découvrir le pot aux roses, mais trop d'empressement pourrait tout faire échouer. Un pas après l'autre, Edwin. »

Et il raccrocha.

« Diane doit être dans une rage folle, dit Stéphanie. Elle est complètement sur la touche, pour le coup.

— Je n'aime pas les bureaucrates ambitieux, marmonna Davis.

— Certains estiment que vous appartenez à cette espèce.

— Ils ont tort.

— J'ai l'impression que vous êtes seul face à l'adversité. L'amiral Ramsey des renseignements de la Navy doit être sur le qui-vive, prêt à protéger son corps d'armée à n'importe quel prix. Et comme bureaucrate ambitieux, on ne fait pas pire que lui. »

Davis se leva de son siège. « Vous avez raison, pour Diane. Il ne lui faudra pas longtemps avant de prendre connaissance du moindre détail de cette affaire, et le service de renseignement de la Navy lui emboîtera le pas. » Il pointa du doigt le document qu'ils avaient téléchargé et imprimé. « Voilà pourquoi nous devons nous rendre à Jacksonville, en Floride. »

Elle avait lu le document, et savait donc que c'était là où habitait Zachary Alexander. Mais elle voulait savoir : « Pourquoi "nous" ?

— Parce que le docteur Watson n'est pas disponible. »

Stéphanie sourit.

« Stéphanie, reprit Davis, j'ai besoin de vous. Vous vous rappelez ce que nous nous sommes dit à propos des faveurs ? Je vous en devrai une. »

Elle se leva à son tour. « Ça me va. »

Mais ce n'était pas pour cette raison qu'elle acceptait aussi facilement de l'aider, et son collègue l'avait sûrement bien compris. Le rapport d'enquête. Elle l'avait lu, suivant son injonction.

Aucun William Davis ne figurait dans la liste de l'équipage du NR-1A.

12

MONASTÈRE D'ETTAL

Malone admirait le livre qui reposait sur la table. « Cet ouvrage provient du tombeau de Charlemagne ? Il a plus de mille deux cents ans ? Si c'est vrai, il est dans un état remarquable.

— C'est une histoire très compliquée, *Herr* Malone. Une histoire qui s'est déroulée au cours de ces mille deux cents dernières années. »

Dorothea Lindauer aimait éviter les questions. « Essayez toujours de me la raconter. »

Elle désigna l'ouvrage. « Ce manuscrit vous dit-il quelque chose ? »

Il examina l'une des pages, recouverte de lettres singulières et d'illustrations représentant des femmes nues folâtrant dans des bassins, reliés entre eux par une tuyauterie dont l'aspect relevait plus de l'anatomie que de la plomberie.

Il feuilleta d'autres pages, rencontrant ce qui ressemblait à des diagrammes, à des objets célestes comme vus au télescope. Des cellules organiques telles qu'on pourrait les voir à travers un microscope. Des végétaux, au réseau de racines très complexe. Un étrange calendrier composé de signes zodiacaux, peuplé de petits personnages nus, dans ce qui évoquait des poubelles. Un nombre presque incalculable d'illustrations. L'écriture incompréhensible semblait avoir été ajoutée entre les dessins.

« C'est ce qu'Othon III appelait "le langage du ciel", dit Dorothea Lindauer.

— J'ignorais que le royaume des cieux avait besoin d'un langage. »

Elle sourit. « À l'époque de Charlemagne, le concept de "ciel" était bien différent. »

Il passa son index sur le symbole gaufré sur la couverture.

« Qu'est-ce que c'est ? demanda-t-il.

— Je n'en ai aucune idée. »

Il s'aperçut soudain de ce qui brillait par son absence dans le livre. Il n'y avait ni sang, ni monstres, ni créatures légendaires. Ni batailles ni violence. Ni symboles religieux ni marques du pouvoir séculier. En fait, rien qui fît référence à une façon de vivre familière : aucun outil, aucun meuble, aucun moyen de transport connu. Il se dégageait de toutes ces pages un sentiment d'étrangeté et d'atemporalité, comme si elles décrivaient un monde qui n'avait rien de commun avec le nôtre.

« J'aimerais vous montrer autre chose », dit Dorothea Lindauer.

Malone hésita.

« Allons, suivez-moi. Vous êtes habitué à ce genre de situations.

— Je suis libraire. »

Elle désigna l'embrasure sombre et béante, à l'autre bout de la salle chichement éclairée.

« Alors dans ce cas, prenez le livre et suivez-moi. »

Malone refusait de se faire manipuler aussi facilement. « Et si vous preniez le livre, plutôt, tandis que, moi, je tiendrai mon pistolet ? » Il ressortit l'arme de sa poche.

Elle acquiesça. « Si ça peut vous rassurer. »

Elle saisit le livre et il passa le seuil à sa suite. Un escalier de pierre s'enfonçait dans des ténèbres plus profondes, jusqu'à une autre embrasure, baignée de lumière artificielle.

Ils descendirent les marches.

En bas se trouvait un couloir long d'une quinzaine de mètres. Les murs étaient flanqués de portes de bois. Le couloir aboutissait à une autre porte.

« C'est une crypte ? » demanda Malone.

Dorothea Lindauer hocha la tête. « Les moines enterrent leurs morts dans le cloître, au-dessus. Ceci est une partie de l'ancienne abbaye, édifiée au Moyen Âge. On s'en sert aujourd'hui comme entrepôt. Mon grand-père a passé le plus clair de son temps ici au cours de la Deuxième Guerre mondiale.

— Il se cachait ?

— C'est une façon de voir les choses. »

Ils traversèrent le couloir éclairé par la lumière crue d'ampoules électriques. La porte du fond s'ouvrit sur une salle dont l'agencement rappelait celui d'un musée, emplie de curieux artefacts de pierre et de bois sculpté. Il devait bien en avoir quarante ou cinquante. Chacun était posé au centre d'une flaque de lumière, produite par un éclairage au sodium. Des stèles étaient alignées au fond de la salle, illuminées elles aussi d'en haut. Deux armoires de bois, peintes à la mode bavaroise, avaient été installées contre les murs.

Dorothea Lindauer désigna du doigt les motifs sculptés sur le bois, un assortiment d'arabesques, de croissants, de trèfles, d'étoiles, de cœurs, de losanges et de couronnes. « Ces pièces proviennent de pignons de fermes hollandaises. Beaucoup appellent cela de l'art populaire. Mon grand-père croyait que ces formes étaient culturellement bien plus importantes, et que leur véritable signification s'était perdue à travers les âges. C'est ce qui l'a poussé à en faire l'acquisition.

— À la suite de la défaite de la Wehrmacht ? »

Malone surprit la colère fugace qui passa dans son regard. « Mon grand-père était un scientifique, pas un nazi.

— Beaucoup ont dit la même chose pour leur défense. »

Elle fit mine d'ignorer la pique. « Que savez-vous au sujet des Aryens ?

— Je sais que ce nom existait avant que les nazis l'utilisent.

— Vos connaissances sont proprement stupéfiantes, comme on m'en avait informée.

— Vous vous êtes extrêmement bien renseignée sur mon compte.

— Et je suis convaincue que vous en ferez de même à mon sujet, si vous décidez que le jeu en vaut la chandelle. »

Elle venait de marquer un point.

« La théorie de l'existence des Aryens, reprit-elle, en tant que groupe ethnique d'individus grands, minces et musclés, aux cheveux blonds et aux yeux bleus, remonte au XVIIIe siècle. C'est à cette époque qu'un juriste britannique de la Cour suprême d'Inde remarqua des similarités entre plusieurs langues anciennes. En étudiant le sanskrit, il trouva cette langue fort similaire au grec et au latin. Il choisit le mot *arya*, "noble" en sanskrit, pour désigner divers dialectes indiens. Par la suite, d'autres philologues remarquèrent des ressemblances entre le sanskrit et d'autres langues, et utilisèrent le terme "aryen" pour désigner ce groupe linguistique.

— Vous êtes linguiste ?

— Pas vraiment, non, mais mon grand-père savait tout cela. »

Elle désigna alors l'une des stèles de pierre. On pouvait y voir, gravée, l'image d'un être humain sur des skis. « Ceci vient de Norvège. C'est probablement vieux de quatre mille ans. Ces autres stèles viennent de Suède. Des cercles, des disques, des roues, tous gravés. Mon grand-père considérait que c'était là le langage des Aryens.

— Ça n'a ni queue ni tête.

— C'est vrai. Mais il y a pire. »

Elle lui raconta alors l'histoire d'un peuple de guerriers qui jadis auraient vécu en paix dans une vallée himalayenne. Un événement, dont le souvenir se serait perdu avec le temps, les aurait forcés à renoncer à leur vie pacifique au profit d'une existence belliqueuse. Certains seraient partis au sud et auraient conquis l'Inde. D'autres auraient déferlé vers l'ouest jusqu'aux forêts froides et pluvieuses du nord de l'Europe. En chemin, leur langage se serait mêlé à ceux des indigènes, ce qui expliquerait les ressemblances entre langues différentes. Ces envahisseurs himalayens n'avaient pas de nom. En 1808, un critique littéraire allemand leur en donna finalement un : les Aryens. Puis un auteur allemand, sans la moindre qualification d'historien ou de linguiste, associa les Aryens aux Scandinaves et aux Germains, au point de les indifférencier. Il écrivit à ce sujet plusieurs ouvrages qui furent de véritables best-sellers en Allemagne dans les années 1920.

« Tout ceci n'est que pure aberration, conclut Dorothea Lindauer. Cette théorie ne repose sur aucun fait avéré. Les Aryens dont nous parlons ici sont donc essentiellement un peuple mythique dont l'histoire fut créée de toutes pièces, et dont le nom fut emprunté. Mais dans les années 1930, les nationalistes s'emparèrent de cette thèse aussi farfelue que typiquement romantique. Les mots "Aryen", "Scandinave" et "Allemand" devinrent bientôt synonymes dans la vie quotidienne. Aujourd'hui encore, l'équivoque est grande. L'image d'un peuple aryen, blond et conquérant, a fait vibrer une corde sensible chez les Allemands : leur vanité. Et c'est ainsi que ce qui n'avait été qu'une théorie linguistique inoffensive s'est transformé en un instrument de mort au service d'une idéologie raciste, et a poussé une partie des Allemands à faire des choses qu'ils n'auraient jamais osé faire autrement.

— C'est de l'histoire ancienne, dit-il.

— Je vais vous montrer quelque chose qui n'en est pas. »

Elle le conduisit jusqu'à un piédestal sur lequel se dressaient quatre bris de pierre sur lesquels était gravé quelque chose. Malone s'accroupit pour examiner ces lettres.

« Cela ressemble au texte du manuscrit, commenta-t-il. On dirait le même alphabet.

oⵏⵛⵛⵛo ðawⵏ ⵛⵏⵏg gⵏⵛⵛⵛⵛⵛⵛⴼ

— C'est effectivement le même », répondit-elle.

Malone se releva. « Des runes scandinaves ?

— Ces pierres proviennent d'Antarctique. »

Le livre. Les pierres. Le mystérieux manuscrit. Son propre père. Le père de cette inconnue. NR-1A. L'Antarctique. « Que voulez-vous au juste ?

— Mon grand-père y a trouvé ces pierres et les a ramenées. Mon père a passé sa vie à tenter de les déchiffrer. » Elle brandit alors l'ouvrage : « Ainsi que ce texte. Tous deux étaient des rêveurs impénitents. Mais pour que je comprenne ce pour quoi ils sont morts, et pour que vous compreniez pourquoi votre père est mort, nous devons tous deux résoudre ce que mon grand-père appelait *Das Rätsel Karls des Grossen*. »

Malone traduisit *in petto*. Le Mystère de Charlemagne.

« Qu'est-ce qui vous dit que tout cela est lié au sous-marin ?

— Mon père ne se trouvait pas à bord par hasard. Il était pleinement impliqué dans cette expédition. En fait, il était la raison même de la formation de cette expédition. J'ai tâché durant des décennies d'obtenir une copie du rapport secret concernant l'*USS Blazek*, mais en vain. Et vous êtes à présent en sa possession.

— Et vous ne m'avez toujours pas expliqué comment vous l'avez appris.

— J'ai mes sources au sein même de la Navy. Celles-ci m'ont dit que votre ancienne patronne, Stéphanie Nelle, s'était procuré ce rapport et vous en avait communiqué un exemplaire.

— Ça n'explique toujours pas comment vous avez su que je me trouverais sur cette montagne aujourd'hui.

— Et si nous laissions cette question en suspens, pour l'instant ?

— Vous avez chargé cet homme et cette femme de me voler la copie du rapport ? »

Dorothea Lindauer acquiesça.

Malone avait beau ne pas aimer ses grands airs, il était bien obligé de reconnaître qu'elle avait éveillé sa curiosité. Il se trouvait sous une abbaye bavaroise, entouré d'une collection d'objets anciens et de pierres recouvertes d'étranges symboles, et venait de feuilleter un ouvrage illisible censé provenir du tombeau de Charlemagne. Si tout ce que Dorothea Lindauer venait de lui dire était vrai, il se pourrait bien que cela ait un lien avec la mort de son père.

Mais s'allier avec cette femme, c'eût été de la folie.

Il n'avait pas besoin d'elle. « Sans vouloir vous froisser, je vais décliner votre offre. » Il tourna les talons.

« Je suis du même avis que vous, lui dit-elle alors qu'il se dirigeait vers la porte. Vous et moi n'aurions pas pu travailler ensemble. »

Il marqua le pas et se retourna pour mettre les choses au clair une bonne fois pour toutes. « Ne vous avisez plus de me chercher des poux.

— *Auf Wiedersehen, Herr Malone.* »

13

Wilkerson se tenait sous les branches recouvertes de neige d'un hêtre et observait la librairie. Elle était située au milieu d'une arcade qui accueillait diverses boutiques pittoresques, à la limite du quartier piétonnier, non loin d'un marché de Noël en pleine effervescence, où la foule des badauds et l'éclairage des échoppes formaient une oasis de chaleur au cœur de cette nuit d'hiver froide et venteuse. Les bourrasques portaient des arômes de cannelle, de pain d'épice et d'amandes pralinées, ainsi que l'odeur de *Schnitzel* et de *Bratwurst*. Du sommet d'une église, un ensemble de cuivres jouait tant bien que mal du Bach.

Des lampions illuminaient la vitrine de la librairie, indiquant que son propriétaire attendait comme convenu. La vie de Wilkerson était sur le point de changer. Son supérieur direct, Langford Ramsey, lui avait promis qu'à son retour d'Europe une étoile d'or l'attendrait.

Mais il se méfiait de Ramsey.

C'était le problème, avec les Noirs. On ne pouvait pas leur faire confiance. Il se rappelait. Il avait alors neuf ans, il vivait dans un petit village dans le sud du Tennessee, où les usines de tapis du coin permettaient à des hommes tels que son père de gagner leur croûte. Là où jadis Blancs et Noirs avaient vécu séparément, des changements sociaux et politiques les avaient forcés à vivre ensemble. Il jouait sur le tapis du salon, une nuit d'été, tandis qu'une foule de voisins s'était réunie dans la cuisine. Il s'était approché à pas de loup jusqu'à la porte et avait entendu toutes ces personnes débattre de leur avenir. Il avait eu du mal à comprendre pourquoi ils étaient en colère, aussi, dès le lendemain, alors qu'il jouait avec son père dans le jardin, il lui avait demandé de lui expliquer.

« Ils détruisent notre quartier, fiston. Les Nègres n'ont pas à vivre dans le coin. »

Il réunit tout son courage et demanda : « Mais, c'est pas nous qui avons commencé en allant les chercher en Afrique pour les amener ici ?

— Et puis quoi ? Tu voudrais qu'on s'excuse, peut-être ? Ils ont pas besoin de nous pour se faire du mal, fiston. À l'usine, y en a pas un qui arrive à garder son boulot. Tout ce qui les intéresse, c'est de tout prendre aux Blancs. Les braves gens comme moi, et comme tout le reste du quartier, on a bossé toute notre vie, et voilà qu'ils arrivent pour tout détruire. »

Il se souvint de la nuit passée et de ce qu'il avait entendu. « Les voisins et toi, vous allez acheter la maison au bout de la rue et la démolir pour pas qu'ils viennent vivre ici ?

— Ça me semble bien être la meilleure chose à faire.

— Et vous allez acheter toutes les maisons de la rue pour les démolir aussi ?

— S'il le faut. »

Son père avait raison. On peut pas leur faire confiance. Surtout pas à un Noir qui avait réussi à se hisser au grade d'amiral de l'US Navy et au poste de directeur du service du renseignement de la marine.

Mais Wilkerson n'avait pas vraiment le choix. Pour devenir lui aussi amiral, il devait obligatoirement passer par Langford Ramsey.

Il jeta un coup d'œil à sa montre. Un coupé Toyota alla se garer à deux boutiques de la librairie. Une vitre se baissa et le conducteur fit un signe.

Wilkerson enfila ses gants de cuir et se dirigea vers la porte de la librairie. Une légère tape, et le libraire ouvrit le loquet. Wilkerson entra dans un tintinnabulement de clochette.

« *Guten Abend, Martin* », dit-il à un homme petit et gros, à la moustache noire et broussailleuse.

« Heureux de vous revoir », répondit l'homme en allemand.

Il portait le même nœud papillon et les mêmes bretelles que lors de leur première entrevue, plusieurs semaines auparavant. Sa boutique était une collection hétéroclite d'anciens ouvrages et de nouveautés, avec une nette spécialisation au rayon « occultisme ». Il était en outre réputé pour être un intermédiaire très discret.

« Je suppose que votre journée a été bien chargée ? lança Wilkerson.

— En réalité, elle a été assez calme. Peu de clients, mais il est naturel qu'avec toute cette neige et le marché de Noël de ce soir les gens n'aient pas vraiment la tête à acheter des livres. »

Martin referma la porte et poussa le verrou.

« Dans ce cas, je vais apporter une note finale plus joyeuse à votre journée. Je viens mettre un terme à nos affaires. »

Durant les trois derniers mois, le libraire avait joué son rôle, accumulant tout un éventail de livres rares et de journaux très différents bien que traitant tous du même sujet, et ce, il fallait l'espérer, sans attirer l'attention de personne.

Wilkerson suivit Martin au-delà d'un rideau usé jusqu'à la trame pour se retrouver dans l'arrière-boutique. Lors de sa première visite, il avait appris que ce bâtiment avait jadis accueilli une banque, au début du XXe siècle. Il était resté de cette époque une chambre forte : Wilkerson observa le libraire qui composa la combinaison, fit glisser les puissants verrous et ouvrit la lourde porte d'acier.

Martin entra et tira sur la chaînette d'une ampoule. « J'ai passé le plus gros de ma journée à mettre tout ça en ordre. »

Des cartons étaient empilés au centre de la chambre forte. Wilkerson inspecta le contenu de celui qui se trouvait au sommet. Des exemplaires de *Germanien*, une revue mensuelle d'archéologie et d'anthropologie publiée par les nazis dans les années 1930. Dans un autre carton se trouvait une série d'ouvrages reliés de cuir intitulés *Société d'étude et d'éducation, l'Ahnenerbe : Évolution, essence, effet.*

« Ces volumes furent offerts par Heinrich Himmler à Hitler, le jour du cinquantième anniversaire de ce dernier, fit remarquer Martin. Je ne suis pas peu fier d'avoir réussi à les trouver. Et pour une somme relativement modeste. »

Les autres cartons recélaient d'autres journaux, des lettres, des traités, des articles, remontant à avant, pendant et après la Deuxième Guerre mondiale.

« J'ai eu la chance de tomber sur des acheteurs qui demandaient du liquide. Ils sont de plus en plus rares. Ce qui nous amène tout naturellement à la question de mon salaire. »

Wilkerson tira de la poche intérieure de son manteau une enveloppe qu'il tendit au libraire. « 10 000 euros, comme convenu. »

Le libraire compta les billets, sans dissimuler sa joie.

Ils quittèrent la chambre forte et se dirigèrent vers la boutique à proprement parler.

Arrivé à hauteur du rideau, Martin se retourna soudain pour pointer un pistolet en direction de Wilkerson. « Je ne suis pas un amateur. Mais apparemment, la personne qui vous emploie est convaincue que c'est le cas. »

Wilkerson tâcha de dissimuler sa confusion.

« Ces hommes, dehors. Que font-ils ici ?

— Ils sont là pour m'aider.

— J'ai fait ce que vous aviez demandé, acheté ce que vous désiriez et n'ai laissé aucune trace permettant de remonter jusqu'à vous.

— Alors vous n'avez aucune inquiétude à avoir. Je ne suis venu que pour les cartons. »

Martin secoua l'enveloppe. « C'est pour de l'argent ? »

Wilkerson haussa les épaules. « J'en doute fort.

— Dites bien à la personne qui a payé pour ces achats qu'il serait avisé de me laisser en paix.

— Et qui vous dit que ce n'est pas moi qui ai financé cette transaction ? »

Martin le toisa. « Quelqu'un vous manipule. Ou pire encore, vous vous prostituez en connaissance de cause. Vous avez de la chance que je ne vous descende pas.

— Et qu'est-ce qui vous en empêche ?

— Inutile de gâcher une balle. Vous ne représentez aucune menace. Mais dites bien à votre bienfaiteur de m'oublier définitivement. À présent prenez vos cartons et dégagez.

— J'aurais besoin d'un coup de main. »

Martin hocha la tête. « Ces deux-là restent dans leur voiture. Vous allez sortir ces cartons tout seul. Et souvenez-vous bien de ceci : un mauvais coup, et je vous abats. »

14

Dorothea Lindauer considérait les pierres bleu-gris brillantes que son grand-père était censé avoir ramenées d'Antarctique. Elle s'était rendue très peu de fois dans cette abbaye. Les obsessions de son grand-père et de son père n'avaient jamais eu grande importance à ses yeux. Et à présent qu'elle caressait la surface grossière des pierres, passant ses doigts sur les étranges lettres que tous deux s'étaient acharnés à vouloir comprendre, elle en était convaincue.

Tous deux n'avaient été que de pauvres fous.

Surtout son grand-père.

Hermann Oberhauser était né dans une famille aristocratique de politiciens réactionnaires, aux convictions passionnées, mais incapables de les concrétiser. Il s'était rallié à la vague antipolonaise qui avait parcouru l'Allemagne au début des années 1930, et avait rassemblé des fonds afin de combattre la république de Weimar qu'il haïssait tant. Au début de l'ascension d'Hitler, Hermann racheta une firme publicitaire, vendant des espaces éditoriaux aux nationaux-socialistes à des prix défiant toute concurrence, et aidant ainsi les chemises brunes à passer du statut d'activistes politiques à celui de parti dirigeant. Il lança alors plusieurs journaux et dirigea le Parti national du peuple allemand, qui s'aligna vite sur les vues des nazis. Il engendra également trois fils. Deux d'entre eux ne vécurent pas assez longtemps pour voir la fin de la guerre : l'un mourut en Russie, l'autre en France. Le père de Dorothea Lindauer ne dut sa survie qu'à son jeune âge, qui le dispensa de rejoindre les rangs de l'armée. Une fois la paix conclue, son grand-père se retrouva du nombre incalculable des déçus qui avaient fait d'Hitler ce qu'il était devenu, et qui, toujours en vie, devaient supporter la honte de la défaite. Il perdit ses journaux, mais conserva heureusement ses usines de fabrication de papier et ses raffineries de pétrole, dont les Alliés avaient grandement besoin : ses péchés, même s'ils ne furent pas pardonnés, furent donc très commodément oubliés.

Son grand-père tirait un orgueil irrationnel de son ascendance teutonique. Il était empreint jusqu'à la moelle de nationalisme allemand, et croyait fermement que la civilisation occidentale était au bord de la ruine, et que son seul espoir reposait dans la redécouverte d'anciennes vérités, perdues ou oubliées depuis des siècles. Comme Dorothea Lindauer l'avait raconté à Malone, à la fin des années 1930, son grand-père avait remarqué les étranges symboles qui ornaient les pignons de fermes hollandaises, et s'était convaincu qu'il s'agissait là, à l'instar des gravures sur pierre de Suède et de Norvège, et des pierres de l'Antarctique, d'une sorte de hiéroglyphes aryens.

La première des écritures.

Le langage du ciel.

Un ramassis d'absurdités, mais les nazis raffolaient de ce genre de conceptions romantiques. En 1931, près de dix mille hommes faisaient partie des SS, qu'Himmler transforma en une élite ethnique de jeunes Aryens. Son

« Bureau pour la race et le peuplement » était chargé de déterminer scrupuleusement si chaque aspirant était génétiquement apte à devenir SS. En 1935, Himmler alla encore plus loin en créant une organisation ayant pour but la reconstruction d'un passé mythique aryen.

La mission de cette organisation était double.

Il s'agissait de mettre au jour des preuves d'une occupation aryenne du territoire allemand depuis l'âge de pierre et révéler ces découvertes au peuple allemand.

Un nom long et pompeux fut choisi, comme pour asseoir l'importance de l'organisation : *« Deutsches Ahnenerbe, Studiengesellschaft für Geistesurgeschichte »*, « Héritage allemand des ancêtres, société d'étude pour la préhistoire de l'esprit ». Ou, plus simplement, l'Ahnenerbe. L'héritage des ancêtres. Cent trente-sept érudits et scientifiques, quatre-vingt-deux cinéastes, photographes, artistes, sculpteurs, bibliothécaires, techniciens, comptables et secrétaires.

Tous sous la direction d'Hermann Oberhauser.

Et tandis que son grand-père s'échinait sur ces chimères, des millions d'Allemands mouraient. Hitler finit par lui retirer la direction de l'Ahnenerbe et l'humilia publiquement, lui et toute la famille Oberhauser. Ce fut à cette époque qu'il se réfugia ici, dans cette abbaye, en sécurité entre ces murs protégés par la religion, où il tenta de gagner sa réhabilitation.

Mais en vain.

Dorothea Lindauer se souvint du jour de sa mort.

« Grand-papa. » Elle s'agenouilla à son chevet et serra sa main frêle.

Le vieil homme ouvrit les yeux, sans rien dire. Il avait oublié depuis longtemps qu'elle existait.

« Il ne faut jamais baisser les bras », dit-elle.

« Laissez-moi descendre à terre. » Ses mots étaient à peine distincts de son souffle, et elle dut tendre l'oreille pour les entendre.

« *Grand-papa, qu'est-ce que tu dis ?* »

Ses yeux devinrent vitreux, et son regard se fit décon-certant. Il hocha lentement la tête.

« *Tu veux mourir ? demanda-t-elle.*

— *Je dois descendre à terre. Informez-en le capitaine.*

— *Qu'est-ce que tu veux dire ?* »

Il hocha à nouveau la tête. « *Leur monde. Il n'existe plus. Je dois descendre à terre.* »

Elle se mit à lui parler pour le réconforter, mais sa main se détendit dans la sienne, et sa poitrine fut secouée de légers soubresauts. Sa bouche s'ouvrit alors doucement, et il dit dans un dernier soupir : « *Heil... Hitler.* »

Un frisson lui parcourait l'échine à chaque fois qu'elle repensait à ces dernières paroles. Pourquoi s'était-il senti contraint d'user de son dernier souffle pour réitérer son allégeance au mal ?

Dorothea ne le saurait malheureusement jamais.

La porte de la salle souterraine s'ouvrit et la femme du téléphérique entra à nouveau. Dorothea l'observa approcher, sûre d'elle, entre les objets exposés. Comment en était-elle arrivée là ? Son grand-père était mort en nazi, son père avait péri en rêveur.

Et à présent, elle s'apprêtait à répéter leurs erreurs.

« Malone est parti, dit la femme. Il a pris sa voiture. Je veux mon argent.

— Que s'est-il passé sur la montagne aujourd'hui ? Votre associé n'était pas censé se faire tuer.

— Nous avons été un peu dépassés par les événements.

— Vous avez attiré l'attention sur quelque chose qui était censé rester confidentiel.

— Mais ça a marché. Malone est venu, et vous avez pu parler ensemble, comme vous le désiriez.

— Vos actes vont peut-être tout faire échouer.

— J'ai fait ce que vous m'aviez dit de faire et je veux mon argent. Et je veux la part d'Erik. Il l'a bien méritée.

— Sa mort ne signifie rien pour vous ? demanda Dorothea.

— Il s'est laissé emporter et il l'a payé de sa vie. »

Dorothea avait arrêté de fumer dix ans auparavant, mais elle avait récemment recommencé. La nicotine semblait calmer ses nerfs constamment à fleur de peau. Elle s'approcha d'une des armoires peintes, en tira un paquet et offrit une cigarette à la femme.

« *Danke* », dit-elle en acceptant.

Depuis leur première entrevue, elle avait su qu'elle fumait. Dorothea choisit précautionneusement la sienne, saisit une boîte d'allumettes et alluma les deux cigarettes.

La femme inspira deux profondes bouffées. « Mon argent, s'il vous plaît.

— Bien sûr. »

Elle observa alors le changement dans ses yeux. Son regard se fit pensif, avant de s'emplir de terreur, de douleur et de désespoir. Les muscles faciaux de la femme se crispèrent, signe de son agonie. Ses doigts et ses lèvres lâchèrent la cigarette et ses mains se posèrent sur sa gorge. Sa langue sortit de sa bouche tandis qu'elle étouffait, cherchant à tout prix à inspirer, sans succès.

Elle eut bientôt l'écume aux lèvres.

Elle parvint à inspirer une bouffée d'air, toussa, essaya de parler, puis sa gorge se relaxa, et elle s'écroula.

De sa dernière expiration s'exhala un léger arôme d'amande amère.

Du cyanure. Expertement mélangé au tabac.

Curieux. Cette femme qui venait de mourir avait accepté de travailler pour des gens dont elle ne savait rien. Elle n'avait posé aucune question. Dorothea n'avait pas commis la même erreur. Elle se renseignait toujours au maximum sur ses alliés. Cette femme avait été un cas très simple (seul l'appât du gain la motivait), mais elle en avait appris beaucoup trop. Dorothea ne pouvait prendre le risque de laisser une personne si impliquée dans la nature.

Cotton Malone ? Son cas était bien différent.

Car quelque chose lui disait qu'elle n'en avait pas encore fini avec lui.

15

Ramsey arriva au Centre du renseignement national maritime, dans lequel se trouvait le service des renseignements de la Navy. Son second, un capitaine ambitieux du nom d'Hovey, l'attendait dans son bureau.

« Que s'est-il passé en Allemagne ? demanda aussitôt Ramsey.

— Le dossier du NR-1A a été transmis à Malone sur la Zugspitze, comme prévu, mais tout a basculé sur le trajet retour du téléphérique. »

Il écouta le rapport détaillé des faits qu'Hovey lui soumit, avant de demander :

« Où est Malone ?

— Le GPS de sa voiture de location indique qu'il est allé un peu partout. Il est passé par son hôtel, puis s'est rendu au monastère d'Ettal. C'est à une quinzaine de kilomètres au nord de Garmisch. Le dernier rapport indiquait qu'il était en route pour Garmisch. » Ils avaient eu la présence d'esprit de poser un mouchard sur le véhicule de Malone, ce qui leur permettait le luxe de la surveillance par satellite. Ramsey s'assit à son bureau. « Et en ce qui concerne Wilkerson ?

— Ce fils de pute se prend vraiment pour un génie, répondit Hovey. Il a vaguement pris Malone en filature, a fait le planton à Garmisch pendant un moment, puis est allé à Füssen à la rencontre d'un libraire. Il disposait de deux hommes dans une seconde voiture. Ils l'ont aidé à transporter des cartons.

— Vous l'avez vraiment dans la peau, on dirait.

— Il amène beaucoup plus de problèmes qu'il n'en résout. Nous devons nous en débarrasser. »

Ramsey avait déjà perçu une certaine animosité auparavant. « Où est-ce que vos chemins se sont déjà croisés ?

— Au quartier général de l'OTAN. Il a failli me coûter mes barrettes de capitaine. Heureusement que mon supérieur détestait lui aussi ce sale lèche-cul. »

Ramsey n'avait pas de temps à perdre avec ces mesquineries. « Est-ce qu'on sait ce que Wilkerson est en train de faire en ce moment ?

— Il est sûrement occupé à se demander quel camp est le plus avantageux. Le nôtre ou le leur. »

Lorsque Ramsey avait appris que Stéphanie Nelle s'était procuré le rapport d'enquête concernant le NR-1A et à qui elle s'apprêtait à en transmettre une copie, il avait aussitôt dépêché des agents sur la Zugspitze, en omettant sciemment d'informer Wilkerson de leur présence. Son subalterne, chef du bureau de Berlin, croyait qu'il était le seul agent sur le terrain, avec une mission simple : surveiller Malone sans excès de zèle et rapporter ses déplacements. « Est-ce que Wilkerson a appelé ? »

Hovey hocha la tête. « Pas de nouvelles. »

Le combiné téléphonique retentit, et la secrétaire de Ramsey l'informa que la Maison Blanche était en ligne. Il congédia Hovey et prit l'appel.

« Nous avons un problème, dit Diane McCoy.

— Comment ça, *nous* avons un problème ?

— Edwin Davis est de la partie.

— Et le Président ne peut pas tirer sur la laisse ?

— Il n'en fera rien s'il n'en a pas envie.

— Et vous avez l'impression que c'est le cas ?

— Je me suis arrangée pour que Daniels lui parle : il s'est contenté d'écouter des récits absurdes sur l'Antarctique, lui a souhaité une bonne journée et a raccroché. »

Ramsey demanda des détails et elle lui raconta l'ensemble de l'échange téléphonique. « Notre enquête sur le téléchargement du dossier de Zachary Alexander ne signifie rien pour le Président ? demanda Ramsey.

— Apparemment.

— Peut-être devons-nous augmenter la pression. » C'était précisément pour cela qu'il avait envoyé Charlie Smith en mission.

« Davis s'est assuré l'aide de Stéphanie Nelle.

— Elle ne représente qu'un grain de poussière. »

Les agents de l'unité Magellan aimaient se prendre pour des grosses pointures de l'espionnage international. Les imbéciles. Douze pauvres avocats ? Mais bien sûr. Ils ne valaient rien, tous autant qu'ils étaient. Cotton Malone ? Lui avait été différent. Mais il avait pris sa retraite et ne s'intéressait plus qu'à son père. En ce moment même, il devait même être sacrément en rogne, et rien n'obscurcissait plus le jugement que la colère.

« Nelle ne vaut même pas qu'on s'y attarde.

— Davis est parti tout droit la rejoindre à Atlanta. Et il est loin d'être impulsif. »

C'était vrai, et pourtant. « Il ne sait pas à quel jeu nous jouons, il n'en connaît ni les règles ni les enjeux.

— Vous vous rendez compte que, à l'heure qu'il est, il est probablement à la recherche de Zachary Alexander ?

— Autre chose ?

— Ne faites pas tout foirer. »

Elle avait beau être conseillère adjointe chargée de

la Sécurité nationale, Ramsey n'était pas pour autant un vulgaire subalterne auquel on pouvait donner des ordres. « Je ferai de mon mieux pour que ce ne soit pas le cas.

— Moi aussi, je prends des risques considérables. Ne l'oubliez pas. Bonne journée, amiral. »

Et elle raccrocha.

Il allait falloir jouer serré. Combien de secrets allait-il pouvoir maintenir dans l'ombre en même temps ? Il consulta sa montre.

Au moins, l'un de ses secrets ne tarderait pas à disparaître pour toujours.

Il jeta un coup d'œil à l'édition du *New York Times* de la veille, et plus particulièrement à l'article consacré à l'amiral David Sylvian, quatre étoiles, et vice-chef du Comité d'état-major de l'armée des États-Unis. Trente-sept ans de service sous les drapeaux. Cinquante-sept ans. Hospitalisé à la suite d'un accident de moto, survenu une semaine auparavant, sur une autoroute enneigée et verglacée de Virginie. Il avait de bons espoirs de s'en remettre, mais son état était jugé sérieux. La Maison Blanche avait souhaité à l'amiral un bon rétablissement. Sylvian s'était illustré comme grand ennemi du gaspillage, et avait totalement révolutionné les procédures d'obtention et d'attribution des budgets du Pentagone. Un ancien sous-marinier. Apprécié. Respecté.

Un obstacle.

Ramsey avait ignoré jusqu'ici quand viendrait son heure, mais, à présent qu'elle avait sonné, il se sentait prêt. Au cours de la semaine précédente, tout s'était enchaîné comme prévu. Charlie Smith s'occuperait de ce qu'il restait à faire aux États-Unis.

Il était temps pour lui de se rendre en Europe.

Il décrocha son combiné et composa un numéro international.

On décrocha après la quatrième sonnerie.

« Quel temps avez-vous ? demanda Ramsey.

— Froid, nuageux, déprimant. »

La réponse convenue. Il parlait à la bonne personne. « Ces cadeaux de Noël que j'ai commandés, j'aimerais que vous les emballiez avec le plus grand soin et que vous les livriez.

— En colis exprès ou par courrier régulier ?

— Colis exprès. Noël approche à grands pas.

— Nous pouvons nous en occuper dans l'heure.

— Merveilleux. »

Il raccrocha.

Bientôt, ce serait au tour de Sterling Wilkerson et Cotton Malone de mourir.

DEUXIÈME PARTIE

16

Charlie Smith observa les aiguilles fluorescentes de sa montre « Indiana Jones » de collection, avant de regarder à travers le pare-brise de la Hyundai garée, au volant de laquelle il se trouvait. Il avait déjà hâte que le printemps revienne et que le temps change. L'hiver avait sur lui des effets psychologiques très puissants. Cela avait commencé à l'adolescence, et s'empirait considérablement lorsqu'il se trouvait en Europe. Il avait vu un sujet sur ce syndrome dans une émission à la télé. Des nuits longues, peu de soleil, des températures très basses.

Rien de plus déprimant.

L'entrée principale de l'hôpital se dressait à une trentaine de mètres. Le bâtiment parallélépipédique, orné de stuc gris, était haut de trois étages. Un dossier était ouvert sur le siège passager, prêt à être consulté, mais l'attention de Charlie se reporta sur l'écran de son iPhone et l'épisode de *Star Trek* qu'il avait téléchargé. Le capitaine Kirk se battait contre un lézard humanoïde sur un astéroïde inhabité. Charlie Smith avait vu tant de

117

fois les soixante-dix-neuf épisodes de la toute première série de *Star Trek* qu'il connaissait quasiment tous les dialogues par cœur. Sans parler du lieutenant Uhura… quelle bombe. Il regardait le lézard extra-terrestre qui cernait le capitaine Kirk, mais son regard quitta brusquement l'écran : deux personnes venaient de pousser la porte à double battant de l'hôpital et s'approchaient d'une Ford hybride café au lait.

Il compara la plaque minéralogique aux données contenues dans son dossier.

Le véhicule appartenait à la fille et à l'époux de celle-ci.

Un autre homme sortit, la trentaine, les cheveux blond-roux, et se dirigea vers un 4 × 4 Toyota gris métallisé.

Il compara la plaque. Le fils.

Une femme plus âgée le suivait. L'épouse. Son visage correspondait au portrait noir et blanc du dossier.

Quel plaisir que d'être prêt.

Le capitaine Kirk s'éloigna à toutes jambes du lézard, mais Smith savait qu'il n'irait pas bien loin. Il allait y avoir de l'action.

Tout comme ici.

La chambre 245 devait être vide à présent.

Il s'agissait d'un hôpital régional : deux blocs opératoires utilisés vingt-quatre heures sur vingt-quatre et sept jours sur sept, et des urgences sans cesse remplies par des ambulances venues de quatre autres comtés, voire plus. Une activité intense qui devrait permettre à Smith, déguisé en infirmier, de déambuler dans l'hôpital sans attirer l'attention.

Il sortit de son véhicule et pénétra dans le hall d'entrée.

Personne ne se trouvait à la réception. Il savait que l'employé finissait son service à 17 heures, et ne reviendrait pas avant 7 heures. Quelques parents et amis se dirigeaient vers le parking. Les visites s'achevaient à

17 heures, mais le dossier lui avait rappelé que la plupart des personnes ne quittaient pas l'hôpital avant 18 heures.

Il passa devant les ascenseurs, emprunta un long couloir de faux marbre jusqu'à l'autre bout du rez-de-chaussée et entra dans la blanchisserie. Cinq minutes plus tard, il sortit de l'ascenseur au deuxième étage, marchant d'un pas sûr, les semelles de caoutchouc de ses chaussures d'infirmier glissant sans un bruit sur le linoléum. Les couloirs qui s'étendaient à sa gauche et à sa droite étaient silencieux. Toutes les portes des chambres occupées étaient fermées. Face à lui, dans la salle réservée au personnel infirmier se trouvaient deux femmes d'un certain âge, assises, consultant divers dossiers de patients.

Smith portait dans les bras une pile de draps impeccablement pliés. Au rez-de-chaussée, à la blanchisserie, il avait appris que les chambres 248 et 250, les plus proches de la 245, avaient besoin de draps propres.

Les deux grandes questions de la journée avaient été de savoir ce qu'il convenait de télécharger sur son iPhone, et la façon de provoquer la mort de sa cible. Heureusement, il avait pu consulter le dossier médical du patient *via* le réseau informatique de l'hôpital. Bien que les lésions internes eussent suffi à justifier des complications cardiaques ou hépatiques (ses deux mécanismes préférés), les médecins semblaient bien plus préoccupés par la tension artérielle très basse de leur patient. La prescription adéquate avait d'ores et déjà été faite pour résoudre ce problème, mais une note interne indiquait qu'on attendrait le lendemain matin pour administrer le dosage, afin de laisser le temps au patient de recouvrer un peu ses forces.

Parfait.

Il avait déjà consulté les lois relatives aux autopsies propres à l'État de Virginie. Sauf en cas de mort violente, de suicide, de mort subite, sans signe avant-coureur, sans assistance médicale, ou dans quelque circonstance inhabituelle et/ou étrange, aucune autopsie ne pouvait être pratiquée.

Smith adorait que les lois et les règles jouent en sa faveur.

Il entra dans la chambre 248 et jeta les draps sur le matelas nu. Il fit rapidement le lit, avec une rigueur qui convenait parfaitement au milieu hospitalier. Il jeta ensuite un coup d'œil dans le couloir. Tout était calme.

En trois pas à peine, il se retrouva dans la chambre 245.

Un néon projetait une lueur blanche et faible sur le papier peint de la chambre. La courbe du cardiogramme oscillait régulièrement dans un « bip » discret. Le respirateur artificiel chuintait. Les infirmières contrôlaient ces deux appareils de leur salle : il s'agissait donc de ne déranger le bon fonctionnement ni de l'un ni de l'autre.

Le patient gisait sur son lit, crâne, visage, bras et jambes recouverts d'épais bandages. À en croire les données du serveur de l'hôpital, il avait été reçu en service de réanimation avec une fracture crânienne, de multiples lacérations et des lésions intestinales. Pourtant, comme par miracle, la moelle épinière était intacte. L'opération chirurgicale avait duré trois heures, au terme desquelles les lésions internes et les lacérations avaient été traitées. Le patient avait perdu énormément de sang, et, durant quelques heures, son état avait été jugé critique. L'espoir était cependant revenu, et la condition du blessé s'était stabilisée.

Malgré tout, cet homme devait mourir.

Pourquoi ? Smith l'ignorait. Et il s'en moquait éperdument.

Il enfila des gants de latex et tira la seringue de sa poche. Il avait également pu trouver sur le serveur de l'hôpital les données des examens de sa cible, ce qui lui avait permis d'emplir à l'avance la seringue hypodermique avec la dose appropriée de nitroglycérine.

Quelques gouttes expulsées afin de chasser l'air, et il enfila l'aiguille en biseau dans le goutte-à-goutte de la pochette de perfusion suspendue à côté du lit. Il ne subsisterait aucune trace du crime : la nitroglycérine serait métabolisée par le patient durant son agonie.

Une mort soudaine, bien que préférable, aurait été relevée par les appareils de surveillance et aurait aussitôt alerté les infirmières.

Smith avait besoin d'assez de temps pour quitter l'hôpital. Il savait que la mort de l'amiral David Sylvian ne surviendrait qu'au bout d'une demi-heure.

Il serait alors impossible de s'aviser de sa présence : il serait déjà loin, en tenue de ville, et en route pour son prochain rendez-vous.

17

Malone rentra à l'Hôtel de la Poste. Après avoir quitté le monastère, il était revenu tout droit à Garmisch, l'estomac noué. Il ne pouvait arracher de son esprit l'image de l'équipage du NR-1A, prisonnier au fond d'un océan gelé, espérant que quelqu'un vienne les aider.

En vain.

Stéphanie ne l'avait pas rappelé, et il était tenté de prendre les devants, mais il préféra patienter, se disant qu'elle le recontacterait dès qu'elle aurait du neuf.

Cette Dorothea Lindauer posait problème. Son père s'était-il vraiment trouvé à bord du NR-1A ? Et si c'était faux, comment pouvait-elle avoir connaissance du nom de cet homme, stipulé dans le rapport d'enquête ? Bien que la liste d'équipage eût été divulguée lors de la conférence de presse officielle organisée à l'occasion du naufrage, Malone ne se souvenait d'aucune mention d'un dénommé Dietz Oberhauser. La présence de cet homme à bord du sous-marin relevait manifestement du secret le plus absolu, une omission qui se perdait dans l'océan de mensonges proférés sur cette affaire.

Qu'est-ce que tout cela cachait ?

Tout semblait clocher dans son séjour en Bavière.

Il grimpa les marches de bois de l'escalier. Un peu de sommeil serait le bienvenu. Le lendemain matin, il y verrait plus clair. Il inspecta d'un rapide regard le couloir. La porte de sa chambre était entrebâillée. Tout espoir d'une nuit de répit s'évanouit aussitôt.

Il saisit le pistolet dans sa poche et marcha à pas de loup sur le tapis coloré qui recouvrait le parquet, tâchant d'étouffer les grincements du bois qui indiquaient sa présence.

Il se souvint en un éclair de la configuration de sa chambre.

La porte s'ouvrait sur un vestibule qui donnait, droit devant, sur une spacieuse salle de bain. À droite se trouvait la chambre à proprement parler, avec un grand lit, un petit bureau, deux tables de chevet, une télévision et deux chaises.

Peut-être le personnel de l'hôtel avait-il oublié de refermer la porte ? Probable, mais, après cette journée, Malone ne voulait prendre aucun risque. Du canon du pistolet, il poussa la porte, remarquant que les lampes de la chambre étaient allumées.

« Entrez sans crainte, monsieur Malone », dit une voix féminine.

Il jeta un coup d'œil à l'intérieur.

Une femme se releva du bord du lit. Elle était grande et élancée, des cheveux blond cendré coupés à hauteur d'épaules. Son visage vierge de toute ride, lisse comme la soie, semblait celui d'un buste sculpté à la perfection.

Il avait déjà vu ce visage.

Dorothea Lindauer ?

Non.

Pas tout à fait.

« Je m'appelle Christl Falk », dit-elle.

Stéphanie avait pris la place du hublot, à côté d'Edwin Davis, qui se trouvait du côté du couloir. Le vol de la Delta Airlines en provenance d'Atlanta amorçait sa descente en direction de l'aéroport international de Jacksonville. En contrebas s'étendait la bordure orientale de la réserve nationale d'Okefenokee, dont la végétation marécageuse semblait avoir été recouverte par l'hiver d'un vernis marronnasse. Elle avait laissé Davis seul avec ses pensées durant les cinquante minutes du vol. C'était bien assez.

« Edwin, pourquoi ne pas me dire la vérité ? »

Davis avait les yeux fermés, la tête calée contre le dossier de son fauteuil. « Je sais. Aucun des hommes de l'équipage n'était mon frère.

— Pourquoi avoir menti à Daniels ? »

Il se redressa. « Il le fallait.

— Ça ne vous ressemble pas. »

Il la regarda droit dans les yeux. « Vraiment ? Nous nous connaissons à peine.

— Alors dans ce cas, pourquoi suis-je ici ?

— Parce que vous êtes honnête. Terriblement naïve, parfois. Têtue comme une bourrique. Mais toujours honnête. C'est assez rare pour être signalé. »

Son cynisme l'intrigua.

« Le système est corrompu, Stéphanie. Jusqu'en son propre cœur. Où que vous portiez votre regard au sein du gouvernement, tout n'est que poison. »

Elle s'étonna du tour que prenait la conversation.

« Que savez-vous au sujet de Langford Ramsey ? lui demanda-t-il.

— C'est quelqu'un que je suis loin d'apprécier. Il prend le reste du monde pour un ramassis d'imbéciles, et croit que les services de renseignement seraient incapables de fonctionner sans lui.

— Cela fait maintenant neuf ans qu'il dirige les renseignements de la Navy. Une telle longévité est sans précédent. À chaque fois que sa prochaine mutation a été pressentie, on l'a reconduit dans ses fonctions.

— C'est un problème ?

— Et comment ! Ramsey nourrit d'énormes ambitions.

— Vous avez l'air de bien le connaître.

— Bien plus que je ne l'aurais souhaité. »

« *Edwin, arrête* », *dit Millicent.*

Il tenait le combiné téléphonique, composant violemment le numéro de la police du coin. Elle fit glisser le combiné dans sa main et le reposa sur le téléphone.

« *Ça n'en vaut pas la peine* », *dit-elle.*

Il fixa ses yeux noirs. Ses superbes cheveux longs étaient ébouriffés. Son visage était aussi délicat que d'habitude, mais son expression était empreinte de gêne. Ils se ressemblaient à bien des égards. Tous deux étaient intelligents, dévoués et loyaux. Seules leurs origines étaient différentes : elle était un exemple parfait de beauté africaine, et lui avait tout du protestant blanc anglo-saxon. Quelques jours seulement après avoir été affecté au service du capitaine Langford Ramsey en tant qu'attaché diplomatique au quartier général de l'OTAN basé à Bruxelles, il s'était senti attiré par Millicent.

Il caressa tendrement le bleu tout récent sur sa cuisse. « *Il t'a battue.* » *Il ajouta en contenant sa rage :* « *À nouveau.*

— *Il est comme ça.* »

Elle était lieutenant, sa famille servait dans la Navy depuis quatre générations, et elle était l'assistante de Langford Ramsey depuis deux ans. Depuis un an, elle était également sa maîtresse.

« Est-ce qu'il en vaut vraiment la peine ? » demanda Davis.

Elle s'éloigna du téléphone, plaquant sa robe de chambre contre elle. Elle l'avait appelé une demi-heure auparavant pour lui demander de la rejoindre dans son appartement. Ramsey venait de partir. Davis ne pouvait s'empêcher de se précipiter à chaque fois qu'elle l'appelait.

« Il ne voulait pas me faire du mal, dit-elle. Il a du mal à rester maître de lui. Il déteste qu'on lui refuse quoi que ce soit. »

En les imaginant tous les deux, Davis sentait se serrer d'innombrables nœuds dans son ventre, mais il l'écoutait en silence, sachant qu'elle devait se libérer d'une fausse culpabilité. « Il faut en informer la hiérarchie.

— Cela ne servirait à rien. Il est en pleine ascension, Edwin. Il a beaucoup d'amis. Tout le monde se moque de ce que j'ai à dire.

— Pas moi. »

Elle lui lança un regard anxieux. « Il m'a promis que cela ne se reproduirait plus.

— Il avait dit la même chose la dernière fois.

— Tout est de ma faute. C'est moi qui l'ai provoqué. Je n'aurais pas dû le faire, mais je l'ai fait. »

Elle s'assit sur le sofa et lui fit signe de la rejoindre. Lorsqu'il fut à côté d'elle, elle posa sa tête sur son épaule et, en l'espace de quelques minutes, s'endormit profondément.

« Elle est morte six mois plus tard », dit Davis d'une voix distante.

Stéphanie observa le silence.

« Arrêt cardiaque. Les autorités de Bruxelles ont conclu que c'était sans doute dû à une anomalie génétique. » Davis observa une pause. « Ramsey l'avait à nouveau battue, trois jours avant son décès. Aucune trace. Rien que des coups de poing décochés aux bons endroits. » Il se tut un instant. « J'ai demandé ma mutation aussitôt après.

— Ramsey connaissait-il les sentiments que vous aviez pour elle ? »

Davis haussa les épaules. « J'ignore moi-même les sentiments que j'avais pour elle. Mais je doute qu'il s'en soit préoccupé. Je n'avais alors que trente-huit ans, je commençais à peine à me faire une place au département d'État. Le ministère des Affaires étrangères ressemble beaucoup à l'armée. Vous remplissez les missions qu'on vous assigne, un point c'est tout. Mais comme je l'ai dit tout à l'heure au sujet de ce frère qui n'existe pas, je me suis promis de tout faire pour rendre à Ramsey la monnaie de sa pièce, si un jour j'en avais le pouvoir.

— Qu'est-ce que Ramsey a à voir avec cette affaire ? »

Davis reposa sa tête contre le dossier de son fauteuil.

L'avion amorça son atterrissage.

« Tout », répondit-il.

18

Wilkerson rétrograda afin de faire ralentir sa Volvo. L'autoroute plongeait en direction d'une large vallée alpine cernée par des reliefs. Des flocons de neige surgissaient de l'obscurité, aussitôt balayés par les essuie-glaces. Il se trouvait à une quinzaine de kilomètres au nord de Füssen, au cœur des bois sombres de Bavière, non loin de Linderhof, l'un des incroyables châteaux de Louis II, roi de Bavière.

Il tourna pour emprunter une route caillouteuse qui s'enfonçait plus avant dans la forêt, et un calme irréel sembla soudain l'entourer. La vieille ferme apparut. Typique de cette région. Un toit à pignon, des couleurs vives et des murs de pierre, de mortier et de bois. Les rideaux du rez-de-chaussée étaient toujours tirés, tels qu'il les avait laissés plus tôt.

Il se gara et sortit de la voiture.

Il se dirigea vers la porte en faisant crisser la neige sous ses semelles. À l'intérieur, il alluma quelques lampes et remua les braises qu'il avait laissées brûler dans l'âtre. Il retourna alors à son véhicule dont il sortit les cartons de Füssen, et alla les déposer dans l'un des placards de la cuisine.

Sa tâche était à présent terminée.

Il s'approcha de la porte de devant et regarda par la fenêtre la neige tomber dans les ténèbres.

Il lui faudrait sous peu rendre son rapport à Ramsey. On lui avait dit que, dans le mois à venir, il serait à nouveau affecté à Washington, au sein du quartier général des renseignements de la Navy, à un haut niveau administratif. Son nom figurerait dans la liste des officiers désireux d'accéder au grade d'amiral, et Ramsey lui avait promis que, d'ici là, il occuperait un poste où il serait en mesure d'intercéder en sa faveur, sans compte à rendre à qui que ce soit.

Mais cela allait-il vraiment se passer ainsi ?

Wilkerson n'avait d'autre recours que d'espérer. Il semblait que, ces derniers temps, sa vie tout entière dépendait d'autres personnes que lui.

Et tout cela ne lui disait rien qui vaille.

Quelques braises mouraient dans l'âtre dans un sifflement. Il lui fallait aller chercher quelques bûches dehors, contre l'un des murs de la vieille ferme aménagée. Il se pourrait qu'un feu plus conséquent fût requis plus tard.

Il ouvrit la porte de devant.

Une explosion déchira la nuit.

Instinctivement, il protégea son visage, aveuglé par un éclat de lumière soudain, surpris par une fugace bouffée de chaleur. Il baissa les mains et observa la Volvo enflammée, dont il ne restait quasiment que le châssis dévoré par le feu.

Il épia les ténèbres, à l'affût du moindre mouvement. Deux silhouettes. Se précipitant vers lui. Armées.

Il referma la porte dans un puissant claquement.

Une fenêtre se brisa, et quelque chose atterrit sur le plancher dans un bruit sourd. Son regard fixa aussitôt l'objet. Une grenade. De fabrication russe. Il plongea dans la pièce voisine juste au moment où l'arme explosa. Les murs intérieurs étaient apparemment extrêmement bien bâtis (celui qui séparait les deux pièces venait de le protéger), mais il entendit le vent s'engouffrer dans ce qui était encore quelques instants auparavant un intérieur cossu : la grenade avait sans nul doute détruit un mur extérieur.

Il parvint à se redresser et resta accroupi.

Il entendit des voix. Dehors. Deux hommes. De part et d'autre de la maison.

« Va voir s'il est mort », dit l'un d'eux en allemand.

Des pas tranquilles dans les décombres calcinés, et le rayon d'une lampe torche perçant les ténèbres. Les deux hommes ne faisaient aucun effort pour dissimuler leur présence. Wilkerson plaqua son dos au mur.

« Alors ? demanda l'un des hommes.

— *Nichts*.

— Avance. »

Wilkerson rassembla toutes ses forces.

Un faisceau de lumière traversa le seuil de la porte. Puis la lampe elle-même entra dans la pièce, suivie par le canon d'un pistolet. Il attendit que l'homme se trouve à l'intérieur pour se saisir de son arme en lui décochant un coup de poing à la mâchoire.

L'homme tituba en avant, lampe torche toujours en main. Wilkerson ne perdit pas un instant. Alors que son agresseur recouvrait tout juste son équilibre, il lui tira une balle en pleine poitrine, avant de pointer le pistolet en direction d'un autre faisceau de lumière qui venait de l'effleurer.

Un objet sombre siffla dans l'air et retomba lourdement au sol.

Une autre grenade.

Wilkerson sauta par-dessus un sofa qu'il fit basculer sur lui, au moment précis où, dans une explosion assourdissante, une nuée de débris fut projetée dans la pièce. D'autres fenêtres et probablement un autre mur furent anéantis : la froideur mordante de la nuit s'engouffra à l'intérieur. Le petit espace libre sous le sofa renversé l'avait protégé de l'explosion. Il croyait avoir échappé au pire lorsqu'il entendit un sinistre craquement : une des poutres du plafond s'effondra sur le canapé.

Par chance, il ne fut pas écrasé.

L'homme à la lampe torche approchait prudemment.

Dans le feu de l'action, Wilkerson avait lâché le pistolet. Il inspecta les ténèbres et finit par l'apercevoir. Il sortit de sous le sofa et se mit à ramper dans sa direction.

L'agresseur pénétra dans la pièce, se frayant un chemin dans les décombres.

Une balle ricocha au sol, à quelques centimètres seulement de Wilkerson.

Il se précipita derrière un tas de débris, et une autre balle manqua de le toucher. Sa marge de manœuvre se réduisait comme une peau de chagrin. Le pistolet était bien trop loin. Un vent glacial lui brûlait le visage. Le faisceau de lumière le débusqua enfin.

Merde. Il se maudit lui-même, avant de maudire Langford Ramsey.

La détonation d'une arme à feu retentit.

Le faisceau de lumière trembla puis partit soudain dans un sens.

Un corps tomba lourdement par terre.

Puis ce fut le silence.

Il se releva péniblement et observa une silhouette qui se dessinait sur le pas de la porte de la cuisine, une silhouette grande, élancée, féminine, qui semblait brandir un fusil de chasse.

« Ça va ? demanda Dorothea Lindauer.

— Joli coup.

— J'ai vu que tu avais de petits soucis. »

Il s'approcha d'elle sans cesser de la scruter dans

l'obscurité. « Je suppose que cela efface tous les doutes que tu pouvais encore nourrir à l'égard de ton cher amiral Ramsey et de ses intentions », ajouta-t-elle.

Il acquiesça. « À partir de maintenant, on va s'y prendre à ta façon. »

19

Malone hocha la tête. Des jumelles ? Il referma la porte. « Je viens de faire connaissance avec votre sœur. Je me demandais pourquoi elle m'avait laissé partir aussi facilement. Vous n'auriez pas pu me parler toutes les deux à la fois ? »

Christl Falk baissa les yeux. « Nous ne nous parlons guère. »

Malone était perplexe. « Et pourtant, manifestement, vous travaillez conjointement.

— Pas du tout. » Contrairement à sa sœur, elle parlait anglais sans le moindre accent allemand.

« Alors que faites-vous ici ?

— Elle vous a ferré, aujourd'hui. Elle vous a sciemment mêlé à toute cette affaire. Je me demandais dans quel but. J'avais prévu de m'entretenir avec vous après votre bref passage au sommet de la montagne, mais j'ai dû revoir mes plans après ce qui est arrivé.

— Vous étiez là-bas ? »

Elle acquiesça. « Puis je vous ai suivi jusqu'ici. »

Dans quel sac de nœuds était-il tombé ?

« Je n'ai rien à voir avec ce qui s'est passé, précisa-t-elle.

— À part le fait que vous saviez à l'avance ce qui allait arriver.

— Je savais simplement que vous vous trouveriez sur la Zugspitze aujourd'hui. Rien de plus. »

Malone décida d'aller droit au but. « Vous aussi désirez en savoir plus sur votre père ?

— Oui. »

Malone s'assit sur le lit et laissa son regard glisser jusqu'à l'autre bout de la chambre pour se poser sur les fenêtres, à l'endroit précis où il avait eu cette discussion téléphonique avec Stéphanie, avant d'apercevoir dans la rue la femme du téléphérique. Le rapport d'enquête sur la disparition de l'*USS Blazek* se trouvait toujours à l'endroit où il l'avait laissé. Il se demanda si sa visiteuse du soir y avait jeté un coup d'œil.

Christl Falk s'était confortablement assise sur l'une des chaises. Elle portait une chemise en jean à manches longues et un pantalon de toile qui mettaient en valeur ses formes exquises. Si ces deux superbes femmes étaient physiquement quasi identiques, à l'exception de leur coupe de cheveux (ceux de Christl Falk retombaient librement sur ses épaules), elles semblaient cependant très différentes de caractère. Alors que Dorothea Lindauer était comme auréolée de fierté et de suffisance, Christl Falk semblait aussi humble que tenace.

« Dorothea vous a-t-elle parlé de notre grand-père ?

— J'ai eu un résumé de sa vie.

— Il a travaillé pour les nazis, en dirigeant entre autres l'Ahnenerbe.

— Une bien noble institution. »

Elle saisit le ton sarcastique de sa remarque. « Je suis entièrement d'accord. Il ne s'agissait que d'un institut de recherches visant à créer de toutes pièces des preuves archéologiques dans un but purement politique. Himmler était convaincu que les ancêtres des Allemands avaient évolué bien plus rapidement que le reste de l'humanité, loin de l'Europe occidentale. Selon lui, ces soi-disant Aryens se seraient répandus à la surface du globe. Aussi a-t-il fondé l'Ahnenerbe, un conglomérat d'aventuriers, de mystiques et de savants, et s'est-il attelé à retrouver les descendants de ces Aryens en éradiquant tous ceux qui ne jouissaient pas de leur brillant génome.

— À quelle catégorie appartenait votre grand-père ? »

Elle parut décontenancée.

« Un aventurier, un mystique ou un savant ?

— Les trois à la fois, en réalité.

— Et par-dessus le marché, un politicien, apparemment. Puisqu'il a dirigé cette Ahnenerbe, il devait forcément être au courant de ses véritables objectifs ?

— Vous vous trompez. Mon grand-père croyait simplement en l'existence d'un groupe ethnique mythique. Himmler récupéra cette profonde conviction, cette lubie, pour justifier son génocide.

— Certains ont voulu justifier leurs actes par des raisonnements similaires au cours du procès de Nuremberg. Ça n'a pas marché.

— Croyez ce que bon vous semble. De toute façon, ça n'a aucune incidence sur les raisons de ma présence.

— Raisons que, avec la plus infinie des patiences, je me dois de le souligner, j'attends que vous m'exposiez. »

Elle croisa les jambes. « L'Ahnenerbe se consacrait principalement à l'étude des signes et des symboles, à la recherche de messages des Aryens. En 1935, mon grand-père a enfin trouvé quelque chose de véritablement solide. » Elle désigna d'un geste son manteau, posé sur le lit, à côté de Malone. « Dans ma poche. »

Il plongea sa main et en sortit un sac plastique dans lequel se trouvait un livre. Il ressemblait à celui qu'il avait vu plus tôt, tant par ses dimensions que par son état, mais la couverture était vierge de tout gaufrage.

« Savez-vous qui était Éginhard ? demanda-t-elle.

— J'ai lu sa *Vie de Charlemagne*.

— Éginhard était originaire de la partie orientale des royaumes francs, dans ce qui est à présent une partie de l'Allemagne. Il fut instruit à Fulda, l'un des centres de connaissance les plus importants en terre franque. Il est entré à la cour de Charlemagne aux alentours de l'an 791. Charlemagne fut un souverain unique pour son époque. Il fut un bâtisseur, un homme politique, un chef religieux, un incroyable réformateur, un protecteur des arts et des sciences. Il aimait s'entourer d'hommes savants, et Éginhard devint très vite son principal conseiller. À la mort de Charlemagne en 814, son fils Louis Ier, dit le Pieux, fit d'Éginhard son secrétaire particulier, suivant l'exemple de son père. Mais seize ans plus tard, Éginhard se retira de la cour, à l'époque où Louis et ses fils se dressèrent les uns contre les autres. Il mourut en 840 et fut enterré à Seligenstadt.

— Vous êtes un puits de science.

— J'ai trois doctorats en histoire médiévale.

— Et aucun de ces trois doctorats n'explique ce que vous fichez là.

— L'Ahnenerbe a cherché des vestiges de ces Aryens dans bien des endroits. De nombreuses tombes furent rouvertes dans toute l'Allemagne. » Elle pointa l'ouvrage du doigt. « C'est dans le tombeau d'Éginhard que mon grand-père a trouvé l'ouvrage que vous avez dans les mains.

— Celui-ci ne vient pas du tombeau de Charlemagne ? »

Christl Falk sourit. « Je vois que Dorothea vous a montré son livre. Le sien provient effectivement du tombeau de Charlemagne. Celui-ci est tout à fait différent. »

La tentation était trop grande : Malone sortit l'ouvrage du sac plastique et l'ouvrit précautionneusement. Les pages étaient noircies de phrases écrites en latin, agrémentées de passages écrits dans l'étrange langue qu'il avait été incapable de déchiffrer, ainsi que des mêmes symboles qu'il avait vus plus tôt.

« Mon grand-père a trouvé ce livre ainsi que le testament d'Éginhard dans les années 1930. À l'époque de Charlemagne, les hommes puissants avaient coutume d'écrire leurs dernières volontés. Dans celles d'Éginhard, mon grand-père a découvert un mystère.

— Et comment pouvez-vous avoir la certitude que tout cela est vrai ? Votre sœur ne mâchait pas ses mots au sujet de votre grand-père.

— C'est précisément l'une des raisons pour lesquelles nous nous détestons.

— Et pourquoi appréciez-vous autant votre grand-père ?

— Parce qu'il a également trouvé des preuves. »

Dorothea déposa un doux baiser sur les lèvres de Wilkerson. Elle remarqua qu'il tremblait toujours. Ils se tenaient parmi les décombres de la maison, observant la voiture qui brûlait encore.

« Nous sommes à présent tous les deux dans le même bateau », dit-elle.

Il avait déjà dû s'en rendre compte. Ainsi que d'une autre chose. Il pouvait faire une croix sur son étoile d'amiral. Elle lui avait répété que Ramsey était aussi fourbe qu'un serpent, mais il ne l'avait pas crue.

À présent, il savait.

« Une vie de luxe et de prestige représente un assez joli lot de consolation, lui dit-elle.

— Et ton époux ?

— Il n'a d'époux que le titre. » Elle sentait qu'il avait besoin d'être rassuré. C'était le cas de la plupart des hommes. « Tu t'es très bien débrouillé, avant que j'arrive. »

Il essuya la sueur qui perlait à son front. « J'ai même

réussi à en abattre un. Je lui ai tiré une balle en pleine poitrine.

— Ce qui prouve que tu sais te débrouiller lorsque c'est nécessaire. Je les ai vus approcher de la maison alors que j'arrivais en voiture. Je me suis garée dans les bois et je me suis faite la plus discrète possible durant leur premier assaut. J'espérais que tu arrives à les contenir juste assez longtemps pour que je mette la main sur un des fusils de chasse. »

La vallée qui s'étendait sur des hectares appartenait tout entière à la famille de Dorothea Lindauer. Le plus proche voisin était à des kilomètres.

« Et ces cigarettes que tu m'as données se sont avérées très utiles, ajouta-t-elle. Tu avais raison au sujet de cette femme. Elle représentait un problème dont il valait mieux faire l'économie. »

Les compliments fonctionnaient à merveille. Il était déjà plus calme.

« Une chance que tu aies trouvé ce fusil », dit-il.

La chaleur qui se dégageait du véhicule en flammes leur parvenait entre deux bourrasques de vent froid. Elle tenait encore le fusil de chasse, chargé et prêt à être à nouveau utilisé, mais elle doutait que d'autres visiteurs importuns se présentent.

« Nous devons récupérer ces cartons que j'ai amenés, dit-il. Je les ai rangés dans le placard de la cuisine.

— Je les ai vus. »

Bizarre, comme le danger pouvait stimuler le désir. Cet homme, un capitaine de la Navy séduisant, assez peu intelligent et plutôt courageux, l'attirait. Pourquoi les hommes faibles étaient-ils si désirables ? Son époux était une ombre qui lui laissait faire tout ce qu'elle voulait. La plupart de ses amants lui ressemblaient.

Elle posa le fusil de chasse contre un arbre.

Et elle embrassa à nouveau Wilkerson.

« Quel genre de preuves ? demanda Malone.

— Vous avez l'air exténué, dit Christl.

— Je le suis, et j'ai une faim de loup.

— Eh bien, allons manger quelque chose. »

Il en avait assez de se faire mener par le bout du nez par des inconnues, et fut tenté de lui dire, comme il l'avait dit à sa sœur, de ne pas compter sur sa coopération. Mais en réalité, il voulait en savoir plus.

« D'accord. Mais c'est vous qui régalez. »

Ils quittèrent l'hôtel et, sous la neige qui tombait, marchèrent jusqu'à un café, à quelques pâtés de maisons, dans un coin du quartier piétonnier de Garmisch. Christl Falk commanda de la soupe et du pain.

« Vous avez déjà entendu parler de la *Deutsche Antarktische Expedition* ? » lui demanda-t-elle.

L'expédition allemande en Antarctique.

« Elle a débuté en décembre 1938 à Hambourg, poursuivit-elle. Son but officiel était de sécuriser une zone en Antarctique pour y installer une station baleinière, dans le cadre d'un plan visant à augmenter la production nationale d'huile. Et les gens ont gobé cette histoire, vous vous rendez compte ?

— Pire encore, ça ne me surprend pas. L'huile de baleine était à l'époque le matériau de base permettant de produire aussi bien de la margarine que du savon. L'Allemagne importait de grandes quantités d'huile de baleine norvégienne. Sur le point d'entrer en guerre, et dépendant de ressources étrangères pour des produits de première utilité ? Cela aurait pu représenter un énorme désavantage stratégique pour le Reich.

— Je vois que le sujet ne vous est pas inconnu.

— J'ai lu plusieurs ouvrages concernant les activités

139

des nazis en Antarctique. Le *Schwabenland*, un navire à partir duquel on pouvait lancer des avions, a pris le cap de ce continent avec à son bord, quoi, soixante personnes tout au plus ? La Norvège avait revendiqué depuis peu une partie de l'Antarctique qu'ils avaient baptisée "Terre de la Reine-Maud", et les nazis se sont empressés de circonscrire la même zone pour la renommer "Nouvelle-Souabe". Ils l'ont photographiée sous toutes les coutures en envoyant de leurs avions une multitude de drapeaux nazis recouverts de fil barbelé sur ce territoire. Quel spectacle ça a dû être, toutes ces petites croix gammées sur la neige.

— Mon grand-père a fait partie de l'expédition de 1938. Bien qu'un cinquième de l'Antarctique fût cartographié à cette occasion, la mission principale de l'expédition était de découvrir si ce qu'Éginhard relate dans le livre que je vous ai montré était vrai. »

Malone se souvint des pierres de l'abbaye. « Et votre grand-père a ramené des pierres sur lesquelles se trouvaient les mêmes symboles que ceux que l'on trouve dans l'ouvrage.

— Vous vous êtes rendu à l'abbaye ?

— Sur l'invitation de votre sœur, pour ainsi dire. Mais j'ai comme l'impression que vous le saviez déjà, n'est-ce pas ? » Voyant qu'elle ne répondait pas, il demanda : « Alors, résultat des comptes ? Qu'est-ce que votre grand-père a trouvé au juste ?

— C'est bien là le problème. Nous l'ignorons. Après la guerre, les documents de l'Ahnenerbe furent confisqués par les Alliés ou tout simplement détruits. Au cours d'une réunion du parti en 1939, Hitler a accusé mon grand-père d'imposture. Le Führer était en profond désaccord avec certaines de ses théories, notamment ses interprétations jugées féministes, selon lesquelles la société des Aryens aurait probablement été dirigée par une caste de prêtresses ou de prophétesses.

— On est en effet bien loin de l'image de pondeuses qu'Hitler avait des femmes. »

Elle acquiesça. « C'est ainsi qu'Hermann Oberhauser a été réduit au silence, et ses idées proscrites. On lui a interdit de publier le moindre ouvrage, ainsi que de donner des conférences. Dix ans plus tard, il a commencé à perdre la tête, et, durant les dernières années de sa vie, il était tout à fait sénile.

— Curieux qu'Hitler ne l'ait pas simplement assassiné.

— Hitler avait besoin de nos usines, de nos raffineries et de nos journaux. Le fait de garder mon grand-père en vie légitimait sa mainmise sur toutes ces possessions. Et malheureusement, la seule chose que mon grand-père ait jamais réellement souhaitée fut d'agir selon les volontés d'Adolf Hitler : c'est bien volontiers qu'il a mis son empire industriel à son service. » Elle sortit le livre de la poche de son manteau et le retira du sac plastique. « Cet ouvrage soulève de nombreuses questions. Des questions auxquelles je n'ai su répondre. J'espérais que vous puissiez m'aider à résoudre ce mystère.

— Le Mystère de Charlemagne ?

— Je constate que Dorothea et vous avez longuement parlé. *Ja. Das Rätsel Karls des Grossen.* »

Elle lui tendit le livre. Il se débrouillait un peu en latin : il parvint à déchiffrer certaines phrases, mais elle se rendit compte que c'était au prix de gros efforts.

« Vous permettez ? » demanda-t-elle.

Il hésita.

« Ça devrait vous intéresser. Je parle d'expérience. »

20

Jacksonville, État de Floride
17 h 30

Stéphanie toisa l'homme âgé qui ouvrit la porte de la modeste maison de brique, au sud de la ville. Il était courtaud et bedonnant, avec un nez bulbeux et rougeaud qui lui rappela celui de Rudolphe, le renne du Père Noël au museau rouge. D'après ses états de service, Zachary Alexander allait sur ses soixante-dix ans, et il les faisait. Stéphanie laissa Edwin Davis décliner leurs identités respectives et présenter l'objet de leur visite.

« Et qu'est-ce que je pourrais vous apprendre ? demanda Alexander. Ça fait quasiment trente ans que j'ai quitté la Navy.

— Vingt-six ans, très précisément », rectifia Davis.

Alexander brandit un index boudiné dans leur direction. « J'ai horreur de perdre mon temps. »

Stéphanie entendit le bruit d'une télévision dans une pièce de la maison. Un jeu télévisé quelconque. L'intérieur était impeccable, baignant dans une pestilence d'antiseptique.

« Nous ne vous demandons que quelques minutes, dit

Davis. Et puis après tout, je suis envoyé par la Maison Blanche. »

Stéphanie releva le mensonge sans rien dire.

« Je n'ai même pas voté pour Daniels. »

Elle sourit. « C'est le cas de beaucoup d'entre nous. Pouvez-vous cependant nous accorder quelques instants ? »

Alexander finit par se laisser convaincre et les laissa entrer dans le salon, où il éteignit le poste de télévision avant de les inviter à s'asseoir.

« J'ai longtemps servi dans la marine, dit Alexander. Mais il faut que je vous dise un truc : je n'en ai pas gardé de bons souvenirs. »

Elle avait étudié en détail son dossier. Alexander avait été nommé capitaine de frégate, mais ces deux tentatives pour accéder au grade supérieur s'étaient soldées par des échecs. Il s'était finalement désengagé et avait pris sa retraite avec tous ses avantages.

« Ils considéraient que je n'étais pas assez bon pour eux.

— En tout cas, vous étiez assez bon pour commander l'*Holden*. »

Ses yeux cernés se plissèrent. « Celui-là et d'autres.

— Nous sommes venus pour nous entretenir avec vous de la mission menée par l'*Holden* en Antarctique », déclara Davis.

Alexander resta muet. Stéphanie se demanda si son silence était stratégique ou tout simplement prudent.

« Ça m'avait beaucoup enthousiasmé, à dire vrai, dit enfin Alexander. Ça me disait bien d'aller voir la banquise. Mais plus tard, je me suis souvent dit que cette mission avait quelque chose à voir avec le fait que je n'ai jamais été promu par la suite. »

Davis se pencha dans sa direction. « Dites-nous-en plus.

— Et pourquoi je ferais ça ? cracha Alexander. Toute

cette affaire était classée "secret défense". Et de ce que j'en sais, elle l'est toujours. On m'a dit de garder le silence là-dessus.

— Je suis conseiller adjoint chargé de la Sécurité nationale auprès du Président. Ma collègue ci-présente est à la tête d'une agence de renseignement gouvernementale. Nous sommes habilités à vous entendre.

— Conneries.

— Avez-vous une raison valable de vous montrer aussi peu arrangeant ? demanda Stéphanie.

— Vous voulez dire : à part le fait que je déteste la Navy ? répliqua-t-il. Ou à part le fait que vous essayez de me piéger et que je n'ai pas l'intention de mordre à l'hameçon ? »

Alexander s'adossa dans son fauteuil inclinable. Il devait passer le plus clair de ses journées dans ce fauteuil, depuis déjà des années. « J'ai fait ce qu'on m'a dit de faire, et je l'ai bien fait. J'ai toujours scrupuleusement suivi les ordres de mission. Mais celle-ci remonte à un sacré bail. Qu'est-ce que vous voulez savoir ?

— Nous savons déjà que l'*Holden* a été dépêché en Antarctique en novembre 1971, répondit-elle. Nous savons que vous étiez chargé de retrouver un sous-marin. »

Le visage d'Alexander refléta sa perplexité. « Mais de quoi vous êtes en train de causer, bon sang ?

— Nous avons lu le rapport d'enquête concernant la disparition de l'*USS Blazek*, ou plutôt du NR-1A, si vous préférez. Votre nom y est mentionné, ainsi que celui du navire que vous commandiez, l'*Holden*, et sa mission. »

Alexander leur jeta alors un regard mi-curieux, mi-hostile. « J'ai reçu l'ordre de me rendre en mer de Weddell, d'y faire des relevés sonar et de rester à l'affût de la moindre anomalie. En plus de mon équipage, j'avais trois passagers à bord, j'étais censé répondre à leur moindre besoin, sans la moindre question. C'est ce que j'ai fait.

— Pas de sous-marin ? » demanda Stéphanie.

Il hocha la tête. « Rien qui y ressemble de près ou de loin.

— Qu'avez-vous trouvé ? lança Davis.

— Rien du tout. J'ai passé deux semaines à me geler le cul. »

Une bouteille d'oxygène était posée à côté du fauteuil d'Alexander. Stéphanie la remarqua, de même que la collection d'ouvrages médicaux qui garnissait la bibliothèque du salon. Alexander semblait pourtant en assez bonne santé pour son âge, et sa respiration était tout à fait normale.

« Je n'ai jamais entendu parler d'un sous-marin, répéta-t-il. Je me rappelle qu'à l'époque il y en avait un qui avait sombré en Atlantique-Nord. Le *Blazek*, oui, c'était bien son nom. Je m'en souviens. Mais ma mission n'avait rien à voir avec ce navire. On croisait dans le Pacifique-Sud, on a fait un détour par l'Amérique du Sud pour prendre les trois passagers surprise. Et de là, on a fait cap plein sud.

— Les conditions étaient dures ? demanda Davis.

— On avait beau être quasiment en plein été austral, la navigation dans ces eaux n'avait rien d'une partie de plaisir. Il faisait froid comme dans une chambre frigorifique, avec des icebergs partout. Mais le coin était vraiment superbe. Ça, il faut bien le reconnaître.

— Et vous n'avez rien découvert, rien appris durant cette mission ? lança Stéphanie.

— C'est pas à moi qu'il faut demander ça. » Alexander semblait s'être adouci, comme s'il avait fini par conclure que ni Davis ni Stéphanie ne représentaient une menace. « Ces rapports que vous avez lus, ils ne faisaient pas mention de trois passagers supplémentaires ? »

Davis hocha la tête. « Nulle part. Ils ne parlaient que de vous.

— C'est bien la Navy, ça. » Son expression restait impassible. « Mes ordres étaient d'amener ces trois-là où ça leur chantait. Ils ont mis pied à terre un certain nombre de fois, mais, à chaque fois qu'ils retournaient à bord, ils ne racontaient jamais rien.

— Ils avaient un équipement spécial ? »

Alexander acquiesça. « Des combinaisons de plongée en eau froide et des bonbonnes. Après leur quatrième sortie, ils ont dit qu'on pouvait rentrer.

— Aucun de vos hommes ne les a jamais accompagnés ? »

Alexander secoua la tête. « Non. Interdit. Ces trois lieutenants se sont débrouillés tout seuls, à chaque fois. Dieu seul sait ce qu'ils pouvaient bien fabriquer dehors. »

Stéphanie releva ce détail curieux, tout en sachant que, dans l'armée, de telles bizarreries étaient quotidiennes. Il lui fallait cependant poser la seule question qui s'imposait : « Qui étaient ces trois hommes ? »

Le vieil homme parut soudain extrêmement accablé. « Vous savez, je n'ai jamais parlé de tout ça auparavant. » Il semblait incapable de réprimer sa tristesse. « Je voulais être nommé capitaine de vaisseau. Je le méritais, mais la hiérarchie a toujours refusé.

— Tout cela remonte à bien longtemps, dit Davis. Nous ne pouvons pas changer le passé. »

Stéphanie se demanda si Davis faisait référence à celui d'Alexander ou au sien.

« Ça doit être assez important, tout ça, fit remarquer le vieil homme.

— Assez pour que nous ayons fait le déplacement aujourd'hui.

— Un des trois s'appelait Nick Sayers. Un autre, Herbert Rowland. Tous les deux prétentieux et suffisants, comme la plupart des lieutenants. »

Stéphanie lui donna raison en gardant le silence.

« Et le troisième ? insista Davis.

146

— Le plus prétentieux des trois. Je détestais ce trou du cul. Le problème, c'est que, par la suite, il a gagné ses barrettes de capitaine de vaisseau. Et plus tard, ses étoiles d'amiral. Il s'appelle Ramsey. Langford Ramsey. »

21

« Les nues m'invitent et la brume m'appelle. La course des astres me pressé et les vents me soulèvent, me font voler jusqu'aux cieux. Je m'approche d'un mur fait de cristal et me trouve entouré de langues de glace. Je m'approche d'un temple fait de pierre et ses murs sont semblables à un sol en mosaïque de pierre. Son plafond est tel le chemin des étoiles. De la chaleur émane des murs, la peur se saisit de moi, et un tremblement me parcourt. Je tombe face contre terre et vois un trône qui se dresse, aussi clair que le soleil qui brille. Le Haut Conseiller est assis et ses habits sont plus resplendissants que le soleil, plus blancs que neige. Le Haut Conseiller s'adresse à moi : "Ô, toi, Éginhard, scribe droit et honnête, approche et entends-moi." Il parle ma langue, chose surprenante. "De même qu'Il a créé et donné à l'homme le pouvoir de comprendre la parole de sagesse, de même Il m'a créé. Bienvenue sur notre terre. J'ai appris que tu étais un homme docte et savant. Si cela est vrai, alors tu connais les secrets des vents, comme ils se voient divisés pour souffler sur le monde entier, et les secrets des nuages et de la rosée. Nous pourrons tout t'enseigner sur le soleil et la lune, d'où ils viennent et où ils vont, et leurs glorieux retours, et en quoi l'un est supérieur à l'autre, et leurs majestueux orbes, et pourquoi ils ne les quittent pas, pourquoi ils n'ajoutent rien à leur orbe et n'en retranchent rien, et comment ils se fient l'un à l'autre selon le pacte par lequel ils sont liés. »

Malone écouta attentivement la traduction du latin que réalisait Christl Falk avant de lui demander : « Quand est-ce que cela a-t-il été écrit ?

— Entre 814, année de la mort de Charlemagne, et 840, année de la mort d'Éginhard.

— C'est impossible. Il est question des orbites du soleil et de la lune, et de ce qui les lie. Ces concepts astronomiques et physiques n'étaient à l'époque que de vagues ébauches. Ils auraient fait figure d'hérésies.

— Je suis d'accord, en tout cas en ce qui concerne l'Europe occidentale d'alors. Mais pour des hommes vivant autre part, libres des contraintes de l'Église chrétienne, cela n'avait rien de blasphématoire. »

Malone restait sceptique.

« Laissez-moi replacer tout ceci dans le contexte historique, poursuivit-elle. Les deux fils aînés de Charlemagne sont morts avant lui. Son troisième fils, Louis le Pieux, hérita de l'Empire carolingien. Les fils de Louis se dressèrent contre lui et se battirent les uns contre les autres. Éginhard a fidèlement servi Louis, comme il avait servi Charlemagne, mais ces luttes intestines lui firent horreur au point qu'il se retira de la cour et passa le restant de ses jours dans une abbaye que Charlemagne lui avait donnée. C'est au cours de ces années qu'il a composé la biographie de Charlemagne. » Elle brandit alors le vieil ouvrage : « Ainsi que ce livre.

— Dans lequel il raconte une incroyable aventure, c'est ça ? » demanda Malone.

Elle acquiesça.

« Et comment savoir si cela est vrai ? Ça a plutôt l'air d'un conte de fées. »

Elle hocha la tête. « Sa *Vie de Charlemagne* est l'une des œuvres les plus célèbres de son époque. On la publie encore de nos jours. Il était réputé pour sa franchise, et ce n'est pas sans peine qu'il est parvenu à dissimuler ces écrits. »

Malone n'était toujours pas convaincu.

« Nous connaissons assez bien les hauts faits de Charlemagne, continua-t-elle, mais très peu ses convictions. Rien de sûr à ce sujet ne nous est parvenu. Nous savons qu'il aimait les histoires anciennes et les épopées. Avant lui, les mythes étaient principalement transmis oralement. Il fut l'un des premiers à ordonner qu'ils soient mis par écrit. Nous savons que c'est Éginhard qui a supervisé cette entreprise. Mais après avoir hérité du trône, Louis fit détruire tous ces textes au contenu païen. Cet acte a dû révulser Éginhard au plus haut point : il a donc fait tout ce qui était en son pouvoir pour que cet ouvrage survive aux siècles.

— En l'écrivant partiellement dans une langue que nul ne connaissait ?

— Entre autres.

— J'ai lu certains articles selon lesquels Éginhard ne serait même pas l'auteur de sa *Vie de Charlemagne*. On ne peut être sûr de rien.

— Monsieur Malone…

— Appelez-moi Cotton. Ça me donnera l'impression d'être moins vieux.

— Intéressant, comme prénom.

— Il me plaît assez. »

Elle sourit. « Je peux vous expliquer la chose beaucoup plus en détail. Mon grand-père et mon père ont passé des années à étudier cette question. Il y a certaines choses que je dois vous montrer, d'autres que je dois vous expliquer. Une fois que vous les aurez vues, une fois que vous m'aurez entendue, je suis convaincue que vous comprendrez que nos pères respectifs ne sont pas morts en vain. »

Il lut dans son regard qu'elle était prête à répondre à chacun de ses arguments. Pourtant, ils le savaient tous les deux, elle était en train de jouer son va-tout.

« Mon père était capitaine d'un sous-marin, dit Malone. Votre père était l'un des passagers de ce sous-marin. Je vous l'accorde, je n'ai pas la moindre idée de ce que l'un et l'autre fichaient en Antarctique, mais il n'en demeure pas moins qu'ils sont tous les deux morts pour rien. » *Et sans que personne s'en inquiète*, ajouta-t-il *in petto*.

Elle repoussa son bol de soupe. « Allez-vous nous aider ?

— Qui ça, "nous" ?

— Moi. Mon père. Le vôtre. »

Il perçut son ton décidé, mais préférait parler à Stéphanie avant de faire un choix. « On va faire comme ça : la nuit porte conseil, laissez-moi réfléchir à tout cela, et demain vous me montrerez ce que vous voulez, d'accord ? »

Les yeux de Christl Falk s'adoucirent. « Ça me va. Il se fait tard. »

Ils sortirent du café et, glissant sur les pavés recouverts de neige, retournèrent à l'Hôtel de la Poste. Il restait deux semaines avant Noël, et Garmisch semblait déjà fin prêt pour l'occasion. Noël était pour Malone une période douce-amère. Il avait passé les deux derniers en compagnie d'Henrik Thorvaldsen à Christiansgade, et ce serait sans doute à nouveau le cas cette année. Il se demanda quelles pouvaient être les habitudes de Christl Falk concernant cette fête. Elle paraissait en proie à une mélancolie perpétuelle et ne faisait aucun effort pour le dissimuler. Elle semblait intelligente et déterminée (pas si différente de sa sœur, finalement), mais ces deux femmes étaient de parfaites inconnues envers lesquelles il valait mieux observer la plus grande des prudences.

Ils traversèrent la rue. Beaucoup de fenêtres de l'hôtel étaient allumées. Sa chambre au deuxième étage, au-dessus du restaurant et du salon de réception, possédait quatre fenêtres d'un côté, et trois autres appartenant à la façade de l'hôtel. Il avait laissé la lumière allumée. Une ombre passant devant l'une des fenêtres l'alerta aussitôt.

Il s'arrêta net.

Quelqu'un se trouvait dans sa chambre. Christl s'en était également aperçue.

On tira soudain un rideau.

Un visage d'homme apparut, et les yeux de celui-ci fixèrent ceux de Malone. Puis l'homme jeta un coup d'œil à droite, en haut de la rue, et disparut. Son ombre indiqua qu'il avait précipitamment quitté la chambre.

À l'autre bout de la rue, Malone vit une voiture, avec trois hommes à son bord.

« Allons-y », dit-il.

Ils devaient partir, et vite. Heureusement, il avait sur lui les clefs de sa voiture de location. Ils se précipitèrent vers le véhicule et s'engouffrèrent à l'intérieur.

Il mit le contact et quitta prestement sa place de stationnement. Il passa les vitesses dans un grondement de moteur, en contrôlant le dérapage des roues sur l'asphalte gelé. Il baissa rapidement sa vitre, s'engagea sur la route et surprit dans son rétroviseur un homme qui sortait de l'hôtel.

Il tira son pistolet de la poche de sa veste en cuir, ralentit à hauteur de la voiture garée et tira dans l'un des pneus arrière : les trois silhouettes à bord du véhicule se recroquevillèrent aussitôt.

Puis il accéléra.

22

Malone sortit de Garmisch par l'entrelacs de ruelles sombres de la ville, profitant de l'avance qu'il avait prise sur les hommes qui l'avaient guetté à l'Hôtel de la Poste. Impossible de savoir s'ils disposaient d'un second véhicule. Constatant qu'ils n'étaient pas suivis, il rejoignit l'autoroute en direction du nord, sur le même tronçon qu'il avait déjà parcouru, et, en suivant les instructions de Christl, comprit bien vite où ils allaient.

« Ces choses que vous devez me montrer se trouvent au monastère d'Ettal ? » demanda-t-il.

Elle acquiesça. « Inutile d'attendre jusqu'à demain. »

Il était tout à fait d'accord.

« Je suis sûre que, lorsque vous vous êtes entretenu avec Dorothea là-bas, elle ne vous a révélé que ce qu'elle voulait que vous sachiez.

— Et vous agissez différemment ? »

Elle le regarda droit dans les yeux. « Tout à fait. »

Il n'en était pas convaincu. « Ces hommes, à l'hôtel. Ce sont les vôtres ? Les siens ?

— Quelle que soit ma réponse, vous ne me croiriez pas. »

Il rétrograda dans la pente qui menait tout droit à l'abbaye. « Vous voulez que je vous donne un bon conseil ? Il va vraiment falloir que vous vous expliquiez. Ma patience a ses limites, et vous vous en approchez dangereusement. »

Elle hésita, mais il attendit.

« Il y a cinquante-cinq mille ans, une civilisation a vu le jour, une civilisation qui est parvenue à progresser bien plus vite que le reste de l'humanité. Une civilisation de précurseurs, si vous voulez. Elle n'était pas extrêmement évoluée d'un point de vue technologique, mais elle était extrêmement en avance. Mathématiques, architecture, chimie, biologie, géologie, météorologie, astronomie. C'était dans ces domaines qu'ils excellaient. »

Il écoutait attentivement.

« Notre perception de l'Antiquité et de la préhistoire est très fortement influencée par la Bible. Les textes de l'Ancien Testament traitant des autres peuples sont éminemment partiaux. Ils dressent un portrait déformé de diverses cultures antiques et passent sous silence certaines autres, fort importantes, telle la civilisation minoenne. Celle dont je vous parle n'a aucune relation avec notre culture judéo-chrétienne. Il s'agissait d'une civilisation basée sur le voyage maritime et le commerce à grande échelle, qui disposait de bons navires et de connaissances très poussées en navigation. Plus tard, les Polynésiens, les Phéniciens, les Vikings et enfin les Européens ont développé ces mêmes connaissances, mais c'est cette première civilisation qui les a maîtrisées avant le reste de l'humanité. »

Malone avait déjà eu vent de théories de ce type. Un certain nombre de scientifiques rejetaient à présent l'idée d'une évolution linéaire du Paléolithique au Néolithique, puis à l'âge du bronze et l'âge du fer. Ces mêmes chercheurs croyaient que les groupes humains évoluaient indépendamment les uns des autres. Ils avançaient pour illustrer leur point de vue que, de nos jours, on observait des sociétés technologiquement « primitives » qui vivaient sur le même continent que des sociétés considérées plus avancées. « Vous êtes en train de dire qu'il y a fort longtemps, alors que les peuples du Paléolithique occupaient l'Europe, d'autres cultures plus avancées ont pu exister autre part, c'est cela ? » Il se souvint de ce que lui avait dit Dorothea Lindauer. « Les Aryens, peut-être ?

— Non, pas vraiment. Les Aryens ne sont qu'un mythe. Mais ce mythe pourrait tirer son origine d'une réalité historique. Prenez Troie, par exemple. On a longtemps cru qu'il ne s'agissait que d'un pur mythe, et, pourtant, on a bel et bien retrouvé les vestiges de cette ville.

— Et qu'est-il arrivé à cette première civilisation ?

— Toute culture contient les germes de sa propre destruction. La grandeur et le déclin sont les deux faces d'une seule et même médaille. L'histoire montre que toute société finit par provoquer elle-même sa propre chute. Considérez Babylone, la Grèce antique, Rome, l'Empire mongol, l'Empire ottoman et tant d'autres sociétés monarchiques. Les raisons de leur succès sont toujours celles de leur mort. La première civilisation n'a pas fait exception. »

Ce qu'elle disait était vrai. L'homme était aussi capable de détruire que de créer.

« Mon grand-père et mon père étaient obsédés par cette civilisation oubliée. Je le suis également, je dois l'avouer.

— Ma librairie est remplie en grande partie de bouquins New Age, sur l'Atlantide et une douzaine d'autres soi-disant civilisations oubliées, dont on n'a jamais retrouvé la moindre trace. Ce ne sont que des chimères.

— La guerre et la destruction représentent une partie

essentielle de l'histoire de l'humanité. C'est un cycle. Ascension, guerre, destruction et renaissance. C'est un truisme historique. Plus une civilisation est avancée, plus il est facile de l'annihiler, et plus il est difficile d'en retrouver le moindre vestige. En d'autres termes, nous ne trouvons que ce que nous cherchons. »

Malone ralentit. « Non. La plupart du temps, nous trébuchons par erreur sur quelque chose d'intéressant. »

Elle hocha la tête. « Les plus grandes découvertes reposent sur des théories très simples. C'est le cas de l'évolution. Ce n'est qu'après que Darwin eut formulé sa théorie que nous avons commencé à trouver d'autres éléments étayant ses idées. Copernic a proposé une autre façon de considérer le système solaire, et, lorsqu'on s'y est attardé, on s'est rendu compte qu'il avait raison. Au cours de ces cinquante dernières années, personne n'a sérieusement envisagé qu'une civilisation plus avancée aurait pu nous précéder. Une telle théorie aurait été considérée comme inepte. C'est pour cette raison que la preuve a été négligée jusqu'ici.

— Quelle preuve ? »

Elle tira le livre d'Éginhard de sa poche. « Celle-ci. »

Mars 800. Charlemagne part à cheval d'Aix-la-Chapelle en direction du nord. Il ne s'est jamais aventuré jusqu'à la mer à cette période de l'année, lorsque les vents glaciaux du nord balaient la côte et que la pêche est pauvre. Mais il a insisté pour faire ce voyage. Trois soldats l'accompagnent, ainsi que moi-même, et le voyage nous prend une journée. Une fois arrivés, nous installons notre campement à l'endroit habituel, par-delà les dunes, où nous nous voyons exposés à de puissantes bourrasques. Trois jours après notre arrivée, nous apercevons des voiles au loin : nous pensons qu'il s'agit de navires vikings, ou d'une partie de la flotte d'infidèles qui menacent l'empire, au nord comme au sud. Mais le roi se met à crier de joie et court attendre sur la grève, tandis que les navires retirent leurs rames de l'eau et que de plus petites embarcations approchent de la côte, avec à leur bord les Gardiens. Uriel, qui règne sur le Tartare, est leur chef. À ses côtés se trouvent Arakiba, dont l'intelligence est au-dessus de celle des hommes, Raguel, qui sait tout des astres, Danel, ami de l'humanité, et Sarakael, qui parle aux esprits. Ils portent d'épais manteaux, des braies et des bottes de fourrure. Leurs beaux cheveux sont parfaitement coiffés. Charlemagne les embrasse tous chaleureusement. Le roi leur pose moult questions, auxquelles Uriel répond. On permet au roi de monter à bord des navires, construits avec du chêne robuste et calfatés de goudron, et le roi s'émerveille de leur solidité. On nous informe qu'ils sont bâtis loin de leurs terres, là où les arbres poussent en abondance. Danel présente au roi les cartes de lieux dont nous ignorons l'existence, et ils nous apprennent comment leurs bateaux naviguent par les mers. Danel nous montre un bout de métal pointu reposant sur une lamelle de bois qui flotte dans un coquillage rempli d'eau : l'aiguille indique la direction de la mer. Le roi demande comment cela est possible : Danel explique que le métal est attiré par une direction bien précise, et il indique le nord de la main. Dans quelque direction qu'on tourne le coquillage, l'aiguille indique toujours le même cap. Les Gardiens restent trois jours, durant lesquels Uriel et le roi parlent à l'envi. Je me lie d'amitié avec Arakiba, conseiller d'Uriel comme je le suis auprès du roi. Arakiba me parle de sa terre d'origine, où feu et glace vivent côte à côte, et je lui dis que j'aimerais voir un jour ce lieu incroyable.

« Éginhard utilise le terme de "Gardiens" pour parler du peuple de cette première civilisation, indiqua Christl. Il les appelle également les "Très Saints". Charlemagne et lui croyaient qu'ils venaient du ciel.

— Qui nous dit qu'ils n'appartenaient pas à une civilisation que nous connaissons bel et bien ?

— Connaissez-vous une civilisation qui utilisait un

alphabet et un langage semblables aux symboles que vous avez vus dans l'ouvrage que Dorothea vous a montré ?

— Ça ne constitue pas une preuve en soi.

— Existait-il une civilisation maritime au IXe siècle ? Oui, il n'y en avait qu'une : les Vikings. Mais ces gens n'étaient pas des Vikings.

— Vous ignorez qui ils étaient.

— C'est vrai. Mais ce que je sais, c'est que Charlemagne a ordonné la rédaction du livre que Dorothea vous a montré, et qui fut placé aux côtés de l'empereur dans son tombeau. Cet ouvrage était apparemment assez important pour qu'il veuille le protéger d'autrui, à l'exception des empereurs qui lui succéderaient. Éginhard s'est donné beaucoup de peine pour cacher ce livre-ci. Ce livre dans lequel se trouve, entre autres, les véritables raisons de l'expédition nazie en Antarctique en 1938, et celle de nos pères en 1971. »

L'abbaye se dressait face à eux, illuminée dans les ténèbres infinies de la nuit.

« Garez-vous ici », dit-elle, et il s'exécuta.

Personne ne les suivait.

Elle ouvrit vivement la portière. « Laissez-moi vous montrer ce que, j'en suis sûre, Dorothea ne vous a pas montré. »

23

Ramsey aimait la nuit. Chaque jour, il ne se réveillait pleinement qu'à 18 heures : ses réflexions les plus pénétrantes et ses actes les plus décisifs ne survenaient qu'une fois la nuit tombée. Le sommeil était nécessaire, soit, mais quatre ou cinq heures par jour suffisaient : juste assez pour que le cerveau se repose, pas assez pour perdre son temps. La nuit permettait une plus grande discrétion : il était beaucoup plus facile de savoir si on était espionné à 2 heures du matin qu'à 2 heures de l'après-midi. C'était pour cette raison qu'il ne s'entretenait avec Diane McCoy que la nuit.

Il habitait une modeste maison de Georgetown qu'il louait à un vieil ami, un homme qui se piquait d'avoir un amiral quatre étoiles pour locataire. Ramsey inspectait le rez-de-chaussée et l'étage en quête d'éventuels mouchards au moins une fois par jour, et il pratiquait une inspection supplémentaire avant chaque visite de Diane.

Par chance, Daniels avait choisi cette dernière en tant que conseillère adjointe chargée de la Sécurité nationale.

Elle était hautement qualifiée, bardée de diplômes en sciences politiques et en économie, et elle avait des sympathies tant à gauche qu'à droite. Elle avait fait partie du dernier remaniement datant de l'année précédente, à la suite de la soudaine fin de carrière de Larry Daley. Ramsey affectionnait Daley (qui n'avait demandé qu'à vendre son âme), mais Diane était une alliée plus puissante encore. Elle était intelligente, ambitieuse, et déterminée à rester où elle était après les trois ans restants du dernier mandat de Daniels.

Et fort heureusement, Ramsey pourrait lui offrir cette chance.

Et elle le savait.

« Les choses commencent à avancer », dit Ramsey.

Ils se trouvaient dans son salon cossu, face à un feu qui craquait dans l'âtre de briques. Dehors, la température avait chuté aux alentours de -5 °C. Toujours pas de neige, mais elle ne tarderait pas à tomber.

« Étant donné que je n'ai qu'une vague idée de ce que sont ces "choses", répondit McCoy, je ne peux qu'espérer qu'elles vont dans le bon sens. »

Ramsey sourit. « Qu'en est-il de votre côté ? Pouvez-vous arranger cette désignation ?

— L'amiral Sylvian est toujours parmi nous. Cet accident de moto l'a sérieusement amoché, mais tout porte à croire qu'il va s'en remettre.

— Je connais bien David. Il sera arrêté pendant des mois. Durant cette période, il s'opposera à ce que son poste reste vacant. Il préférera donner sa démission. » Ramsey observa une courte pause. « À moins qu'il succombe à ses blessures. »

Ce fut au tour de McCoy de sourire. C'était une blonde placide, à l'air capable et au regard brillant d'assurance. Il aimait ses qualités. Une apparence anodine. Simple. Agréable. Et pourtant, dangereuse comme un fauve.

Elle était assise dans un fauteuil, droite contre le dossier, et remuait délicatement un verre de whisky-soda.

« Je serais prête à croire que vous avez le pouvoir de faire en sorte que Sylvian meure.

— Et si c'était effectivement le cas ?

— Vous auriez tout mon respect. »

Il éclata de rire. « Le jeu auquel nous allons jouer n'a aucune règle et qu'un seul objectif : la victoire. Aussi, j'aimerais en savoir plus sur Daniels. Acceptera-t-il de coopérer ?

— Cela ne dépendra que de vous. Vous savez que l'idée ne le réjouit pas vraiment, mais vous êtes pleinement qualifié pour ce boulot. Si le poste se libère, bien évidemment. »

Ramsey saisit la nuance de soupçon dans son ton. Le plan était simple : éliminer David Sylvian, prendre sa place au sein de l'état-major de l'armée des États-Unis, remplir ces fonctions durant trois ans, puis passer à la phase 2. Mais il voulait savoir : « Est-ce que Daniels suivra vos conseils ? »

Elle but une gorgée de sa boisson. « Vous avez horreur de ne pas tout contrôler, n'est-ce pas ?

— Comme tout le monde.

— Daniels est président. Il peut agir à sa guise. Mais je crois que ses décisions dépendront d'Edwin Davis. »

Ramsey aurait préféré ne pas entendre ces mots. « En quoi est-il si important ? Ce n'est qu'un conseiller adjoint.

— Comme moi, c'est cela ? »

Son ressentiment était justifié. « Vous voyez bien ce que je veux dire, Diane. En quoi Davis peut-il représenter un problème ?

— C'est votre principal défaut, Langford. Vous avez la fâcheuse tendance de sous-estimer votre ennemi.

— En quoi Davis serait mon ennemi ?

— J'ai lu ce rapport concernant le *Blazek*. Aucun

161

membre de l'équipage ne portait le nom de Davis. Il a menti à Daniels. Son sous-marinier de frère aîné n'est qu'une invention.

— Daniels est-il au courant de ce mensonge ? »

Elle hocha la tête. « Il n'a pas lu le rapport d'enquête. Il m'a chargée de le faire à sa place.

— Êtes-vous en mesure de contrôler Davis ?

— Comme vous l'avez très finement remarqué, nous sommes tous deux au même niveau. Il a autant l'oreille du Président que moi, et ce uniquement parce que le Président le veut bien. C'est ainsi que la Maison Blanche fonctionne, Langford. Je ne décide pas des règles qui y sont en vigueur.

— Et qu'en est-il du conseiller en chef chargé de la Sécurité nationale ? Peut-il nous aider ?

— Il se trouve en Europe, il est totalement hors du coup.

— Vous pensez que Daniels travaille directement de concert avec Davis sur cette affaire ?

— Comment le saurais-je ? Tout ce que je sais, c'est que Danny Daniels est tout sauf l'imbécile pour lequel il aime se faire passer. »

Ramsey jeta un coup d'œil à l'horloge qui reposait sur le dessus de la cheminée. Très bientôt, les ondes relaieraient l'annonce de la mort soudaine de l'amiral David Sylvian, des suites de ses blessures provoquées par un tragique accident de moto. Le lendemain, une autre mort à Jacksonville, en Floride, ferait la une des journaux et des flashs infos régionaux. Les événements s'enchaînaient, et ce que McCoy était en train de lui dire n'était pas sans l'inquiéter.

« Le fait d'avoir impliqué Cotton Malone dans cette affaire pourrait également s'avérer problématique, ajouta McCoy.

— Pourquoi ça ? Il est à la retraite. Il veut simplement en savoir plus sur son père.

— Ce rapport n'aurait pas dû lui être transmis. »

Ramsey était du même avis, mais cela n'avait que peu d'importance. Wilkerson et Malone étaient sûrement déjà morts. « Nous avons tiré profit de cette erreur bête.

— Je vois mal en quoi *nous* en avons tiré profit.

— C'est le cas. Vous n'avez besoin que de le savoir.

— Langford, est-ce que je vais regretter tout ce que je suis en train de faire ?

— Libre à vous d'assumer vos fonctions jusqu'à la fin du mandat de Daniels, pour ensuite écrire au sein d'un *think tank* des rapports que personne ne lira. "Ancienne conseillère présidentielle", ça fait son petit effet sur un CV, et, à ce que je me suis laissé dire, ça paie assez bien. Peut-être qu'une chaîne de télévision vous engagera pour de minuscules interventions visant à justifier les actions du nouveau gouvernement dont vous ne ferez pas partie. Ça aussi, ça paie bien, même si le prix à payer est de passer systématiquement pour un imbécile.

— Est-ce que je vais regretter ce que je suis en train de faire, Ramsey ?

— Diane, le pouvoir, on s'en saisit. Il n'existe aucun autre moyen de l'acquérir. Et vous ne m'avez pas répondu : est-ce que Daniels acceptera de coopérer ? Acceptera-t-il de me désigner à ce poste ?

— J'ai lu le rapport sur l'*USS Blazek*, dit-elle. J'ai également fait quelques recherches connexes. Vous vous trouviez à bord du *Holden* lorsque ce navire s'est rendu en Antarctique, à la recherche du sous-marin. Vous, ainsi que deux autres hommes. Le sommet de la hiérarchie a envoyé votre petite équipe en mission classée "secret défense". En fait, à l'heure qu'il est, cette mission est toujours classée. Je n'ai rien pu apprendre à son sujet. J'ai néanmoins découvert que vous aviez fait une plongée, et que vous aviez rédigé un rapport sur ce que vous aviez trouvé, un rapport que vous avez remis en main propre au chef des opérations navales. Ce que ce dernier a fait des informations que vous lui avez soumises, cela, nul ne le sait.

— Nous n'avons rien trouvé.

— Vous mentez. »

Il apprécia son attaque. Cette femme était incroyable : c'était un animal politique aux instincts redoutables. Elle pouvait aider et elle pouvait blesser. Il décida de changer de tactique. « Vous avez raison. J'ai menti. Mais croyez-moi, pour rien au monde vous ne souhaiteriez savoir ce qui s'est réellement passé.

— C'est vrai, je n'ai nulle envie de le savoir. Mais ce qui s'est passé pourrait constituer un obstacle. »

Cela faisait trente-huit ans que Ramsey se disait la même chose. « Pas si je peux l'empêcher. »

McCoy parut réprimer son mécontentement face à son interlocuteur qui se plaisait à éviter ses questions. « Langford, j'ai appris avec l'expérience que le passé finit toujours par nous rattraper. Ceux qui n'en apprennent rien, ou qui ne s'en souviennent pas, sont condamnés à répéter leurs erreurs. Vous avez un ancien agent gouvernemental impliqué personnellement dans cette affaire (et un sacré bon agent, je tiens à le préciser). Edwin Davis est complètement libre de ses mouvements. Je n'ai pas la moindre idée de ce qu'il est en train de fabriquer... »

Ramsey en avait entendu assez. « Est-ce que vous êtes en mesure de m'assurer la coopération de Daniels ? »

McCoy se tut, encaissant sa rebuffade, avant de répondre : « Je dirais que tout dépend de vos amis du Congrès. Daniels a besoin de leur aide pour un grand nombre de projets. Il pense déjà à la trace qu'il laissera dans l'histoire, comme n'importe quel Président arrivant au terme de son mandat. Il souhaite faire passer plusieurs lois : dans cette perspective, si certains membres du Congrès désirent vous voir officier au sein de l'état-major, Daniels s'empressera d'exaucer leur vœu, en échange de leur voix, bien entendu. Les deux questions qui nous intéressent sont simples : le poste que vous briguez va-t-il se libérer, et serez-vous en mesure d'assurer le soutien des membres du Congrès qu'il convient de convaincre ? »

Ramsey avait assez parlé. Il lui restait encore certaines choses à faire avant de se coucher. Aussi décidat-il de mettre un terme à cet entretien sur une note que Diane McCoy ne pourrait oublier. « Ils ne se contente ront pas de soutenir ma candidature, ils insisteront pour que je sois nommé à ce poste. »

24

Malone observait Christl Falk en train d'ouvrir la porte de l'église. Apparemment, la famille Oberhauser avait une influence considérable sur les moines. La nuit était déjà bien avancée, et ils allaient et venaient dans le monastère comme bon leur semblait.

L'intérieur de l'église était faiblement éclairé. Ils glissèrent sur le marbre : seul l'écho du bruit de leurs semelles rompait le silence qui régnait dans ces lieux. Tous les sens de Malone étaient à l'affût. Il savait par expérience que pénétrer dans une église européenne de nuit pouvait entraîner bien des complications.

Ils entrèrent dans la sacristie et Christl se dirigea tout droit vers l'embrasure qui menait au cœur de l'abbaye. En bas des marches, la porte du bout du couloir leur apparut, entrouverte.

Malone attrapa le bras de Christl et hocha la tête, lui faisant comprendre qu'il valait mieux avancer prudemment. Il se saisit du pistolet et plaqua son dos au mur. Arrivé au bout du couloir, il jeta un coup d'œil à l'intérieur de la salle.

Tout était sens dessus dessous.

« On dirait que les moines se sont fâchés », lâcha-t-il.

Les stèles et les pignons gisaient au sol, les présentoirs étaient renversés. Les tables du fond de la salle avaient été retournées, les deux armoires saccagées.

C'est alors qu'il vit le corps.

La femme du téléphérique. Aucune blessure apparente, pas une goutte de sang ; cependant, il sentit une odeur familière.

« Du cyanure.

— Elle a été empoisonnée ?

— Regardez. Elle s'est étouffée avec sa propre langue. »

Christl n'avait manifestement aucune envie de jeter un coup d'œil au cadavre.

« Je ne supporte pas la présence des morts », dit-elle.

Sa colère enflait, aussi Malone s'empressa-t-il de lui demander : « Que sommes-nous venus voir ? »

Elle parvint à maîtriser ses émotions, et son regard glissa sur les décombres. « Elles ne sont plus là. Les pierres que mon grand-père a ramenées d'Antarctique. Elles ont disparu. »

Il ne les voyait effectivement nulle part. « Elles sont importantes ?

— Elles sont recouvertes des mêmes lettres présentes dans les deux livres.

— Ça, je le savais déjà.

— C'est très problématique, murmura-t-elle.

— C'est le moins qu'on puisse dire. Les moines risquent de se fâcher tout rouge, en dépit du statut de votre famille. »

Christl Falk était profondément troublée.

« Vous ne vouliez que me montrer ces pierres ? » demanda Malone.

Elle hocha la tête. « Non. Vous avez raison. Ce n'est pas tout. » Elle s'approcha d'un des placards peints de couleurs vives, dont les battants et les tiroirs avaient été violemment ouverts, et regarda à l'intérieur. « Oh, mon Dieu ! »

Il la rejoignit et, par-dessus son épaule, vit le trou qui avait été percé dans le panneau du fond : l'orifice hérissé d'échardes était assez large pour laisser passer une main.

« C'était là que se trouvaient les documents de mon père et de mon grand-père.

— Et apparemment, quelqu'un d'autre connaissait la cachette. »

Elle introduisit son bras. « Vide. »

Puis elle se précipita vers la porte.

« Où allez-vous ? demanda Malone.

— Nous devons faire vite. J'espère seulement qu'il n'est pas déjà trop tard. »

Ramsey éteignit les lumières du rez-de-chaussée, gravit l'escalier et entra dans sa chambre. Diane McCoy était partie. À plusieurs reprises, il avait envisagé d'approfondir leur collaboration. Elle était très attirante, tant physiquement qu'intellectuellement. Mais il avait finalement conclu que c'eût été une très mauvaise idée. Combien d'hommes puissants avaient été terrassés à cause d'un joli minois ? Un nombre incalculable, et Ramsey n'avait nulle envie de faire partie du lot.

Edwin Davis l'inquiétait beaucoup plus. Il le connaissait. Leurs routes s'étaient croisées des années auparavant à Bruxelles, avec Millicent, une femme dont il avait grandement profité. Elle aussi était brillante, jeune et volontaire. Mais elle était aussi…

« Enceinte », dit Millicent.

Il était inutile de le répéter : il avait très bien compris la première fois. « Et que veux-tu que j'y fasse ?

— M'épouser serait une bonne idée.

— Mais je ne t'aime pas. »

Elle éclata de rire. « Bien sûr que si. Tu ne veux simplement pas l'admettre.

— Non, vraiment, je ne t'aime pas. J'aime coucher avec toi. J'aime t'entendre raconter tout ce qui se passe au bureau. J'aime la façon dont ton cerveau fonctionne. Mais je n'ai pas envie de t'épouser. »

Elle s'approcha subrepticement. « Je te manquerais si je n'étais plus là. »

Le peu d'estime de soi de certaines femmes apparemment intelligentes l'étonnait toujours. Il avait battu cette femme un nombre incalculable de fois, et elle ne l'avait jamais quitté, presque comme si elle aimait ça. Comme si elle le méritait. Comme si c'était précisément ça qu'elle cherchait. À cet instant, quelques coups leur feraient le plus grand bien à tous deux, mais il se dit que la patience serait en l'occurrence plus utile. Il la serra tendrement contre lui et lui chuchota : « Tu as raison. Tu me manquerais. »

Moins d'un mois plus tard, elle trouvait la mort.

Une semaine après, Edwin Davis obtenait sa mutation.

Millicent lui avait raconté que Davis s'empressait toujours de venir la consoler après qu'il l'eut battue. Ramsey ignorait complètement pourquoi elle le lui avait avoué. Peut-être pensait-elle que le fait d'avoir connaissance de ce détail l'empêcherait par la suite de la violenter. Et pourtant, il avait continué à la battre, et elle finissait toujours par lui pardonner. Davis ne disait jamais rien, mais Ramsey lut à plusieurs reprises, dans le regard de cet homme plus jeune, de la haine, ainsi que la colère d'être incapable de remédier à cet état de fait. Davis était alors un petit employé du département d'État, et il s'agissait d'une de ses premières missions à l'étranger : son boulot consistait à résoudre les problèmes, pas à en créer, à fermer sa bouche et à ouvrir les oreilles. Mais à présent, Edwin Davis était conseillé adjoint chargé de la Sécurité nationale auprès du président des États-Unis. Le temps s'était écoulé, et les règles avaient changé. « Il a autant l'oreille du Président que moi, et ce uniquement parce que le Président le veut bien. » C'était là les mots mêmes de McCoy. Elle avait raison. Tout ce que faisait Davis avait une incidence sur lui. Il n'existait aucune preuve, rien qu'un pressentiment, le genre de pressentiment que, longtemps auparavant, il avait appris à ne pas mépriser.

Edwin Davis devait être éliminé.

Comme l'avait été Millicent.

Wilkerson traîna les pieds dans la neige en direction de l'endroit où Dorothea Lindauer avait garé sa voiture. Celle de Wilkerson finissait d'être dévorée par les flammes. Dorothea semblait ne pas s'inquiéter de la destruction de la maison, même si, ainsi qu'elle le lui avait raconté quelques semaines auparavant, cette demeure appartenait à sa famille depuis le milieu du XIXe siècle.

Ils avaient laissé les cadavres dans les décombres. « Nous nous en occuperons plus tard », avait dit Dorothea. D'autres sujets plus importants exigeaient toute leur attention.

Il déposa les cartons remplis par le libraire de Füssen dans le coffre de la voiture. Il avait eu sa dose de froid et de neige. Il aimait le soleil et la chaleur. Il était bien plus proche du Romain que du Viking.

Il ouvrit la portière de la voiture et disposa ses grandes jambes fatiguées derrière le volant. Dorothea l'attendait déjà à la place du passager.

« Maintenant », lui dit-elle.

Wilkerson consulta le cadran lumineux de sa montre et estima l'heure en fonction du décalage horaire. Il n'avait aucune envie d'appeler. « Plus tard.

— Non. Il faut qu'il sache.

— Pourquoi ça ?

— Quand on a affaire à des hommes de sa trempe, il ne faut jamais rater la moindre occasion de déstabiliser son adversaire. C'est la seule façon de le pousser à commettre des erreurs. »

Wilkerson était en proie à la confusion et à la peur. « Je viens juste de manquer de me faire tuer. Je ne suis pas d'humeur. »

Elle posa sa main sur son bras. « Sterling, écoute-moi. Les dés sont déjà jetés. Nous ne pouvons rien y faire. Appelle-le. »

Il avait du mal à voir son visage dans la pénombre, mais sa beauté était si présente dans son esprit que tout éclairage était superflu. C'était l'une des femmes les plus magnifiques qu'il eût jamais rencontrées. Intelligente, qui plus est. Elle avait compris bien avant lui que Langford Ramsey était aussi fourbe qu'un serpent.

Et de surcroît, elle venait de lui sauver la vie.

Il se saisit de son téléphone et composa le numéro. Il donna à l'opératrice le code secret et le mot de passe du jour, puis déclina l'identité de l'homme auquel il souhaitait parler.

Deux minutes plus tard, Langford Ramsey répondit.

« Il est extrêmement tard, là où vous êtes, dit l'amiral d'un ton amical.

— Espèce de fils de pute. Vieux tas de merde ambulant. »

Un silence, puis : « Je suppose que vous avez une raison valable de vous adresser de cette façon à un supérieur hiérarchique.

— J'ai survécu.

— À quoi avez-vous survécu ? »

Le ton perplexe de l'amiral le déstabilisa. Mais Ramsey avait toutes les raisons de mentir. « Vous avez envoyé une équipe pour vous débarrasser de moi.

— Je puis vous assurer, capitaine, que si j'avais réellement voulu vous éliminer, vous seriez mort à l'heure qu'il est. Vous devriez plutôt vous inquiéter de la personne qui, apparemment, veut votre mort. *Frau* Lindauer, peut-être ? Je vous ai justement envoyé pour prendre contact avec elle, pour apprendre à la connaître et pour trouver les informations dont j'avais besoin.

— Et j'ai fait très exactement ce que vous m'aviez ordonné de faire. Je la voulais, cette fichue étoile.

— Et vous l'aurez, comme promis. Mais qu'avez-vous découvert au juste ? »

Dans le silence qui régnait à l'intérieur de la voiture, Dorothea avait entendu les mots de Ramsey. Elle arracha le téléphone des mains de Wilkerson et répliqua : « Vous êtes un menteur, amiral. C'est vous qui désirez sa mort. Et je dois dire qu'il a découvert beaucoup de choses. »

Wilkerson entendit la réponse de Ramsey : « *Frau* Lindauer, quel plaisir de vous parler enfin.

— Dites-moi, amiral, pourquoi est-ce que je vous intéresse à ce point ?

— C'est votre famille qui m'intéresse, pas vous.

— Vous savez, pour mon père, n'est-ce pas ?

— Je suis au fait de l'affaire, dans une certaine mesure.

— Vous savez pourquoi il se trouvait à bord de ce sous-marin.

— La véritable question est de savoir en quoi cela vous intéresse-t-il, vous ? Voici des années que votre famille tâche de s'assurer la collaboration d'informateurs au sein de la Navy. Pensiez-vous que je l'ignorais ? Je n'ai fait que vous en envoyer un de plus.

— Nous avons appris que cette affaire ne s'arrêtait pas au naufrage du sous-marin, dit-elle.

— Malheureusement, *Frau* Lindauer, vous n'en connaîtrez jamais le fin mot.

— N'y comptez pas trop.

— Que de bravade. Je suis impatient de voir si vous

avez des cartes dignes de ce nom entre les mains, ou si ce n'est que du bluff pur et simple.

— Et si vous acceptiez de répondre à une seule question ? »

Ramsey ricana. « D'accord. Une seule question.

— Est-ce qu'il y a quelque chose à découvrir là-bas ? »

La question troubla Wilkerson. Où ça, « là-bas » ?

« Vous ne pouvez même pas imaginer ce qui s'y trouve », répondit Ramsey.

Et la liaison s'interrompit dans un déclic métallique.

Dorothea rendit à Wilkerson son téléphone, et il lui demanda : « Qu'est-ce que tu entendais par "là-bas" ? »

Elle s'adossa à son siège. La neige commençait à recouvrir la voiture.

« C'est ce que je redoutais, murmura-t-elle. Toutes les réponses se trouvent en Antarctique.

— Qu'est-ce que tu cherches ?

— Je dois d'abord lire ce qui se trouve dans le coffre avant de te répondre. Je n'en suis pas encore tout à fait sûre.

— Dorothea, je suis en train de sacrifier toute ma carrière, ma vie entière pour cette affaire. Tu as entendu Ramsey. Ce n'est peut-être pas lui qui a voulu intenter à ma vie. »

Elle se tenait totalement immobile, raide comme un piquet. « Sans moi, tu serais déjà mort à l'heure qu'il est. » Elle tourna la tête vers lui. « Ton existence est enchaînée à la mienne.

— Je l'ai dit, je le répète : tu es mariée.

— Il n'y a plus rien entre Werner et moi. Depuis déjà bien longtemps. C'est toi et moi, à présent. »

Elle avait raison, il le savait, et cela le gênait autant que cela l'excitait.

« Que comptes-tu faire, maintenant ? demanda Wilkerson.

— Quelque chose qui nous sera grandement utile, je l'espère. »

25

Malone observait le château à travers le pare-brise : l'imposant édifice se dressait sur le flanc abrupt d'une colline. Lucarnes, fenêtres à meneaux et fenêtres à encorbellement brillaient dans la nuit. Des projecteurs nimbaient les murs extérieurs d'une douceur et d'une beauté toutes médiévales. Malone se souvint des mots que Luther avait utilisés pour décrire une autre citadelle allemande : « Notre Dieu est une forteresse, un rempart imprenable. »

Il conduisait sa voiture de location, avec Christl Falk à la place du passager. Ils avaient quitté le monastère d'Ettal à toute vitesse pour se plonger dans les profondeurs glacées des forêts bavaroises, suivant les courbes d'une autoroute déserte. Au bout de quarante minutes, le château était apparu. Il alla se garer dans la cour intérieure. Au-dessus de sa tête, perçant le ciel d'un bleu d'encre, brillaient une multitude d'étoiles.

« Ceci est la demeure de ma famille, dit Christl alors qu'ils sortaient du véhicule. Le domaine Oberhauser. Reichshoffen.

— "L'espoir de l'empire", traduisit Malone. Intéressant.

— *Reich und Hoffnung*, "Empire et espoir", est la devise de notre famille. Nous occupons cette colline depuis plus de sept siècles. »

Il admira l'architecture ordonnée et harmonieuse du château, dont la couleur neutre et égale n'était brisée que par des traînées de neige qui s'accrochaient à la pierre sans âge.

Elle se retourna et il lui attrapa le poignet. Les belles femmes étaient toujours compliquées, et cette inconnue était vraiment d'une rare beauté. Pire encore, elle se jouait de lui, et il le savait.

« Pourquoi portez-vous le nom de Falk, et non celui d'Oberhauser ? » lui demanda-t-il, cherchant à la déstabiliser.

Elle laissa tomber son regard sur son bras. Malone la lâcha.

« Un mariage qui fut une erreur.

— Votre sœur. Lindauer. Elle est toujours mariée ?

— Oui, bien que son union n'ait d'un mariage que le nom. Werner aime son argent et elle aime être mariée. Cela lui permet de réguler un peu le nombre de ses amants.

— Est-ce que vous finirez par m'expliquer les raisons de votre haine mutuelle ? »

Le sourire de Christl rehaussa encore sa beauté. « Si vous acceptez de m'aider, oui.

— Vous savez pourquoi je suis ici.

— Vous êtes ici à cause de votre père. Et moi à cause du mien. »

Malone en doutait, mais préféra cesser ces atermoiements. « Alors allons voir ce qui selon vous est si important. »

Ils traversèrent un portail en arche. À l'intérieur, une énorme tapisserie qui recouvrait le mur du fond attira son attention. Un curieux motif en fil d'or scintillait sur un fond bleu et marron.

« Les armoiries familiales », commenta Christl.

Malone étudia plus attentivement l'image. Une couronne dominait un animal (peut-être un chien ou un chat, c'était difficile à dire) qui tenait dans sa gueule ce qui semblait être un rongeur. « Qu'est-ce qu'elles signifient ?

— Le sens est assez vague. Mais l'un de nos ancêtres aimait cette représentation : il en a donc fait faire une tapisserie et l'a installée ici. »

Dehors, le rugissement d'un moteur retentit dans la cour du château. Malone regarda en direction du portail ouvert et vit un homme sortir d'un coupé Mercedes, armé d'un pistolet-mitrailleur.

Il reconnut son visage.

C'était le même qu'il avait surpris plus tôt, à la fenêtre de sa chambre à l'Hôtel de la Poste.

Qu'est-ce que tout cela signifiait ?

L'homme brandit son arme.

Malone tira Christl de côté, tandis que les balles sifflaient à toute vitesse à travers le portail pour frapper de plein fouet une table qui flanquait le mur du fond. Le verre d'une gigantesque pendule se brisa. Ils se mirent à courir, Christl ouvrant la marche. D'autres balles s'enfoncèrent dans le mur qui se trouvait derrière Malone.

Il serra le pistolet dans sa paume tandis qu'ils tournaient dans un coin et empruntaient un petit couloir, pour finalement déboucher sur un vaste hall.

Il inspecta les lieux d'un rapide coup d'œil : la salle était quadrangulaire, flanquée de colonnades qui se dressaient aux quatre coins, avec de longues galeries tant au-dessus qu'en dessous. À l'autre bout de la salle, éclairé par de faibles projecteurs, avait été tendu le symbole de l'ancien Empire allemand, un drapeau noir, rouge et or, avec en son centre un aigle. En dessous, béant, se trouvait l'âtre colossal d'une cheminée de pierre, assez vaste pour accueillir plusieurs personnes.

« Séparons-nous, lança Christl. Montez à l'étage. »

Avant même qu'il ait pu lui adresser la moindre objection, elle se précipita dans les ténèbres.

Malone aperçut un escalier qui menait à la galerie de l'étage supérieur et s'enfonça dans l'obscurité, progressant à quelques mètres de la balustrade. Une ombre pénétra dans le hall en contrebas, éclairée à contre-jour par la lumière provenant du petit couloir. Dix-huit chaises entouraient une imposante table de banquet. Leurs dossiers rehaussés d'or étaient droits et hauts, semblables à des soldats au garde-à-vous, à l'exception de deux chaises, que Christl avait certainement dû déplacer afin de se cacher sous la table.

Un éclat de rire brisa le silence. « Tu es un homme mort, Malone. »

L'homme connaissait son nom. Intéressant.

« Viens me chercher », répondit-il, conscient du fait que sa voix résonnerait dans tout le hall, rendant impossible toute localisation de sa position.

L'homme s'avança prudemment dans les ténèbres, épiant les arches, considérant un poêle ouvragé dans un coin, l'énorme table de banquet et le lustre de cuivre qui surplombait le tout.

Malone tira en contrebas.

La balle manqua sa cible.

Des bruits de pas précipités résonnèrent dans l'escalier.

Malone courut droit devant lui, tourna au coude et ralentit dans la nouvelle galerie. Il n'entendait plus le moindre bruit derrière lui, mais il savait que l'homme était bien là.

Il regarda la table qui se trouvait au rez-de-chaussée. Les deux chaises n'avaient pas bougé. Une troisième bascula en arrière et tomba à terre : le bruit résonna dans tout le hall.

Une rafale de balles tirée de la galerie supérieure s'abattit sur le dessus de la table. Fort heureusement, le bois épais résista aux projectiles. Malone tira dans la galerie supérieure, en direction des gerbes de feu qui étaient sorties du canon de l'arme. L'homme lui répondit par une autre rafale, et les balles rebondirent contre le mur qui se trouvait derrière lui.

Malone scrutait les ténèbres, tâchant de voir où se trouvait l'assaillant. Il avait essayé de faire diversion en lui répondant, mais Christl Falk, intentionnellement ou pas, avait ruiné son effort. Derrière lui, le mur présentait une série de niches sombres. Devant lui régnait l'obscurité la plus totale. Il surprit un mouvement de l'autre côté, une vague silhouette qui avançait dans sa direction. Il resta dans les ténèbres, s'accroupit et reprit sa route, tournant sur sa gauche pour traverser l'un des petits côtés du hall rectangulaire.

Cet homme était venu spécialement pour le tuer. Quelque chose ne tournait pas rond.

Christl apparut soudain au centre du hall, dans la faible lumière des projecteurs.

Malone resta à couvert. Il s'arrêta et se plaqua à l'une des arches, guettant tout mouvement derrière l'angle de pierre.

« Montrez-vous », s'écria Christl.

Malone abandonna sa position et pressa le pas, dans l'espoir de rattraper l'homme armé pour le surprendre par-derrière.

« Écoutez, je vais m'en aller. Si vous voulez m'en empêcher, vous savez ce qui vous reste à faire.

— Ce n'est pas très malin », répondit l'homme.

Malone marqua le pas à un angle. Devant lui, au milieu de la galerie, se tenait l'assaillant qui regardait dans la direction opposée à la sienne. Malone jeta un bref coup d'œil en contrebas : Christl n'avait pas bougé.

Une froide résolution s'empara de lui.

La silhouette de l'homme brandit son arme.

« Où est-il ? » demanda l'homme à Christl. Elle ne répondit pas. « Malone, montre-toi ou je la tue. »

Malone avança, accroupi, pointant son pistolet devant lui. « Je suis là. »

L'arme de l'homme était toujours dirigée en contrebas. « Rien ne m'empêche de tuer quand même *Frau* Lindauer », répliqua-t-il calmement.

Malone mit les points sur les « i ». « Je t'aurai tué avant que tu aies pu appuyer sur la détente. »

L'homme sembla peser le pour et le contre, et commença à se retourner doucement vers Malone. Soudain ses gestes s'accélérèrent et, tout en se retournant, il ouvrit le feu à la volée. Les balles fusèrent à travers le hall. Malone s'apprêtait à tirer lorsque le puissant écho d'un coup de feu emplit l'espace.

La tête de l'homme bascula brutalement en arrière, et il cessa de tirer.

Son corps s'éloigna brusquement de la balustrade.

Ses jambes vacillèrent.

Un cri, faible et fugace, et l'homme s'effondra par terre.

Malone abaissa son pistolet.

La partie supérieure du crâne de l'assaillant avait été arrachée.

Malone s'approcha de la rambarde.

En bas, à gauche de Christl Falk, se tenait un homme grand et maigre qui pointait le canon de son fusil vers la galerie supérieure. À droite de Christl se tenait une femme âgée qui s'adressa à lui : « Merci infiniment pour cette diversion, *Herr* Malone.

— Il n'était pas nécessaire de le tuer. »

La vieille femme fit un signe à l'homme qui abaissa son fusil.

« J'en ai jugé autrement », dit-elle.

26

Malone descendit les marches pour rejoindre le hall. L'homme et la vieille femme se tenaient toujours aux côtés de Christl Falk.

« Je vous présente Ulrich Henn, dit Christl. Il travaille pour notre famille.

— Et quelles sont ses fonctions, au juste ?

— Il protège le château, répondit la vieille femme. C'est notre chambellan.

— Et qui êtes-vous ? » demanda Malone.

Ses sourcils s'arquèrent sous le coup d'un apparent amusement, et elle lui décocha un sourire qui dévoila une dentition irrégulière. Elle était incroyablement décharnée, presque aussi frêle qu'un moineau, avec des cheveux gris et or. De fines veines protubérantes sillonnaient ses bras chétifs, et des taches de vieillesse maculaient ses poignets. « Je suis Isabel Oberhauser. »

Bien que son ton fût presque amical, son regard faisait douter de ses véritables sentiments.

« Et c'est censé m'impressionner ?

— Je suis la chef de cette famille. »

Malone pointa Ulrich Henn du doigt. « Votre employé de maison et vous venez de tuer un homme.

— Un homme qui était entré ici par effraction, armé

d'un pistolet-mitrailleur, pour tenter de vous tuer, ma fille et vous.

— Et vous avez eu la chance d'avoir un fusil sous la main, ainsi qu'une personne capable de pulvériser le crâne d'un homme à quinze mètres de distance malgré une faible luminosité.

— Ulrich est un tireur aguerri. »

Henn restait muet. Manifestement, il savait quelle était sa place.

« J'ignorais qu'ils se trouvaient ici, dit Christl. Je croyais ma mère partie. Mais lorsque je l'ai vue entrer dans le hall avec Ulrich, je lui ai fait signe de se tenir prête avant d'attirer l'attention du tueur.

— C'était tout à fait stupide.

— Ça a fonctionné. »

Et cela lui en apprenait beaucoup sur cette femme. Il fallait un sacré cran pour affronter un homme armé. Malone ne parvenait cependant pas à déterminer si elle était très intelligente, d'un remarquable courage ou d'une stupidité absolue. « Je ne connais pas beaucoup de docteurs en histoire médiévale qui auraient fait ce que vous avez fait. » Il se retourna vers la mère de Christl. « Nous avions besoin de cet homme vivant. Il connaissait mon nom.

— Je l'ai également remarqué.

— J'ai besoin de réponses, pas d'énigmes supplémentaires : ce que vous venez de faire n'a fait que compliquer une situation déjà très embrouillée.

— Montre-lui, dit Isabel à sa fille. À la suite de quoi, *Herr* Malone, vous et moi pourrons avoir un petit entretien. »

Malone suivit Christl jusqu'à l'entrée principale, puis à l'étage, jusqu'à une chambre dans un coin de laquelle un poêle colossal portant la date « 1651 » se dressait jusqu'au plafond.

« C'était la chambre de mon grand-père et, plus tard, celle de mon père. »

Elle entra dans une alcôve, où reposait un banc ouvragé, juste sous une fenêtre à meneaux.

« Mes ancêtres, qui bâtirent ce château au XIIIe siècle, étaient obsédés par le fait d'être pris au piège. C'est pourquoi chaque pièce possède au moins deux issues : celle-ci ne fait pas exception. En fait, cette chambre représentait à l'époque le fin du fin en matière de sécurité. »

Elle appuya sur l'une des pierres du mur, et un pan entier s'ouvrit sur un escalier en colimaçon qui descendait dans le sens inverse des aiguilles d'une montre. Elle poussa un interrupteur et plusieurs ampoules de faible intensité dissipèrent les ténèbres.

Il descendit les marches à sa suite. Arrivée en bas, elle poussa un autre interrupteur.

Malone remarqua que l'air était sec et chaud, manifestement contrôlé. Le sol était recouvert de carreaux d'ardoise grise séparés par des joints fins et noirs. Les murs de pierres grossièrement taillées, recouvertes de plâtre peint en gris, avaient été manifestement arrachés à leur carrière des siècles auparavant.

La pièce se réduisait en un étroit couloir qui donnait sur une succession de salles, où étaient exposés des objets singuliers. Il y avait des drapeaux allemands, des bannières nazies, et même la réplique d'un autel SS, sur lequel, Malone le savait, il était commun de baptiser les enfants dans les années 1930. Il y avait également une multitude de figurines, dont un soldat de plomb placé au centre d'une carte très colorée de l'Europe du début du XXe siècle. Et des casques nazis, des épées, des poignards, des uniformes, des képis, des imperméables, des pistolets, des fusils, des hausse-cols, des ceintures à munitions, des bagues, des bijoux, des gantelets et des photographies.

« Voici à quoi mon grand-père occupa son temps après la guerre : il a accumulé toutes ces choses.

— Un vrai petit musée nazi.

— La répudiation d'Hitler l'a grandement affecté. Il avait servi aveuglément ce salaud, et ne put jamais se résoudre à comprendre qu'il n'était plus d'aucune utilité pour le parti. Durant six longues années, jusqu'à la fin de la guerre, il a tenté par tous les moyens de regagner ses faveurs. Puis il a collectionné tous ces objets jusqu'à sombrer dans la sénilité, dans les années 1950.

— Ça n'explique en rien pourquoi votre famille a conservé tout cela.

— Mon père avait un profond respect pour son père. Mais nous ne venions ici que très rarement. »

Elle le guida jusqu'à un cube en verre. À l'intérieur se trouvait une bague en argent gravée de runes au contour singulier. Les graphies étaient cursives, quasiment en italique. « Il s'agit de véritables runes, telles qu'on peut en trouver sur d'anciens boucliers scandinaves. Il va sans dire que ces bagues n'étaient portées que par les membres de l'Ahnenerbe. » Elle attira son attention sur un autre objet placé dans le cube. « Cet insigne portant la rune "odal" et une petite croix gammée était également réservé à l'usage exclusif de l'Ahnenerbe. C'est mon grand-père qui a conçu ces objets. L'épingle à cravate est tout à fait spéciale : elle représente l'Irminsul, l'Arbre de Vie sacré des Saxons. On raconte qu'il se dressait au sommet des Rochers du Soleil, à Detmold, et fut détruit par Charlemagne en personne : c'est cette profanation qui serait à l'origine des longues guerres qui s'ensuivirent entre Saxons et Francs.

— Vous parlez presque avec respect de ces reliques.

— Vraiment ? » Son ton trahit sa perplexité.

« Oui. Comme si elles avaient une valeur à vos yeux. »

Christl Falk eut un haussement d'épaules. « Ce ne sont que les souvenirs d'un temps révolu. Mon grand-père a fondé l'Ahnenerbe pour des raisons purement intellectuelles, et l'organisation s'est transformée peu à peu en quelque chose de tout à fait différent. Son Institut de recherches militaires scientifiques a procédé à des expériences innommables sur des prisonniers de camps de concentration. Avec des chambres de décompression. Des expériences sur l'hypothermie, sur la coagulation sanguine. Des choses immondes. Son département de Sciences naturelles appliquées a créé une collection d'ossements d'hommes et de femmes juifs spécialement tués et dissous à cet effet. Plusieurs membres de l'Ahnenerbe furent pendus pour crimes de guerre. Beaucoup d'autres furent incarcérés. L'Ahnenerbe était devenue une abomination. »

Malone la regardait droit dans les yeux.

« Mon grand-père n'a participé à aucune de ces exactions, dit-elle, lisant dans son regard. Tout cela a eu lieu après sa répudiation publique. » Elle observa une pause. « Bien après qu'il se fut condamné à rester enfermé ici et à l'abbaye, où il poursuivit seul ses travaux, avec la même ferveur qu'auparavant. »

Pendue à côté de la bannière de l'Ahnenerbe, se trouvait une tapisserie représentant le même Arbre de Vie que l'épingle à cravate. La phrase écrite en bas attira l'attention de Malone : « AUCUN PEUPLE NE VIT PLUS LONGTEMPS QUE LA TRACE QU'IL LAISSE. »

Christl remarqua son intérêt. « Mon grand-père croyait fermement en cette phrase.

— Et vous ? »

Elle acquiesça. « Moi aussi. »

Malone ne parvenait toujours pas à comprendre pourquoi la famille Oberhauser avait préservé cette collection intacte, dans une pièce à atmosphère régulée, sans la moindre trace de poussière nulle part. Mais il comprenait l'une des raisons qu'elle avait invoquées. Lui aussi avait le plus grand respect pour son père. Bien que celui-ci eût été absent durant la plus grande partie de son enfance, Malone se souvenait des moments qu'ils avaient passés ensemble, à jouer au base-ball, à nager ou à s'occuper du jardin. Durant des années, à la suite de sa mort, il avait ressenti une colère perpétuelle, du fait d'être privé de ce que ses amis, qui avaient encore leurs deux parents, considéraient comme acquis. Sa mère ne lui laissa jamais oublier son père, mais, en grandissant, Malone avait fini par comprendre que ses souvenirs s'étaient atténués avec le temps. Être la femme d'un officier de la Navy était loin d'être facile. Aussi difficile que d'être l'épouse d'un agent de l'unité Magellan : c'était du reste ce qui avait poussé son ex-femme à le quitter.

Christl poursuivit la visite. À chaque pas, la passion d'Hermann Oberhauser se dévoilait un peu plus. Elle s'arrêta devant une armoire peinte de couleurs vives, similaire à celles de l'abbaye. Elle tira d'un des tiroirs une feuille protégée par une épaisse chemise en plastique.

« Voici l'original du testament d'Éginhard, que mon grand-père avait trouvé. Une copie se trouvait à l'abbaye. »

Malone étudia ce qui semblait être du vélin et les fines lettres latines dont l'encre avait pâli en un gris presque transparent.

« Au verso se trouve une traduction en allemand, indiqua Christl. Le dernier paragraphe est le plus important. »

« Vivant, j'ai fait vœu au très pieux seigneur Charles, sérénissime et auguste empereur, de ne jamais mentionner le Tartare. Un récit complet de ce que je sais fut jadis respectueusement déposé aux côtés du seigneur Charles lorsque celui-ci fut inhumé. Si un jour son tombeau sacré devait être ouvert, ces pages ne devront être ni séparées ni divisées, mais, conformément à la volonté du seigneur Charles, remises au saint empereur alors détenteur de la couronne. La lecture de ces vérités est pleine d'enseignements nouveaux, et, après de longues méditations empreintes de piété et de prudence, et surtout après avoir considéré le profond désintérêt du seigneur Louis envers l'œuvre de son père, j'ai soumis la faculté de comprendre ces mots à la connaissance de deux autres vérités. La première, je la remets ici à mon fils, qui devra la préserver à l'attention de son fils, et celui-ci à l'attention de son fils, et ainsi pour l'éternité. Gardez-la précieusement, car elle est écrite dans la langue de l'Église que l'on peut aisément comprendre, même si son message est incomplet. La seconde, qui permettra une pleine compréhension de la sagesse du ciel reposant aux côtés du seigneur Charles, se trouve dans la nouvelle Jérusalem. Les révélations s'éclairciront une fois déchiffré le secret de cet endroit merveilleux. Élucidez ce mystère en appliquant la perfection de l'ange à la sanctification du Seigneur. Seuls ceux capables d'apprécier le trône de Salomon et la frivolité romaine sauront trouver le chemin qui mène au ciel. Soyez avertis que ni moi ni les Très Saints n'avons de patience envers l'ignorance. »

« C'est ce dont nous avions parlé, dit Christl Falk. *Das Rätsel Karls des Grossen*. Le Mystère de Charlemagne. C'est cette énigme que nous devons déchiffrer. C'est ce qu'Othon III et tous les empereurs du Saint Empire germanique qui lui succédèrent furent incapables d'élucider. Si nous y arrivons, nous découvrirons ce que nos pères étaient partis rechercher en Antarctique. »

Malone hocha la tête. « Vous avez dit que votre grand-père y était allé et en avait même ramené des objets. Apparemment, il a déjà élucidé ce fameux mystère. Il n'aurait pas laissé la solution quelque part, par hasard ?

— Il n'a laissé aucune trace de ce qu'il a appris ni de

la façon dont il s'y est pris. Comme je vous l'ai dit, il a sombré dans la sénilité, et, dès lors, il a été impossible de lui soutirer quelque information que ce soit.

— Et pourquoi est-ce à présent si important ? »

Elle hésita avant de répondre. « Ni mon grand-père ni mon père ne s'intéressaient à de basses questions d'argent et de richesse. Seul le monde et sa connaissance les intéressaient. Malheureusement, mon grand-père vécut à une époque où les idées qui prêtaient à controverse étaient rejetées. C'est pour cela qu'il fut contraint de travailler dans la solitude. Mon père était un rêveur, incapable de réaliser quoi que ce soit de concret.

— En tout cas, il aura au moins réussi le tour de force de se rendre en Antarctique à bord d'un sous-marin américain. Ce n'est pas rien.

— Et cela implique une question de première importance.

— Pourquoi le gouvernement américain s'intéressait-il à ses recherches, au point de le laisser embarquer sur ce sous-marin ? »

Malone savait que la réponse était en partie liée à l'époque. Au cours des années 1950, 1960 et 1970, les États-Unis avaient initié un grand nombre de projets sur des sujets fort peu orthodoxes. Les phénomènes paranormaux, la perception extrasensorielle, la manipulation mentale, les ovnis. Aucun champ d'étude n'était rejeté, dans l'espoir de remporter un avantage décisif sur l'Union soviétique. Cette mission en Antarctique avait-elle eu pour cadre l'une de ces folles investigations ?

« J'espérais que vous pourriez apporter la réponse à cette question », dit Christl Falk.

Malone attendait pourtant lui aussi la réponse à sa question, qu'il répéta : « Pourquoi est-ce que tout cela est si important, tout d'un coup ?

— Cela pourrait être décisif. En fait, cela pourrait changer du tout au tout notre conception du monde. »

Derrière elle apparut sa mère. La vieille femme s'approchait lentement d'eux, et ses pas prudents ne produisaient pas le moindre bruit.

« Laisse-nous seuls », ordonna-t-elle à sa fille.

Christl s'en alla sans un mot.

Malone se tenait planté là, le testament d'Éginhard à la main.

Isabel se redressa. « Vous et moi avons à parler. »

27

Charlie Smith attendait de l'autre côté de la rue. Un dernier boulot, et c'en serait fini pour cette nuit.

Le commandant Zachary Alexander, retraité de l'US Navy, avait passé ces trente dernières années à se plaindre. De son cœur. De sa rate. De son foie. De ses os. Aucune partie de son anatomie n'avait échappé aux examens. Douze ans auparavant, il s'était convaincu qu'il avait besoin d'une appendicectomie, jusqu'à ce qu'un docteur attire son attention sur le fait qu'il avait déjà subi une ablation de l'appendice dix ans plus tôt. Jadis gros fumeur, à raison d'un paquet par jour, il avait eu la certitude trois ans auparavant d'être atteint d'un cancer du poumon, mais les multiples examens n'avaient rien révélé. Récemment, le cancer de la prostate s'était imposé comme sa dernière obsession, et il avait passé des semaines à tâcher de convaincre une foule de spécialistes qu'il était victime de ce mal.

Ce soir, tous les soucis médicaux de Zachary Alexander prendraient fin.

Le choix du mode opératoire pour accomplir cette tâche avait été difficile. La quasi-totalité de l'anatomie d'Alexander ayant été examinée en profondeur, une mort « naturelle » aurait tout de suite attiré les soupçons. Le recours à la violence était à proscrire : cette méthode attirait systématiquement l'attention. Heureusement, le dossier d'Alexander précisait les points suivants :

« Vit seul. Découragée par ses jérémiades incessantes, son épouse a obtenu le divorce il y a plusieurs années. Ses enfants lui rendent rarement visite : leur tape aussi sur les nerfs. N'a pas eu d'aventures avec d'autres femmes. Considère le sexe comme sale et propagateur d'infections. Prétend avoir arrêté de fumer depuis des années, mais quasiment toutes les nuits, la plupart du temps au lit, aime fumer un cigare. Une marque très réputée, commandée par l'entremise d'un débit de tabac de Jacksonville (adresse mentionnée ci-dessous). En fume au moins un par jour. »

Ce petit passage savoureux avait suffi à exciter l'imagination de Smith. À l'aide d'autres informations glanées dans le dossier, il avait fini par concevoir le meilleur moyen de provoquer la mort de Zachary Alexander.

Smith avait quitté White Oak par un vol de nuit. Arrivé à Jacksonville, il avait suivi les indications incluses dans le dossier et s'était garé à moins de cinq cents mètres de la maison d'Alexander. Il avait enfilé une veste de jean, avait saisi le sac de toile qui se trouvait sur la banquette arrière de sa voiture de location et avait remonté la rue à pied.

Seules quelques maisons bordaient cette voie silencieuse.

Le dossier indiquait qu'Alexander dormait d'un sommeil lourd et ronflait énormément : il était précisé que le bruit qu'il faisait alors s'entendait de l'extérieur.

Smith mit un pied sur la pelouse qui s'étendait devant la maison.

Un conditionneur d'air flanquait l'un des murs extérieurs, réchauffant l'intérieur de la maison dans un grondement continu. La nuit était fraîche, mais nettement moins froide qu'en Virginie.

Smith s'approcha prudemment d'une des parois latérales et attendit assez longtemps pour entendre le ronflement régulier d'Alexander. Il avait déjà enfilé une paire de gants en latex. Il posa à terre le sac de toile, dont il sortit un petit tube de caoutchouc à l'extrémité duquel était fixée une pointe creuse en métal. Il inspecta méticuleusement la fenêtre. Conformément à ce qu'indiquait le dossier, il trouva un joint de silicone, vite fait, mal fait, une véritable réparation d'amateur.

Il enfonça la pointe de métal dans la masse de silicone et tira du sac un petit cylindre à pression. Le gaz qu'il contenait était un mélange nocif dont il avait inventé la composition plusieurs années auparavant, et qui, inhalé, faisait perdre connaissance à ses victimes, sans laisser de traces dans leur sang ou leurs poumons. Il relia le tuyau de caoutchouc à l'orifice du cylindre, ouvrit la valve et laissa les éléments chimiques envahir silencieusement la maison.

Au bout de dix minutes, le ronflement cessa.

Il referma la valve, retira le tube d'un coup sec et rangea le tout dans le sac. Le petit trou qui subsistait dans le joint de silicone ne l'inquiétait pas. Cette preuve minuscule était destinée à disparaître une fois son plan mené à bien.

Smith fit le tour de la maison.

À mi-chemin, il laissa tomber le sac de toile, arracha un panneau de bois au bloc de ciment sur lequel reposait le bâtiment et rampa dans l'ouverture. Une multitude de fils électriques garnissaient l'espace qui se trouvait en dessous du faux plancher. Le dossier stipulait qu'Alexander était aussi pingre qu'hypocondriaque. Quelques années auparavant, il avait versé une misère à un voisin qui avait installé une prise supplémentaire dans sa chambre et relié le conditionneur d'air au disjoncteur.

Le résultat n'était ni fait ni à faire.

Smith trouva la boîte de dérivation dont il dévissa le panneau. Il défit ensuite la ligne de 220 volts, coupant le courant et réduisant le conditionneur au silence. Il attendit quelques instants, sur ses gardes, au cas où Alexander aurait réchappé aux effets du gaz. Mais aucun son ne vint déranger le calme de cette nuit.

D'une poche de sa veste, il tira un couteau à l'aide duquel il attaqua l'isolant des fils électriques entrant et sortant de la boîte de dérivation. La personne responsable de cette installation avait omis de placer ces fils dans des gaines : leur désintégration serait imputée à l'absence de conduit isolant. Pour cette raison précise, Smith fit bien attention à ne pas trop endommager les fils.

Il rangea son couteau.

D'une autre poche de sa veste, il sortit un sac plastique dans lequel se trouvaient un bout de matériau semblable à de l'argile et un connecteur en céramique. Il fixa le connecteur à une vis à l'intérieur de la boîte de dérivation. Avant de rétablir le courant, il déposa la pâte en petites boules le long des fils électriques dénudés. En l'état, ce matériau était inoffensif, mais, une fois chauffé à la température requise pendant la durée requise, il se vaporiserait et ferait fondre l'isolant. La chaleur nécessaire à cette combustion serait fournie par le connecteur en céramique. Quelques minutes suffiraient au courant pour chauffer le connecteur à la bonne température.

Tout était pour le mieux. Smith avait besoin de temps pour quitter les lieux.

Il revissa.

Le conditionneur se remit à fonctionner.

Il laissa délibérément la boîte de dérivation ouverte, fourrant le panneau dans l'une des poches de sa veste.

Il considéra un instant son ouvrage. Tout semblait en ordre. Lorsque le connecteur et le matériau entreraient en combustion, ils produiraient un gaz brûlant et une chaleur intense. C'était là une méthode qu'utilisaient certains de ses confrères, plus spécialisés dans les incendies volontaires à but lucratif que dans le meurtre. Parfois, cependant, ces deux activités ne faisaient qu'une. Ce serait le cas ce soir.

Il sortit de sous la maison en rampant, replaça le panneau et récupéra son sac de toile. Il inspecta le sol afin de s'assurer qu'aucun objet perdu ne trahirait sa présence par la suite.

Il se glissa jusqu'à la fenêtre latérale.

À l'aide d'une minuscule lampe de poche, il inspecta la chambre à travers la vitre sale. Un cigare et un cendrier reposaient sur la table de chevet d'Alexander. Parfait. Si la mention « court-circuit » ne suffisait pas, la théorie de « la braise de cigare » ferait une parfaite conclusion pour le rapport d'enquête sur l'incendie domestique.

Smith redescendit la rue.

Le cadran lumineux de sa montre indiquait 01 h 35.

Il passait beaucoup de temps dehors la nuit. Quelques années auparavant, il avait acheté un petit guide d'astronomie et avait appris à observer le ciel. Il était bon d'avoir des passe-temps. Il reconnut Jupiter, qui brillait intensément à l'ouest.

Cinq minutes passèrent.

Une gerbe de feu sortit de sous la maison : le connecteur, suivi de l'explosif, venait de s'enflammer. Il imagina les fils électriques dénudés se mêlant au feu de joie, alimenté par le courant électrique. La petite maison de bois devait bien avoir une trentaine d'années : le feu se répandrait rapidement, comme si on avait jeté des brindilles sur d'énormes bûches. En l'espace de quelques minutes, l'édifice tout entier serait consumé par les flammes.

Zachary Alexander ne saurait jamais ce qui était arrivé.

Il ne se réveillerait jamais de son sommeil empoisonné. Il mourrait d'asphyxie bien avant que le feu n'ait carbonisé son corps.

28

Malone écoutait Isabel Oberhauser.

« Je me suis mariée il y a bien longtemps. Mais comme vous pouvez le voir ici, mon époux, comme son père, cachait de terribles secrets.

— Votre époux était-il lui aussi un nazi ? »

Elle hocha la tête. « Il pensait simplement que l'Allemagne n'était plus la même depuis la fin de la guerre. Il avait sans doute raison. »

Le fait de ne pas répondre aux questions semblait être une spécialité familiale. Elle le toisait d'un regard inquisiteur, et il remarqua le léger tremblement qui secouait son œil droit. Elle respirait par une succession de sifflements presque inaudibles. Seul le son du balancier d'une pendule se faisait entendre dans ce silence presque malsain.

« *Herr* Malone, j'ai bien peur que mes filles n'aient pas été tout à fait honnêtes envers vous.

— C'est la première chose de sensé que j'entends aujourd'hui.

— Depuis la mort de mon époux, je me suis occupée du patrimoine familial. C'est une tâche énorme. Nous possédons plusieurs grandes compagnies. Malheureusement, il n'y a plus d'héritier Oberhauser. Ma marâtre était une incompétente forcenée qui, Dieu merci ! mourut peu d'années après Hermann. Tous nos plus proches parents sont morts soit durant la guerre, soit dans les années qui ont suivi. De son vivant, mon époux était le chef de famille. Il était le dernier enfant d'Hermann. Hermann a définitivement perdu l'esprit au milieu des années 1950. De nos jours, nous appelons cela la maladie d'Alzheimer, mais, à l'époque, ce n'était rien d'autre que de la sénilité. Chaque famille se doit d'affronter la douloureuse question de la succession, et le temps est venu pour mes enfants de diriger cette famille. Les possessions des Oberhauser n'ont jamais été partagées. Cette famille a toujours eu des descendants mâles. Mais mon époux et moi avons donné naissance à des filles. Deux femmes de caractère, quoique très différent. Afin de prouver leur mérite, afin d'accepter la réalité, elles se sont lancées dans cette quête.

— Tout cela n'est qu'un jeu ? »

Le regard d'Isabel s'assombrit. « Loin de là. Il s'agit d'une quête de la vérité. Mon époux, malgré tout l'amour que je lui portais, était à l'instar de son père tout pétri de bêtise. Hitler avait publiquement discrédité Hermann, et cette humiliation a, je pense, grandement contribué à la dégradation de sa santé mentale. Mon époux était aussi faible que lui. Il avait les plus grandes difficultés du monde à prendre des décisions. Malheureusement, mes filles se sont toujours battues l'une contre l'autre, dès leur plus jeune âge. Elles n'ont jamais été proches. Leur père était l'une des sources de leurs dissensions. Dorothea manipulait ses faiblesses, elle les utilisait à ses fins. Christl, quant à elle, s'indignait de ces mêmes faiblesses et se rebellait. Elles n'avaient que dix ans lorsqu'il est mort, mais la relation très personnelle que chacune entretenait avec leur père est sans doute ce qui les définit le mieux aujourd'hui. Dorothea est pragmatique, ancrée dans la réalité, elle a les pieds bien sur terre : elle recherche les hommes suffisants, satisfaits d'eux-mêmes. Christl est une rêveuse, une femme qui croit : elle recherche les hommes forts. Toutes deux poursuivent à présent une quête, sans pleinement savoir ce dont il retourne...

— Grâce à vous, je suppose. »

Isabel acquiesça. « J'avoue retenir des informations afin de garder le contrôle de la situation. Mais les enjeux de cette quête sont considérables.

— Quels sont-ils ?

— Notre famille possède de nombreuses usines, une raffinerie de pétrole, plusieurs banques et des actions à l'échelle internationale. À hauteur de plusieurs milliards d'euros.

— Deux personnes sont mortes aujourd'hui au cours de votre petit jeu.

— J'en suis bien consciente, mais Dorothea désirait ardemment ce dossier relatif à l'*USS Blazek*. Comme je vous l'ai dit, elle est très attachée à la réalité, aux éléments tangibles de ce monde. Mais manifestement, elle a dû considérer que vous ne lui permettriez pas d'arriver à ses fins, ce qui l'a poussée à abandonner. Je me doutais que cela finirait ainsi. Aussi me suis-je assurée que Christl ait également l'occasion de s'entretenir avec vous.

— Vous avez envoyé Christl sur la Zugspitze ? »

Elle acquiesça. « Ulrich était également présent afin de la protéger.

— Et que se passerait-il si je vous disais que je refuse d'être mêlé à tout cela ? »

Les yeux humides d'Isabel Oberhauser reflétèrent son mécontentement. « Je vous en prie, *Herr* Malone, ne nous leurrons pas l'un l'autre. Je vous parle ici en toute franchise : oserais-je vous demander de me retourner la pareille ? Vous désirez savoir ce qui s'est passé il y a trente-huit ans autant que moi. Mon époux et votre père ont trouvé la mort ensemble. La différence entre vous et moi, c'est que je savais qu'il se rendait en Antarctique. Mais j'ignorais alors que je ne le reverrais plus jamais. »

L'esprit de Malone était en pleine effervescence. Cette femme détenait de très précieuses informations.

« Il était parti à la recherche des Gardiens, dit Isabel. Les Très Saints.

— Vous ne croyez tout de même pas qu'ils existent ?

— Éginhard le croyait. Il en fait mention dans ce testament que vous tenez. Hermann le croyait également. Dietz a donné sa vie pour cette croyance. En fait, leurs noms sont presque aussi nombreux que les civilisations ayant existé. Les Aztèques les appelaient Serpents à plumes, et les décrivaient comme des hommes grands et barbus à la peau claire. La Bible, dans la Genèse, les nomme "Élohims". Pour les Sumériens, ils étaient les "Anunnaki". Les Égyptiens les appelaient Akhu, Osiris ou les Shemsou Hor. Ils sont mentionnés tant par l'hindouisme que par le bouddhisme. *Ja*, *Herr* Malone, sur ce point, Christl et moi sommes parfaitement d'accord : ils ont vraiment existé. Ils ont même influencé Charlemagne lui-même. »

Ce qu'elle disait n'avait aucun sens. « *Frau* Oberhauser, nous parlons de faits qui remontent à plusieurs milliers d'années…

— Mon époux était profondément convaincu que les Gardiens existaient encore. »

Malone se rendait bien compte que beaucoup de choses avaient changé depuis 1971. À l'époque, pas de médias mondialisés. Pas de GPS, pas de satellites géosynchrones ni d'Internet. Il était alors encore possible de se cacher. Plus à présent. « Tout cela est ridicule.

— Dans ce cas, qu'est-ce qui a poussé les Américains à l'emmener là-bas ? »

Rien qu'en la regardant, Malone savait qu'elle détenait la réponse à sa propre question.

« Parce qu'eux aussi avaient recherché la même chose. Après la guerre, ils ont envoyé en Antarctique d'importants effectifs militaires dans le cadre de l'opération Highjump. Mon époux en a parlé bien des fois. Ils étaient partis à la recherche de ce qu'Hermann y avait trouvé en 1938. Dietz était convaincu que les Américains avaient également trouvé quelque chose lors de l'opération Highjump. Plusieurs années passèrent, puis, environ six mois avant qu'il ne parte pour l'Antarctique, Dietz reçut la visite de plusieurs de vos officiers. Ils lui parlèrent de l'opération Highjump, et étaient au fait des recherches d'Hermann. Tout porte à croire que les ouvrages et les articles de ce dernier faisaient partie de ce qu'ils avaient confisqué à la fin de la guerre. »

Malone se souvint des paroles de Christl : « Cela pourrait être décisif. En fait, cela pourrait changer du tout au tout notre conception du monde. » En temps normal, il aurait jugé toute cette affaire complètement abracadabrante, mais le gouvernement américain avait bel et bien envoyé l'un de ses sous-marins les plus perfectionnés pour mener l'enquête, et avait complètement dissimulé les circonstances et les raisons de sa disparition.

« Dietz a préféré s'allier aux Américains plutôt qu'aux Soviétiques. Eux aussi sont venus s'entretenir avec lui pour lui demander son aide, mais il détestait les communistes.

— Avez-vous la moindre idée de ce qui se trouve en Antarctique ? »

Elle hocha la tête. « Cela fait bien longtemps que je me pose cette question. Je savais pour le testament d'Éginhard, pour les Très Saints, et les deux livres actuellement en possession de Dorothea et Christl. J'ai toujours voulu savoir ce qui se trouve là-bas. C'est une des raisons pour lesquelles mes deux filles sont en train de résoudre cette énigme. J'ose espérer que, ce faisant, elles comprendront enfin qu'elles ont besoin l'une de l'autre.

— Ça risque d'être impossible. Elles semblent se haïr. »

Isabel baissa les yeux. « Il n'est pas deux sœurs au

monde qui se détestent plus qu'elles. Mais bientôt, je ne serai plus de ce monde, et je veux partir en sachant que notre famille me survivra.

— Et en ayant résolu ce mystère qui vous hante, j'imagine ?

— Précisément. Vous devez bien comprendre, *Herr* Malone, que nous trouvons ce que nous cherchons.

— Christl m'a soumis la même phrase.

— Son père la répétait souvent et, sur ce point, il avait tout à fait raison.

— Que viens-je faire dans cette affaire de famille ?

— C'est Dorothea qui, à l'origine, a voulu vous y mêler. Elle voyait en vous un moyen d'en apprendre plus sur le sous-marin. J'ai la conviction qu'elle vous a finalement rejeté à cause de votre force. Votre caractère a dû vraiment l'effrayer. À présent, c'est à moi de vous inviter à prendre part à cette aventure, parce que Christl pourrait tirer avantage de votre force. Vous pourriez éliminer certains obstacles susceptibles de barrer sa route. »

Ce n'était pas franchement dans ses priorités immédiates. De plus, Malone lisait parfaitement dans le jeu d'Isabel.

« Et en nous aidant, vous seriez en mesure de trouver les réponses que vous-même recherchez.

— J'ai toujours eu l'habitude de travailler seul.

— Nous savons des choses que vous ignorez. »

Cela, il ne pouvait le nier. « Avez-vous eu des nouvelles récentes de Dorothea ? Il y a un cadavre dans l'abbaye.

— Christl m'en a informée, répondit-elle. Ulrich s'en occupera, tout comme il s'occupera de celui qui se trouve ici. Je m'inquiète du fait que d'autres gens se soient immiscés dans cette affaire, mais je suis convaincue que vous êtes la personne la mieux qualifiée pour résoudre ce type de problèmes. »

L'adrénaline qu'il avait libérée plus tôt aux étages supérieurs du château laissait peu à peu place à une grande fatigue. « Ce tueur est venu pour Dorothea et moi. Il n'a pas fait mention de Christl.

— Je l'ai entendu, moi aussi. Christl vous a expliqué pour Éginhard et Charlemagne. Ce document que vous tenez représente un véritable défi, un mystère qui ne demande qu'à être résolu. Vous avez vu le livre écrit de la main même d'Éginhard. Vous avez également vu celui qui se trouvait dans le tombeau de Charlemagne, ce livre destiné aux seuls empereurs du Saint Empire germanique. Tout cela est bel et bien vrai, *Herr* Malone. Imaginez un seul instant qu'il ait existé une toute première civilisation. Imaginez les conséquences de ce simple fait sur l'histoire humaine tout entière. »

Malone n'arrivait pas à décider si cette vieille femme était une manipulatrice ou un parasite. Probablement les deux. « *Frau* Oberhauser, tout cela m'indiffère complètement. Très franchement, je pense que vous êtes toutes cinglées. Je veux simplement savoir où, comment et pourquoi mon père est mort. » Il observa une courte pause, espérant qu'il ne regretterait pas ce qu'il s'apprêtait à dire. « Si le fait de vous aider me fournit la réponse à ces questions, alors ça me suffit.

— Vous avez donc fait votre choix ?

— Pas encore.

— Dans ce cas, puis-je vous offrir un lit et une chambre pour la nuit, afin que demain, pleinement reposé, vous puissiez prendre une décision ? »

Malone avait mal aux os et n'avait aucune envie de retourner en voiture à l'Hôtel de la Poste de Garmisch, qui du reste ne représentait plus vraiment un havre de paix, à en juger par le nombre de visiteurs qui s'y étaient invités ces dernières heures. Au moins, Ulrich Henn se trouvait dans ce château. Bizarrement, cette simple constatation suffit à le ragaillardir un peu.

« D'accord. Sur ce point, je me rends totalement à vos arguments. »

29

Ramsey enfila sa robe de chambre. Un nouveau jour commençait. En fait, ce jour pourrait bien être le plus important de toute sa vie, le premier pas sur une route pavée de succès.

Il avait rêvé de Millicent, d'Edwin Davis et du NR-1A. Un étrange mélange qui les avait liés tous les trois en d'inquiétantes images. Mais Ramsey ne laisserait pas de simples songes lui gâcher la réalité. Il avait déjà fait beaucoup de chemin et, dans quelques heures seulement, il réclamerait son dû. Diane McCoy avait raison. Il était peu probable qu'il soit la première personne à laquelle le Président penserait pour occuper le poste vacant de David Sylvian. Ramsey connaissait au moins deux autres noms que Daniels choisirait plus volontiers que le sien. Si toutefois cette décision ne revenait qu'à la Maison Blanche. Dieu merci ! la liberté de choix n'était guère plus qu'une vue de l'esprit à Washington.

Il descendit au rez-de-chaussée et, juste au moment où il entrait dans son bureau, son téléphone portable sonna. Il le portait constamment sur lui. À en juger par le numéro qui s'affichait sur l'écran, on l'appelait de l'étranger. Bien. Depuis son échange avec Wilkerson, Ramsey n'avait qu'une hâte : savoir si l'échec apparent de la mission avait été réparé.

« Ces paquets que vous avez commandés pour Noël, dit la voix. Nous sommes désolés de vous informer qu'ils n'arriveront probablement pas à temps. »

Ramsey réprima une soudaine bouffée de colère. « Et quelle est la raison de ce retard ?

— Nous pensions les avoir dans nos stocks, mais aucun des articles n'est disponible.

— Vos problèmes d'inventaire ne me regardent pas. Je me suis acquitté du paiement il y a des semaines, en exigeant une livraison exprès.

— Nous en sommes bien conscients, et nous faisons tout pour que les paquets soient livrés en temps et en heure. Nous voulions simplement vous avertir d'un éventuel léger retard.

— Prenez à votre charge les frais d'un envoi prioritaire s'il le faut. Vous vous êtes engagés à les livrer. Faites-le.

— Nous sommes en ce moment même en train de procéder au suivi des colis, et devrions bientôt avoir confirmation de leur expédition.

— Assurez-vous-en », lâcha Ramsey avant de raccrocher.

Ces nouvelles l'inquiétaient. Que se passait-il en Allemagne ? Wilkerson était encore vivant ? Malone aussi ? C'était là deux dangers potentiels dont il ne pouvait pas s'offrir le luxe. Mais il ne pouvait rien y faire. Il devait s'en remettre complètement aux agents présents sur le terrain. Ils s'étaient parfaitement acquittés des missions précédentes, et, en principe, s'acquitteraient tout aussi bien de celle-ci.

Il alluma la lampe de son bureau.

L'une des premières choses qui lui avaient plu dans

cette maison de campagne, outre son emplacement, sa taille et son cachet, était le coffre-fort que le propriétaire y avait discrètement installé. Le coffre était loin d'être à toute épreuve, mais il garantissait une protection bien suffisante aux dossiers courants qu'il lui arrivait d'emporter avec lui pour une nuit, ainsi qu'à ceux qu'il conservait plus secrètement.

Il ouvrit le panneau de bois secret et composa le code sur le cadran numérique.

À l'intérieur se trouvaient six dossiers, posés à la verticale.

Il se saisit du tout premier à gauche.

En plus d'être un excellent assassin, Charlie Smith amassait des informations avec le zèle d'un écureuil constituant sa réserve de noisettes pour l'hiver. Il semblait prendre un plaisir infini à découvrir les secrets que certains se donnaient toutes les peines du monde à dissimuler. Smith avait consacré les deux dernières années à cette tâche. Certaines de ces informations guidaient l'action présente, les autres seraient utilisées dans les jours à venir, lorsque le besoin s'en ferait sentir.

Ramsey ouvrit le dossier et se concentra sur les détails qu'il connaissait déjà, pour s'assurer qu'il n'avait rien oublié.

La différence entre un personnage public et sa véritable personne ne cessait de l'étonner. Il se demandait comment les hommes politiques parvenaient à garder leur masque. Cela devait être extrêmement difficile. Pulsions et désirs tiraient dans un sens, tandis que carrière et image médiatique tiraient dans le sens opposé.

Le sénateur Aatos Kane en était un exemple parfait.

Cinquante-six ans. Quatrième mandat pour le Michigan, marié, trois enfants. Politicien de carrière depuis ses vingt-cinq ans, d'abord au niveau de son État, puis au Sénat. Daniels avait envisagé de le nommer vice-Président un an auparavant, lorsque ce poste s'était libéré, mais Kane avait décliné sa proposition, avançant qu'il appréciait grandement la confiance que la Maison Blanche lui portait, mais qu'il était convaincu de pouvoir servir plus efficacement le Président en restant au Sénat. Le Michigan tout entier avait poussé un profond soupir de soulagement. Kane était considéré par beaucoup d'observateurs de la vie politique comme l'un des sénateurs les plus experts dans l'art de faire pleuvoir les subventions nationales sur son État. Durant les vingt-deux ans qu'il avait passés au Sénat, Aatos Kane avait appris toutes les leçons qui importaient vraiment.

Et parmi elles, la plus importante de toutes.

La politique était avant tout une affaire locale.

Ramsey sourit. Il raffolait des âmes faciles à acheter.

La question de Dorothea Lindauer le hantait encore. *Est-ce qu'il y a quelque chose à découvrir là-bas ?* Cela faisait des années qu'il n'avait pas repensé à cette mission en Antarctique.

Combien de sorties avaient-ils effectuées ?

Quatre ?

Le capitaine du navire, Zachary Alexander, avait fait preuve d'un naturel extrêmement curieux, mais, en faisant valoir les ordres de la mission, Ramsey en avait préservé le secret. Seul le récepteur radio que son équipe avait amené à bord avait été réglé sur la fréquence de secours du NR-1A. Aucun signal n'avait été capté par les stations de l'hémisphère Sud. Cela avait rendu la mystification d'autant plus facile. Aucune radiation n'avait été détectée. À cette époque, ondes et radiations étaient plus faciles à détecter lorsqu'on se trouvait à proximité de leurs sources, la glace ayant une fâcheuse tendance à endommager lourdement les dispositifs électroniques alors très fragiles. Ils avaient donc surveillé les eaux froides de la mer de Weddell durant deux jours, avec pour compagnons les mugissements du vent, les nuages pourpres aveuglants et le halo fantomatique qui nimbait un soleil maladif.

Rien.

Puis ils avaient débarqué leur équipement.

« Qu'est-ce qu'on a ? » demanda-t-il au lieutenant Herbert Rowland.

Celui-ci n'arrivait pas à dissimuler son excitation. « Signal à 240 degrés. »

Ramsey considéra le continent mort recouvert d'un linceul de glace de plus d'un kilomètre et demi d'épaisseur. −22 °C, alors que l'été était quasiment là. Un signal ? Ici ? Impossible. Ils étaient à plus de cinq cents mètres de leur lieu de débarquement, sur un terrain aussi plat et vaste que la mer : il aurait été incapable de dire si ce qui se trouvait sous leurs pieds était de l'eau ou de la terre. Partant de leur droite, des montagnes se dressaient devant eux, semblables à de gigantesques crocs jaillissant du sol immaculé et scintillant.

« Signal clair à 240 degrés, répéta Rowland.

— Sayers », appela Ramsey, s'adressant au troisième membre de l'équipe spéciale.

Celui-ci se trouvait cinquante mètres en avant, inspectant le sol en quête de fissures. La visibilité était un problème constant. La neige était blanche, le ciel était blanc, l'air lui-même était blanc des panaches de leurs expirations. Le royaume du vide absolu, auquel l'œil humain était aussi peu adapté qu'à l'obscurité complète.

« C'est ce satané sous-marin », dit Rowland, les yeux toujours rivés sur son récepteur.

Ramsey sentait encore le froid extrême qui l'avait enveloppé sur cette terre sans ombre, où des voiles de brouillard gris-vert se matérialisaient parfois en un clin d'œil. Ils avaient dû endurer des conditions météorologiques exécrables, un plafond nuageux extrêmement bas et épais, et des vents qui avaient soufflé sans la moindre trêve. La férocité des hivers les plus rudes qu'il avait connus depuis dans l'hémisphère Nord équivalait à un jour normal en Antarctique. Il n'y avait passé que quatre jours, quatre jours qu'il n'oublierait jamais.

« Vous ne pouvez même pas imaginer ce qui s'y trouve », avait-il répondu à Dorothea Lindauer.

Il regarda à l'intérieur du coffre-fort.

À côté des dossiers se trouvait un journal de bord.

Trente-huit ans auparavant, les règles navales imposaient à chaque capitaine de navire d'en tenir un.

Il tira le journal de bord du coffre.

30

Stéphanie secoua Edwin Davis, profondément endormi. Il s'éveilla dans un sursaut, désorienté, avant de se rappeler où il se trouvait.

« Vous ronflez », dit-elle.

Malgré la porte close et le couloir qui les avaient séparés, elle l'avait entendu durant la nuit.

« On me l'a déjà dit. Ça m'arrive quand je suis vraiment très fatigué.

— Et qui a bien pu vous le dire ? »

Il frotta ses yeux encore mi-clos, allongé sur le lit complètement habillé, son téléphone portable à ses côtés. Ils étaient arrivés à Atlanta un peu avant minuit, par le dernier vol quittant Jacksonville. Il avait proposé de dormir à l'hôtel, mais elle avait insisté pour qu'il dorme dans la chambre qu'elle réservait à ses invités.

« Je ne suis pas un moine », répondit-il.

Stéphanie ne savait que bien peu de choses sur sa vie privée. Il était célibataire. Mais cela avait-il été toujours le cas ? Avait-il des enfants ? Une chose était sûre :

le moment ne se prêtait pas aux indiscrétions. « Vous auriez bien besoin de vous raser. »

Il se gratta le menton. « Merci de me le faire remarquer aussi gentiment. »

Elle se dirigea vers la porte. « Vous trouverez dans la salle de bain des serviettes propres et des rasoirs... pour filles, j'en ai bien peur. »

Elle avait déjà pris sa douche et était prête à affronter ce que leur réserverait cette journée.

« Bien, m'dame, dit-il en se levant. Vous feriez une sacrée capitaine de frégate. »

Elle le laissa dans la chambre pour se rendre dans la cuisine et alluma la télévision qui se trouvait sur le plan de travail. Elle mangeait rarement plus qu'un muffin ou un bol de céréales au petit déjeuner, et elle avait horreur du café. Sa boisson chaude de prédilection était le thé vert. Il fallait qu'elle appelle le bureau. Une équipe restreinte était un gage de discrétion, mais cela l'empêchait de déléguer ses pouvoirs comme elle l'aurait souhaité dans des situations semblables.

« ... et ça risque d'être très intéressant, finissait de dire une reporter de CNN. Le président Daniels a récemment exprimé le peu d'estime qu'il avait pour le Comité des chefs de l'état-major américain. Au cours d'un discours donné il y a deux semaines, il a en effet insinué que l'utilité de cette institution pourrait être remise en question. »

On passa alors du plan de la reporter à un plan de Daniels, debout devant un pupitre de conférence bleu.

« Ils n'ont aucun vrai pouvoir de commandement, dit-il de son inimitable voix de baryton. Ce sont des conseillers. Des politiciens. Ils appliquent les politiques, ils ne les conçoivent pas. Comprenez-moi bien : j'ai le plus grand respect pour ces hommes. C'est l'institution en soi qui pose à mon sens un problème. Il est évident que les talents des hommes qui siègent aujourd'hui au Comité des chefs d'état-major pourraient être bien mieux utilisés à d'autres postes. »

L'écran présenta à nouveau la reporter, une petite brune pleine de piquant. « Une déclaration qui pose la question de savoir par qui le Président remplacera l'amiral David Sylvian, emporté par une mort inattendue, si seulement il décide de le remplacer. »

Davis entra dans la cuisine, le regard rivé sur l'écran de télévision.

Elle remarqua son intérêt. « Qu'est-ce qui ne va pas ? »

Il restait planté là, silencieux, l'air renfrogné, pré-occupé. Il finit par répondre : « Sylvian représentait la marine au sein du comité. »

Stéphanie ne comprenait pas son trouble. Elle avait lu dans les journaux que Sylvian avait été victime d'un grave accident de moto. « Sa mort est tout à fait regret-table, Edwin, mais où est le problème ? »

Il tira son téléphone de sa poche. Il pianota sur quelques touches avant de dire à son interlocuteur : « Je veux savoir comment est mort l'amiral Sylvian. La cause exacte. Et rapidement. »

Il raccrocha aussitôt.

« Est-ce que vous allez daigner m'expliquer tout ceci ? demanda-t-elle.

— Stéphanie, je ne vous ai pas tout dit sur Langford Ramsey. Il y a environ six mois, le Président a reçu une lettre d'une veuve d'un officier de la Navy… »

Son téléphone émit un bourdonnement discret. Davis consulta l'écran et répondit à l'appel. Il écouta son inter-locuteur sans un mot et raccrocha à nouveau.

« Cet officier travaillait au service comptabilité de la marine. Il avait découvert des irrégularités. Plusieurs millions de dollars transférés de banque en banque, pour finalement disparaître sans laisser de trace. Tous les comptes étaient liés au service du renseignement de la Navy. Au bureau de son directeur, plus précisément.

— Tous les services de renseignement fonctionnent grâce à des fonds spéciaux, dit-elle. Je dispose moi-même de comptes secrets que j'utilise pour des paiements à l'étranger, pour engager des collaborateurs, ce genre de choses.

— Cet officier est mort quarante-huit heures avant le jour de sa convocation auprès de ses supérieurs, auxquels il devait soumettre les faits qu'il avait découverts. Sa veuve savait en partie ce dont il retournait et ne faisait confiance à aucun membre de la hiérarchie militaire. Elle a adressé ses craintes et ses vœux au Président dans une lettre, et cette lettre m'a été transmise.

— Et lorsque vous avez lu les mots "directeur du renseignement de la Navy", tous vos sens se sont mis en alerte. Qu'avez-vous trouvé d'intéressant en consultant ces comptes ?

— Je ne les ai pas retrouvés. »

Stéphanie avait déjà vécu ce genre d'échec. Beaucoup de banques véreuses à travers le monde étaient connues pour effacer des comptes de la sorte, à condition bien entendu que le propriétaire des comptes paie la somme convenue. « Alors qu'est-ce qui vous agace dans cette histoire ?

— Cet officier est mort chez lui, assis devant sa télévision. Son épouse était allée chez l'épicier et, quand elle est revenue, elle l'a trouvé mort.

— Ce sont des choses qui arrivent, Edwin.

— Sa pression artérielle s'est effondrée. Il avait un souffle au cœur, pour lequel il était suivi, et, vous avez raison, de telles choses arrivent tous les jours. Le médecin légiste chargé de l'autopsie n'a rien trouvé. En regard de son dossier médical et en l'absence d'éléments douteux, la cause de la mort était toute trouvée. »

Elle attendit la suite.

« On vient de m'informer au téléphone que l'amiral David Sylvian était mort d'une chute brutale de sa tension artérielle. »

Sur son visage se reflétait un mélange de dégoût, de colère et d'impuissance.

« Et ce n'est pas une coïncidence, selon vous ? demanda-t-elle.

— Vous et moi savons que Ramsey contrôlait ces comptes découverts par l'officier. Et à présent, l'un des sièges du Comité des chefs de l'état-major se libère.

— Vous extrapolez, Edwin.

— Vraiment ? » Le mépris perça sous son ton. « Mon bureau vient de me dire qu'ils cherchaient à me contacter. Hier soir, avant de m'endormir, j'ai ordonné que deux agents des services secrets soient envoyés à Jacksonville. Je voulais qu'ils gardent un œil sur Zachary Alexander. Ils sont arrivés il y a une heure. Sa maison a été calcinée par un incendie la nuit dernière. Avec lui dedans. »

Stéphanie fut choquée par la nouvelle.

« On suppose qu'un court-circuit dans le réseau électrique présent sous la maison est responsable du sinistre. »

Elle se promit de ne jamais jouer au poker avec Edwin Davis. Il avait reçu ces deux informations en restant totalement impassible. « Nous devons retrouver les deux hommes qui se sont rendus en mission spéciale en Antarctique avec Ramsey.

— Nick Sayers est mort, dit Davis. Il y a de cela plusieurs années. Herbert Rowland est toujours en vie. Il habite la banlieue de Charlotte. On m'en a informé hier soir. »

Des agents des services secrets ? Le soutien de la Maison Blanche ? « Vous vous foutez de moi depuis le début, Edwin. Vous n'êtes pas seul sur cette affaire. Le Président vous a envoyé en mission. »

Il cligna des yeux. « Tout dépend de l'issue. Si je

réussis, tout ira bien pour moi. Si j'échoue, j'y laisserai des plumes.

— Et vous misez toute votre carrière sur ça ?

— Je le dois bien à Millicent.

— Qu'est-ce que je fais dans cette affaire ?

— Je vous l'ai déjà dit : le docteur Watson n'était pas disponible. Et puis vous êtes un des agents les plus efficaces en solo. »

La plaisanterie était loin d'être rassurante. Mais peu importait. Le point de non-retour avait déjà été franchi.

« Alors en route pour Charlotte. »

31

Malone sentit le train ralentir alors qu'ils entraient dans la banlieue d'Aix-la-Chapelle. Bien que ses inquiétudes de la veille eussent regagné des proportions plus supportables, il se demandait ce qu'il faisait là où il était. Christl Falk était assise à côté de lui. Le voyage Garmisch-Aix avait duré trois heures, durant lesquelles ils n'avaient échangé que de rares paroles.

À son réveil, les vêtements et autres effets personnels qu'il avait laissés à l'Hôtel de la Poste l'attendaient dans sa chambre à Reichshoffen. Une note expliquait qu'Ulrich Henn était allé les chercher durant la nuit. Il s'était extirpé des draps qui sentaient le trèfle, avait pris une douche, s'était rasé et changé. Il n'avait emmené avec lui que deux ou trois chemises et pantalons, s'attendant à ne rester qu'un jour ou deux en Allemagne avant de retourner au Danemark. Tout semblait à présent indiquer que son séjour durerait plus longtemps.

Il avait retrouvé Isabel qui l'attendait à l'étage inférieur, et avait déclaré à la matriarche de la famille

Oberhauser qu'il entendait les aider. Il n'avait pas vraiment le choix. Il voulait en savoir plus sur la mort de son père et connaître l'identité de la personne qui cherchait à le tuer. Renoncer à cette alliance ne mènerait à rien. Et la vieille femme avait souligné un élément très important : elles savaient des choses qu'il ignorait.

« Il y a douze siècles, dit Christl, ce lieu était le centre de l'Europe. La capitale du tout nouvel empire, que l'on nommerait Saint Empire romain germanique deux cents ans plus tard. »

Il sourit. « Alors que ce n'était pas un empire, et qu'il n'était ni saint ni romain. »

Elle acquiesça. « C'est vrai. Cependant, Charlemagne était un esprit extrêmement progressiste. Un homme d'une énergie étonnante, qui créa des universités, des principes qui s'ancrèrent dans les lois, qui réorganisa la façon de gouverner, et dont le règne fut la première illustration du concept d'Europe politique. Cela fait des années que j'étudie ce personnage historique. On dirait qu'il a fait tous les choix qui s'imposaient de son vivant. Il a régné durant quarante-sept ans, et a vécu jusqu'à soixante-quatorze ans, à une époque où les rois ne restaient généralement que cinq ans sur leur trône et mouraient à trente ans.

— Et vous croyez que tout cela est dû à une aide extérieure ?

— Il mangeait et buvait avec modération, à une époque où les excès de chère prenaient des proportions inimaginables dans les cours européennes. Il montait à cheval tous les jours, chassait et nageait. L'une des raisons qui le poussèrent à choisir Aix-la-Chapelle pour capitale fut ses sources thermales, qu'il fréquenta avec assiduité.

— Vous voulez dire que les Très Saints lui ont enseigné les bienfaits d'une bonne hygiène alimentaire, corporelle et physique ? »

Il vit qu'elle avait saisi son ton sarcastique.

« Fondamentalement, Charlemagne était un guerrier, dit-elle. Tout son règne fut principalement axé sur la conquête de territoires. Mais il choisit pour ce faire une approche disciplinée de la guerre. Il planifiait chaque bataille pendant au moins un an, afin d'étudier le camp adverse. Il *dirigeait* ces batailles, contrairement à ses prédécesseurs qui y participaient simplement.

— Il était également d'une brutalité absolue. À Verden, il ordonna la décapitation de quatre mille cinq cents Saxons pieds et poings liés.

— La véracité de ce fait historique est discutable, répondit-elle. On n'a jamais retrouvé de preuve archéologique de ce soi-disant massacre. Il est possible que le copiste ayant rédigé le document sur lequel repose cette histoire ait écrit le mot *decollabat*, "il a décapité", au lieu de *delocabat*, "il a exilé".

— Vous êtes aussi forte en histoire qu'en latin.

— Ce n'est cependant pas mon point de vue personnel. C'est Éginhard qui a souligné la possibilité de cette coquille dans ses chroniques.

— Si on considère que les textes qui lui sont attribués sont bien de sa main. »

Le train avançait à présent très lentement.

Malone repensait aux événements de la veille et à la singulière collection d'Hermann Oberhauser. « Votre sœur nourrit-elle les mêmes sentiments que vous envers les nazis et la façon dont ils ont traité votre grand-père ?

— Dorothea s'en moque éperdument. La famille et l'histoire n'ont aucune importance à ses yeux.

— Qu'est-ce qui en a ?

— Elle-même. Rien d'autre.

— Curieux, cette haine entre deux jumelles.

— Aucune loi au monde ne nous oblige à être liées l'une à l'autre. Je n'étais qu'une enfant lorsque j'ai compris que Dorothea n'était bonne qu'à susciter des problèmes. » Malone avait envie d'en savoir plus sur ce différend. « On dirait que votre mère s'amuse à vous dresser l'une contre l'autre.

— Je ne vois pas ce qui vous pousse à émettre un tel jugement.

— Elle vous a guidée jusqu'à moi.

— C'est vrai. Mais elle avait aidé Dorothea avant. »

Le train s'immobilisa.

« C'est-à-dire ?

— C'est elle qui lui a donné le livre qui se trouvait dans le tombeau de Charlemagne. »

Dorothea finit d'inspecter les cartons que Wilkerson avait ramenés de Füssen. Le libraire avait bien travaillé. Beaucoup de documents de l'Ahnenerbe avaient été confisqués par les Alliés à la fin de la guerre : elle ne pouvait s'empêcher de s'étonner qu'il soit parvenu à en retrouver autant. Malgré les quelques heures qu'elle venait de consacrer à leur lecture, l'Ahnenerbe demeurait un mystère. Les historiens n'avaient commencé à se pencher sur cette organisation que quelques années auparavant, et les rares ouvrages écrits à ce sujet ne s'attardaient principalement que sur ses échecs et ses crimes.

Ces cartons détenaient un véritable trésor.

Des expéditions avaient été organisées en Suède afin de faire main basse sur des pétroglyphes, ainsi qu'au Moyen-Orient où avaient été étudiées les luttes intestines de l'appareil politique de l'Empire romain, luttes qui, selon l'Ahnenerbe, avaient opposé les peuples du nord de l'Europe et les peuples sémites. À Damas, les Syriens les avaient accueillis comme des alliés dans leur lutte contre la population juive croissante. En Iran, ils avaient étudié des ruines perses, ainsi que les vestiges de Babylone, s'émerveillant à l'idée d'un lien entre ces gloires passées et les Aryens. En Finlande, ils s'étaient penchés sur d'anciens chants païens. On avait trouvé dans des grottes bavaroises des œuvres pariétales et des traces de la présence d'hommes de Cro-Magnon, qui, aux yeux de l'Ahnenerbe, ne pouvaient qu'être des Aryens. D'autres peintures rupestres avaient été étudiées en France, où, selon les mots d'un savant, « Himmler et tant d'autres nazis rêvaient de se recueillir là où avaient vécu leurs ancêtres ».

Mais ce fut véritablement l'Asie qui devint la principale source de leur fascination.

L'Ahnenerbe était convaincue que les premiers Aryens avaient conquis la majeure partie de la Chine et le Japon tout entier, et que Bouddha lui-même était d'origine aryenne. Une très grande expédition au Tibet avait permis de ramener des milliers de photographies, des moulages de crânes, des mesures anatomiques, ainsi que des spécimens animaux et végétaux, autant d'éléments visant à prouver une origine commune. D'autres expéditions, en Bolivie, en Ukraine, en Iran, en Islande et sur les îles Canaries, ne virent jamais le jour, bien que leur organisation eût été planifiée dans les moindres détails.

Les documents exposaient également comment, tout au long de la guerre, le rôle de l'Ahnenerbe gagna en importance. Après qu'Hitler eut exigé l'aryanisation de la Crimée, l'Ahnenerbe fut chargée d'y planter des essences propres aux forêts germaniques, ainsi que des céréales et des légumes destinés au Reich. L'Ahnenerbe supervisa également l'implantation d'Allemands dans cette région et la déportation de milliers d'Ukrainiens.

Mais à mesure que l'institution se développait, ses besoins financiers augmentaient.

Une fondation fut alors créée afin de recevoir des donations.

On put compter parmi les donateurs la Deutsche

Bank, BMW et Daimler-Benz, qui furent remerciés à plusieurs reprises par des courriers officiels. Himmler apprit qu'un ouvrier allemand avait déposé un brevet de réflecteur pour vélo. Il créa une entreprise avec l'inventeur et s'arrangea par la suite pour que soit votée une loi selon laquelle les pédales de bicyclettes devaient être équipées de ces réflecteurs, ce qui garantit à l'Ahnenerbe un revenu fixe annuel de plusieurs dizaines de milliers de Reichsmarks.

Tant d'efforts pour autant de chimères.

Pourtant, en dépit du ridicule inhérent à cette quête de l'héritage aryen, et bien qu'il se soit rendu coupable d'avoir participé à des crimes de guerre à grande échelle, le grand-père de Dorothea avait trouvé un véritable trésor.

Elle considéra le livre ancien qui reposait sur la table.

Provenait-il vraiment du tombeau de Charlemagne ?

Aucun des documents qu'elle avait pu consulter n'y faisait référence. Cependant, sa mère lui avait dit qu'on l'avait trouvé en 1935 dans des archives datant de la république de Weimar, avec une note écrite de la main d'un copiste anonyme, qui attestait que l'ouvrage avait été retiré du tombeau d'Aix-la-Chapelle le 19 mai 1000 par l'empereur Othon III. Comment il était parvenu à traverser le XXe siècle indemne, cela, c'était un mystère. Que contenait-il vraiment ? Pourquoi était-il si important ?

Sa sœur Christl croyait que la réponse à ces questions était d'ordre purement mystique.

Et la réponse énigmatique de Ramsey n'avait en rien apaisé ses craintes.

« Vous ne pouvez même pas imaginer ce qui s'y trouve. »

Dorothea n'osait imaginer ce qu'il adviendrait si ces deux réponses abracadabrantes s'avéraient être les bonnes.

Malone et Christl sortirent de la gare. L'air froid et humide rappela à Malone les hivers de Nouvelle-Angleterre. Une file de taxis encombrait un virage. Les gens allaient et venaient en un flot continu.

« Ma mère veut que ce soit moi qui réussisse », dit Christl.

Malone ne savait pas si elle tentait de le convaincre, ou de s'en convaincre elle-même. « Votre mère vous manipule toutes les deux. »

Elle le regarda dans les yeux. « Monsieur Malone…

— Je m'appelle Cotton. »

Elle réprima sa contrariété. « Vous me l'avez déjà dit. Où avez-vous pêché un nom si curieux ?

— Je vous raconterai l'histoire plus tard. Vous étiez sur le point de me réprimander, juste avant que je vous prenne de court. »

Le visage de Christl se détendit, et elle sourit. « Vous ne m'aidez vraiment pas.

— À en croire votre mère, Dorothea pensait la même chose de moi. Mais je me suis dit qu'il valait mieux prendre cela comme un compliment. » Il frotta ses mains gantées et regarda autour de lui. « Il faudrait qu'on fasse un peu de shopping. Des sous-vêtements plus chauds semblent s'imposer. On est bien loin du froid sec de la Bavière. Vous n'avez pas froid, vous ?

— J'ai grandi sous ce climat.

— Pas moi. En Géorgie, là où je suis né et où j'ai grandi, il fait chaud et humide neuf mois sur douze. » Il continuait à observer les alentours sans en avoir l'air, feignant d'avoir froid. « Il faudrait également que je m'achète des vêtements. Je n'ai pas mis grand-chose dans ma valise.

— Il y a un quartier commerçant tout près de la chapelle.

— J'ose espérer qu'à un moment vous m'en direz plus sur votre mère et sur les raisons de notre présence dans cette ville. »

Elle héla un taxi qui s'approcha tout doucement.

Elle ouvrit la portière et entra. Malone s'assit à côté d'elle. Christl indiqua leur destination au chauffeur.

Alors qu'ils s'éloignaient de la gare, Malone jeta un coup d'œil à travers le pare-brise arrière. L'homme qu'il avait remarqué trois heures auparavant à la gare de Garmisch (un homme grand, au visage taillé à la serpe et sillonné de rides) héla à son tour un taxi.

Il ne portait aucun bagage et semblait mû par un seul objectif.

Les suivre.

Dorothea avait misé sur l'importance des documents de l'Ahnenerbe et avait gagné. Elle avait également pris un certain risque en entrant en contact avec Cotton Malone, et s'était finalement convaincue qu'il ne lui serait que de peu d'utilité. Pourtant, elle n'était toujours pas sûre de la voie à suivre. Une chose semblait certaine. Il était hors de question d'exposer sa famille à plus de ridicule. De temps à autre, il arrivait qu'un chercheur ou qu'un historien les contacte dans le but d'avoir accès aux documents de son grand-père ou de s'entretenir de l'Ahnenerbe avec les membres de la famille. Ces requêtes étaient systématiquement suivies d'un refus, et pour une bonne raison.

Il ne fallait pas remuer le passé.

Elle regarda le lit dans lequel dormait Sterling Wilkerson.

La nuit précédente, ils s'étaient rendus plus au nord en

voiture et avaient pris une chambre d'hôtel à Munich. Sa mère apprendrait la destruction de la maison de chasse avant la fin de cette journée. Le corps avait sûrement été retrouvé dans l'abbaye. Henn ou les moines s'en étaient certainement déjà occupés. Il était plus probable qu'Ulrich se soit acquitté de cette tâche.

Dorothea se dit que si sa mère l'avait aidée en lui donnant l'ouvrage retrouvé dans le tombeau de Charlemagne, elle avait dû également donner quelque chose à Christl. Sa mère avait insisté pour que Dorothea s'entretienne avec Cotton Malone. C'était pour cette raison que Wilkerson et elle s'étaient servis de la femme mercenaire pour le conduire jusqu'à l'abbaye. Sa mère se moquait éperdument de Wilkerson. « Un faible, un de plus, avait-elle dit à son sujet. Et nous ne pouvons nous permettre la moindre faiblesse, mon enfant. » Mais sa mère approchait les quatre-vingts ans, et Dorothea était dans la force de l'âge. Les hommes beaux et aventureux tels que Wilkerson étaient appréciables à plus d'un titre.

La nuit précédente l'avait parfaitement illustré.

Elle s'approcha du lit et le secoua doucement.

Il se réveilla en souriant.

« Il est presque midi, dit-elle.

— J'étais très fatigué.

— Nous devons partir. »

Il remarqua que le contenu des cartons jonchait le sol. « Où allons-nous ?

— Avec de la chance, devancer Christl. »

32

Ramsey débordait d'énergie. Il venait de faire une recherche Internet à propos de Jacksonville, en Floride, et avait eu le plaisir de lire qu'un incendie mortel avait ravagé la maison d'un certain Zachary Alexander, capitaine de la Navy à la retraite. Rien ne semblait indiquer qu'il s'agissait d'un incendie criminel, et les rapports préliminaires avançaient la thèse d'un court-circuit dû à une installation électrique vétuste. Charlie Smith avait véritablement réalisé deux chefs-d'œuvre la veille. Ramsey espérait que cette nouvelle journée serait aussi productive.

C'était un matin blanc de givre et ensoleillé, typique de Washington. Ramsey arpentait le National Mall, près de la Smithsonian Institution, avec en face de lui le Capitole, d'un blanc éclatant, qui se dressait au sommet de sa colline. Ramsey adorait ces matins hivernaux. À treize jours de Noël, les membres du Congrès avaient momentanément suspendu leurs cessions, et le fonctionnement du gouvernement avait ralenti en conséquence :

les affaires courantes attendraient la nouvelle année et le début d'une nouvelle saison législative.

C'était une période de calme plat pour les journaux et les chaînes télévisées, ce qui expliquait l'importance de la couverture médiatique de la mort de l'amiral Sylvian. En regard des récentes critiques émises par Daniels au sujet du Comité des chefs de l'état-major américain, la mort de l'amiral semblait tomber à pic. Non sans amusement, Ramsey avait entendu Daniels s'exprimer à ce sujet, tout en sachant pertinemment que personne au Congrès ne serait prêt à défendre le remaniement de ce comité. Il était vrai que l'institution n'avait qu'une très faible marge de manœuvre en termes de commandement, mais, lorsque ses membres s'exprimaient, le peuple les écoutait. Ce qui expliquait d'ailleurs en grande partie le ressentiment de la Maison Blanche à son endroit. C'était d'autant plus vrai en ce qui concernait Daniels, homme politique médiocre qui, tant bien que mal, se trouvait à deux doigts du sommet de sa carrière.

À une certaine distance devant lui, Ramsey aperçut un homme courtaud, tiré à quatre épingles, vêtu d'un manteau de cachemire qui affinait sa silhouette. Le froid rougissait son visage pâle d'angelot, rasé de près. Ses cheveux noirs étaient plaqués en arrière. Planté sur place, il tapait du pied, manifestement pour lutter contre le froid. Ramsey consulta sa montre et estima que l'intermédiaire devait attendre depuis au moins quinze minutes.

Il s'approcha.

« Amiral, vous vous rendez compte de la température qu'il fait ?

— Environ −2 °C.

— Et ça vous aurait dérangé, d'arriver à l'heure ?

— Si j'avais eu besoin d'arriver à l'heure, j'en aurais fait l'effort.

— J'ai tout sauf envie de jouer à qui est supérieur à l'autre dans la hiérarchie. Tenez-vous-le pour dit. »

Intéressant. Apparemment, le fait d'être directeur de cabinet d'un sénateur inspirait à ce jeune homme toutes les audaces. Ramsey se demanda si Aatos Kane lui avait dit de jouer la carte de la suffisance, ou s'il ne s'agissait que d'une simple improvisation.

« Je suis ici parce qu'on a informé le sénateur que vous aviez quelque chose à lui dire, reprit l'émissaire.

— Souhaite-t-il toujours devenir Président ? » Tous les contacts précédents de Ramsey avec Kane s'étaient faits par l'entremise de son chef de cabinet.

« Oui. Et il sera élu Président. »

Ramsey sourit. « À n'en pas douter.

— Que voulez-vous, amiral ? »

La morgue du jeune homme commençait à l'agacer. Il était temps de le remettre à sa place. « Je veux que vous la fermiez et que vous m'écoutiez. »

Les yeux de son interlocuteur le jaugèrent avec la froideur d'un politicien aguerri.

« Lorsque Kane a eu des soucis, il a demandé de l'aide, et je lui ai donné ce qu'il désirait. Le boulot a été fait sans la moindre question. » Il attendit que trois hommes passent leur chemin avant de reprendre. « J'ajouterai que, pour ce faire, j'ai violé une multitude de lois, ce dont, je n'en doute pas un seul instant, vous vous foutez éperdument. »

L'homme qu'il avait en face de lui n'était ni vieux, ni sage, ni riche. Mais il était ambitieux et connaissait la valeur des faveurs en politique.

« Le sénateur est bien conscient de ce que vous avez fait pour lui, amiral. Cependant, et vous le savez, nous n'étions pas au fait de tous les détails de votre action.

— Ce qui ne vous a pourtant pas empêchés d'accepter les avantages qui en ont découlé.

— Soit. Que voulez-vous à présent ?

— Je veux que Kane dise au Président de me nommer au poste vacant de Sylvian, au sein du Comité des chefs de l'état-major.

— Et vous croyez que le Président ne peut se permettre de lui répondre "non" ?

— Pas sans encourir de sérieuses conséquences. »

Le visage inquiet qu'il avait en face de lui se plissa en un sourire fugace. « Il n'en fera rien. »

Avait-il bien entendu ?

« Le sénateur se doutait que c'était ce que vous lui demanderiez. Le cadavre de Sylvian était encore chaud quand vous l'avez appelé. » Le jeune homme hésita. « Ça nous a comme qui dirait mis la puce à l'oreille. »

Ramscy décela une lueur de méfiance dans les yeux observateurs de son interlocuteur.

« Après tout, comme vous l'avez si bien dit, vous nous avez jadis rendu un service, sans laisser la moindre trace. »

Ramsey ignora le sous-entendu et demanda : « Qu'est-ce que cela signifie, "il n'en fera rien" ?

— Vous êtes trop controversé. Vous sentez le soufre. Trop de personnes au sein de la Navy vous détestent ou se méfient de vous. Soutenir votre nomination entraînerait de fâcheuses conséquences. Et comme je vous l'ai confirmé, nous nous engagerons dans la course pour la Maison Blanche, en début d'année prochaine. »

Ramsey comprit que le pas de deux de Washington avait d'ores et déjà commencé. Une danse très populaire, pratiquée en experts par des politiciens tels qu'Aatos Kane. L'ensemble des commentateurs politiques s'accordaient sur ce point : la candidature de Kane à la présidence était fort plausible. En fait, il était le principal prétendant de son parti, et ses concurrents ne faisaient pas vraiment le poids. Ramsey savait que le sénateur avait tranquillement amassé les promesses de don, qui s'élevaient à présent à plusieurs millions. Kane était un homme charmant, d'une belle prestance, aussi à l'aise face à la foule que face aux caméras. Il n'était ni véritablement conservateur ni vraiment progressiste, mais faisait son bonhomme de chemin sur ce que la presse aimait qualifier de « juste milieu ». Il était marié depuis trente ans, sans qu'aucun soupçon de scandale n'ait entaché sa vie conjugale. Il était presque trop parfait. À l'exception bien sûr de cette faveur qu'il avait un jour demandée.

« C'est une bien jolie façon de remercier ses amis, observa Ramsey.

— Qui a dit que vous étiez notre ami ? »

Un abattement soudain creusa une ride au milieu de son front, mais il se ressaisit aussitôt. Il aurait dû s'y attendre. L'arrogance. La maladie la plus commune parmi les hommes politiques d'expérience. « C'est vrai, vous avez raison. C'était présomptueux de ma part que de le croire. »

Le visage de son interlocuteur se fit plus expressif. « Mettez-vous bien ça dans la tête, amiral. Le sénateur Kane vous remercie infiniment pour ce que vous avez fait. Nous aurions préféré que le problème eût été résolu différemment, mais il apprécie tout de même votre geste. Il vous a cependant retourné cette faveur, en empêchant la Navy de vous transférer. Et cela à deux reprises. Nous avons pesé de tout notre poids pour que la balance penche en votre faveur. C'est ce que vous vouliez, et c'est ce que nous avons fait pour vous. Aatos Kane ne vous appartient pas. Ce n'est pas le cas aujourd'hui, et ce ne sera jamais le cas. Ce que vous demandez est impossible à réaliser. Dans moins de soixante jours, la candidature du sénateur à l'élection présidentielle sera officielle. Vous êtes en âge de partir à la retraite, amiral. Faites-le. Profitez d'un repos bien mérité. »

Ramsey réprima tout désir de se défendre et se contenta d'acquiescer en faisant mine d'accepter ce camouflet.

« Et une dernière chose. Le sénateur s'est offusqué que vous l'appeliez ce matin en exigeant une entrevue. Il m'a envoyé afin de vous signifier que ce genre de contact devait cesser. Plus de visites à l'improviste, plus d'appels téléphoniques. À présent, je dois vous laisser.

— Bien sûr. Ne vous mettez pas en retard par ma faute.

— Écoutez, amiral. Je sais que vous fulminez intérieurement. À votre place, j'en ferais tout autant. Mais vous n'entrerez pas au Comité des chefs de l'état-major. Prenez votre retraite. Faites-vous engager en tant qu'analyste politique par la Fox et dites au monde entier quelle bande d'abrutis nous sommes. Profitez de la vie. »

Ramsey ne répondit pas et contempla la tête de nœud s'éloigner d'un pas de coq, sûrement très fier de son petit numéro, et impatient de raconter comment il avait remis à sa place le directeur du renseignement de la Navy.

Ramsey s'approcha d'un banc vide où il s'assit.

Il sentit la froideur des lattes de bois à travers son pardessus.

Le sénateur Aatos Kane ne se rendait pas compte de ce qu'entraînerait son refus. Pas plus que son directeur de cabinet.

Mais ils ne tarderaient pas à le comprendre.

33

Wilkerson avait très bien dormi, heureux de la façon dont il s'était défendu et du temps passé ensuite avec Dorothea. Il ne serait jamais amiral, mais le confort matériel, des responsabilités limitées et Dorothea représentaient d'assez jolis lots de consolation.

Si toutefois il parvenait à rester vivant.

En préparant cette mission, il s'était très sérieusement renseigné au sujet de la famille Oberhauser. Une richesse considérable, à hauteur de plusieurs milliards, et qui, loin de dater d'hier, avait survécu à des siècles jalonnés de bouleversements politiques. Une famille d'opportunistes ? Certainement. Leurs armoiries en étaient la parfaite illustration. Un chien tenant un rat dans la gueule, le tout enfermé dans un chaudron. Une myriade de contradictions. À l'instar de la famille tout entière. C'était précisément à ces contradictions qu'ils devaient d'avoir survécu.

Le temps ne les avait cependant pas épargnés.

Dorothea et sa sœur étaient les seules héritières Oberhauser.

Toutes deux étaient des femmes sublimes, les nerfs à fleur de peau. Proches de la cinquantaine. Identiques en apparence, bien que chacune essayât de se distinguer de l'autre. Dorothea avait fait de hautes études de commerce, et secondait activement sa mère dans la gestion des affaires familiales. Elle n'avait qu'une petite vingtaine d'années lorsqu'elle s'était mariée, et avait donné naissance à un fils, qui avait trouvé la mort cinq ans auparavant, une semaine après son vingtième anniversaire, dans un accident de voiture. Toutes les sources précisaient que ce drame l'avait métamorphosée. Elle était devenue plus dure, plus froide. Prisonnière d'une profonde angoisse et sujette à de brusques sautes d'humeur. La nuit dernière, elle avait tué un homme au fusil, avant de faire l'amour avec une fougue débridée : cela illustrait parfaitement la dualité de son caractère.

Christl ne s'était jamais intéressée aux affaires, pas plus qu'au mariage ou à la maternité. Wilkerson ne l'avait rencontrée qu'une seule fois, lors d'une réception donnée par Dorothea et son époux, au cours de laquelle il avait pris contact pour la première fois avec celle qui allait devenir sa maîtresse. Christl était sans prétention. C'était une chercheuse, tout comme son père et son grand-père, elle s'attachait à l'étude de bizarreries historiques, aux interprétations les plus farfelues de légendes et de mythes. Ses deux thèses, qu'il avait lues, avaient pour objet d'obscurs liens entre d'anciennes civilisations mythiques (comme l'Atlantide) et l'origine des cultures humaines. Tous ces travaux n'étaient que pure fantaisie. Les hommes de la famille Oberhauser s'étaient passionnés pour ce genre d'imbécillités, et Christl semblait avoir hérité de cette curiosité. Wilkerson se demandait ce qu'il adviendrait lorsque Isabel Oberhauser mourrait. Deux femmes qui se détestaient, toutes deux sans progéniture, hériteraient de l'ensemble de la fortune familiale.

Un scénario fascinant, aux possibilités infinies.

Wilkerson était dehors, fouetté par un vent froid, non loin de l'hôtel, un magnifique établissement qui aurait satisfait les caprices d'un roi. La nuit dernière, alors qu'ils étaient en route, Dorothea avait appelé l'hôtel, et, à leur arrivée, une suite avait été préparée à leur intention.

Sous un beau soleil, il arpentait la Marienplatz, envahie de touristes. Un étrange silence emplissait la place, uniquement brisé par la rumeur des semelles battant le pavé et de rares murmures. On pouvait voir de la place des magasins, des cafés, le marché du centre-ville, un palais et plusieurs églises. L'imposant hôtel de ville dominait toute une partie de la place, sa gracieuse façade maculée des taches sombres des siècles passés. Wilkerson évita sciemment le quartier des arts et se dirigea vers l'une des boulangeries bondées. Il avait faim, et quelques viennoiseries seraient les bienvenues.

De grands sapins plantés dans de larges pots ponctuaient la place, égayant le marché de Noël de la ville, qui s'étendait à perte de vue dans la principale artère du vieux quartier. Il avait entendu dire que des millions de visiteurs venaient ici chaque année pour prendre part à la fête, mais il doutait que Dorothea et lui aient le temps d'en profiter. Elle avait une mission à remplir. Lui aussi. Il devait appeler Berlin afin de tenir ses employés au courant de sa situation. Il tira son téléphone portable de sa poche et composa le numéro.

« Capitaine Wilkerson, dit le standardiste après l'avoir salué, j'ai reçu l'ordre de rediriger tout appel venant de vous vers le capitaine Bishop. »

Avant qu'il ait pu demander des éclaircissements, il entendit la voix de son second. « Capitaine, je dois savoir où vous vous trouvez. »

Wilkerson fut immédiatement sur ses gardes. Bryan Bishop ne l'appelait « capitaine » qu'en présence d'autres personnes.

« Qu'y a-t-il ? demanda-t-il.

« — Capitaine, cet appel est enregistré. Vous avez été relevé de vos fonctions et êtes considéré comme un danger de niveau 3. Nous avons l'ordre de vous localiser en vue d'une incarcération. »

Wilkerson maîtrisa ses émotions. « Qui vous a donné cet ordre ?

— Ça vient du bureau du directeur. À l'initiative du capitaine Hovey, signé par l'amiral Ramsey. »

Wilkerson avait personnellement recommandé la promotion de Bishop au grade de capitaine de frégate. C'était un officier docile, qui obéissait aux ordres avec zèle et sans poser de question. Cela avait été jadis un plus. À présent, c'était tout le contraire.

« Suis-je déjà activement recherché ? » demanda-t-il. Une idée lui vint soudain à l'esprit, et il raccrocha sans même attendre la réponse.

Il regarda son téléphone. Tous les portables de service comportaient une unité de localisation par GPS, installée en cas de détresse. C'était donc ainsi qu'ils l'avaient retrouvé la veille au soir. Il n'y avait pas pensé. Bien sûr, il n'avait aucune raison de se douter de quoi que ce soit avant la tentative de meurtre dont il avait réchappé. Par la suite, les événements s'étaient enchaînés trop vite pour qu'il y réfléchisse. Ce salopard de Ramsey en avait profité pour envoyer une autre équipe.

Son père avait raison. On ne pouvait pas faire confiance à ces gens-là.

Cette ville de 310 kilomètres carrés, avec ses centaines de milliers d'habitants, passa soudain du statut de refuge à celui de prison. Wilkerson se mit à épier tous les passants, blottis dans leurs épais manteaux, se pressant dans toutes les directions.

Son envie de viennoiseries n'était plus qu'un souvenir.

Ramsey quitta le National Mall et, au volant de sa voiture, se rendit dans le centre-ville de Washington, près du Dupont Circle. En temps normal, il ne faisait appel qu'à Charlie Smith pour des missions spéciales, mais là, c'était impossible. Fort heureusement, il disposait également d'une liste de collaborateurs, tous talentueux, chacun à sa façon. Il avait la réputation de payer bien et vite, ce qui n'était pas sans avantage lorsqu'il lui fallait agir rapidement.

Il n'était pas le seul amiral en course pour le poste de David Sylvian. Il en connaissait au moins cinq autres qui, après avoir pris connaissance de la mort de Sylvian, avaient dû bondir sur leur téléphone pour contacter divers membres du Congrès. Il serait temps dans quelques jours d'honorer la mémoire du disparu lors de son inhumation, mais son remplaçant serait choisi dans les prochaines heures : dans la hiérarchie militaire, les places restaient peu de temps vacantes.

Ramsey aurait dû se douter qu'Aatos Kane poserait problème. Le sénateur n'était pas né de la dernière pluie. Il connaissait parfaitement le terrain sur lequel ils progressaient. Mais une longue carrière impliquait un grand nombre de faiblesses. Les hommes tels que Kane se reposaient sur le fait que leurs adversaires n'avaient pas les moyens ou pas le courage d'exploiter ces points faibles.

Ramsey, lui, avait et le courage et les moyens.

Il se gara sur une place de stationnement qui venait de se libérer sous ses yeux. Enfin quelque chose qui tombait bien. Il déposa 75 cents dans le parcmètre et marcha jusqu'à Capitol Maps.

Une boutique fort intéressante.

Partout, des cartes des quatre coins du monde, ainsi qu'un fonds impressionnant de guides de voyages. Ramsey n'était pas entré pour acheter une carte : il désirait parler à la propriétaire des lieux.

Il l'aperçut en train de parler à un client.

Elle lança un coup d'œil dans sa direction, mais rien dans son attitude ne trahit le fait qu'elle l'avait reconnu. Ramsey supposait que les sommes considérables qu'il lui avait versées au long des années, en échange de ses services, avaient contribué à financer cette boutique, mais ils n'avaient jamais abordé la question ensemble. C'était l'une de ses règles. Les collaborateurs n'étaient que des outils, on s'en servait comme d'un marteau, d'une scie ou d'un tournevis. On les utilisait.

Puis on les rangeait. La plupart des gens qui travaillaient avec lui comprenaient et acceptaient cette règle d'or. Ceux qui ne la comprenaient pas n'étaient plus contactés par la suite.

La propriétaire du magasin en avait fini avec le client. Elle s'approcha comme si de rien n'était. « Vous recherchez une carte en particulier ? Nous en avons un très large choix. »

Ramsey regarda tout autour de lui. « Effectivement. Et ça tombe bien, car j'ai besoin de toute l'aide que vous pourrez me fournir. »

Wilkerson vit qu'il était suivi. Un homme et une femme tâchaient de se dissimuler dans la foule, à une trentaine de mètres derrière lui, très probablement alertés par Berlin. Ils n'essayaient pas de se rapprocher, ce qui pouvait signifier deux choses. Ou bien c'était Dorothea qu'ils voulaient, et ils attendaient qu'il les conduise jusqu'à elle, ou bien ils essayaient de le guider dans une direction bien précise.

Ces deux possibilités n'avaient rien de réjouissant.

Il joua des coudes dans un tas de promeneurs agglutinés, sans savoir combien d'adversaires supplémentaires l'attendaient plus loin. Un danger de niveau 3 ? Cela signifiait qu'ils le maîtriseraient à tout prix, quitte à le tuer. Pire encore, ils avaient bénéficié de plusieurs heures pour préparer son interpellation. Il savait que l'opération Oberhauser était très importante (plus d'ordre personnel que professionnel), et que Ramsey ignorait ce qu'était un cas de conscience. Si on le menaçait, il réagissait. Et force était de constater qu'il se sentait menacé.

Wilkerson accéléra le pas.

Il aurait dû appeler Dorothea pour l'alerter, mais il lui en voulait encore de s'être immiscée dans sa conversation téléphonique avec Ramsey, la veille au soir. C'était son problème à lui, et il était assez grand pour le résoudre seul. Au moins, elle ne lui avait pas reproché de s'être trompé sur le compte de Ramsey. Au lieu de ça, elle l'avait emmené dans un luxueux hôtel munichois, pour leur plus grand plaisir à tous les deux. En outre, s'il l'appelait, il devrait également lui expliquer comment ils s'étaient fait repérer, et c'était là un sujet qu'il préférait éviter.

À moins de cinquante mètres devant lui, la foule du centre-ville réservé exclusivement aux piétons se tarissait sur un boulevard bondé de voitures, bordé de façades d'immeubles jaunes qui donnaient une curieuse impression méditerranéenne au décor urbain.

Il jeta un coup d'œil par-dessus son épaule.

L'homme et la femme qui le suivaient se rapprochaient à présent.

Il regarda à gauche et à droite, puis au-dessus du vacarme de la circulation. De l'autre côté de la rue s'étendait une file de taxis, dont les chauffeurs attendaient une course. Entre eux et Wilkerson, six voies de chaos et de fureur, dont la rumeur était aussi bruyante que les pulsations de son cœur. Le feu sur sa gauche passa à l'orange, et le trafic commença à se figer.

Un bus approchait sur sa droite, sur la file du centre.

Celles de gauche et de droite ralentissaient.

L'anxiété laissa place à la peur. Il n'avait pas le choix. Ramsey voulait sa mort. Sachant pertinemment ce que ces deux poursuivants lui voulaient, il décida de tenter sa chance en traversant le boulevard.

Il se précipita devant une voiture qui pila dans un crissement de pneus.

Il avait parfaitement estimé son timing, et traversa la file du milieu au moment précis où le feu passait au rouge, obligeant le bus à s'arrêter. Il passa d'un bond la file de gauche, vide un bref instant, pour se retrouver sur le gazon gris du terre-plein central.

Le bus à l'arrêt le cachait de ses poursuivants. Klaxons et crissements, tel un concert d'oies et de hiboux se querellant, l'informèrent d'une opportunité. Il venait de gagner de précieuses secondes et entendait bien ne pas en perdre une seule. Il traversa de toute la force de ses jambes les trois files qui se trouvaient face à lui, vides grâce au feu rouge, et s'engouffra dans le premier taxi de la file, lançant en allemand au chauffeur : « Démarrez. »

L'homme sursauta derrière son volant et Wilkerson baissa la tête alors que le taxi accélérait.

Il jeta un coup d'œil par la vitre.

Le feu passa au vert, et un cortège de véhicules s'ébranla. L'homme et la femme traversèrent la première moitié du boulevard pour se voir dans l'incapacité de traverser la seconde, où se déversait à présent un torrent de voitures.

Tous deux fouillèrent les alentours du regard.

Wilkerson sourit.

« On va où ? » demanda le chauffeur.

Il opta pour un nouveau coup tactique : « Un peu plus loin, après cette rue. Arrêtez-vous là. »

Le chauffeur s'exécuta, et Wilkerson lui jeta un billet de 10 euros avant de descendre.

Il repéra une bouche de métro dont il descendit quatre à quatre les marches, acheta un ticket et rejoignit le quai.

Le train arriva, et il entra dans un wagon relativement plein. Il s'assit, alluma son téléphone portable. Il entra un code spécial, et sur l'écran s'affichèrent les mots « effacer tout ? ». Il appuya sur la touche correspondant au « oui ». À l'image de sa deuxième ex-femme, qui l'obligeait toujours à tout répéter deux fois, le téléphone demanda : « êtes-vous sûr de vouloir tout effacer ? », et il répondit à nouveau par l'affirmative.

La mémoire était à présent vide.

Il se pencha, remonta ostensiblement ses chaussettes et déposa le téléphone sous son siège.

Le train entra dans la station.

Il sortit sur le quai. Le téléphone, lui, continua seul sur la ligne.

Cela occuperait Ramsey pour un temps.

Il grimpa les marches de l'escalier, ravi de la façon dont il avait semé ses poursuivants. Il lui fallait contacter Dorothea, en observant la plus grande prudence. Si lui était surveillé, elle devait l'être également.

Il sortit de la station, légèrement ébloui par les puissants rayons de soleil de cet après-midi, et se repéra dans la ville. La rivière Isar n'était pas loin, tout comme le Deutsches Museum. Il se trouvait dans une artère aussi animée que le boulevard.

Un homme s'arrêta juste en face de lui.

« *Bitte, Herr Wilkerson*, dit-il en allemand. Veuillez monter à bord de cette voiture. »

Wilkerson se figea.

L'homme portait un long manteau de laine et avait les mains enfoncées dans les poches.

« Je n'ai aucune envie d'en arriver là, dit l'inconnu, mais s'il le faut, je n'hésiterai pas à vous abattre ici. »

Le regard de Wilkerson glissa sur la poche du manteau de l'homme.

Ses entrailles se serrèrent en un nœud douloureux.

Ce ne pouvait être un homme de Ramsey. Mais il s'était tellement concentré sur l'homme et la femme qu'il avait négligé tout autre éventuel poursuivant. « Vous n'êtes pas du bureau de Berlin, n'est-ce pas ? demanda Wilkerson.

— *Nein*. Rien à voir, de près ou de loin. »

34

Malone contemplait l'un des derniers vestiges de l'Empire carolingien, qui portait à l'époque le nom d'église de Notre-Dame, et était à présent connu sous celui de cathédrale d'Aix-la-Chapelle. L'édifice semblait constitué de trois parties distinctes. Une tourelle gothique, qui paraissait séparée du reste. Une section centrale arrondie quoique tout en angles, reliée à la tourelle par une galerie couverte d'un curieux dôme. Et enfin, un grand et long corps de bâtiment qui semblait n'être fait que de vitraux coiffés d'une toiture. Cet ensemble, qui réunissait des édifices construits entre la fin du VIIIe siècle et le XVe siècle, avait miraculeusement survécu au temps, y compris au siècle dernier durant lequel, Malone le savait bien, Aix avait été lourdement bombardée.

La chapelle palatine de Charlemagne, partie la plus ancienne de l'ensemble architectural, se dressait sur une petite colline de la ville, et avait jadis été reliée au palais par des bâtiments de bois qui abritaient un solarium, une garnison militaire, un tribunal et les quartiers du roi et de sa famille.

Le palatinat de Charlemagne.

Seules restaient de ces siècles révolus une cour, la chapelle et les fondations du palais sur lesquelles une armée de maçons avait érigé l'actuel hôtel de ville d'Aix.

Christl et Malone entrèrent dans la cathédrale par l'imposante porte ouest. Il fallait descendre trois marches pour se retrouver sous un porche d'allure baroque, aux murs nus blanchis à la chaux.

« Vous voyez ces marches ? demanda Christl. Elles indiquent de combien de centimètres le niveau du sol extérieur s'est élevé depuis l'époque de Charlemagne. »

Il se souvint de ce que Dorothea lui avait raconté au sujet d'Othon III. « C'est ici qu'on a retrouvé le tombeau de Charlemagne ? Ainsi que le livre que possède votre sœur ? »

Elle acquiesça. « D'aucuns prétendent qu'Othon III a creusé dans le sol même de l'église et a trouvé la dépouille de l'empereur assis, pointant du doigt un passage de l'Évangile selon saint Marc. "Quel profit, en effet, y a-t-il pour un homme à gagner le monde entier et perdre son âme ?" »

Il perçut dans son ton un soupçon de cynisme.

« D'autres avancent que l'empereur Frédéric Barberousse fut celui qui trouva le tombeau en 1165, et que la dépouille de Charlemagne se trouvait dans un cercueil de marbre. Ce sarcophage romain est exposé dans le trésor de la chapelle. Barberousse aurait en outre trouvé un reliquaire en or, qui se trouve à présent... – elle pointa du doigt l'intérieur de la chapelle – ... là-bas, dans le chœur. »

Au-delà de l'autel, il aperçut un coffre en or, illuminé et exposé dans un présentoir en verre. Ils quittèrent le porche pour pénétrer dans la chapelle. Une galerie circulaire s'étirait à gauche et à droite, mais ce fut l'octogone intérieur qui attira l'attention de Malone. Les hautes fenêtres du dôme laissaient filtrer une lumière quasi brumeuse.

« Un hexadécagone enfermant un octogone », dit-il.

Huit colonnades groupées deux par deux formaient des doubles piliers qui supportaient le dôme. Les courbes des arches se dessinaient au bord des galeries supérieures où de graciles colonnes, des arcades de marbre et des rambardes de fer formaient un ensemble majestueux.

« Durant les trois siècles qui suivirent la fin de sa construction, cet édifice resta le plus haut au nord des Alpes, dit Christl. À l'époque, il était commun de construire temples, arènes, palais et églises en pierre, mais cette technique était jusqu'alors inconnue des diverses peuplades germaniques. Ce fut le premier essai de conception d'une voûte en pierre, hors de la sphère culturelle méditerranéenne. »

Malone considérait la galerie supérieure.

« Parmi ce que vous contemplez, il reste bien peu d'éléments remontant au temps de Charlemagne, poursuivit-elle. La structure du bâtiment, bien sûr. Les trente-six colonnades de marbre, là, au deuxième niveau. Certaines sont d'origine : provenant d'Italie, elles furent volées par Napoléon, mais finirent par retrouver leur place en ces lieux. Les huit rambardes entre les arches sont également d'origine. Tout le reste est postérieur. Les Carolingiens avaient pour habitude de blanchir à la chaux l'extérieur de leurs églises et d'en peindre l'intérieur. Par la suite, des éléments moins frustes furent ajoutés. Cet édifice reste néanmoins la seule église encore debout en Allemagne dont la construction fut expressément ordonnée par Charlemagne. »

Malone dut se courber en arrière pour observer le dôme. Ses mosaïques dorées représentaient vingt-quatre vieillards, vêtus de blanc, debout devant un trône, offrant des couronnes d'or en l'honneur de l'Agneau de Dieu.

La mosaïque illustrait un passage de l'Apocalypse, Malone en était absolument certain. D'autres mosaïques recouvraient le tambour, à la base du dôme. Y étaient représentés la Vierge Marie, saint Jean-Baptiste, Jésus, l'archange Michel, l'ange Gabriel et jusqu'à Charlemagne lui-même.

Suspendu par une chaîne de fer forgé, dont la taille des maillons croissait à mesure qu'ils s'approchaient du plafond, se trouvait un énorme lustre en forme de roue, véritable chef-d'œuvre d'orfèvrerie.

« L'empereur Barberousse fit don de ce lustre au XIIᵉ siècle, après son couronnement, expliqua Christl. Il symbolise la Jérusalem céleste, promise à tous les chrétiens, et qui descendra du ciel, pleine de la gloire de Dieu. »

Encore une référence à l'Apocalypse selon saint Jean. Cela lui rappela la basilique Saint-Marc, à Venise. « Cette chapelle a quelque chose de byzantin.

— Ses ornements reflètent la passion de Charlemagne pour la richesse byzantine, par opposition à l'austérité romaine.

— Qui a conçu les plans de cette chapelle ? »

Christl haussa les épaules. « Nul ne le sait. Un certain maître Odo est mentionné dans certains textes, mais on ignore tout de lui, à part le fait que, manifestement, il avait une connaissance profonde de l'architecture méridionale. Il est évident qu'Éginhard a participé à la conception de ces plans, ainsi que Charlemagne lui-même. »

Ce n'était pas la taille de l'intérieur qui était le plus impressionnant, mais bien l'agencement tout entier qui attirait irrépressiblement le regard vers le haut, vers le ciel.

L'entrée était gratuite, et plusieurs groupes de touristes parcouraient les lieux, derrière leur guide qui leur exposait les points les plus remarquables. L'homme qui les avait pris en filature avait tâché de se dissimuler dans l'un de ces groupes pour les suivre incognito. Apparemment satisfait de constater que la chapelle ne présentait qu'une seule issue, il en était finalement sorti.

Malone avait vu juste. On avait dû coller un mouchard sur sa voiture de location. C'était la seule façon d'expliquer le fait que l'assassin de la veille soit parvenu à les retrouver. Ils n'avaient pas été suivis, cela, Malone en était certain. Et aujourd'hui, ils avaient utilisé la même voiture pour relier Reichshoffen et Garmisch où ils avaient pris le train, et où il avait aperçu pour la première fois l'homme au visage taillé à la serpe.

La meilleure façon de s'assurer qu'on était suivi était de conduire le potentiel poursuivant là où on le désirait.

Christl désigna la galerie du second niveau. « Cette zone était exclusivement réservée au monarque. Trente empereurs du Saint Empire romain germanique y furent couronnés. En empruntant le même chemin que Charlemagne et en s'asseyant sur le trône, ils prenaient symboliquement possession de l'empire tout entier. Aucun empereur n'était reconnu comme légitime à moins de monter sur le trône qui se trouve ici. »

Des chaises emplissaient l'octogone, à l'intention des fidèles et, ainsi que Malone put le constater, des touristes. Il s'assit un peu à l'écart et demanda à Christl : « D'accord. Que sommes-nous venus faire ici ?

— Entre autres passions, Éginhard adorait les mathématiques et l'architecture. »

Malone comprit le sous-entendu. « ... que lui enseignèrent les Très Saints, je suppose ?

— Regardez autour de vous. Un sacré exploit, pour un édifice du IXe siècle. Avec une foule d'innovations. Vous voyez cette voûte, au-dessus de nos têtes ? Sa conception était à l'époque révolutionnaire. Ceux qui la dessinèrent et la firent construire savaient parfaitement ce qu'ils faisaient.

— Et qu'est-ce que cette chapelle a à voir avec le testament d'Éginhard ?

— Dans son testament, Éginhard écrit que la compréhension de la sagesse du ciel débute dans la nouvelle Jérusalem.

— Et nous sommes dans la nouvelle Jérusalem ?

— C'est exactement par ces termes que Charlemagne se référait à cette chapelle. »

Malone se souvint de la citation exacte, qu'il récita : « "Les révélations s'éclairciront une fois déchiffré le secret de cet endroit merveilleux. Élucidez ce mystère en appliquant la perfection de l'ange à la sanctification du Seigneur. Seuls ceux capables d'apprécier le trône de Salomon et la frivolité romaine sauront trouver le chemin qui mène au ciel." »

— Vous avez une excellente mémoire.

— Si seulement vous saviez.

— Les énigmes ne sont pas mon fort, et celle-ci me donne plus de fil à retordre que toute autre.

— Et qu'est-ce qui vous pousse à croire que je pourrais vous aider à la résoudre ?

— Ma mère prétend qu'une certaine réputation en la matière vous précède.

— Heureux d'apprendre que j'ai maman à la bonne. Comme je l'ai déjà dit, à elle aussi bien qu'à vous, elle semble avoir choisi son camp.

— Elle tente de nous obliger, Dorothea et moi, à travailler ensemble. Il se pourrait bien que nous y soyons contraintes. Mais je ferai tout pour retarder ce moment aussi longtemps que possible.

— Dans l'abbaye, lorsque vous avez vu cette armoire vandalisée, vous avez pensé que Dorothea était responsable, n'est-ce pas ?

— Elle savait que notre père y cachait ses documents. Mais je ne lui ai jamais révélé comment s'ouvrait l'armoire. Elle ne s'y était jamais intéressée, avant une date assez récente. Il ne fait aucun doute qu'elle ne désirait pas que je dispose de ces documents.

— Et pourtant, elle a consenti à ce que vous bénéficiiez de mon aide.

— C'est effectivement très troublant.

— Peut-être a-t-elle considéré que je n'étais d'aucune utilité.

— Je ne vois pas ce qui aurait pu l'en convaincre.

— De la flatterie, à présent ? Essayez autre chose, ça ne prend pas. »

Christl sourit.

Malone insista : « Pourquoi Dorothea aurait-elle volé les documents de l'abbaye et laissé dans le même temps l'un des originaux au château ?

— Dorothea se rend très rarement dans la pièce secrète de Reichshoffen. Elle ne sait pas tout ce qui s'y trouve.

— Alors qui a tué la femme du téléphérique ? »

Le visage de Christl se fit plus dur. « Dorothea.

— Pourquoi cela ? »

Elle haussa les épaules. « Vous avez certainement déjà compris que ma sœur n'a qu'une conscience très lacunaire, si tant est qu'elle ait une conscience.

— Vous êtes toutes les deux les jumelles les plus étranges que j'aie jamais croisées.

— Ce n'est pas parce que nous sommes nées quasiment au même instant que nous sommes identiques. Nous nous sommes toujours tenues à distance l'une de l'autre, pour notre plus grand plaisir.

— Et qu'arrivera-t-il lorsque vous hériterez toutes les deux du patrimoine familial ?

— Je crois que notre mère espère que cette quête effacera toutes nos différences et tous nos différends. »

Malone perçut une certaine réserve dans son ton. « Et vous pensez que ce ne sera pas le cas ?

— Nous avons promis toutes les deux d'essayer.

— Vous avez une bien curieuse façon d'essayer. »

Malone regarda autour de lui. À quelques mètres, au sein du polygone extérieur, se dressait l'autel principal.

Christl suivit son regard. « On raconte que le panneau frontal a été réalisé avec l'or qu'Othon III trouva dans le tombeau de Charlemagne.

— Je sais déjà ce que vous allez ajouter. Mais cela n'a jamais été prouvé. »

Toutes ces explications avaient été jusqu'ici très détaillées, mais cela ne signifiait pas pour autant qu'elles fussent justes. Malone consulta sa montre et se leva de sa chaise. « Allons manger quelque chose. »

Elle lui lança un regard perplexe. « Vous ne pensez pas que nous ferions mieux de nous atteler à la tâche tout de suite ?

— Si je savais comment m'y prendre, c'est effective-ment ce que je vous aurais proposé. »

Avant de pénétrer dans la chapelle, ils étaient passés par la boutique de souvenirs et d'objets saints, où ils avaient appris que les lieux étaient ouverts au public jusqu'à 19 heures, la dernière visite guidée commençant à 18 heures. Malone avait en outre remarqué toute une collection de guides et d'ouvrages historiques, certains écrits en anglais, mais en grande majorité écrits en alle-mand. Fort heureusement, il maîtrisait assez bien cette langue.

« Où pouvons-nous faire une pause pour manger ?

— La Marktplatz est assez proche. »

Malone désigna la sortie. « Après vous. »

35

Charlie Smith portait un jean délavé, un polo noir et des chaussures de sécurité, achetés quelques heures auparavant dans un Wal-Mart. Il s'imagina dans la peau d'un des deux héros de la série *Shérif, fais-moi peur*, en plein comté d'Hazzard, comme s'il venait de sortir de General Lee par la vitre ouverte du côté du conducteur. L'éclairage de l'autoroute à deux voies partant de Charlotte lui avait permis de rouler à une vitesse assez agréable, et il se trouvait à présent au milieu des arbres, considérant en frissonnant la maison, environ 110 mètres carrés sous un seul et même toit.

Il connaissait toute l'histoire de cette maison.

Herbert Rowland avait acheté le terrain alors qu'il avait une trentaine d'années, avait remboursé son prêt jusqu'à la quarantaine et, à la cinquantaine, avait construit cette grande cabane. Deux semaines après son départ à la retraite, Rowland et sa femme avaient rempli leur van de leurs effets personnels et avaient parcouru la trentaine de kilomètres qui séparait Charlotte de cette maison. Cela faisait à présent dix ans qu'ils y vivaient paisiblement, au bord du lac.

Dans le vol qui l'avait conduit de Jacksonville à Charlotte, Smith avait étudié son dossier. Deux points relatifs à la santé de Rowland avaient particulièrement retenu son attention. Le premier était son diabète, avec lequel il vivait depuis très longtemps. C'était un diabète de type 1, insulinodépendant. Contrôlable, à condition de s'injecter quotidiennement de l'insuline. Le second était son goût pour l'alcool et, plus spécifiquement, pour le whisky. Il était assez bon connaisseur, et consacrait une partie de la pension de retraite que la marine lui versait à l'achat de quelques fameuses bouteilles, chez un détaillant réputé de la ville de Charlotte. Il buvait toujours chez lui, la nuit, en compagnie de son épouse.

Les notes que Smith avait prises l'année précédente suggéraient une mort liée au diabète. Mais la mise au point d'une méthode permettant d'atteindre ce but sans soulever le moindre doute avait requis un certain effort d'imagination.

La porte de la maison s'ouvrit et Herbert Rowland en sortit, un court instant ébloui par les rayons du soleil. Il monta à bord d'un pick-up poussiéreux au volant duquel il s'éloigna. Aucun signe du second véhicule qui appartenait à l'épouse de Rowland. Smith attendit dans les fourrés durant dix minutes, puis se décida à tenter sa chance.

Il approcha et tapa à la porte.

Pas de réponse.

Il frappa à nouveau.

Il lui fallut moins d'une minute pour crocheter la serrure. Il savait que la maison était exempte de système de sécurité. Il écouta les messages enregistrés sur le répondeur automatique. Le sixième, laissé par l'épouse de Rowland, et qui remontait à quelques heures auparavant, lui plut énormément. Elle se trouvait chez sa sœur, et avait appelé pour prendre des nouvelles, finissant son message en spécifiant qu'elle serait de retour le surlendemain.

Smith modifia instantanément ses plans.

Deux jours seul : c'était une occasion à saisir.

Il passa devant des présentoirs à fusils. Rowland était un passionné de chasse. Smith considéra deux des fusils. Lui aussi aimait chasser, mais sa proie de prédilection avançait debout sur ses deux pattes postérieures.

Il entra dans la cuisine et ouvrit le réfrigérateur. Dans le petit compartiment de la porte, conformément à ce qu'indiquait le dossier, étaient alignées quatre fioles d'insuline. De ses doigts gantés, il les examina. Elles étaient pleines, leur opercule en plastique intact, à l'exception de celle que Rowland était en train d'utiliser.

Il s'approcha de l'évier avec cette fiole et sortit une seringue vide de sa poche. Il passa l'aiguille dans le trou de l'opercule, et aspira une partie de l'insuline qui s'y trouvait, pour la vider dans le siphon. Il répéta l'opération à deux reprises, jusqu'à ce que la fiole fût vide. Puis il sortit d'une autre poche un flacon de sérum physiologique, en emplit sa seringue pour la vider dans la fiole, et répéta là encore l'opération jusqu'à ce que la fiole soit à nouveau pleine aux trois quarts.

Il rinça l'évier et replaça la fiole dans le réfrigérateur. D'ici huit heures, lorsque Herbert Rowland s'en injecterait le contenu, il ne se rendrait compte de rien. L'alcool et le diabète faisaient mauvais ménage. Une dose excessive d'alcool et un diabète non traité entraînaient immanquablement la mort. En l'espace de quelques heures, Rowland en ressentirait les effets dévastateurs et, au matin, il mourrait.

Il ne restait plus à Smith qu'à surveiller le cours inéluctable des choses.

Il entendit un bruit de moteur à l'extérieur et se précipita à la fenêtre.

Un homme et une femme sortirent d'une Chrysler.

Dorothea était inquiète. Wilkerson était parti depuis déjà un certain temps. Il avait dit qu'il allait acheter des viennoiseries, mais cela faisait à présent deux heures qu'il était sorti.

Le téléphone de la suite retentit, la faisant sursauter. Personne ne savait qu'elle se trouvait ici, à l'exception de...

Elle décrocha le combiné.

« Dorothea, dit la voix de Wilkerson. Écoute-moi. On m'a pris en filature, mais j'ai réussi à les semer.

— Comment ont-ils fait pour nous retrouver ?

— Je n'en ai aucune idée, mais, de retour à l'hôtel, j'ai aperçu des hommes postés à l'extérieur. N'utilise ton téléphone portable sous aucun prétexte. Il est peut-être sous surveillance. Nous avons l'habitude de ce genre de procédés.

— Tu es sûr de les avoir semés ?

— J'ai pris le métro. C'est à présent après toi qu'ils en ont : ils pensent que tu les conduiras jusqu'à moi. »

Dorothea échafaudait d'ores et déjà un plan de secours. « Attends quelques heures, puis prends le métro jusqu'à la station Hauptbahnhof. Attends-moi près de l'office du tourisme. J'y serai à 18 heures.

— Comment comptes-tu sortir de l'hôtel ? demanda Wilkerson.

— Vu les intérêts qu'a ma famille ici, le chef concierge se fera un plaisir de trouver une solution. »

Stéphanie sortit de sa voiture et Edwin Davis poussa la portière du passager. Ils venaient de relier Atlanta et

Charlotte, un trajet de plus de 380 kilomètres sur une autoroute inter-États, pour une durée inférieure à trois heures. Davis avait trouvé dans les registres de la Navy l'adresse d'Herbert Rowland, capitaine de corvette à la retraite, et Google leur avait indiqué la route à suivre.

La maison se trouvait au nord de Charlotte, sur les bords du lac des Aigles, dont la taille et le contour semblaient indiquer qu'il était l'œuvre de l'homme. Ses rives étaient abruptes, recouvertes de forêts et de rochers, et très peu habitées. La cabane en bois de Rowland était nichée à moins de cinq cents mètres de la route, au milieu d'un bois dense de peupliers verts, avec une superbe vue.

Tout cela ne disait rien qui vaille à Stéphanie, et elle avait exprimé ses doutes durant le voyage, suggérant qu'il serait peut-être préférable de faire appel aux forces de l'ordre locales.

Mais Davis avait refusé tout net.

« Je persiste à croire que c'est une mauvaise idée, lui dit-elle.

— Stéphanie, si j'allais voir le FBI ou le shérif du coin pour leur soumettre mes suspicions, ils me prendraient pour un fou. Et qui sait ? ils auraient peut-être raison.

— La mort de Zachary Alexander hier soir, ça, vous ne l'avez pas inventée.

— Mais il est impossible de prouver qu'il s'agissait d'un meurtre. »

Les services secrets les avaient recontactés de Jacksonville. Aucune preuve d'homicide n'avait été retrouvée.

Aucune voiture ne semblait stationnée autour de la maison. « On dirait que l'endroit est inhabité », dit Stéphanie.

Davis referma sa portière. « Il n'y a qu'une seule façon de s'en assurer. »

Elle le suivit jusqu'au porche, où il frappa à la porte. Aucune réponse. Il tapa à nouveau. Après quelques instants de silence, Davis tourna la poignée.

La porte s'ouvrit.

« Edwin... » commença-t-elle à dire, mais il était déjà entré.

Stéphanie restait plantée sur le seuil. « Vous êtes en train d'entrer par effraction chez un citoyen. »

Davis se retourna. « Vous n'avez qu'à rester dehors. Je ne vous ai jamais demandé de violer la loi. »

Elle savait que Davis aurait besoin d'un minimum de bon sens, aussi pénétra-t-elle à l'intérieur. « Je dois vraiment être folle à lier pour m'être mise dans une affaire pareille. »

Il sourit. « Malone m'a raconté qu'il vous avait dit exactement la même chose, l'année dernière, en France. »

Stéphanie l'ignorait. « Vraiment ? Et qu'est-ce que Cotton vous a raconté d'autre ? »

Il ne répondit pas et commença à inspecter les lieux. Le décor rappela à Stéphanie un magasin de décoration intérieure plus ou moins rustique. Des chaises en bois et à barreaux, un canapé d'angle, des tapis en jute sur un plancher patiné. Tout était propre et ordonné. Des photos encadrées recouvraient la quasi-totalité des murs et des tables. Rowland était apparemment chasseur. Des trophées décoraient également les murs, aux côtés de ce qui semblait être des photos de ses enfants et petits-enfants. Le canapé d'angle faisait face à une terrasse de bois. On pouvait voir la rive opposée du lac. La maison semblait se trouver dans l'anse d'une crique.

Davis fouillait sans répit, ouvrant tiroirs et placards.

« Qu'est-ce que vous faites ? » demanda-t-elle.

Il passa à la cuisine. « J'essaie de trouver quelque chose susceptible d'éclairer notre lanterne. »

Stéphanie l'entendit ouvrir le réfrigérateur.

« On en apprend beaucoup sur quelqu'un en étudiant l'intérieur de son réfrigérateur, lança-t-il.

— Vraiment ? Et qu'avez-vous appris en étudiant le mien ? »

Davis l'avait effectivement ouvert, avant leur départ, pour y chercher quelque chose à boire.

« Que vous ne faites pas la cuisine. On aurait dit un frigo d'étudiante. Quasiment vide. »

Elle afficha un sourire un peu forcé. « Et qu'avez-vous appris dans celui-ci ? »

Il pointa l'intérieur du doigt. « Herbert Rowland est diabétique. »

Stéphanie aperçut les fioles qui portaient le nom de Rowland, ainsi que le mot « insuline ».

« C'était facile à déduire.

— Et il aime le whisky frais. Du Maker's Mark. C'est du bon. »

Trois bouteilles étaient rangées côte à côte tout en haut du réfrigérateur.

« Vous buvez ? » demanda-t-elle.

Il referma le réfrigérateur. « J'aime boire de temps en temps un petit verre de Macallan, du soixante ans d'âge.

— Nous ne pouvons pas rester là, dit-elle.

— Nous sommes ici pour le bien de Rowland. Quelqu'un s'apprête à le tuer, d'une façon à laquelle il ne saurait s'attendre. Nous devons inspecter les autres pièces. »

Toujours sceptique, Stéphanie revint au salon. Trois portes donnaient sur cette vaste pièce. Sous l'une d'elles, elle remarqua quelque chose. Un changement dans la lumière, un bref jeu d'ombres, comme si quelqu'un venait de passer sur le seuil, de l'autre côté du battant.

Tous ses sens furent en alerte.

Elle sortit de sous son manteau son Beretta de service.

Davis jeta un coup d'œil à son arme. « Vous êtes venue armée ? »

Elle posa son index sur ses lèvres, lui indiquant de se taire, et le pointa ensuite en direction de la porte.

« Nous avons de la compagnie », articula-t-elle sans émettre le moindre son.

Charlie Smith avait tout entendu. Les deux intrus étaient entrés assez rapidement, le poussant à se réfugier dans la chambre dont il avait refermé la porte, avant d'y coller son oreille. Lorsque l'homme avait dit qu'il désirait inspecter les autres pièces, Smith avait compris qu'il allait avoir de sérieux problèmes. Il n'avait pas amené d'arme. Il ne s'encombrait de ces objets qu'en cas d'extrême nécessité, et le fait qu'il ait pris un vol pour relier la Virginie et la Floride lui avait d'emblée interdit d'emmener le moindre pistolet. En outre, l'usage d'une arme à feu constituait la pire des façons de tuer quelqu'un. Ces armes étaient tout sauf discrètes, laissaient une foule d'indices et soulevaient une infinité de suspicions.

Personne n'était censé se trouver ici. Le dossier mentionnait très clairement qu'Herbert Rowland travaillait bénévolement à la bibliothèque municipale tous les mercredis, jusqu'à 17 heures. Il ne reviendrait que dans plusieurs heures. Son épouse serait absente deux jours durant, comme elle l'avait précisé elle-même dans son message. Smith avait saisi quelques bribes de la conversation, qui semblait plus personnelle que professionnelle. La femme paraissait à bout de nerfs. Et puis il avait entendu très distinctement : « Vous êtes venue armée ? »

Il lui fallait partir, mais il ne disposait d'aucune issue. Quatre fenêtres perçaient le mur extérieur de la chambre, mais il n'aurait pu se glisser assez vite par l'une d'elles. Une salle de bains jouxtait la chambre équipée de deux placards.

Smith devait agir rapidement.

Stéphanie ouvrit la porte de la chambre. Le lit était fait, tout était impeccable, à l'instar du reste de la maison. Une porte ouverte donnait sur une salle de bain, et la lumière du jour qui se déversait par les quatre fenêtres rehaussait les couleurs du tapis berbère. Dehors, les arbres remuaient, secoués par le vent, et leurs ombres dansaient sur le plancher.

« Pas de fantômes ? » demanda Davis.

Elle pointa les ombres au sol. « Fausse alerte. »

Puis quelque chose retint son attention.

Un placard équipé de battants coulissants semblait être celui de Mme Rowland : ses habits avaient été accrochés à la va-vite aux cintres. Il y avait un autre placard, plus petit, et à simple battant. De là où elle se tenait, Stéphanie était incapable de jeter un coup d'œil à l'intérieur : le placard se présentait à angle droit par rapport à elle, installé dans une des parois d'un petit couloir qui séparait la chambre de sa salle de bain. Le battant était ouvert. Un cintre en plastique, posé sur la poignée intérieure du battant, se balançait presque imperceptiblement.

L'indice était mince, mais amplement suffisant.

« Qu'est-ce qu'il y a ? demanda Davis.

— Vous avez raison, répondit-elle. Il n'y a rien ici. Le fait d'entrer par effraction me met les nerfs en boule, c'est tout. »

Stéphanie crut comprendre à son expression que Davis n'avait rien remarqué. En tout cas, s'il avait aperçu le cintre, il cachait parfaitement son jeu.

« On peut partir, maintenant ? demanda-t-elle.

— Bien sûr. Je crois que nous avons fait le tour. »

Wilkerson était terrifié.

Il avait été contraint d'appeler Dorothea par l'homme qui l'avait surpris à sa sortie du métro, et qui lui avait dicté chaque mot. Celui-ci avait pressé le canon de son 9 mm automatique contre sa tempe gauche, et l'avait prévenu que toute variation dans le texte qu'il lui chuchoterait serait suivie d'une malheureuse pression sur la détente.

Wilkerson avait scrupuleusement obéi.

Il avait alors traversé Munich sur la banquette arrière d'un coupé Mercedes, menotté, mains dans le dos, conduit par son kidnappeur. Ils s'étaient arrêtés, et l'homme l'avait laissé seul un instant pour passer un coup de téléphone dehors.

Plusieurs heures avaient passé.

Dorothea serait bientôt à la gare, comme convenu : Wilkerson, contre son gré, semblait plutôt s'en éloigner. En fait, ils roulaient en direction des Alpes et de Garmisch, à un peu moins d'une centaine de kilomètres.

« Vous savez quoi ? » lança-t-il au conducteur.

Celui-ci ne répondit pas.

« Puisque vous refusez de me dire pour qui vous travaillez, vous ne voudriez pas me dire comment vous vous appelez ? C'est un secret, ça aussi ? »

On lui avait enseigné que le fait d'entamer une conversation avec ses ravisseurs était le premier pas à faire pour en apprendre plus à leur sujet. La Mercedes tourna à droite, s'engageant sur une bretelle, et accéléra pour déboucher sur l'autoroute.

« Je m'appelle Ulrich Henn », répondit enfin l'homme.

36

AIX-LA-CHAPELLE
17 H 00

Pour Malone, ce repas tombait à point nommé. Christl et lui étaient retournés sur la Marktplatz triangulaire, et avaient jeté leur dévolu sur un restaurant en face de l'hôtel de ville. En sortant de la chapelle, ils avaient acheté une demi-douzaine de guides touristiques à la boutique de souvenirs. Ils avaient ensuite emprunté un dédale de rues pavées et cossues, flanquées de riches demeures, qui donnaient au quartier un air médiéval, bien que la plupart d'entre elles n'eussent probablement été bâties que cinquante ans auparavant : Aix-la-Chapelle avait en effet été lourdement bombardée durant la Deuxième Guerre mondiale. La froidure de cet après-midi n'avait en rien découragé la foule, sortie en masse faire du shopping. Les boutiques étaient pleines de personnes se préparant pour Noël.

L'homme au visage taillé à la serpe les suivait toujours. Il était entré dans un café disposé en diagonale par rapport au restaurant où se trouvaient Christl et Malone. Conformément à leur souhait, le serveur les avait placés à une table proche de la vitrine, d'où Malone pouvait garder un œil sur ce qui se passait à l'extérieur sans se faire remarquer outre mesure.

Il ne pouvait s'empêcher de s'interroger au sujet de cet homme qui les suivait comme une ombre. Le fait qu'il fût seul signifiait que Malone avait affaire ou bien à des amateurs, ou bien à des gens qui ne pouvaient s'offrir les services que d'un seul homme de main. Peut-être cet homme se croyait-il bon au point de penser qu'il n'avait nul besoin d'aide. Malone avait déjà croisé la route d'agents aussi orgueilleux.

Il avait feuilleté la moitié des guides touristiques. Comme Christl le lui avait dit, Charlemagne considérait cette chapelle comme sa « nouvelle Jérusalem ». Plusieurs siècles plus tard, Barberousse avait abondé dans son sens en faisant don du lustre de cuivre repoussé. Malone avait remarqué une inscription en latin sur le lustre. L'un des guides en donnait la traduction. La première ligne signifiait : « Ici apparais-tu, ô Jérusalem, Sion céleste, pour nous tabernacle de paix et espoir d'un repos béni. »

Il figurait également dans le guide une citation de Notker, historien du IXᵉ siècle, avançant que Charlemagne avait fait bâtir la chapelle « selon ses propres plans », en associant symboliquement sa longueur, sa largeur et sa hauteur. L'ouvrage avait débuté entre 790 et 800 après Jésus-Christ, et la chapelle fut consacrée le 6 janvier 805 par le pape Léon III, en présence de l'empereur.

Malone ouvrit un autre guide. « J'imagine que vous connaissez en détail l'époque de Charlemagne. »

Christl berçait son verre de vin dans sa paume. « C'est mon champ d'études. La période carolingienne a marqué une transition très importante dans l'histoire de l'Occident. Avant lui, l'Europe du Nord était une terre de rage et de chaos, où les peuples se battaient sempiternellement, et où régnaient une ignorance crasse et un désordre politique absolu. Charlemagne a fondé le premier gouvernement centralisé au nord des Alpes.

— Et tout ce qu'il a pu réaliser s'est effondré après sa mort. Son empire s'est morcelé. Son fils et ses petits-fils l'ont tout simplement ravagé.

— Mais ce en quoi il croyait a perduré. Il pensait que l'objectif premier d'un gouvernement devait être le bien de son peuple. À ses yeux, les paysans étaient des êtres humains, pour lesquels il convenait d'œuvrer. Il a régné non pour sa gloire personnelle, mais pour le bien commun. Il a répété à plusieurs reprises que sa mission n'était pas d'étendre son empire, mais de le conserver.

— Ça ne l'a pas empêché de conquérir de nouveaux territoires.

— À petite échelle. Quelques terres de-ci de-là, et pour des raisons bien précises. À tout point de vue, c'était un révolutionnaire. Les souverains de son époque attiraient à eux des hommes forts, des archers, des guerriers : Charlemagne a pour sa part protégé et encouragé savants et maîtres.

— Il n'empêche que tout cela a été réduit à néant, et que l'Europe a dû sommeiller quatre siècles supplémentaires avant un réel changement des mentalités. »

Christl acquiesça. « C'est, semble-t-il, le destin des plus grands souverains de l'histoire. Les héritiers de Charlemagne ne furent pas aussi sages que lui. Il s'est marié plusieurs fois et a engendré un grand nombre d'enfants. Nul ne sait combien, précisément. Son fils aîné, Pépin le Bossu, n'eut jamais la chance de régner. »

La référence à cette infirmité lui rappela le dos déformé d'Henrik Thorvaldsen. Il se demanda ce que son ami danois pouvait bien faire à cet instant. Thorvaldsen devait sans doute connaître Isabel Oberhauser, ou du moins avoir entendu parler d'elle. Quelques informations sur ce personnage auraient été les bienvenues. Mais si Malone appelait, Thorvaldsen lui demanderait forcément ce qu'il faisait encore en Allemagne. Et comme lui-même n'avait pas de réponse à cette question, il était inutile de le déranger.

« Pépin fut renié lorsque Charlemagne engendra des fils en bonne santé et sans malformations, avec ses épouses ultérieures, poursuivit Christl. Pépin se retourna contre son père, mais mourut avant lui. Louis fut finalement le seul fils à lui survivre. Il était doux, profondément religieux et très instruit, mais il évitait les confrontations armées et manquait de fermeté. Il fut poussé à abdiquer en faveur de ses trois fils, qui morcelèrent l'empire en 841. Il fallut attendre le Xe siècle pour qu'il soit réunifié par Othon Ier.

— Lui aussi a reçu de l'aide des Très Saints ?

— Nul ne le sait. Le seul témoignage direct de leur influence sur la culture nord-européenne par le biais de Charlemagne est ce livre que je détiens, celui avec lequel Éginhard se fit inhumer.

— Comment tout cela a-t-il pu rester secret ?

— Mon grand-père n'en avait parlé qu'à mon père. Mais étant donné son caractère fantasque, il était difficile de faire la part de la vérité et de l'invention dans ses propos. Mon père s'est ouvert à vos compatriotes américains, mais ni lui ni eux ne sont parvenus à déchiffrer le livre retrouvé dans le tombeau de Charlemagne, celui que possède Dorothea, cet ouvrage censé dévoiler le mystère tout entier. C'est ainsi que le secret a perduré, jusqu'aujourd'hui. »

Malone profita de la loquacité de Christl pour lui demander : « Alors comment votre grand-père est-il parvenu à trouver quelque chose en Antarctique ?

— Je l'ignore. Tout ce que je sais, c'est qu'il a bel et bien trouvé des choses. Vous avez vu les pierres.

— Qui est en leur possession, à présent ?

— Dorothea, j'en suis convaincue. Elle ne voulait sûrement pas me les laisser.

— Et c'est cela qui l'aurait poussée à saccager cette partie de l'abbaye ? Toutes ces choses que votre grand-père avait trouvées ?

— Ma sœur s'est toujours moquée des croyances de notre grand-père. Et elle est capable de tout. »

À nouveau, Malone perçut la froideur de son ton et décida de ne pas creuser plus loin le sujet. Il baissa les yeux sur l'un des guides touristiques et observa un croquis de la chapelle, des cours qui l'entouraient et des bâtiments adjacents.

L'ensemble semblait presque de forme phallique, circulaire à un bout, prolongé par une extension qui se terminait par une extrémité arrondie et plus petite. La chapelle était reliée à ce qui avait été jadis un réfectoire, et abritait à présent le trésor, par une simple porte intérieure. On ne voyait sur le croquis qu'une seule issue donnant sur l'extérieur, la principale, le portail du Loup par lequel ils étaient entrés.

« À quoi pensez-vous ? » demanda Christl.

Son attention se reporta sur elle. « Cet ouvrage que vous détenez, celui qui se trouvait dans le tombeau d'Éginhard, écrit en latin. En possédez-vous une traduction complète ? »

Elle acquiesça. « Le fichier se trouve sur le disque dur de mon ordinateur à Reichshoffen. Mais elle n'a que peu d'utilité. Éginhard parle des Très Saints et relate quelques visites qu'ils rendirent à Charlemagne. Le livre de Dorothea est censé contenir les informations vraiment importantes : ce qu'Éginhard appelle une "pleine compréhension".

— Que votre grand-père a manifestement acquise.

— Tout semble l'indiquer, mais nous n'avons pas la moindre certitude à ce sujet.

— Alors qu'arrivera-t-il lorsque nous aurons résolu cette énigme ? Nous n'avons pas le livre de Dorothea.

— Notre mère espère que c'est précisément à ce

moment que ma sœur et moi unirons nos forces. Nous avons chacune une partie des pièces du puzzle, ce qui devrait nous obliger à nous allier.

— Mais vous tentez toutes les deux, de toutes vos forces, d'obtenir toutes les pièces afin de ne pas avoir besoin de l'autre. »

Comment s'était-il fourré dans un pétrin pareil ?

« À mon sens, l'énigme Charlemagne est le seul moyen d'apprendre quoi que ce soit. Dorothea pense que la solution réside dans les motivations et les agissements de l'Ahnenerbe. Je ne suis pas du tout de cet avis. »

Ces mots piquèrent la curiosité de Malone. « Vous paraissez en savoir long sur ce qu'elle pense.

— Mon avenir est en jeu. J'ai tout intérêt à réunir toute information susceptible d'être importante. »

Cette femme distinguée n'hésitait jamais à employer tel ou tel mot, tel ou tel temps verbal : chacune de ses phrases tombait comme un couperet. Bien qu'elle fût belle, intelligente et vive, Christl Falk avait quelque chose d'inquiétant. Malone éprouvait à son endroit les mêmes sentiments que lorsqu'il avait fait la connaissance de Cassiopée Vitt, l'année précédente, en France.

De l'attirance mêlée à de la prudence.

Mais ce genre de réserve ne l'avait jamais rebuté.

Qu'est-ce qui l'attirait tant chez les femmes de caractère en prise à de profondes contradictions ? Pam, son ex-femme, avait été difficile à gérer. Toutes les femmes qu'il avait connues depuis son divorce lui avaient donné du fil à retordre, y compris Cassiopée. Et à présent, c'était au tour de cette riche héritière allemande, qui alliait la beauté, l'intelligence et un net penchant pour les bravades.

Il regarda à travers la vitrine l'hôtel de ville néo-gothique, flanqué à gauche et à droite de deux hautes tours, dont l'une comportait un cadran indiquant qu'il était 17 h 30.

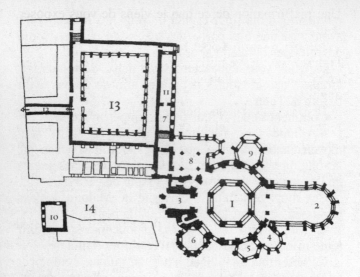

1. Octogone.
2. Chœur.
3. Porche d'entrée.
4. Chapelle Saint-Matthias.
5. Chapelle Sainte-Anne.
6. Chapelle hongroise.
7. Chapelle de tous les saints.
8. Chapelle Saint-Michel.
9. Chapelle Saint-Charles et Saint-Hubert.
10. Baptistère.
11. Chapelle de toutes les âmes.
12. Trésor.
13. Cloître.
14. Parvis.

Christl, suivant son regard, lui lança : « La chapelle se trouve derrière l'hôtel de ville. Charlemagne les avait reliés par une cour, au sein même de son palais. Au XIVe siècle, lorsque fut édifié cet hôtel de ville, ils placèrent l'entrée sur la façade sud, face à la place, et non comme autrefois sur la façade nord, face à la cour. Cela reflétait un tout nouvel état d'esprit : le peuple était devenu imbu de lui-même et décidait de tourner le dos à l'église. » Elle pointa du doigt la fontaine de la Marktplatz. « La statue qui coiffe cette fontaine représente Charlemagne. Son visage se détourne de l'église.

Une réaffirmation de ce que je viens de vous exposer, datant cette fois du XVIIᵉ siècle. »

Malone en profita pour jeter un coup d'œil au café où l'homme au visage taillé à la serpe avait trouvé refuge, un bâtiment à colombages ressemblant assez à un pub anglais.

Il se laissait presque bercer par la rumeur des différentes langues des clients du restaurant, qui se mêlait au cliquetis de la vaisselle et de l'argenterie tout autour de lui. Il se rendit compte qu'il n'objectait plus, que ce soit ouvertement ou silencieusement, qu'il ne cherchait même plus à savoir pourquoi il se trouvait là. Son esprit était entièrement absorbé par une tout autre question. Le poids mort du pistolet dans sa poche le rassura. Mais il ne lui restait plus que cinq cartouches en magasin.

« Nous pouvons y arriver », dit Christl.

Il la regarda dans les yeux. « Nous ? Vous croyez vraiment ?

— Nous devons y arriver. »

Les yeux de Christl brillaient d'impatience.

Mais Malone nourrissait encore quelques doutes.

37

CHARLOTTE

Charlie Smith attendit, immobile, dans le placard. Il s'y était précipité sans réfléchir, heureux de constater qu'il était assez profond et en désordre. Il s'était caché derrière les vêtements pendus aux cintres, laissant sciemment le battant ouvert en espérant que cela dissuaderait quiconque de jeter un coup d'œil à l'intérieur. Il avait entendu la porte de la chambre s'ouvrir et les deux intrus entrer. Sa ruse sembla fonctionner : ils avaient finalement décidé de partir, et il avait entendu la porte du rez-de-chaussée s'ouvrir, et se refermer.

Pour la première fois, il avait failli se faire repérer. Il ne s'était pas attendu à être dérangé de la sorte. Qui étaient ces gens ? Fallait-il en informer Ramsey ? Non, l'amiral avait bien précisé d'éviter tout contact avant que la triple mission soit accomplie.

Il s'approcha prudemment de la fenêtre, et vit la voiture qui s'était garée devant la maison disparaître au bout de la route caillouteuse qui menait à l'autoroute. Deux passagers se trouvaient à son bord. Il se félicita de son excellente préparation. Ses dossiers regorgeaient d'informations extrêmement utiles. Les gens étaient pour la plupart esclaves de leurs habitudes. Ceux qui se piquaient de n'en avoir aucune faisaient partie des plus prévisibles. Herbert Rowland était quelqu'un de simple, il profitait de sa retraite avec son épouse sur les bords d'un lac, ne s'occupant que de ses petites affaires, guidé par l'agréable routine de son quotidien. Il rentrerait chez lui plus tard, probablement avec quelque plat à emporter, procéderait à son injection, mangerait d'un bon appétit, puis boirait un verre avant d'aller se coucher, sans se douter un seul instant qu'il s'agirait là de son dernier jour sur terre.

Smith secoua la tête en sentant la peur le quitter. C'était une façon bien étrange de gagner sa vie, mais il fallait bien que quelqu'un se dévoue.

Il avait quelques heures devant lui et n'avait aucune envie de rester sans rien faire. Il décida de retourner en ville, voir un ou deux films, peut-être dîner d'un bon steak. Il adorait la chaîne de restaurant Ruth's Chris et savait qu'il y en avait deux à Charlotte.

Plus tard, il reviendrait.

Dans la voiture, Stéphanie restait silencieuse. Davis conduisait, suivant le chemin recouvert de cailloux et de feuilles mortes en direction de l'autoroute. Elle se retourna et constata que la maison avait déjà disparu. Une forêt profonde les entourait. Elle avait donné les clefs à Davis en lui demandant de prendre le volant. Fort heureusement, il n'avait posé aucune question et s'était simplement exécuté.

« Arrêtez-vous », dit-elle.

Les cailloux crissèrent sous les pneus qui s'immobilisèrent.

« Quel est votre numéro de téléphone portable ? »

Il le lui donna, et elle l'enregistra sur son propre téléphone, avant de poser la main sur la poignée de la portière. « Suivez l'autoroute sur quelques kilomètres, puis arrêtez-vous dans un coin discret et attendez mon appel.

— Qu'est-ce que vous avez derrière la tête ?

— Rien qu'une intuition. »

Malone et Christl traversèrent la Marktplatz d'Aix-la-Chapelle. Il était près de 18 heures, et le soleil était déjà bas, dans un ciel contusionné de nuages menaçants. Le temps s'était gâté, et un vent du nord glacé mordait les joues de Malone.

Christl les conduisit jusqu'à la chapelle en leur faisant emprunter la cour de l'ancien palais, une place pavée et rectangulaire, deux fois plus longue que large, où s'alignaient des arbres nus recouverts de neige. Des enfants couraient un peu partout, jouant et criant dans un joyeux tintamarre. Le marché de Noël d'Aix emplissait la place. On aurait dit que chaque village allemand avait son marché de Noël. Malone se demanda ce que pouvait faire son fils Gary, qui était en ce moment en vacances. Il fallait qu'il l'appelle. Il lui téléphonait au moins tous les deux jours.

Il vit les enfants se précipiter vers l'une des attractions. En l'occurrence, un homme au visage impassiblement triste, vêtu d'une cape violette et coiffé d'une mitre de la même couleur.

« Saint Nicolas, dit Christl. Notre Père Noël.

— Plutôt différent du nôtre. »

Malone profita du joyeux désordre qui régnait pour s'assurer que l'homme au visage taillé à la serpe les avait suivis : il se tenait en retrait, faisant mine d'observer les étals, près d'un grand épicéa recouvert de bougies électriques et de petites lumières qui remuaient au gré du vent dans les branches. Il sentit des effluves de Glühwein, le vin chaud. Le cabanon où l'on vendait la boisson épicée se trouvait à quelques mètres. Les clients restaient campés devant, tenant leur verre fumant entre leurs mains gantées.

Malone pointa du doigt un autre étal où l'on vendait de curieux gâteaux. « Qu'est-ce que c'est ?

— Une friandise traditionnelle. Des *Aachener Printen*. Une sorte de pain d'épice, typique d'Aix-la-Chapelle.

— Je vais nous en acheter. »

Elle lui lança un regard perplexe.

« Eh bien, quoi ? rétorqua-t-il. J'aime les sucreries. »

Ils s'approchèrent, et Malone acheta deux gâteaux plats et durs.

Il en goûta une bouchée. « Pas mauvais. »

Malone espérait par cet achat détendre un peu l'homme au visage taillé à la serpe, et il se réjouit de constater que la manœuvre avait fonctionné. L'homme semblait plus serein, plus confiant.

La nuit ne tarderait pas à tomber. En achetant les guides touristiques, Malone avait également pris des tickets pour la dernière visite guidée de la cathédrale, à 18 heures. Il allait devoir improviser. Il avait lu dans les guides que la chapelle faisait partie du patrimoine mondial de l'Unesco. Toute déprédation constituait un délit grave. Mais après le monastère portugais et Saint-Marc à Venise, il n'était plus à une entorse près.

Plus ou moins contre son gré, Malone semblait se spécialiser dans ce type d'actes de vandalisme.

Dorothea pénétra dans la gare de Munich. La Haupt-bahnhof était située en centre-ville, à environ deux kilomètres de la Marienplatz. Des trains y arrivaient de toute l'Europe pour repartir dans l'heure, et les réseaux de métro, de tramway et de bus s'y croisaient également. La gare n'était pas un chef-d'œuvre d'architecture historique : c'était essentiellement une combinaison moderne d'acier, de verre et de béton. Les horloges y indiquaient qu'il était 18 heures passées de quelques minutes.

À quoi tout cela rimait-il ?

Apparemment, l'amiral Langford Ramsey cherchait à éliminer Wilkerson, mais Dorothea avait besoin de lui vivant.

En fait, elle l'aimait bien.

Elle regarda autour d'elle et épia l'office de tourisme. Rapide coup d'œil sur les bancs. Aucun signe de Wilkerson. Soudain, elle aperçut un homme dans la foule.

Assez grand, il portait un costume prince-de-galles sous un manteau de laine, ainsi que des richelieus au cuir patiné. Une écharpe foncée entourait son cou. Son beau visage avait des traits presque enfantins, bien que le temps y ait creusé sillons et vallons. Ses yeux gris acier, cerclés d'une fine monture métallique, lui lancèrent un regard pénétrant.

Son époux.

Werner Lindauer.

Il s'approcha. « *Guten Abend, Dorothea.* »

Les mots lui manquaient. Ils venaient d'entrer dans leur trente-troisième année de mariage. Une union qui, au début, avait été très productive. Mais au cours de la dernière décennie, Dorothea s'était lassée de ses incessantes jérémiades et de son profond désintérêt pour tout ce qui ne le concernait pas directement. La seule chose qui le sauvait était la dévotion qu'il avait témoignée à Georg, leur fils. Mais la mort de Georg, survenue cinq ans avant, avait creusé un considérable fossé entre eux deux. Cette disparition les avait dévastés, mais ils avaient géré leur deuil de façon diamétralement opposée. Elle s'était repliée sur elle-même. Lui s'était laissé consumer par la colère. Depuis ce tragique événement, tous deux avaient vécu leur vie de leur côté, sans qu'aucun ne fasse le premier pas vers l'autre.

« Qu'est-ce que tu fais ici ? demanda-t-elle.

— Je suis venu pour toi. »

Elle n'était pas d'humeur à supporter ses lubies. De temps à autre, il lui arrivait d'essayer d'être un homme, un vrai, mais c'était toujours plus par simple coup de tête que par véritable volonté de changer.

« Comment savais-tu que je serais ici ?

— Le capitaine Sterling Wilkerson me l'a dit. »

La surprise laissa place à la peur.

« Un personnage très intéressant, poursuivit Werner. Il suffit de poser le canon d'un pistolet contre sa tempe, et il ne peut plus s'arrêter de parler.

— Qu'as-tu fait ? » demanda-t-elle sans rien cacher de sa terreur.

Il la regarda droit dans les yeux. « Beaucoup de choses, Dorothea. Notre train nous attend.

— Je n'irai nulle part avec toi. »

Werner parut contenir un soudain accès de colère. Peut-être ne s'était-il pas attendu à cette réaction. Ses lèvres se détendirent pourtant en un sourire rassurant, qui ne fit qu'accroître l'effroi de Dorothea. « Dans ce cas, tu échoueras dans la quête que ta mère vous a imposée, au profit de ta sœur. Cela au moins devrait te convaincre de me suivre, n'est-ce pas ? »

Elle ne se serait jamais doutée qu'il était au courant. Elle ne lui en avait rien dit. Manifestement, son époux était particulièrement bien renseigné.

« Où allons-nous ? finit-elle par demander.

— Nous allons voir notre fils. »

Stéphanie observa Edwin Davis s'éloigner au volant de la voiture. Elle mit son téléphone portable en mode silencieux, boutonna son manteau et s'enfonça dans les bois. Vieux pins et feuillus dénudés, parasités pour la plupart par du gui, dressaient leurs branches au-dessus de sa tête. L'hiver n'avait que partiellement diminué les sous-bois. Elle parcourut prudemment la petite centaine de mètres qui la séparait de la maison, le bruit de ses pas étouffé par une épaisse couche d'aiguilles de pin.

Elle avait vu le cintre bouger. Mais s'agissait-il d'une erreur d'appréciation de sa part, ou d'une maladresse de la personne dont elle avait senti la présence dans le placard ?

Elle répétait souvent à ses agents de se fier à leurs instincts. C'était souvent cette confiance qui faisait toute la différence entre une affaire élucidée et un dossier classé « sans suite ». Cotton Malone était passé maître dans cette discipline. Elle se demanda où il pouvait bien être. Il n'avait pas rappelé pour s'enquérir de Zachary Alexander et du reste de l'équipage du *Holden*.

Avait-il lui aussi rencontré un obstacle ?

Entre les branches, la maison apparut. Elle s'accroupit derrière l'un des nombreux troncs.

Peu importaient le talent et l'expérience : tout le monde finissait par commettre une erreur. La seule chose qui importait, c'était d'être présent quand cela arrivait. À en croire Davis, Zachary Alexander et David Sylvian avaient été assassinés par un individu qui excellait dans l'art de faire passer ses meurtres pour des morts naturelles. Et bien que Davis n'eût rien dit de ses doutes quant à la mort de Millicent, Stéphanie avait compris.

Elle est morte six mois plus tard. Arrêt cardiaque.

Davis, lui aussi, se fiait à son intuition.

Le cintre.

Il avait bel et bien bougé.

Et elle avait sciemment tu ce qu'elle avait vu dans la

chambre, afin de vérifier par elle-même si le nom d'Herbert Rowland était le prochain sur la liste du tueur.

La porte de la maison s'ouvrit, et un homme relativement petit et mince, vêtu d'un jean et de bottes, sortit.

Il hésita un instant, puis s'éloigna au pas de course pour disparaître dans les bois. Le cœur de Stéphanie battait la chamade. Le fils de pute.

Qu'avait-il fait à l'intérieur ?

Elle se saisit de son téléphone et appela Davis, qui répondit après la première sonnerie.

« Vous aviez raison, lui dit-elle.

— À quel sujet ?

— À propos de Langford Ramsey. À propos de tout. Absolument tout. »

TROISIÈME PARTIE

38

Malone suivit le groupe de la visite dans l'octogone central de la chapelle de Charlemagne. Il faisait à l'intérieur de la cathédrale dix degrés de plus qu'à l'extérieur, et le fait de se retrouver au chaud était un véritable soulagement. La guide parlait anglais. Le groupe comptait une vingtaine de personnes, parmi lesquelles ne se trouvait pas l'homme au visage taillé à la serpe. Pour une raison inconnue, leur poursuivant avait préféré attendre dehors. Peut-être avait-il considéré que le fait de se retrouver dans un espace confiné aurait été peu prudent. Le peu d'affluence, à une heure de la fermeture de la cathédrale, avait peut-être également fait pencher la balance. Les chaises disposées sous le dôme étaient vides : seuls le groupe et une douzaine de visiteurs flânaient dans la chapelle.

Un éclat de lumière illumina fugacement les murs. L'un des gardiens se dirigea droit vers la femme qui venait de prendre une photographie.

« Il faut payer une petite somme pour avoir le droit de photographier ici », murmura Christl.

Malone vit la touriste s'acquitter de quelques euros, et le gardien lui tendre un bracelet.

« Et maintenant elle est dans la légalité ? » demanda-t-il.

Christl sourit. « L'entretien de la cathédrale nécessite beaucoup d'argent. »

Malone écouta le monologue de la guide, qui n'était en grande partie qu'une régurgitation de ce qu'il venait de lire dans les ouvrages qu'ils avaient achetés. Il avait voulu participer à la dernière visite, car les visiteurs qui payaient accédaient à certains lieux interdits autrement au public. En particulier, l'étage supérieur, où se trouvait le trône impérial.

Christl et lui suivirent le groupe dans l'une des sept chapelles jouxtant le noyau carolingien de l'édifice. Il s'agissait de la chapelle Saint-Michel, qui, selon la guide, venait d'être rénovée. Des bancs de bois faisaient face à un autel de marbre. Plusieurs membres du groupe s'y arrêtèrent pour allumer des cierges. Malone remarqua une porte dans ce qu'il identifia comme le mur ouest, et se dit qu'il devait s'agir de l'autre issue qu'il avait découverte en feuilletant les guides touristiques. Le lourd battant de bois était fermé. D'un pas décontracté, il traversa la chapelle sombre tandis que la guide continuait son boniment monocorde. Arrivé à hauteur de la porte, il poussa discrètement sur la poignée. La porte était fermée à clef.

« Qu'est-ce que vous faites ? demanda Christl.

— J'essaie de résoudre votre problème. »

Ils reprirent leur chemin, suivant le groupe, passant devant l'autel principal, en direction du chœur gothique, l'une des zones auxquelles seules les personnes détentrices d'un ticket avaient accès. Malone s'arrêta au cœur de l'octogone et étudia l'inscription en mosaïque qui en faisait le tour, au-dessus des voûtes basses. Des lettres latines sur un fond doré. Christl tenait à la main le sac plastique dans lequel se trouvaient les guides touristiques. Il y retrouva assez vite celui qu'il cherchait, un ouvrage peu épais judicieusement intitulé *Petit Guide de la cathédrale d'Aix-la-Chapelle*, et s'assura que le texte en latin qui y figurait correspondait mot pour mot à celui de la mosaïque :

CUM LAPIDES VIVI PACIS COMPAGE LIGANTUR INQUE
PARES NUMEROS OMNIA COVENIUNT CLARET OPUS
DOMINI TOTAM QUI CONSTRUIT AULAM
EFFECTUSQUE PIIS DAT STUDIIS HOMINUM QUORUM
PERPETUI DECORIS STRUCTURA MANEBIT SI PERFECTA
AUCTOR PROTEGAT ATQUE REGAT SIC DEUS HOC
TUTUM STABILI FUNDAMINE TEMPLUM QUOD
KAROLUS PRINCEPS CONDIDIT ESSE VELIT.

« Il s'agit du texte de consécration de la chapelle, expliqua Christl. À l'origine, il était peint à même la pierre. La mosaïque est postérieure.

— Mais les mots sont les mêmes que ceux qui avaient été peints à l'époque de Charlemagne, n'est-ce pas ? s'enquit Malone. Ils se trouvent au même endroit ? »

Elle acquiesça. « D'après ce que l'on en sait, oui. »

Il afficha un large sourire. « L'histoire de ce lieu me fait penser à mon mariage. Personne n'est sûr de rien.

— Et qu'est-il arrivé à *Frau* Malone ? »

Il perçut la note d'intérêt dans son ton. « Elle a décidé qu'*Herr* Malone était un sacré emmerdeur.

— Il se peut qu'elle ait eu raison.

— Vous pouvez me croire, Pam a toujours eu raison sur tout », rétorqua-t-il en gardant cependant pour lui une ultime remarque à ce titre, quelque chose qu'il n'avait compris que plusieurs années après leur divorce. *Presque tout*. Elle avait eu tort en ce qui concernait leur fils. Mais Malone n'avait aucune envie de parler de l'ascendance de Gary avec une inconnue.

Il se concentra à nouveau sur l'inscription. Les mosaïques, le sol de marbre et les murs revêtus de la même pierre avaient moins de deux cents ans. À l'époque de Charlemagne (qui coïncidait bien évidemment avec celle d'Éginhard), les murs étaient nus, uniquement recouverts de peinture. Suivre les instructions d'Éginhard en se rendant dans la nouvelle Jérusalem pouvait s'avérer ardu, puisqu'il ne subsistait quasiment rien de la chapelle originelle, vieille de douze siècles. Mais Hermann Oberhauser avait élucidé ce mystère. Comment aurait-il pu trouver quoi que ce soit si cela n'avait pas été le cas ? La réponse résidait quelque part dans cet ensemble architectural.

« Rattrapons-les », lança Malone.

Ils pressèrent le pas pour rejoindre le groupe, et arrivèrent dans le chœur à l'instant où la guide s'apprêtait à raccrocher la corde de velours qui en interdisait l'accès. Le groupe s'était agglutiné autour d'un reliquaire doré, posé sur un piédestal d'un mètre vingt et protégé par une paroi de verre.

« La châsse de Charlemagne, chuchota Christl. Elle remonte au XIIIe siècle et contient quatre-vingt-douze ossements de l'empereur. Quatre autres se trouvent dans le trésor, le reste a disparu.

— On les a dénombrés ?

— Dans le reliquaire se trouve un registre où sont notées depuis 1215 les dates auxquelles on l'a ouvert. Et, oui, on a dénombré ses ossements. »

Elle serra délicatement son bras et le conduisit en face de la châsse. Le groupe s'était déplacé derrière le reliquaire, où la guide leur narrait à présent les circonstances dans lesquelles le chœur avait été consacré en 1414. Christl pointa du doigt une plaque scellée à même le sol. « C'est ici qu'a été inhumé Othon III. Quinze autres empereurs sont censés reposer tout autour. »

La guide répondait à une série de questions concernant

Charlemagne tandis que le groupe prenait quelques photographies. Malone observa le chœur, d'un dessin gothique très prononcé, où les murs de pierre semblaient s'effacer entre de gigantesques vitraux. Il remarqua la jonction du chœur et de l'octogone carolingien, les lignes du premier rehaussant celles du second, sans qu'aucun des deux ensembles ne perde en majesté.

Il se concentra sur la partie supérieure du chœur, et plus particulièrement sur la galerie du deuxième niveau qui encerclait l'octogone central. Lorsqu'il avait consulté les plans des guides touristiques, il s'était fait la remarque que de cette position, dans le chœur, il aurait une vue imprenable sur ce qui l'intéressait vraiment.

Il avait vu juste.

Tout semblait lié.

C'était un bon début.

Le groupe fut invité à rejoindre l'entrée de la chapelle, où tous empruntèrent ce que la guide désigna comme « l'escalier de l'empereur », une spirale qui s'enroulait jusqu'au plus haut étage, et dont chaque marche de pierre avait été incurvée par le temps et l'usure. La guide maintint une grille de fer ouverte afin que chacun puisse passer, expliquant que l'accès de cet étage avait jadis été l'apanage des empereurs du Saint Empire germanique.

L'escalier menait à une vaste galerie qui donnait sur l'octogone. La guide attira l'attention des visiteurs sur un fatras de pierres où s'enchâssaient des marches, un cercueil et une chaise, derrière laquelle se trouvait en outre un autel. Cet étrange ensemble était entouré d'une chaîne d'acier qui empêchait les curieux de trop s'approcher.

« Voici le trône de Charlemagne, déclara la guide. Il se trouve ici, au dernier niveau, et élevé de la sorte afin de ressembler aux trônes byzantins. À l'instar de ceux-ci, il est positionné dans l'axe de la chapelle, dos à l'autel principal, en direction de l'est. »

Malone entendit la guide expliquer comment les

quatre blocs de marbre avaient été attachés entre eux à l'aide de simples crampons de laiton afin de former le trône impérial. Les six marches qui y conduisaient avaient quant à elles été découpées dans une ancienne colonnade romaine.

« Le chiffre 6 fut choisi en référence au trône de Salomon, tel qu'il est décrit dans l'Ancien Testament, poursuivait la guide. Salomon fut selon la Bible le premier roi à faire bâtir un temple, le premier à établir un règne de paix et le premier à s'asseoir sur un trône. On pourrait dire que Charlemagne en fit autant dans l'Europe du Nord. »

Malone se souvint soudain d'un passage des recommandations d'Éginhard. *Seuls ceux capables d'apprécier le trône de Salomon et la frivolité romaine sauront trouver le chemin qui mène au ciel.*

« Nul ne sait précisément quand ce trône fut installé ici, disait la guide. Certains prétendent qu'il le fut du vivant de Charlemagne. D'autres avancent une date plus tardive, remontant au xe siècle, sous Othon Ier.

— Ce trône est tellement simple, lança l'un des touristes. Il en est presque laid.

— À en juger par l'épaisseur des quatre blocs utilisés pour sa conception, épaisseur qui, comme vous pouvez le constater, varie, il est évident qu'ils faisaient jadis partie d'un parterre de marbre. Romain, sans le moindre doute. Ils proviennent certainement d'un lieu très spécial. Leur importance était manifestement telle que leur apparence importait peu. C'est sur ce fruste trône de marbre que devait être couronné l'empereur du Saint Empire romain germanique, avant de recevoir les hommages de ses vassaux. »

Elle pointa du doigt le petit passage qui se trouvait sous le trône surélevé.

« Les pèlerins, en courbant l'échine, passaient sous le

trône afin de rendre leur hommage. Pendant des siècles, cet endroit fut l'objet d'une immense vénération. »

Elle guida alors le groupe de l'autre côté.

« À présent, regardez ceci. » Elle pointa son index. « Regardez ce qui a été gravé dans le marbre. »

C'était pour cela que Malone avait tenu à suivre ce groupe. Les guides touristiques en présentaient des reproductions, accompagnées d'explications diverses et variées, mais il désirait voir l'original de ses propres yeux.

On distinguait de faibles lignes sur la surface grossière du marbre. Un carré contenant un autre carré qui en contenait lui-même un troisième. Une ligne partait à angle droit du milieu de chaque côté du plus grand carré, pour croiser toujours à angle droit le milieu du second, et s'arrêter enfin, toujours à 90 degrés, au milieu des côtés du plus petit carré. Certaines de ces lignes n'étaient plus visibles, mais il en restait assez pour que Malone puisse restituer mentalement ce à quoi avait dû ressembler la figure originale.

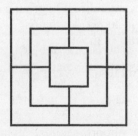

« Voici la preuve qui nous permet de déduire que ces morceaux de marbre proviennent d'un parterre romain, déclara la guide. Ceci est le plateau d'un jeu que l'on appelait le jeu de mérelles, une sorte de combinaison du jeu de dames, du jeu d'échecs et du backgammon. Un jeu dont raffolaient les Romains. Ils avaient coutume de graver ces carrés à même le sol pour y jouer. Ce jeu était également très populaire du temps de Charlemagne, et on le connaît mieux de nos jours sous le nom de jeu du moulin.

— Et qu'est-ce que ça vient faire sur un trône d'empereur ? » demanda quelqu'un.

La guide hocha la tête. « Personne ne le sait. Mais la question est intéressante, n'est-ce pas ? »

Malone fit signe à Christl de s'éloigner du groupe. La guide continua à pérorer au sujet de ce dernier étage, et de nombreux flashes étincelèrent. Chaque touriste voulait repartir avec sa photo du trône, et tous portaient au poignet le bracelet qui leur en donnait le droit.

Christl et Malone disparurent au détour d'une des voûtes.

Malone fouillait du regard le clair-obscur.

Du chœur, il avait présumé que le trône se trouvait dans la galerie ouest. Il espérait trouver ici une cachette digne de ce nom.

Il tira Christl vers le recoin sombre d'un mur, et ils disparurent dans les ténèbres. Il lui fit signe de ne plus faire un bruit. Ils entendirent le groupe quitter cet étage et descendre jusqu'au rez-de-chaussée.

Malone consulta sa montre.

19 heures.

L'heure de fermeture.

39

Dorothea était aux abois. Son époux savait pour Sterling Wilkerson, ce qui n'était pas sans la surprendre. Mais il était également au courant de la quête qu'elle menait avec Christl, et ça l'inquiétait franchement. Cela, et le fait que, manifestement, Werner retenait Wilkerson prisonnier.

À quoi tout cela pouvait-il rimer ?

Ils avaient pris le train de 18 h 40 en partance de Munich qui était parti plein sud en direction de Garmisch. Durant ce voyage d'une heure vingt, Werner n'avait rien dit. Il était resté paisiblement assis, à lire une revue. Dorothea détestait la manie qu'il avait de lire le moindre mot, jusqu'aux notices nécrologiques et aux publicités, émettant de temps à autre un commentaire sur un sujet qui suscitait son intérêt. Elle avait eu envie de savoir ce qu'il avait voulu dire en lui répondant qu'ils allaient voir leur fils, mais elle avait cru bon de ne pas le lui demander. Pour la première fois depuis plus de trente-deux ans, cet homme venait de prouver qu'il n'était pas une larve : en conséquence, elle avait préféré garder le silence et attendre de voir jusqu'où tout ceci mènerait.

Ils se trouvaient à présent à bord d'une voiture conduite par Werner et remontaient une sombre autoroute vers le nord, s'éloignant de Garmisch, du monastère d'Ettal et de Reichshoffen. Le véhicule les avait attendus devant la gare, les clefs sous le tapis du siège conducteur. Elle avait alors compris où ils allaient. Dans un lieu qu'elle évitait depuis trois ans.

« Je ne suis pas idiot, Dorothea, finit par dire Werner. Tu penses que je le suis, mais c'est faux. »

Elle décida de ne pas le récompenser pour ce premier pas. « En réalité, Werner, je ne pense tout simplement jamais à toi, même pas pour me dire que tu es idiot. »

Il ignora sa rebuffade, les yeux fixés sur la route. Fort heureusement, il ne neigeait pas. Le fait de suivre cette route éveillait en Dorothea des souvenirs qu'elle avait eu beaucoup de mal à effacer. Des souvenirs qui remontaient à cinq ans. La voiture de Georg sortant brutalement de la route, dans les Alpes du Tyrol. Il s'était rendu là-bas pour skier et l'avait appelée juste avant l'accident, pour lui dire qu'il prendrait une chambre dans l'auberge où il avait ses habitudes. Ils avaient discuté une ou deux minutes, un échange bref, léger, anodin, le genre de papotage complètement banal entre une mère et son fils.

Mais ce fut la dernière fois qu'elle parla avec lui.

Lorsqu'elle revit son fils unique, il reposait déjà dans un cercueil, vêtu d'un costume gris, prêt à être inhumer.

La concession de la famille Oberhauser se trouvait à côté d'une ancienne église bavaroise, à quelques kilomètres à l'ouest de Reichshoffen. Après les funérailles, la famille avait fait un don important à l'église, qui avait consacré l'une de ses chapelles à Georg. Durant les deux premières années de son deuil, Dorothea s'y était rendue régulièrement pour y allumer un cierge en sa mémoire.

Mais ces trois dernières années, elle s'en était tenue écartée.

Elle aperçut l'église, et ses vitraux faiblement éclairés. Werner se gara devant.

« Pourquoi faut-il que nous venions en ces lieux ? demanda-t-elle.

— Crois-moi, si cela n'était pas important, nous ne nous y trouverions pas. »

Il sortit dans la nuit. Elle le suivit à l'intérieur de l'église. Ils étaient seuls, mais la grille de fer de la chapelle de Georg était ouverte.

« Cela fait longtemps que tu ne viens plus ici, dit-il.

— C'est moi que ça regarde.

— Je viens ici assez souvent. »

Cela ne la surprit pas.

Elle s'approcha de la grille. Un prie-Dieu de marbre était installé devant un petit autel. Au-dessus, saint Georges, chevauchant un cheval argenté, était gravé dans la pierre. Dorothea priait très rarement et se demandait même si elle croyait vraiment en Dieu. Son père avait été un fervent athée, et sa mère était catholique non pratiquante. Si Dieu existait, elle n'éprouvait à son égard que de la colère, car Il lui avait arraché la seule personne au monde qu'elle avait aimée inconditionnellement.

« J'en ai assez de toute cette mise en scène, Werner. Qu'est-ce que tu veux ? Georg repose ici. Nous nous devons de le respecter. Ce serait un sacrilège que d'exprimer nos différends en ces lieux.

— Et crois-tu le respecter en me manquant de respect ?

— Je ne me préoccupe pas du tout de toi, Werner. Tu as ta vie, et j'ai la mienne.

— C'est fini, Dorothea.

— Je suis d'accord. Cela fait déjà bien longtemps que notre mariage ne signifie plus rien.

— Ce n'est pas ce que je veux dire. Il n'y aura plus d'amants. Je suis ton mari, et tu es mon épouse. »

Elle éclata de rire. « Tu plaisantes, ça ne fait aucun doute.

— Je suis tout ce qu'il y a de plus sérieux.

— Et qu'est-ce qui t'a soudain poussé à devenir enfin un homme digne de ce nom ? »

Werner s'adossa au mur. « Il arrive un moment où les vivants doivent laisser les morts en paix. Ce moment est arrivé pour moi.

— Et tu m'as emmenée jusqu'ici pour me dire ça ? »

Leurs parents avaient été à l'origine de leur relation. Cela n'avait pas été un mariage arrangé au sens propre du terme, mais il avait été bel et bien planifié. Par chance, une attirance mutuelle n'avait pas tardé à se développer, et leurs premières années ensemble avaient été heureuses. La naissance de Georg leur avait apporté à tous deux une joie immense. Son enfance et son adolescence les avaient tout autant ravis. Mais sa mort avait suscité des dissensions irrémédiables. Il avait fallu trouver un coupable, et chacun avait vu en l'autre le parfait responsable de sa douleur.

« Je t'ai emmenée jusqu'ici parce qu'il le fallait, dit Werner.

— Contrairement à toi, je ne suis pas encore arrivée à ce "moment" que tu viens d'évoquer.

— Quel dommage, lâcha-t-il, apparemment sans l'avoir entendue. Il aurait été un grand homme. »

Elle partageait son avis.

« Il avait des rêves, des ambitions, et nous aurions pu l'aider à réaliser toutes ses aspirations. Il aurait incarné tout ce que nous avons de bon, toi et moi. » Il se retourna pour la regarder en face. « Je me demande ce qu'il doit penser de nous, là où il est. »

Cette question la déstabilisa. « Que veux-tu dire ?

« — Ni toi ni moi ne nous sommes bien comportés envers l'autre.

— Werner, à quoi bon ?

— Peut-être nous écoute-t-il. Peut-être aimerait-il savoir ce que tu en penses. »

Son insistance l'insupportait. « Mon fils m'aurait approuvée, quels que soient mes choix.

— Vraiment ? Aurait-il approuvé ce que tu as fait hier ? Tu as tué deux personnes.

— Et comment le sais-tu ?

— Ulrich Henn a dû nettoyer derrière toi. »

Elle était aussi troublée qu'inquiète, mais il était hors de question de discuter de tout cela dans un lieu aussi sacré. Elle s'avança vers la grille, mais il lui barra le chemin : « Tu ne fuiras pas, cette fois. »

Elle se sentit soudain mal à l'aise. Le fait de violer ainsi le sanctuaire de Georg avivait la haine qu'elle vouait à Werner. « Écarte-toi.

— Sais-tu seulement ce que tu es en train de faire ?

— Va au diable, Werner.

— Tu n'en as pas la moindre idée. »

Le visage de Werner ne reflétait ni la colère ni la peur. Cela piqua sa curiosité. « Tu veux que je perde au profit de Christl ? »

L'expression de Werner s'adoucit. « Perdre ? J'ignorais qu'il s'agissait d'un concours. Je croyais qu'il s'agissait plutôt d'une quête. Mais je suis justement ici pour t'aider. »

Elle avait besoin de savoir tout ce dont il était au courant, et comment il l'avait appris, mais elle ne put que lui répondre ces mots : « Je n'ai pas besoin de toi. Je n'ai plus besoin de toi.

— Tu te trompes.

— Je veux m'en aller, dit-elle. Laisse-moi passer. »

Son époux resta immobile, et, un bref instant, elle eut vraiment peur. Werner s'était toujours accroché à ses émotions comme un homme à deux doigts de la noyade s'accrochant à une bouée de sauvetage. Il excellait dans l'art d'initier les disputes, mais était infichu de les conclure. Aussi ne fut-elle pas étonnée lorsqu'il s'écarta du seuil.

Elle franchit la grille.

« Je dois te montrer quelque chose, dit-il. Quelque chose que tu dois voir impérativement. »

Elle s'arrêta, se retourna, et vit dans ses yeux quelque chose qu'elle n'y avait plus vu depuis très longtemps. De l'assurance. La peur la saisit à nouveau.

Werner sortit de l'église et se dirigea vers la voiture. Elle le suivit. Il tira une clef de sa poche et ouvrit le coffre. À l'intérieur, la faible lumière révéla le visage mort de Sterling Wilkerson, tordu de douleur, le front percé d'un trou sanguinolent.

Elle en eut le souffle coupé.

« Tout cela est on ne peut plus sérieux, Dorothea.

— Pourquoi ? lui demanda-t-elle. Pourquoi as-tu fait cela ? »

Il haussa les épaules. « Tu te servais de lui, tout comme lui se servait de toi. La seule chose qui importe à présent, c'est qu'il est mort. Pas moi. »

40

Ramsey fut introduit dans le salon de l'amiral Raymond Dyals Jr., quatre étoiles, retraité de l'US Navy. Cet homme, originaire du Missouri ct âgé de quatre-vingt-quatorze ans, avait servi son pays durant la Deuxième Guerre mondiale, la guerre de Corée, ccllc du Viêtnam, et avait pris sa retraite au début des années 1980. En 1971, lorsquc lc NR-1A s'abîma en mer, Dyals était chef des opérations navales : c'était lui qui avait signé l'ordre classé « secret défense » de ne lancer aucune mission de recherche et de sauvetage. Ramsey était alors lieutenant de vaisseau et avait été choisi pour mener la mission secrète par Dyals lui-même, à qui il avait remis en main propre le rapport de l'escapade en Antarctique de l'*USS Holden*. Il avait été ensuite rapidement promu au grade de capitaine et avait rejoint l'équipe de Dyals. Dès lors, ses diverses promotions avaient été aussi rapides que faciles à obtenir.

Il devait tout à ce vieil homme.

Et il savait que Dyals était encore très influent.

Il était le doyen des amiraux. Les Présidents le consultaient, et Daniels ne faisait pas exception. Ses conseils étaient reconnus pour leur sagesse et leur bon sens. La presse parlait toujours de lui avec une courtoisie irréprochable, et les sénateurs partaient à tour de rôle en pèlerinage jusqu'à cette pièce où Ramsey se trouvait à présent, face à un rutilant feu de cheminée, à côté duquel était assis le vieil homme. Sur la couverture de laine qui dissimulait ses jambes paralysées paressait un chat hirsute. On avait coutume d'appeler Dyals « *Winterhawk* », l'aigle d'hiver, sobriquet qu'il affectionnait particulièrement.

Ses petits yeux cernés de rides étincelèrent en se posant sur Ramsey. « Vos visites sont toujours un plaisir. »

Ramsey resta respectueusement immobile face à son mentor, jusqu'à ce que celui-ci l'invite à s'asseoir.

« Je m'attendais à avoir de vos nouvelles, dit Dyals. J'ai su, ce matin, pour Sylvian. Il a fait partie de mon équipe. Un assez bon élément, mais trop rigide. Apparemment, il a fait une carrière exemplaire. Rien que des rapports brillants, à ce que je me suis laissé dire. »

Ramsey décida d'aller droit au but. « Je veux ce poste. »

Le regard mélancolique de l'amiral exprima son soutien. « Membre du Comité des chefs d'état-major. Je ne suis pas arrivé aussi loin.

— Vous auriez pu. »

Le vieil homme hocha la tête. « Reagan et moi ne nous entendions pas franchement. Il avait ses préférés, ou du moins ses collaborateurs avaient leurs préférés, et je ne figurais sur aucune de leurs listes. Et puis à l'époque, l'heure était venue pour moi de me retirer.

— Et qu'en est-il de Daniels ? Êtes-vous dans ses petits papiers ? »

Il surprit une certaine dureté dans l'expression de Dyals.

« Ramsey, répondit-il, vous savez pertinemment que le Président est loin d'être notre ami. Il s'est montré sans pitié vis-à-vis de l'armée. Il a procédé à des coupes franches dans les budgets, il a tronqué des programmes entiers. Selon lui, nous n'aurions même pas besoin de Comité des chefs d'état-major.

— Il a tort.

— Peut-être. Mais c'est lui le Président, et il est populaire. Tout comme Reagan l'était, à ceci près que leur philosophie diffère totalement.

— Il existe certainement des officiers généraux qu'il respecte. Des hommes que vous connaissez. S'ils soutenaient ma candidature, cela pourrait faire basculer la balance en ma faveur. »

Dyals caressa doucement son chat. « Beaucoup d'entre eux préféreraient être nommés à votre place. »

Ramsey ne répondit pas.

« Ne trouvez-vous pas tout cela assez déplaisant ? demanda Dyals. Le fait de sans cesse implorer des faveurs ? Mettre une carrière entière entre les mains de politiciens véreux ? C'est en partie à cause de cela que je me suis retiré.

— Le monde est ainsi fait. Nous ne décidons pas des règles, nous nous contentons de suivre celles qui existent et d'en jouer le mieux possible. »

Ramsey savait qu'un grand nombre d'amiraux et de « politiciens véreux » devaient leur poste à Ray Dyals. Winterhawk avait beaucoup d'amis, et il savait comment s'en servir.

« Je n'ai jamais oublié ce que vous avez fait jadis, murmura Dyals. Je repense souvent au NR-1A. À ces hommes. Racontez-moi encore une fois, Ramsey. »

Une lueur fantomatique et bleutée tombait du ciel de glace, devenant de plus en plus foncée selon la profondeur, pour n'être plus qu'une obscurité vaguement indigo. Ramsey portait une combinaison de plongée très encombrante, complètement étanche et constituée de plusieurs couches d'isolants. La seule partie exposée de son corps était ses lèvres, que la froidure avait mordues dès son immersion, et qui à présent étaient complètement insensibilisées par la température. L'épaisseur de ses gants rendait ses mains quasiment inutiles. Par chance, l'eau supprimait toute notion de poids, et, en flottant ainsi dans cette immensité aussi translucide que l'air, Ramsey avait plus la sensation de voler que de nager.

Le signal de transpondeur détecté par Herbert Rowland les avait menés jusqu'à une petite crique où l'océan presque gelé léchait la côte glacée, et où phoques et oiseaux avaient élu résidence pour l'été. La puissance du signal imposait d'inspecter immédiatement les lieux. Il avait donc revêtu sa combinaison, aidé par Sayers et Rowland. Il avait reçu des ordres clairs. Lui seul était habilité à plonger.

Il vérifia sa profondeur. Douze mètres.

Impossible de savoir de quelle profondeur provenait le signal. Ramsey espérait néanmoins qu'il pourrait en voir assez pour confirmer le triste destin du sous-marin. Rowland lui avait dit que la source du signal se trouvait plus loin sous la banquise, en direction des montagnes qui se dressaient sur la côte.

Il accéléra les battements de ses jambes.

À sa gauche se dressait un mur noir de roche volcanique, incrusté d'une incroyable variété d'anémones et d'éponges orange, de corail rose et de mollusques jaune-vert. Si la température de l'eau n'avait pas été de −2 °C, Ramsey aurait pu se croire face à une barrière de corail. La lumière qui traversait le plafond de glace diminua, et ce qui ressemblait jusque-là à un ciel couvert aux teintes changeantes de bleu devint tout à fait noir.

Manifestement, la glace avait cédé la place à la roche.

Ramsey détacha de sa ceinture une lampe torche qu'il alluma. Des particules de plancton flottaient tout autour de lui. Il ne vit aucun sédiment. Il concentra le faisceau de sa lampe qui devint invisible, signe que les photons ne rencontraient pas la moindre particule de matière en suspension. Seules quelques infimes poussières étincelaient soudain au loin, avant de disparaître.

Un phoque passa fugacement dans le faisceau, sans paraître bouger le moindre muscle.

Plusieurs de ses congénères apparurent.

Ramsey entendit leurs trilles, les sentit même vibrer dans son corps, comme si on le passait au sonar. Quelle mission. L'occasion en or de prouver ce qu'il valait à des hommes capables de lui assurer la meilleure des carrières imaginables. C'était pour cette raison qu'il s'était immédiatement porté volontaire. Pour le seconder, il avait choisi personnellement Sayers et Rowland, deux hommes sur lesquels, il le savait, on pouvait se reposer. Rowland lui avait dit que la source du signal se trouvait à environ cent quatre-vingts mètres au sud. Pas plus. Ramsey était convaincu qu'il avait parcouru une distance au moins égale à celle-ci. Il fouilla les profondeurs du faisceau de sa lampe qui plongea jusqu'à une quinzaine de mètres. Il espérait apercevoir le massif orange du sous-marin.

Ramsey avait l'impression de nager dans une énorme grotte sous-marine débouchant directement sur le continent antarctique : il était en effet à présent encerclé par la roche volcanique.

Il continuait à épier les ténèbres. Mais sans résultat.

Il décida d'avancer encore d'une petite centaine de mètres.

Un autre phoque passa devant lui à la vitesse d'une torpille, suivi d'un autre. La chorégraphie qu'ils esquissèrent plus loin avait quelque chose d'enchanteur. Il les observa glisser dans l'eau sans le moindre effort. L'un

des deux animaux décrivit une large pirouette, avant de
remonter brusquement.

Le faisceau de la lampe le suivit.

L'animal avait disparu.

Le deuxième phoque battit des nageoires et remonta
également.

Lui aussi traversa la surface opaque.

Comment était-ce possible ?

Il n'y avait en principe que de la roche au-dessus.

« Incroyable, dit Dyals. Quelle aventure. »

Ramsey acquiesça. « Lorsque j'ai refait surface, j'avais
l'impression d'avoir collé mes lèvres à du métal glacé
pendant plusieurs heures. »

L'amiral gloussa. « J'aurais aimé être à votre place.

— L'aventure n'est pas terminée, amiral. »

Un soupçon de peur perçait dans son ton, et le vieil
homme comprit que la raison de sa visite était double.

« Dites-moi tout. »

Il l'informa que l'unité Magellan avait eu accès au rapport d'enquête sur la disparition du NR-1A. Il l'informa
de l'implication de Cotton Malone. Du combat qu'il avait
remporté afin de garder ce document en sa possession.
Et de la consultation, par la Maison Blanche, des dossiers
personnels de Zachary Alexander, Herbert Rowland et
Nick Sayers. Il s'abstint uniquement de lui faire part de
ce dont Charlie Smith était en train de s'occuper.

« Quelqu'un s'intéresse à cette affaire, conclut Ramsey.

— Cela devait bien finir par arriver, dit Dyals dans
un murmure. Les secrets sont plus durs à conserver que
jadis.

— Je peux mettre un terme à tout cela », déclara
Ramsey.

Le vieil homme plissa les yeux. « Alors vous devez le
faire.

— J'ai d'ores et déjà pris des mesures dans ce sens.

Seulement, vous avez ordonné, il y a bien longtemps, qu'il devait être tenu à l'écart de tout cela. »

Il était inutile de préciser son nom. Tous deux savaient parfaitement qui était ce « il ».

« Vous êtes donc venu jusqu'ici pour savoir si cet ordre était toujours d'actualité. »

Ramsey acquiesça à nouveau. « Afin d'accomplir parfaitement la tâche qui m'incombe, je me dois également de l'y inclure.

— Je ne suis plus en mesure de vous commander quoi que ce soit.

— Vous êtes le seul homme auquel j'obéis de mon plein gré. Lorsque nos chemins se sont séparés, il y a de cela trente-huit ans, vous avez émis un ordre. *Laissez le en paix.*

— Est-il encore en vie ? » demanda Dyals.

Ramsey acquiesça. « Il a soixante-huit ans. Il vit dans le Tennessee. Il enseigne dans une université.

— Et il déblatère toujours les mêmes fadaises ?

— Ça n'a pas changé.

— Et en ce qui concerne les deux autres lieutenants qui vous accompagnaient ? »

Ramsey ne répondit pas. C'était inutile.

« Vous n'avez pas perdu de temps, dit l'amiral.

— J'ai été à bonne école. »

Dyals continuait à caresser son chat. « Nous avons pris de gros risques en 1971. Bien entendu, l'équipage de Malone avait accepté les conditions avant de s'embarquer, mais rien ne nous obligeait à les appliquer au pied de la lettre. Nous aurions pu aller les chercher. Encore aujourd'hui, je me demande si j'ai fait le bon choix.

— Vous avez fait le bon choix.

— Comment pouvez-vous en être si sûr ?

— Les choses étaient bien différentes, à l'époque. Ce sous-marin était notre arme la plus secrète. En aucun cas nous n'aurions pu nous permettre de révéler au grand jour son existence, encore moins le fait qu'il se soit abîmé en mer. Les Soviétiques n'auraient pas tardé à retrouver l'épave. Et puis il y avait également la question du NR-1. Il était alors en mission et, à ce jour, il est toujours en activité. Il n'y a aucun doute là-dessus : vous avez fait le bon choix.

— Pensez-vous que le Président cherche à découvrir ce qui s'est passé ?

— Non. C'est à un échelon hiérarchique inférieur que ça se passe, et l'homme en question a l'oreille de Daniels.

— Et vous croyez que tout cela pourrait réduire à néant vos chances d'être nommé ?

— Sans le moindre doute. »

Inutile d'ajouter « ainsi que votre réputation ».

« Dans ce cas, j'annule l'ordre. Faites ce qu'il vous semblera bon de faire. »

41

Malone était assis à même le sol dans une pièce minuscule et vide qui donnait sur la galerie. Christl et lui s'y étaient réfugiés après avoir semé le groupe de la visite. Il avait épié par l'espace de deux centimètres entre le bas de la porte et le sol, jusqu'à ce que l'intérieur de la chapelle fût un peu moins éclairé et que les portes fussent refermées pour la nuit. Cela faisait maintenant deux heures qu'ils attendaient dans le silence le plus complet, à l'exception de la faible rumeur du marché de Noël qui leur parvenait par la fenêtre solitaire de la pièce, et le murmure du vent qui fouettait la cathédrale.

« Ce lieu est si étrange, chuchota Christl. Si paisible.

— Il nous faut assez de temps pour examiner cet endroit sans risquer de nous faire interrompre. » Malone espérait également que leur disparition confonde l'homme au visage taillé à la serpe. « Combien de temps allons-nous encore attendre ? demanda-t-elle.

— Le temps que les choses se calment dehors. Qui sait ? peut-être d'autres personnes chercheront-elles à

299

s'introduire ici avant la fin de la nuit. » Il décida de profiter du fait qu'ils se trouvaient seuls. « Il faut que je sache certaines choses. »

Dans la lumière verdâtre que projetaient à l'intérieur les projecteurs qui mettaient en valeur la façade de la cathédrale, il vit le visage de Christl s'adoucir. « Je me demandais quand vous vous décideriez.

— Ces Très Saints. Qu'est-ce qui vous fait croire qu'ils ont vraiment existé ? »

Elle parut surprise par sa question, comme si elle s'était attendue à quelque chose d'autre. Quelque chose de plus personnel. Mais elle resta maîtresse d'elle-même et répliqua : « Avez-vous déjà entendu parler de la carte de Piri Reis ? »

Il connaissait effectivement son existence. Cette carte était supposée être l'œuvre d'un amiral ottoman, et datait de 1513.

« Elle a été retrouvée en 1929, dit Christl. Il ne s'agit en vérité que d'un fragment de l'original, mais elle représente l'Amérique du Sud et l'Afrique de l'Ouest avec des longitudes exactes. Les navigateurs du XVIe siècle ne disposaient d'aucun moyen pour déterminer avec exactitude les longitudes : il faudra attendre le XVIIIe siècle pour que ce soit le cas. Gerhard Mercator n'avait qu'un an lorsque cette carte fut conçue : elle est antérieure à sa méthode de projection de la terre sur une surface plane, en fonction des latitudes et longitudes. Et pourtant, cette carte suit ces mêmes principes. Elle montre également en détail la côte nord de l'Antarctique. Ce continent n'a été découvert qu'en 1818, et ce n'est qu'en 1949 qu'on a réalisé les premières mesures au sonar à travers la calotte glacière. Depuis, des sonars plus perfectionnés ont été utilisés. La correspondance entre la carte de Piri Reis et la véritable côte de l'Antarctique, sous la glace, est quasi parfaite.

« Il est de plus écrit sur la carte que celui qui l'a tracée a eu recours pour ce faire à des informations datant de l'époque d'Alexandre le Grand. Alexandre a vécu au début du IVᵉ siècle avant Jésus-Christ. À cette époque, l'Antarctique était déjà recouvert de glace. La première source présentant le contour de ses côtes date donc nécessairement d'une époque comprise entre environ 10000 avant Jésus-Christ, date à laquelle la calotte glacière était beaucoup moins importante, et environ 50000 avant Jésus-Christ. En outre, une carte est totalement inutile sans annotations indiquant ce qui est représenté. Imaginez une carte de l'Europe sans le moindre mot : elle ne vous en apprendrait pas beaucoup sur ce continent. On considère que l'invention de l'écriture remonte aux Sumériens, à peu près en 3500 avant Jésus-Christ. Le fait que Piri Reis ait utilisé des informations remontant à une date autrement plus ancienne que 3 500 ans avant Jésus-Christ signifie que l'invention de l'écriture est en réalité bien plus ancienne que nous le croyons.

— Il y a un nombre incalculable de failles dans votre raisonnement, commenta Malone.

— Êtes-vous toujours aussi sceptique ?

— Je trouve que c'est une attitude très saine quand ma vie est en jeu.

— Dans le cadre de ma thèse, j'ai étudié des cartes médiévales, ce qui m'a permis de me rendre compte d'un fait très intéressant. Les cartes terrestres étaient à l'époque très approximatives : l'Italie était collée à l'Espagne, l'Angleterre avait un contour incorrect, les montagnes n'étaient pas au bon endroit, les rivières ne suivaient pas leur cours réel. En revanche, pour les cartes maritimes, c'était tout à fait différent. On les appelait alors "portulans", et elles étaient incroyablement justes.

— Et vous croyez que les cartographes à l'origine de ces portulans ont, eux aussi, bénéficié d'une aide extérieure ?

— J'ai étudié un grand nombre de portulans. Celui de

Dulcert, datant de 1339, présente la Russie avec une très grande précision. Une carte turque de 1559 montre le monde en ayant recours à une projection septentrionale, comme si l'observateur lévitait au-dessus du pôle Nord : cette technique défie les connaissances qu'on avait alors des projections. Une carte de l'Antarctique datant de 1737 montre ce continent divisé en deux îles, ce qui, nous le savons à présent, est tout à fait vrai. Une carte de 1531 que j'ai eu le loisir d'étudier présentait l'Antarctique sans la moindre trace de glace, sillonné de rivières, avec des montagnes qui, nous le savons à présent, sont ensevelies sous la calotte glaciaire. Aucune des informations ayant contribué à ces cartes n'était disponible à l'époque où elles ont été dessinées. Elles sont pourtant d'une précision redoutable, avec une marge d'erreur d'un demi-degré de longitude. C'est d'autant plus incroyable que, en ces temps, les cartographes étaient censés ne pas disposer de données longitudinales dignes de ce nom. »

Malone restait sceptique mais, après leur tour rapide de la chapelle, et après avoir réfléchi au contenu du testament d'Éginhard, il commençait à voir les choses sous un angle neuf.

Il s'approcha de la porte et jeta un coup d'œil par en dessous. Pas âme qui vive. Il s'appuya contre le battant.

« Ce n'est pas tout », dit Christl.

Il se retourna vers elle.

« Le méridien de référence. Les civilisations ayant sillonné les océans ont quasiment toutes établi le leur. Il fallait décider d'un point de départ longitudinal. En 1884, les représentants des États les plus importants de la planète se sont réunis à Washington et ont choisi le méridien passant par Greenwich comme le degré 0 de longitude. Une ligne de référence que nous n'avons cessé d'utiliser depuis. Mais les portulans en utilisaient une autre. Très étonnamment, leurs cartographes semblent avoir utilisé le même méridien de référence de 31 degrés 8 minutes est. »

Malone était incapable de situer précisément cette longitude. Il devina néanmoins qu'elle devait se trouver à l'est de la Grèce.

« Ce méridien passe très précisément par la grande pyramide de Gizeh, révéla Christl. Au cours de cette même conférence à Washington, en 1884, certains proposèrent cette longitude comme méridien de référence, mais elle fut finalement rejetée. »

Malone ne voyait pas où elle voulait en venir.

« Les portulans sur lesquels je me suis penchée utilisaient tous la notion de longitude. Ne vous méprenez pas sur mes propos : latitudes et longitudes ne figuraient pas sur ces cartes, comme c'est le cas sur les mappemondes contemporaines. Les cartographes avaient recours à une méthode beaucoup plus rudimentaire, qui consistait à choisir un point de référence, à tracer un cercle avec ce point pour centre, puis à diviser ce cercle. En répétant l'opération, ils arrivaient à évaluer les distances avec une relative précision. Tous les portulans dont je viens de vous parler utilisaient le même point de référence. Un point qui se trouvait en Égypte, non loin de ce qui est aujourd'hui Le Caire, là où se trouve la grande pyramide de Gizeh. »

Cela faisait beaucoup de coïncidences, Malone était bien obligé de l'admettre.

« La longitude passant par ce point rencontre le continent antarctique précisément là où les nazis ont lancé leur expédition en 1938, et où ils ont établi leur Nouvelle-Souabe. » Elle observa une courte pause. « Mon grand-père et mon père le savaient. J'ai appris tout cela en lisant leurs notes.

— Je croyais que votre grand-père était sénile.

— Il a laissé un nombre assez restreint de notes. Mon

303

père également. Je regrette qu'ils ne m'aient pas parlé un peu plus de ce fameux mystère de Charlemagne.

— Tout cela n'a ni queue ni tête, lâcha Malone.

— Combien de vérités scientifiques ont tout d'abord été considérées comme des inepties ? Cela n'a rien de fantaisiste. C'est bel et bien vrai. Il y a quelque chose là-bas, en Antarctique, qui n'attend plus que d'être découvert. »

Et c'était peut-être en cherchant ce « quelque chose » que le père de Malone avait trouvé la mort.

Il consulta sa montre. « Nous ferions bien de redescendre. J'ai quelques petites choses à vérifier en bas. »

Il commença à se relever, mais Christl l'en dissuada en posant une main sur sa jambe. Après toutes ces explications qu'elle lui avait soumises, Malone était convaincu qu'elle n'était pas folle à lier.

« J'apprécie beaucoup tout ce que vous faites, dit-elle dans un murmure.

— Je n'ai encore rien fait.

— Vous êtes ici.

— Comme vous l'avez si bien dit, ce qui est arrivé à mon père est intimement lié à tout cela. »

Elle s'approcha et l'embrassa, assez longtemps pour qu'il sache que ce baiser lui plaisait réellement.

« Vous embrassez toujours des inconnus ? lui demanda-t-il.

— Uniquement les inconnus qui me plaisent. »

42

Dorothea était sous le choc. Les yeux morts de Sterling Wilkerson la fixaient.

« Tu l'as tué ? » demanda-t-elle à son époux.

Werner hocha la tête. « Ce n'est pas moi. Mais j'étais présent quand c'est arrivé. »

Il referma le coffre. « Je n'ai jamais connu ton père, mais on m'a raconté que lui et moi nous ressemblons assez. Nous laissons nos épouses faire ce que bon leur chante, en échange du même luxe. »

Le crâne de Dorothea résonnait d'une infinité de questions. « Et comment as-tu appris cela au sujet de mon père ?

— C'est moi qui le lui ai dit », répondit une autre voix.

Dorothea se retourna en un éclair.

Sa mère se tenait sur le seuil de l'église. Derrière elle, comme toujours, se dressait la silhouette d'Ulrich Henn. À présent, elle comprenait tout.

« Ulrich a tué Sterling », souffla-t-elle.

Werner se déplaça en l'effleurant. « Précisément. Et je crois être en mesure d'affirmer qu'il nous tuera tous si nous ne nous comportons pas convenablement. »

Malone sortit en premier de leur cachette et s'avança dans la galerie supérieure de l'octogone, Christl sur ses talons. Il marqua le pas face à la rambarde (qui, selon Christl, datait du vivant de Charlemagne) et regarda en contrebas. Des candélabres fixés au mur éclairaient vaguement l'intérieur de la cathédrale. Le vent continuait de souffler violemment contre les murs de l'édifice, et le marché de Noël semblait perdre de son enthousiasme. Il porta son regard sur le trône qui se trouvait de l'autre côté de l'octogone, baignant dans la lueur singulière que déversaient des fenêtres à meneaux. Il examina les lettres latines en mosaïque qui encerclaient l'octogone, en contrebas. Le défi d'Éginhard n'était en fin de compte pas si insurmontable.

Grâce en soit rendue aux guides touristiques et aux femmes intelligentes.

Il se tourna vers Christl. « Il y a bien un pupitre, non ? »

Elle acquiesça. « Dans la chaire, qui se trouve dans le chœur. C'est ce qu'on appelle un ambon. Assez ancien. Il date du XIᵉ siècle. »

Malone sourit. « Tout prétexte est bon pour une petite leçon d'histoire. »

Elle haussa les épaules. « C'est encore là que je suis la meilleure. »

Il fit le tour de la galerie et descendit l'escalier en spirale jusqu'au rez-de-chaussée. Fort heureusement, la grille d'entrée était ouverte. Arrivé en bas, il traversa l'octogone et pénétra dans le chœur. Une chaire ornée de cuivre doré, finement ouvragé, semblait sortir du mur sud, sous un passage qui donnait sur l'une des chapelles. Un petit escalier permettait d'y monter. Malone enjamba une corde de velours et grimpa les marches de bois. Il trouva en haut ce qu'il avait espéré y trouver. Une bible.

Il l'ouvrit au chapitre XXI de l'Apocalypse.

« Et il m'emporta en esprit jusqu'à une grande et haute montagne, et me montra la grande ville, la sainte Jérusalem, ce don de Dieu qui descendait du ciel. Elle avait une muraille grande et haute, et douze portes, et aux portes douze anges, et des noms inscrits, qui sont les noms des douze tribus des fils d'Israël. Et la muraille de la ville avait douze assises, et sur elles les noms des douze apôtres de l'Agneau. Et celui qui parlait avec moi avait un roseau d'or pour mesurer la ville, et ses portes, et sa muraille. Et la ville est quadrangulaire, et sa longueur est identique à sa largeur, et il mesura la ville avec le roseau : douze mille stades. Longueur, largeur et hauteur sont égales. Et il mesura la muraille, 144 coudées, en mesure d'homme, c'est-à-dire d'ange. Et les assises de la muraille sont parées de douze pierres précieuses. Et les douze portes sont douze perles. »

Malone arrêta là sa lecture pour s'expliquer : « Le livre de l'Apocalypse a influencé les plans de ce bâtiment. L'inscription du lustre de l'empereur Barberousse est une citation de l'Apocalypse, et le texte latin de la mosaïque du dôme s'en inspire. Charlemagne appelait ce lieu sa "nouvelle Jérusalem". Et ces références sont loin d'être secrètes : les guides touristiques que nous avons achetés les mentionnaient. Un pied carolingien équivaut à un tiers de mètre. Le polygone extérieur à seize côtés est long de 36 pieds carolingiens, c'est-à-dire environ 12 mètres. Le périmètre extérieur de l'octogone mesure également 36 pieds carolingiens. La hauteur originelle s'élevait à 84 pieds carolingiens, soit environ 28 mètres, sans compter le dôme, qui est postérieur. La chapelle tout entière est un ensemble de multiples de 12 et de 7, avec une largeur égale à sa hauteur. » Il désigna la bible du doigt. « Cet édifice est tout simplement une transposition des dimensions de la Jérusalem céleste, telle qu'elle est décrite dans l'Apocalypse, en grec, *apokalupsis*, "la révélation".

— Cela a été étudié en long et en large pendant des siècles, dit Christl. En quoi cela nous avance-t-il ?

— Souvenez-vous des mots d'Éginhard : "Les révélations s'éclairciront une fois déchiffré le secret de cet endroit merveilleux." Il n'a pas utilisé ce pluriel à la légère. Non seulement l'Apocalypse, le livre de la révélation, est clair… – il tapota la bible de l'index – … mais, en outre, d'autres révélations le sont tout autant. »

Pour la première fois depuis des années, Dorothea sentait la situation lui échapper. Elle n'avait rien vu venir. Et à présent, de retour dans l'église, face à sa mère et son mari, avec Ulrich Henn en retrait, elle s'efforçait à grand-peine de garder contenance.

« Inutile de t'attrister pour cet Américain, dit Isabel. Ce n'était qu'un opportuniste. »

Elle se retourna vers Werner. « Et toi, tu n'en es pas un ?

— Je suis ton époux.

— Tu n'as d'époux que le titre.

— Mais c'est aussi de ton fait, répliqua Isabel en haussant la voix, avant d'observer une courte pause. Je comprends ta réaction, au sujet de Georg. » Le regard de la vieille femme glissa jusqu'à la chapelle adjacente. « À moi aussi, il me manque. Mais il n'est plus là, et nous n'y pouvons rien. »

Dorothea avait toujours détesté le peu de considération que sa mère portait au deuil. Elle ne se rappelait pas l'avoir vue pleurer à la mort de son père. Rien ne semblait la déstabiliser. Dorothea, quant à elle, ne parvenait pas à oublier le regard sans vie de Wilkerson. C'était un opportuniste, elle était la mieux placée pour le savoir. Mais elle s'était imaginé que leur relation aurait pu évoluer vers quelque chose d'un peu plus sérieux.

« Pourquoi l'avoir tué ? demanda-t-elle à sa mère.

— Il n'aurait pas manqué de causer beaucoup de problèmes à notre famille. Et les autres Américains auraient de toute façon fini par le tuer.

— C'est toi qui as impliqué les Américains dans tout cela. Tu voulais obtenir ce dossier sur le sous-marin. C'est toi qui m'as chargée de l'obtenir par le biais de Wilkerson. C'est toi qui voulais que je mette la main dessus et que j'entre en contact avec Malone pour le décourager d'aller plus loin. C'est toi qui voulais que je vole les documents de papa et les pierres du monastère. Je n'ai fait qu'exécuter tes ordres.

— Et est-ce moi qui t'ai dit de tuer cette femme ? Non. C'est ton amant qui en a eu l'idée. Des cigarettes empoisonnées. Tout à fait ridicule. Et que dire de notre petite maison ? Ce n'est plus qu'une ruine, à présent. Avec deux morts dans les décombres. Des corps que les Américains se sont empressés de faire disparaître. Lequel des deux as-tu tué, Dorothea ?

— Les circonstances m'ont poussée à agir de la sorte. »

Sa mère se mit à arpenter le sol de marbre. « Toujours aussi pragmatique. *Les circonstances m'ont poussée à agir de la sorte.* C'est vrai. Tout cela à cause de *ton* Américain. Si son implication dans cette affaire avait perduré, les conséquences en auraient été dévastatrices. Mais rien de tout cela ne le regardait, aussi ai-je décidé de mettre un terme à sa collaboration. » Sa mère s'approcha d'elle jusqu'à ne plus se trouver qu'à quelques dizaines de centimètres. « Ils l'ont envoyé pour nous espionner. Je n'ai fait que t'encourager à tirer profit de ses faiblesses. Mais tu es allée trop loin. Je dois dire en outre que j'avais sous-estimé l'intérêt qu'ils portaient à notre famille. »

Dorothea pointa Werner. « Pourquoi l'avoir impliqué, lui ?

— Tu as besoin d'aide. Il t'offre la sienne.

— Je n'ai besoin de rien de ce qu'il a à m'offrir. » Elle se tut un court instant. « Pas plus que je n'ai besoin de rien de ce que tu as à m'offrir, vieille folle. »

Le bras de sa mère se tendit et sa main frappa la joue de Dorothea. « Ne t'adresse jamais plus à moi de la sorte. Plus jamais, tu m'entends ? »

Dorothea resta immobile, sachant que, quand bien même elle aurait pu prendre très facilement le dessus sur sa mère très âgée, Ulrich Henn veillait au grain. Elle passa sa langue sur l'intérieur de sa joue douloureuse.

Son pouls battait contre sa tempe.

« Je suis venue ici ce soir afin de mettre les choses au clair, reprit Isabel. Werner n'est en rien responsable. C'est moi qui l'ai impliqué. Cette quête entière est complètement de mon fait. Si tu en refuses les règles, elle prendra fin ici et maintenant, et ta sœur héritera de tout ce que vous convoitez et qui vous revient. »

Sur ces mots, Isabel planta un regard acéré dans celui de Dorothea. Celle-ci comprit qu'il ne s'agissait pas de menaces en l'air.

« Tu désires tout cela, Dorothea. Je le sais. Tu me ressembles beaucoup. Je t'ai observée. Tu as travaillé dur pour les intérêts de la famille, tu excelles dans les affaires. Tu as abattu un homme dans la petite maison des bois. Tu as le courage dont ta sœur manque parfois. Elle possède la clairvoyance que tu méprises parfois. Quel dommage que ce qu'il y a de meilleur en vous deux n'ait pas pu constituer une seule et même personne. Il y a bien longtemps, tout s'est brouillé dans mes entrailles, et, malheureusement, vous en avez souffert toutes les deux. »

Dorothea posa son regard sur Werner.

Elle ne l'aimait peut-être plus, mais elle était bien forcée d'admettre que, parfois, elle avait besoin de lui, comme toutes celles et tous ceux que la mort d'un enfant avait endeuillés avaient besoin de la présence de leur conjoint. La peine et la perte nouaient des liens inextricables. La douleur provoquée par la mort de Georg avait édifié des barrières que l'un et l'autre avaient appris à respecter. Et à mesure que son couple s'était étiolé, tous les autres aspects de sa vie qui lui étaient étrangers avaient prospéré. Sa mère avait raison. Les affaires, c'était sa passion. L'ambition était une drogue puissante, qui atténuait tout, même l'amour.

Werner croisa les mains dans son dos et haussa le menton, tel un guerrier. « Peut-être serait-il préférable, avant de mourir, de profiter du temps qu'il nous reste à vivre.

— J'ignorais que tu souhaitais à ce point mourir. Tu es en assez bonne santé. Tu vivras longtemps encore.

— Non, Dorothea. Je respirerai encore de nombreuses années. Vivre, c'est tout à fait différent.

— Qu'est-ce que tu veux, Werner ? »

Il baissa la tête et s'approcha d'une des fenêtres noircies par la nuit. « Dorothea, nous sommes à la croisée des chemins. Il se pourrait que tu vives dans les prochains jours le moment le plus important de toute ton existence.

— "Il se pourrait" ? Que d'optimisme. »

L'expression de Werner se décomposa. « Je ne voulais pas te manquer de respect. Bien que nous soyons en désaccord sur bien des sujets, je ne suis pas ton ennemi.

— Qui sont mes ennemis, Werner ? »

Les yeux de son mari prirent soudain l'éclat dur de l'acier. « En réalité, tu es ta seule et ta pire ennemie. »

Malone descendit de la chaire. « L'Apocalypse est le dernier livre du Nouveau Testament, dans lequel saint Jean décrit sa vision d'un nouveau royaume, d'une nouvelle terre, d'une nouvelle réalité. » Il désigna l'octogone d'un geste. « Cette chapelle symbolise cette vision. "Il vivra parmi eux, et ils seront Son peuple." C'est une autre citation de l'Apocalypse. Charlemagne fit construire ce bâtiment et vécut ici, parmi son peuple. Deux choses s'avérèrent d'une importance cruciale. Longueur, largeur et hauteur devaient s'apparenter, et les murs devaient mesurer 144 coudées. Douze fois douze.

— Les chiffres ont l'air de vous plaire, dit Christl.

— Le chiffre 8 était également très important. Le monde fut créé en six jours, et, le septième, Dieu se reposa. Le huitième jour, celui auquel tout était achevé, représente Jésus, Sa résurrection, le début de la perfection. Voilà pourquoi on trouve ici un octogone encerclé par un hexadécagone. Mais les bâtisseurs de ce lieu sont allés encore plus loin.

« "Élucidez ce mystère en appliquant la perfection de l'ange à la sanctification du Seigneur." Tels sont les mots d'Éginhard. L'Apocalypse fait référence, entre autres, aux anges et à ce qu'ils firent en amenant la "nouvelle Jérusalem". Douze portes, les douze tribus des enfants d'Israël, douze assises, douze apôtres, douze mille stades, douze pierres précieuses, douze portes qui sont douze perles. » Il observa un court silence. « Le nombre 12, symbole de la perfection désigné en tant que tel par les anges. »

Il quitta le chœur pour pénétrer à nouveau dans l'octogone.

Il désigna du doigt l'inscription latine en mosaïque qui en faisait le tour. « Vous pourriez traduire cela ? Je me débrouille en latin, mais le vôtre est bien meilleur. »

Un choc sourd résonna dans toute la cathédrale. Comme si quelqu'un essayait de forcer quelque chose.

À nouveau, le même son.

Malone repéra de quelle direction il provenait : la chapelle Saint-Michel. Là où se trouvait l'autre issue de la cathédrale.

Contournant les bancs vides, il se précipita en direction de la solide porte de bois. Il entendit très clairement un troisième choc, qui provenait de l'autre côté du battant.

« Ils sont en train de forcer la porte.

— Qui ça, *eux* ? » répliqua Christl.

Malone brandit son pistolet.

« D'autres personnes qui ne nous veulent pas du bien. »

43

Dorothea avait envie de partir, mais cela lui était impossible. Elle se trouvait à la merci de sa mère et de son époux. Sans même mentionner Ulrich. Henn travaillait pour sa famille depuis plus d'une décennie, protégeant ostensiblement Reichshoffen, mais Dorothea avait toujours eu la certitude que la gamme de services qu'il leur rendait ne se limitait pas qu'à la simple surveillance. À présent, elle savait. Il tuait aussi.

« Dorothea, dit sa mère. Ton époux aimerait faire amende honorable. Il veut que tout redevienne comme avant entre vous deux. Il est évident que vous nourrissez encore des sentiments réciproques, autrement tu aurais demandé le divorce depuis bien longtemps.

— Je suis restée pour notre fils.

— Ton fils est mort.

— Pas son souvenir.

— Non, c'est vrai. Mais tu es engagée dans une bataille dont l'enjeu est ton héritage. Réfléchis. Prends ce qui t'est offert.

— Quelle importance cela a pour toi ? » répliqua Dorothea. Elle tenait à le savoir.

Sa mère hocha la tête. « Ta sœur recherche la gloire, elle veut venger notre famille. Si elle réussissait, elle

314

attirerait l'attention du public sur nous. Toi et moi n'avons jamais recherché cela. Tu as le devoir de l'en empêcher.

— Et en vertu de quoi ce devoir m'incombe-t-il ? »

Sa mère parut dégoûtée par cette question. « Tu ressembles tellement à ton père. N'y a-t-il rien de moi en toi ? Écoute-moi bien, mon enfant. La route que tu suis est sans issue. J'essaie tout simplement de t'aider. »

Le manque de confiance et le ton moralisateur ne lui plurent guère. « J'ai appris beaucoup en lisant ces journaux et ces documents de l'Ahnenerbe. Grand-père a écrit une relation de ce qu'ils avaient vu en Antarctique.

— Hermann n'était qu'un rêveur, un homme qui vivait dans un monde imaginaire.

— Il parle de zones où la glace laisse la place à la roche. Où des lacs liquides s'étendent, là où il ne devrait pas y en avoir. Il parle de montagnes creuses et de cavernes de glace.

— Et quelle preuve tangible avons-nous que toutes ces chimères existent bel et bien ? Dis-moi, Dorothea : sommes-nous sur le point de trouver quelque chose ?

— Pour l'instant, nous avons un mort dans le coffre d'une voiture garée dehors. »

Sa mère poussa un long soupir. « Ton cas est désespéré. »

La patience de Dorothea avait elle aussi atteint ses limites. « C'est toi qui as imposé les règles de ce défi. Tu désirais savoir ce qui était arrivé à papa. Tu voulais que Christl et moi œuvrions ensemble. Tu as donné à chacune d'entre nous une pièce du puzzle. Si tu es aussi intelligente, pourquoi est-ce nous qui sommes en train de mener cette quête ?

— Je vais te raconter quelque chose. Quelque chose que ton père m'a raconté il y a bien longtemps. »

Charlemagne écoutait Éginhard, subjugué. Ils se trouvaient à l'abri des oreilles indiscrètes, à l'intérieur de la chapelle palatine, dans une pièce dont il se servait à l'occasion, dans la galerie supérieure de l'octogone. Une douce nuit d'été avait fait fuir le jour, tout alentour était plongé dans l'obscurité, et dans la chapelle régnait un silence parfait. Éginhard n'était rentré que la veille de son long voyage. Le roi l'admirait. C'était un homme de petite taille, mais telle une abeille confectionnant le meilleur des miels, telle une fourmi âpre à la tâche, capable de grandes choses. Charlemagne l'appelait Beçalêl, en référence au Beçalêl du livre de l'Exode et de ses grands talents d'artisan. Il n'aurait pu confier cette mission à personne d'autre que lui. Et à présent, il écoutait de sa propre bouche le récit de son périlleux voyage maritime, jusqu'à un lieu où les murs de neige étaient si lumineux que les rayons du soleil coiffaient leur sommet d'ombres d'azur et de jade. Sur l'un d'eux coulait une cascade au flot semblable à l'argent, et Charlemagne se souvint à ces mots du relief déchiqueté des montagnes du Sud et de l'Est. « Une froideur qui dépasse l'imagination », dit Éginhard, et l'une de ses mains frissonna à ce souvenir. Le vent soufflait avec une telle force que même cette chapelle dans laquelle ils étaient n'aurait pas survécu à ses assauts. Charlemagne douta de la véracité de cette dernière remarque, mais ne l'interrompit pas. « Ici, disait Éginhard, le peuple vivait dans des huttes de torchis, sans fenêtre, avec seulement un trou dans le toit pour laisser la fumée s'échapper. Les lits étaient l'apanage des riches, les habits n'étaient faits que de cuir grossier. Là-bas, tout était si différent. Les maisons étaient toutes de pierre, meublées et chauffées. Les vêtements étaient chauds et épais. Pas de classes sociales, pas de richesses personnelles, pas de pauvreté. Un pays d'hommes égaux où la nuit ne connaissait pas de fin et l'eau était aussi calme que la mort, mais ô combien sublime. »

« Voilà ce qu'a vu Éginhard, dit Isabel. Ton père me l'a révélé, comme son père le lui avait révélé avant. Cela est rapporté dans le livre que je t'ai donné, celui qui fut trouvé dans le tombeau de Charlemagne. Hermann l'a déchiffré. À présent, nous devons en faire de même. Voilà pourquoi j'ai imposé ce défi. Je veux que ta sœur et toi trouviez les réponses qui nous sont vitales. »

Mais le livre que lui avait donné sa mère était griffonné de lettres incompréhensibles, illustré d'incroyables représentations d'objets inconnus.

« Souviens-toi des mots du testament d'Éginhard, reprit Isabel. "La seconde vérité, qui permettra une pleine compréhension de la sagesse du ciel reposant aux côtés du seigneur Charles, se trouve dans la nouvelle Jérusalem." À cette heure, ta sœur se trouve justement là-bas, dans la nouvelle Jérusalem. Elle te devance d'une bonne longueur. »

Elle avait du mal à croire ce qu'elle était en train d'entendre.

« Ce ne sont pas des contes, Dorothea. L'histoire n'est pas qu'un tissu de fariboles. Le mot "ciel", à l'époque de Charlemagne, avait un tout autre sens que de nos jours. Les Carolingiens l'appelaient *ha shemin*. Cela signifiait "hautes terres". Nous ne sommes pas en train de parler de religion ou de Dieu, mais bien d'un peuple extrêmement ancien, qui vivait dans une contrée montagneuse de neige, de glace et de nuits sans fin. Une contrée qu'Éginhard a visitée. Une contrée où ton père est mort. Ne souhaites-tu pas découvrir pourquoi ? »

Oui, elle le désirait plus que tout au monde.

« Ton époux est ici pour t'aider, poursuivit sa mère. J'ai éliminé un problème potentiel en la personne d'*Herr* Wilkerson. À présent, tu peux continuer la quête sans cet obstacle. Je m'assurerai que les Américains retrouvent son corps.

317

— Il n'était pas nécessaire de le tuer, déclara à nouveau Dorothea.

— Vraiment ? Hier, un homme est entré chez nous par effraction et a voulu tuer *Herr* Malone. Il a pris ta sœur pour toi et a également tenté de l'assassiner. Fort heureusement, Ulrich a empêché que tout cela arrive. Les Américains n'ont que très peu de considération à ton égard, Dorothea. »

Le regard de Dorothea se posa presque instinctivement sur Henn, qui acquiesça, lui signifiant que ce que sa mère venait de dire était vrai.

« J'ai alors su qu'il fallait faire quelque chose. Te sachant esclave de tes habitudes, je n'ai eu aucune difficulté à te retrouver à Munich. Et si je t'ai retrouvée si rapidement, crois-tu que les Américains auraient mis longtemps avant d'en faire de même ? »

Dorothea se souvint du ton paniqué de Wilkerson au téléphone.

« J'ai fait ce qu'il fallait faire. À présent, mon enfant, fais-en autant. »

Mais Dorothea était en proie à l'incertitude. « Et que dois-je faire ? Tu viens de me dire que la voie que je suivais était sans issue. »

Sa mère secoua la tête. « Je suis convaincue que ce que tu as appris sur l'Ahnenerbe te sera grandement utile. Ces documents se trouvent-ils à Munich ? »

Dorothea acquiesça.

« J'enverrai Ulrich les prendre. Dans très peu de temps, ta sœur trouvera la bonne voie à emprunter : tu dois impérativement la retrouver. Son caractère doit être tempéré par le tien. Nos secrets de famille ne doivent sous aucun prétexte être révélés au grand jour.

— Où est Christl ? demanda-t-elle.

— Elle s'essaie à la même chose que toi naguère. »

Dorothea attendit des précisions.

« Elle essaie de se fier à un Américain. »

44

Malone saisit Christl par le bras et la tira hors de la chapelle Saint-Michel, se précipitant dans le polygone extérieur en direction de l'entrée principale.

D'autres coups sourds résonnèrent dans la chapelle.

Malone arriva à hauteur des battants de la porte, espérant pouvoir les ouvrir de l'intérieur, et entendit un autre bruit. Quelqu'un était en train de forcer cette porte. En fin de compte, l'homme au visage taillé à la serpe ne travaillait pas seul.

« Que se passe-t-il ? demanda Christl.

— Nos amis de la nuit dernière nous ont retrouvés. En fait, ils nous ont suivis toute la journée.

— Et ce n'est que maintenant que vous me le dites ? »

Il se précipita à nouveau vers l'octogone, en épiant les ténèbres. « Je me suis dit que vous ne voudriez sûrement pas que je vous embête avec des détails.

— Des détails ? »

Malone entendit la porte de la chapelle Saint-Michel céder. Derrière lui, le grincement de gonds anciens lui signala qu'on venait de pousser les battants de l'entrée principale. Il jeta un coup d'œil à l'escalier en spirale avant de s'y précipiter en tirant Christl par le bras, abandonnant toute précaution au profit de la vitesse.

Il entendit des voix en contrebas et fit signe à Christl de ne plus faire un bruit.

Il devait la mettre en lieu sûr : il était hors de question qu'ils restent ainsi à découvert dans la galerie supérieure. Le trône impérial se dressait en face de lui. Sous le siège de marbre se trouvait le petit passage sombre par lequel les pèlerins passaient jadis, comme l'avait expliqué la guide, un espace vide entre la bière et les six marches. Sous l'autel qui jouxtait le trône se trouvait une autre potentielle cachette, derrière une porte de bois aux charnières de fer. Malone fit signe à Christl de se dissimuler sous le trône. Elle lui répondit par un regard perplexe, aussi la poussa-t-il sans ménagement en direction du siège, en lui indiquant où elle devait se cacher.

« Pas un bruit », articula-t-il sans prononcer le moindre son.

Des pas résonnèrent dans l'escalier en spirale. Il ne leur restait plus que quelques secondes pour se préparer. Christl parut soudain se rendre compte du danger de la situation et finit par obéir.

Il fallait à tout prix les éloigner. Un peu plus tôt dans la soirée, lorsqu'il avait observé attentivement la galerie, Malone avait remarqué un rebord qui surplombait les arches les plus basses, marquant la séparation des deux niveaux, et assez large pour qu'on puisse s'y aventurer.

Il passa devant le trône en se baissant, contourna la bière et passa par-dessus la rambarde de bronze. Sur la mince corniche, il se tint en équilibre, dos contre les colonnades supérieures qui soutenaient les huit arches de l'octogone. Fort heureusement, les piliers étaient joints deux par deux, et devaient mesurer environ 60 centimètres de diamètre : il disposait donc d'une largeur d'à peu près 1,20 mètre pour se cacher.

Il entendit des semelles grincer dans la galerie.

Il se demanda si, tout compte fait, il était très avisé de se tenir sur un rebord de 25 centimètres de large, à une hauteur d'au moins 6 mètres, en tenant à la main un pistolet qui n'avait plus que cinq cartouches dans le magasin. Il risqua un coup d'œil et aperçut deux silhouettes de l'autre côté du trône. L'un des deux hommes armés s'avança derrière la bière, l'autre restant en retrait pour le couvrir. La tactique dénotait un entraînement certain.

Malone pressa sa tête contre le marbre et regarda de l'autre côté de l'octogone. La lumière qui se déversait par les fenêtres, derrière le trône, faisait briller les colonnades. Il distinguait l'ombre chaotique du siège impérial, et vit l'autre silhouette en faire entièrement le tour, pour se retrouver près du rebord où Malone était perché.

Il fallait l'attirer plus près encore.

Avec une infinie précaution, il fouilla de la main gauche la poche de sa veste de cuir et trouva une pièce d'un euro. Il s'en saisit et la lança doucement de côté, sur le rebord où il se trouvait, à trois mètres de là, face au double pilier le plus proche du sien. La pièce cliqueta, puis tomba sur le marbre du rez-de-chaussée. Le bruit brisa le silence qui régnait. Malone espérait que, alerté, l'homme de main s'approcherait d'un côté, afin qu'il les surprenne de l'autre.

Ce plan ne prenait cependant pas en compte ce que ferait l'autre homme armé.

La silhouette grandissait à mesure qu'elle approchait.

Malone devait réagir au quart de seconde près. Son arme passa de sa main droite à sa main gauche.

La silhouette était proche de la grille.

L'ombre d'un pistolet apparut.

Malone pivota, attrapa l'homme par le revers de son manteau et le fit basculer par-dessus la rambarde, le précipitant dans l'espace de l'octogone.

Malone enjamba la rambarde au moment où retentit

un coup de feu, tiré par l'autre homme. Une balle fit voler le marbre en éclats. Le corps du premier s'abattit bruyamment six mètres plus bas, dans un fracas de chaises brisées et renversées. Malone tira en direction du trône et courut chercher refuge derrière la double colonne, cette fois-ci du côté de la galerie, et non sur le rebord.

Dans sa précipitation, il glissa, et son genou heurta violemment le sol. Ses os vibrèrent de douleur. Il se ressaisit aussitôt, tenta de se dissimuler, mais sut qu'il avait perdu l'avantage.

« *Nein, Herr Malone* », dit une voix masculine.

Malone était à quatre pattes, le pistolet toujours au poing.

« Relevez-vous », ordonna l'homme.

Il se redressa doucement.

L'homme au visage taillé à la serpe avait fait le tour du trône et se tenait à présent près de Malone.

« Lâchez votre arme », lança-t-il sur le même ton.

Malone ne comptait pas se rendre aussi facilement. « Pour qui travaillez-vous ?

— Lâchez votre arme. »

Il lui fallait gagner du temps, mais il doutait que l'homme le laisserait lui poser beaucoup de questions. Dans son dos, à ras du sol, quelque chose bougea. Dans le trou ténébreux qui se trouvait sous le trône, Malone aperçut deux semelles dressées vers le haut. Les jambes de Christl surgirent alors de sa cachette et frappèrent de toute leur force les genoux de l'homme.

Celui-ci, pris par surprise, recula par réflexe.

Malone en profita pour ouvrir le feu : une balle heurta la poitrine de l'homme dans un bruit sourd. Il cria de douleur, mais sembla reprendre immédiatement ses esprits, pointant son arme en direction de Malone. Celui-ci tira une deuxième fois, et l'homme s'écroula à terre, à présent immobile.

Christl s'extirpa de sa cachette.

« Vous avez un sacré cran, lui dit-il.

— Vous aviez besoin d'aide. »

Son genou le lançait. « Effectivement. »

Il chercha le pouls de l'homme : son cœur avait cessé de battre. Puis il s'avança jusqu'à la rambarde et regarda en bas. L'autre homme de main gisait dans une pose inconfortable, au milieu des chaises renversées, dans une petite mare de sang.

Christl s'approcha. Elle qui avait exprimé son dégoût des cadavres dans le monastère semblait n'éprouver aucune gêne à regarder celui-ci.

« Et maintenant ? » demanda-t-elle.

Malone désigna la mosaïque en contrebas. « Comme je vous le disais avant d'être interrompu, j'aimerais que vous traduisiez cette inscription latine. »

45

Ramsey montra ses papiers et redémarra, entrant dans l'enceinte de Fort Lee. De Washington, il avait roulé durant deux heures en direction du sud avant d'arriver en ces lieux. Cette base était l'un des seize cantonnements militaires édifiés au début de la Première Guerre mondiale, et devait son nom au héros de l'État de Virginie, Robert E. Lee. Démantelée dans les années 1920 et promue au statut de réserve sauvage, la zone avait repris du service dans les années 1940, pour devenir un important centre militaire. Au cours des vingt dernières années, grâce notamment au peu de distance qui la séparait de Washington, elle avait été considérablement agrandie et modernisée.

Il emprunta une route qui traversait une myriade de bâtiments consacrés à l'entraînement, au commandement, particulièrement dans le domaine de la gestion et du soutien logistiques. La Navy possédait trois entrepôts tout au bout d'une longue rangée de containers militaires. Leur accès était restreint par des verrous numériques et un système de reconnaissance des empreintes digitales. Deux des entrepôts étaient sous la responsabilité de l'état-major de la Navy, le troisième sous celle de son service de renseignement.

Ramsey se gara et quitta son véhicule, rabattant les pans de son manteau sur ses jambes. Il s'arrêta sous l'auvent de métal et composa le code, avant de poser son pouce sur le scanner digital.

Dans un déclic, la porte s'ouvrit.

Il pénétra dans un petit vestibule qui s'illumina une fois sa présence détectée. Il s'approcha d'un tableau de contrôle et éclaira le vaste espace de l'entrepôt qui s'étendait derrière une vitre extrêmement épaisse.

Depuis quand n'était-il pas venu ici ? Six ans ?

Non, plutôt huit ou neuf ans.

Sa première visite remontait, elle, à trente-huit ans. Rien n'avait changé à l'intérieur, à l'exception du système de sécurité. C'était l'amiral Dyals qui l'avait emmené ici, la première fois. Un jour de tempête, en février. Environ deux mois après son retour d'Antarctique.

« Nous ne sommes pas ici par hasard », dit Dyals.

Ramsey se demandait bien pourquoi ils se trouvaient dans cet entrepôt. Il y avait passé beaucoup de temps au cours du dernier mois, mais tout s'était arrêté quelques jours auparavant, avec l'ordre de dissolution de son équipe. Rowland et Sayers avaient réintégré leurs unités respectives, l'entrepôt avait été scellé, et lui avait été réaffecté au Pentagone. Entre leur départ de Washington et leur arrivée ici, Dyals avait à peine parlé. C'était lui tout craché. Beaucoup le craignaient, non pour son tempérament, dont il restait toujours maître, pas plus que pour des abus de langage, qu'il considérait comme horriblement irrespectueux. C'était plutôt son regard glacé qu'aucun clignement d'œil n'altérait qui effrayait les autres.

« Vous êtes-vous penché sur le dossier de l'opération

Highjump ? demanda Dyals. Celui que je vous ai transmis.

— Je l'ai étudié en détail.

— Et qu'avez-vous relevé ?

— Que l'endroit où je me suis rendu en Antarctique correspond très précisément à l'une des zones explorées par l'équipe de l'opération Highjump. »

Trois jours auparavant, Dyals lui avait remis un dossier estampillé « secret défense ». Ce qu'il renfermait ne faisait pas partie du rapport officiel remis par les amiraux Cruzen et Byrd au terme de leur mission en Antarctique. Il s'agissait d'un rapport émanant d'une équipe de spécialistes militaires qu'on avait incluse dans les effectifs de la mission Highjump, comptant quelque quatre mille sept cents hommes. Byrd en personne les avait chargés d'une mission de reconnaissance spéciale sur la côte septentrionale, et leurs rapports n'avaient été soumis à personne d'autre que ce même amiral, qui s'en était ensuite entretenu avec le chef des opérations navales. Ce que Ramsey avait lu lui avait coupé le souffle.

« Avant l'opération Highjump, reprit Dyals, nous étions convaincus que les Allemands avaient construit des bases en Antarctique au cours des années 1940. Durant toute la Deuxième Guerre mondiale, ainsi qu'un peu après, nombreux étaient les U-Boot qui sillonnaient l'Atlantique-Sud. Les Allemands avaient lancé une mission d'exploration antarctique en 1938, d'une envergure sans précédent. Ils avaient projeté d'y retourner. Nous pensions qu'ils avaient réalisé leurs plans, et nous n'avons rien dit à personne. Mais ce n'était que de la connerie, Langford. De la connerie pure et simple. Les nazis ne se sont jamais rendus en Antarctique pour y établir des bases militaires. »

Ramsey attendit la suite en silence.

« Ils s'y sont rendus pour connaître leur passé. »

Dyals entra le premier dans l'entrepôt, montrant le

chemin à suivre parmi d'énormes caisses de bois sou-
tenues par d'imposants rayonnages en acier. Il ralentit
pour pointer du doigt une rangée de pierres recouvertes
d'un curieux mélange de boucles et de volutes.

ℓℴσⲧⲁℓ꜒⩑

« *Au cours de l'opération Highjump, nos hommes ont*
localisé une partie de ce que les nazis avaient décou-
vert en 1938. Les recherches des Allemands reposaient
sur des informations qui remontaient à l'époque de
Charlemagne. Des informations découvertes par l'un
des leurs : un certain Hermann Oberhauser. »

Ce nom n'était pas étranger à Ramsey : c'était le même
patronyme que portait l'un des membres de l'équipage
du NR-1Λ. Dietz Oberhauser, expert scientifique.

« *Nous avons contacté Dietz Oberhauser il y a de*
cela environ un an, dit Dyals. Certaines de nos unités
de choc ont étudié des archives allemandes confis-
quées après la guerre. Les nazis étaient d'avis qu'il y
avait beaucoup de choses à apprendre en Antarctique.
Hermann Oberhauser s'était convaincu qu'une civili-
sation très avancée, antérieure à la nôtre, y vivait. Il
croyait qu'il s'agissait d'anciens Aryens oubliés : Hitler
et Himmler voulaient savoir s'il avait raison. Ils se
disaient que si cette civilisation existait bien, et qu'elle
était effectivement très avancée, ils auraient pu en
apprendre deux ou trois choses. À cette époque, chaque
camp cherchait à tout prix à faire la différence. »

Et les choses n'avaient pas changé.

« *Mais Oberhauser a perdu les faveurs du pouvoir.*
Il a fini par agacer Hitler. Aussi a-t-il été contraint au
silence et à la solitude. Ses idées restèrent lettre morte. »

Ramsey désigna les pierres. « *Apparemment, c'est lui*

qui avait raison. Il y avait bel et bien des objets intéressants à trouver.

— Vous avez lu le dossier. Vous êtes allé là-bas. Dites-moi un peu ce que vous en pensez.

— Nous n'avons rien trouvé qui ressemble à ça, de près ou de loin.

— Et pourtant, les États-Unis ont dépensé des millions de dollars pour envoyer près de cinq mille hommes en Antarctique. Quatre hommes moururent durant l'opération. À présent, onze autres ont trouvé la mort, et nous avons perdu un sous-marin d'une valeur de 100 millions de dollars. Allons, Ramsey. Creusez-vous un peu la tête. »

Ramsey ne voulait pas décevoir cet homme qui s'était fié à ce point à ses qualités.

« Imaginez une civilisation, reprit Dyals, qui serait née plusieurs milliers d'années avant toutes celles que nous connaissons. Avant les Sumériens, avant les Chinois, avant les Égyptiens. Les observations astronomiques, la mesure des poids et des volumes, une représentation de la terre en adéquation avec la réalité, la cartographie, la géométrie sphérique, la navigation, les mathématiques. Admettons qu'ils excellèrent dans tous ces domaines des siècles avant que nous nous y intéressions. Vous imaginez-vous le niveau scientifique qu'ils ont pu atteindre ? Dietz Oberhauser nous a raconté que son père s'était rendu en Antarctique en 1938. Qu'il y avait vu des choses, qu'il en avait découvert. Les nazis étaient des abrutis finis, pédants, peu curieux, arrogants : ils n'ont su comprendre ce que tout cela signifiait.

— Il semblerait que nous ne nous soyons pas montrés plus malins qu'eux, amiral. J'ai lu ce dossier. Les conclusions du rapport de l'opération Highjump avancent que ces pierres, qui se trouvent ici même, sont l'œuvre d'une race ancienne, peut-être une race aryenne. Cela semble avoir inquiété tout le monde.

Comme si nous avions complètement gobé ce mythe créé par les nazis eux-mêmes pour illustrer leur supposée supériorité.

— Nous l'avons complètement gobé, et ce fut notre plus grande erreur. Mais les temps étaient bien différents. Ceux qui entouraient Truman considéraient le sujet bien trop politique pour le révéler au grand jour. Ils voulaient à tout prix éviter de soumettre au public des éléments qui auraient pu conférer à Hitler et aux nazis la moindre crédibilité. C'est pour cette raison qu'ils classèrent toute l'opération Highjump "secret défense" et mirent sous scellés toutes leurs découvertes. Il n'empêche que cette décision nous a causé beaucoup de tort. »

Dyals pointa du doigt une porte d'acier fermée, droit devant lui. « Laissez-moi vous montrer ce que vous n'avez jamais pu voir pendant toutes ces heures passées ici. »

Ramsey se trouvait à présent face à la même porte.

Une pièce réfrigérée.

Celle-là même où il était entré trente-huit ans auparavant pour la première et unique fois. Ce jour où l'amiral Dyals lui avait donné un ordre qu'il avait suivi jusqu'à présent : « Laissez-le en paix. » L'ordre venait d'être annulé, mais, avant d'agir, il voulait s'assurer en personne que tout se trouvait toujours à sa place.

Il posa sa main sur la poignée.

46

AIX-LA-CHAPELLE

Malone et Christl descendirent à nouveau l'escalier en spirale. Le sac contenant leurs guides touristiques reposait sur une chaise épargnée par la chute de l'homme de main. Malone en tira un des ouvrages et retrouva la traduction de la mosaïque latine.

SI LES PIERRES VIVANTES S'UNISSENT
SI LES NOMBRES ET LES DIMENSIONS CORRESPONDENT
ALORS L'ŒUVRE DU SEIGNEUR QUI ÉRIGEA CET ÉDIFICE
RESPLENDIRA ET RENDRA
GLOIRE AUX PIEUX EFFORTS DE L'HOMME
DONT L'ŒUVRE PERDURERA TEL UN ÉTERNEL ORNEMENT
SI LE TOUT-PUISSANT CONSEILLER LE PROTÈGE
ET LE GARDE
QUE DIEU FASSE QUE CE TEMPLE ENTIER SE DRESSE
SUR LA FERME ASSISE POSÉE PAR L'EMPEREUR CHARLES.

Malone tendit le guide à Christl. « Cette traduction est-elle exacte ? » Dans le restaurant, il s'était rendu compte que les traductions différaient légèrement selon les guides touristiques.

Christl analysa le texte en regard de la mosaïque, comparant l'un à l'autre dans un incessant va-et-vient. Le cadavre gisait à quelques mètres à peine, les membres tordus selon des angles singuliers, baignant dans son sang, tandis que Malone et Christl faisaient comme si de rien n'était. Malone doutait que l'épaisseur des murs et le vacarme du vent aient permis à qui que ce soit d'entendre dehors les coups de feu. En tout cas, jusqu'ici, personne n'était venu s'enquérir de leur origine.

« Elle est exacte, répondit enfin Christl. Il y a quelques adaptations mineures, mais rien qui modifie le sens de l'original.

— Vous m'avez dit que ce texte était original, qu'on avait recouvert la peinture par une mosaïque sans altérer les mots. Il s'agit du texte de consécration, qu'on peut rapprocher du mot "sanctification". "Élucidez ce mystère en appliquant la perfection de l'ange à la sanctification du Seigneur." Le nombre 12 représente la perfection de l'ange, selon l'Apocalypse. L'octogone est le symbole de cette perfection. » Malone désigna la mosaïque. « Peut-être ne faut-il retenir qu'une lettre sur douze, mais, personnellement, je serais plutôt d'avis de ne retenir qu'un mot sur douze. »

Une croix indiquait le début et la fin de l'inscription. Il observa Christl compter.

« *Claret* », dit-elle en comptant douze. Suivirent deux autres mots, respectivement aux vingt-quatrième et trente-sixième positions. *Quorum. Deus.* « C'est tout. Le dernier mot, *velit*, correspond au nombre 11.

— Intéressant, vous ne trouvez pas ? Trois mots, le dernier s'arrêtant en onzième position afin de signifier que la charade s'arrête là.

— *Claret quorum Deus.* La clarté de Dieu.

— Félicitations, dit Malone. Vous venez de résoudre le Mystère de Charlemagne.

— Vous aviez déjà deviné, n'est-ce pas ? »

Il haussa les épaules. « J'avais essayé au restaurant. Ça semblait fonctionner.

— Ça aussi, vous auriez pu m'en informer, en plus du fait que nous étions suivis.

— J'aurais pu, mais, vous aussi, vous auriez pu m'informer de quelque chose que vous me cachez. » Elle lui lança un regard étonné, mais il ne se laissa pas berner. « Pourquoi est-ce que vous me menez en bateau ? »

Dorothea regarda sa mère dans les yeux. « Tu sais où se trouve Christl ? »

Isabel acquiesça. « Je me préoccupe de mes deux filles. »

Dorothea essayait de conserver une expression impassible, mais la colère qui montait en elle lui compliquait la tâche.

« Ta sœur a choisi de faire équipe avec *Herr* Malone. »

Ces mots la blessèrent. « Tu m'as poussée à l'éconduire. Tu disais qu'il représentait un problème.

— C'est toujours le cas. Ta sœur s'est entretenue avec lui après sa conversation avec toi. »

Dorothea était consumée par l'inquiétude autant que par une jalousie puérile. « Tu as combiné tout cela ? »

Sa mère acquiesça. « Tu disposais d'*Herr* Wilkerson. Je lui ai offert Malone. »

Dorothea se sentait comme anesthésiée, l'esprit embrumé.

« Ta sœur se trouve à Aix-la-Chapelle, dans la chapelle même de Charlemagne. Elle est en train d'y résoudre l'énigme. À toi d'en faire autant. »

Le visage de sa mère restait froid. Alors que son père était insouciant, aimant et chaleureux, sa mère était toujours restée stricte, distante, impersonnelle. Des nourrices s'étaient occupées de Christl et d'elle, et les deux sœurs avaient depuis toujours cherché à attirer l'attention de leur mère, se battant l'une contre l'autre pour obtenir le peu d'affection qu'elle avait à offrir. Dorothea avait toujours considéré que cela avait grandement contribué à la haine qui les liait : chacune aspirait à être unique, alors que, de fait, toutes deux étaient identiques.

« Ce n'est donc rien d'autre qu'un jeu, pour toi ? demanda-t-elle.

— C'est bien plus que cela. C'est l'occasion pour mes filles de mûrir un peu.

— Je te méprise.

— Enfin. De la colère. Si cela peut te garder d'erreurs stupides, alors, Dieu tout-puissant, déteste-moi. »

C'en fut trop pour Dorothea qui fondit sur sa mère. Ulrich s'interposa. Isabel leva une main à son intention, comme elle l'aurait fait à l'intention d'un animal dressé par ses soins, et il recula.

« Que comptais-tu faire ? demanda-t-elle à sa fille. T'en prendre physiquement à moi ?

— C'est ce que je ferais si cela m'était possible.

— Et cela t'aiderait-il à obtenir ce que tu désires ? »

La question fit mouche. Sa colère se volatilisa, pour ne plus laisser en elle qu'un profond sentiment de culpabilité. Comme toujours.

Un sourire se dessina sur les lèvres de sa mère. « Tu dois m'écouter, Dorothea. Je suis vraiment venue ici pour t'aider. »

Werner observait la scène en maîtrisant ses sentiments. Dorothea le pointa du doigt. « Tu as tué Wilkerson pour me donner ensuite Werner. Cela signifie-t-il que Christl conservera son Américain ?

— Ce ne serait pas juste. Bien que Werner soit ton

époux, il n'a jamais été agent des États-Unis. Je m'en occuperai plus tard.

— Et comment peux-tu savoir où il se trouvera demain ?

— La réponse est contenue dans ta question, mon enfant. Je sais précisément où il sera, et je vais te le révéler. »

« Vous avez trois thèses à votre actif, et le testament d'Éginhard vous aurait posé le moindre problème ? lança Malone à Christl. Mon œil. Vous connaissiez déjà la solution de l'énigme.

— Je ne le nierai pas.

— J'ai vraiment été idiot de me mettre dans tout ce bordel. J'ai tué trois personnes en l'espace de vingt-quatre heures, uniquement à cause de votre famille. »

Christl s'assit sur une chaise. « J'ai résolu le mystère jusqu'à ce point. Vous avez vu juste. Ce fut relativement facile. Mais pour quelqu'un vivant au Moyen Âge, c'était probablement impossible. À cette époque, peu de personnes savaient lire et écrire. Je dois avouer que j'étais curieuse de voir jusqu'où vous iriez.

— Et j'ai passé l'épreuve ?

— Assez bien, je dois dire.

— "Seuls ceux capables d'apprécier le trône de Salomon et la frivolité romaine sauront trouver le chemin qui mène au ciel" : c'est ce qui suit. Alors où allons-nous ?

— Libre à vous de me croire ou pas, mais je n'en ai pas la moindre idée. Je me suis arrêtée à cette étape de l'énigme il y a de cela trois jours, pour retourner en Bavière…

— Et m'y attendre ?

— Ma mère m'avait téléphoné pour me dire que Dorothea s'apprêtait à me devancer. »

Malone éprouvait le besoin de mettre les choses au clair. « Si je suis allé sur la Zugspitze, ce fut uniquement pour mon père. Je suis resté parce que le fait que j'aie jeté un coup d'œil à ce dossier a énervé quelqu'un, une personne qui se trouve à Washington.

— Je n'ai pas influé sur votre choix, même légèrement ?

— Un baiser n'engage à rien.

— Moi qui croyais que cela vous avait plu. »

Il était grand temps de clarifier la situation. « Puisque nous en sommes au même stade de l'énigme, nous sommes tous les deux en mesure de résoudre le reste chacun de notre côté. »

Il se dirigea vers la sortie, mais ralentit devant le cadavre. Combien de personnes avait-il tuées au fil des ans ? Beaucoup trop. Mais jamais sans raison. Au nom de son pays. Au nom du devoir et de l'honneur.

Et cette fois-ci ?

Pas de réponse.

Il jeta un coup d'œil à Christl, assise sur sa chaise, imperturbable.

Et il s'en alla.

47

Stéphanie et Edwin Davis se tenaient l'un à côté de l'autre dans les bois, à moins d'une cinquantaine de mètres de la cabane d'Herbert Rowland. Ce dernier était arrivé chez lui quinze minutes auparavant, avec dans les bras une boîte de pizza. Il était ressorti immédiatement pour prendre trois bûches dans le tas de bois. La fumée n'avait pas tardé à sortir de la cheminée de pierre. Stéphanie aurait donné cher pour se trouver devant un feu.

Davis et elle avaient passé une partie de l'après-midi à acheter des vêtements d'hiver, des gants épais et des bonnets de laine. Ils avaient également fait provision de barres chocolatées et de boissons, avant de retourner dans les parages de la cabane, à un endroit où ils pouvaient en toute discrétion surveiller la maison. Davis ne croyait pas que l'assassin reviendrait avant la tombée de la nuit, mais il tenait à être sur place, au cas où.

« Il ne bougera pas de là de toute la nuit », chuchota-t-il.

Bien que les arbres les protégeaient du vent, l'air sec devenait de plus en plus glacial à chaque minute qui passait. L'obscurité tombait tout autour d'eux, comme un nuage d'encre noircissant une eau pure. Leurs nouveaux vêtements avaient tout de la panoplie de chasseur et leur assuraient une protection quasi parfaite. Stéphanie, qui n'avait jamais chassé de toute sa vie, avait eu une drôle de sensation en achetant tous ces articles dans un magasin pour campeurs et chasseurs qui jouxtait l'un des centres commerciaux les plus huppés de la ville de Charlotte.

Ils s'étaient cachés sous un vigoureux conifère, sur un lit d'aiguilles. Elle mangeait un Twix. Sa gourmandise était sa principale faiblesse. L'un des tiroirs de son bureau à Atlanta était empli de ces tentations sucrées.

Elle n'était toujours pas convaincue que leur choix avait été le bon.

« Nous devrions appeler les services secrets, lança-t-elle dans un murmure.

— Vous êtes toujours aussi négative ?

— Vous seriez bien avisé de ne pas écarter cette idée si vite.

— Ce combat ne regarde que moi.

— Et moi, apparemment.

— Herbert Rowland court un grave danger. Si nous frappons à sa porte pour l'en informer, il ne le croira pas. Pas plus que les services secrets. Nous n'avons aucune preuve.

— À part le fait qu'un intrus soit entré par effraction dans cette maison, aujourd'hui.

— Et qui est-ce ? Avons-nous en notre possession la moindre information le concernant ? »

Il n'y avait rien à répondre.

« Nous allons devoir le prendre sur le fait, conclut Davis.

— Vous pensez que c'est le même qui a tué Millicent ?

— C'est lui, je le sais.

— Et si vous me disiez un peu ce dont il retourne en vérité ? Millicent n'a rien à voir avec un amiral décédé,

337

Zachary Alexander pour ne pas le nommer, ni avec l'opération Highjump. Cela dépasse la simple notion de vendetta personnelle.

— Ramsey est le dénominateur commun. Vous le savez parfaitement.

— En fait, tout ce que je sais, c'est que je dispose d'agents spécialement entraînés pour ce genre d'opérations, et, pourtant, me voilà à me geler les fesses en compagnie d'un membre de l'administration Daniels qui a une vieille rancune à vider. »

Elle avala la dernière bouchée de sa barre chocolatée.

« Vous aimez vraiment ces trucs ? demanda-t-il.

— Ça ne prend pas.

— Parce que, moi, je les trouve ignobles. Baby Ruth, ça, c'est de la barre de chocolat. »

Stéphanie plongea sa main dans son sac plastique et en tira une. « Je suis d'accord. »

Il la lui arracha des mains. « Avec toutes mes excuses. »

Elle eut un sourire à moitié forcé. Davis était tout à la fois irritant et intrigant.

« Pourquoi ne vous êtes-vous jamais marié ? demanda Stéphanie.

— Comment pouvez-vous savoir que ce n'est jamais arrivé ?

— Ça saute aux yeux. »

Davis accepta de bon gré sa remarque. « Le sujet n'a jamais été abordé. »

Elle se demanda à qui en revenait la faute.

« Je passe le plus clair de mon temps à travailler, reprit-il en mâchant une bouchée. Et puis je ne voulais pas de la douleur qui va de pair avec un mariage. »

Cela, elle le comprenait parfaitement. Son propre mariage avait été un véritable désastre : il s'était fini par une longue brouille, suivi du suicide de son mari, quinze ans auparavant. Un long moment de solitude. Un sentiment que Davis devait connaître mieux que personne.

« Il n'y a pas que de la douleur, dit-elle. Il y a aussi beaucoup de joies.

— Mais il y a toujours de la douleur. Là est le problème. »

Stéphanie se blottit un peu plus contre le tronc de l'arbre.

« Après la mort de Millicent, poursuivit Davis, j'ai été affecté à Londres. J'ai trouvé un chat, un soir. En sale état. Grosse d'une portée. Je l'ai emmenée chez le vétérinaire qui a réussi à la sauver, mais pas les petits. J'ai adopté la chatte. C'était un animal adorable. Elle n'a jamais griffé personne. Gentille. Affectueuse. Je l'aimais beaucoup. Et puis un jour elle est morte. Cela m'a fait mal. Vraiment très mal. Je me suis dit que tout ce que j'aimais avait une fâcheuse tendance à mourir. Je me suis juré que ça n'arriverait plus.

— C'est très fataliste.

— Réaliste, plutôt. »

Le téléphone portable de Stéphanie vibra contre sa poitrine. Elle jeta un coup d'œil à l'écran. Un appel d'Atlanta. Elle décrocha. Elle entendit un instant son interlocuteur avant de répondre : « Passez-le-moi. » Puis se retournant vers Davis : « C'est Cotton. Il est grand temps de lui dire ce qui se passe. »

Davis ne répondit pas, se contentant d'observer la cabane en mâchant.

« Stéphanie, dit Malone. Est-ce que vous avez trouvé ce que je vous avais demandé ?

— Les choses se sont un peu compliquées. » Dissimulant sa bouche derrière sa main, elle lui raconta les récents événements dans les grandes lignes, avant de lui demander : « Et le dossier ?

— Disparu, selon toute probabilité. »

Et ce fut au tour de Stéphanie d'entendre ce qui s'était passé en Allemagne.

« Qu'êtes-vous en train de faire, en ce moment même ? lui demanda Malone.

— Vous ne me croiriez pas si je vous le disais.

— Étant donné le nombre de trucs débiles que j'ai pu faire ces deux derniers jours, je suis prêt à croire n'importe quoi. »

Elle lui expliqua.

« Ce n'est pas si idiot que ça, jugea Malone. Moi, je me trouve devant une chapelle carolingienne, dans le froid. Davis a raison. Ce type va revenir.

— C'est bien ce que je redoute.

— Apparemment, quelqu'un s'intéresse beaucoup à l'*USS Blazek*, ou plutôt au NR-1A. Peu importe le nom qu'on doive donner à ce fichu sous-marin. » Apparemment, la colère de Malone avait laissé place à l'incertitude. « Si la Maison Blanche pense que le service de renseignement de la Navy s'est immiscé dans cette affaire, ça signifie que Ramsey est de la partie. Nous suivons la même piste sur deux chemins différents, Stéphanie.

— J'ai à côté de moi un type qui mâche un Baby Ruth en pensant exactement la même chose que vous. On dirait que vous avez discuté, tous les deux.

— Je suis toujours reconnaissant envers quelqu'un qui me sauve la peau. »

Elle se souvenait de ce qui s'était passé en Asie centrale. « Où est-ce que mène votre chemin, Cotton ?

— Bonne question. Je vous recontacterai. Soyez prudents.

— Vous aussi. »

Malone raccrocha. Il se trouvait à l'autre bout de la place où se tenait le marché de Noël, près de l'hôtel de ville d'Aix-la-Chapelle, face à la cathédrale qui se dressait à moins de cent mètres de là. L'édifice recouvert de neige brillait d'une lueur verdâtre. Il neigeait, mais le vent était tombé.

Il consulta sa montre. Presque 23 h 30.

Toutes les boutiques de Noël étaient fermées. La foule et sa rumeur entêtante ne reviendraient que le lendemain. Seules quelques personnes se baladaient dans la nuit. Christl ne l'avait pas suivi lorsqu'il était sorti de la chapelle, et, après sa conversation avec Stéphanie, Malone était encore plus décontenancé.

La clarté de Dieu.

Cette expression avait dû avoir un sens très fort à l'époque d'Éginhard. Un sens fort et clair. Ces mots signifiaient-ils encore quelque chose, après tous ces siècles ?

Il existait une façon très simple de le vérifier.

Il ouvrit son application Safari sur son iPhone, se connecta à Internet et se rendit sur la page d'accueil de Google. Il écrivit les mots « clarté de Dieu Éginhard » et appuya sur « rechercher ».

Une courte pause, et la page présenta vingt-cinq résultats.

Le tout premier répondit à sa question.

48

Stéphanie entendit un bruit. Discret, mais assez sonore pour qu'elle ait la certitude qu'il y avait quelqu'un dans les parages. Davis s'était endormi. Elle ne l'avait pas tiré de son sommeil. Il en avait bien besoin. Il était aux abois, et Stéphanie souhaitait l'aider, tout comme Malone l'avait aidée. Cependant, elle se demandait toujours si la tactique qu'ils avaient adoptée était vraiment la meilleure.

Arme au poing, elle scruta les ténèbres de la clairière où se trouvait la cabane de Rowland. Depuis au moins deux heures, plus rien ne bougeait à l'intérieur. Elle tendit l'oreille et entendit un nouveau son. Loin sur la droite. Des branches de sapins bruissèrent. Elle estima la distance qui la séparait de la source de ces bruits. Entre quarante et cinquante mètres.

Elle posa sa main sur la bouche de Davis et tapota son épaule du bout de son arme. Il se réveilla en sursaut, et elle pressa plus fort sa main contre ses lèvres.

« Nous avons de la compagnie », murmura-t-elle.

342

Il acquiesça.

Elle pointa la direction à son attention.

Un autre bruit sec.

Puis un mouvement, près du pick-up de Rowland. Une ombre apparut pour se faire absorber aussitôt par la masse sombre des pins, avant de réapparaître : elle se dirigeait droit vers la cabane.

Charlie Smith s'approcha de la porte d'entrée. L'intérieur de la cabane d'Herbert Rowland était plongé dans l'obscurité depuis assez longtemps.

Il avait passé sa journée au cinéma et avait mangé l'excellent steak de chez Ruth's Chris dont il avait rêvé. Tout compte fait, une journée assez tranquille. Il avait lu divers articles relatant la mort de l'amiral David Sylvian, et s'était réjoui qu'aucune piste criminelle ne fût soupçonnée. Il était revenu à la cabane deux heures auparavant et avait attendu dans la froidure de la forêt.

Tout semblait calme.

Il crocheta très facilement la serrure et pénétra dans la chaleur de la maison. Il se glissa jusqu'au réfrigérateur afin de jeter un coup d'œil à la fiole d'insuline. Le niveau du liquide était nettement plus bas. Il savait que chaque fiole contenait l'équivalent de quatre injections, et il considéra qu'un quart du sérum physiologique avait été utilisé. De ses mains gantées, il déposa la fiole dans un petit sac plastique.

Puis il entra à pas de loup dans la chambre.

Rowland était allongé sur son lit, sous une épaisse couverture en patchwork. Sa respiration était irrégulière. Smith vérifia son pouls. Les pulsations étaient lentes. Le réveil qui reposait sur la table de nuit indiquait presque 1 heure du matin. La dernière injection devait remonter à sept heures. D'après son dossier, Rowland s'injectait son insuline chaque soir aux alentours de 19 heures, puis se mettait à boire. En l'absence d'insuline, l'alcool avait été d'une redoutable efficacité, le plongeant dans un coma diabétique. La mort ne tarderait pas.

Il tira une chaise posée dans un coin. Il devrait attendre ici que Rowland meure. Mais il décida d'agir avec la plus grande précaution. Il avait encore en tête l'image des deux intrus, aussi retourna-t-il au salon où il emprunta deux fusils de chasse à la collection qu'il avait remarquée plus tôt dans la journée. Le premier était une véritable merveille. Un fusil à verrou Mossberg. Magasin interne sept coups, gros calibre, équipé d'une impressionnante lunette de visée télescopique. L'autre était un Remington calibre 12. Un modèle commémoratif d'une grande association de défense des marais, s'il ne se trompait pas. Il avait failli lui-même en acheter un. Le placard qui se trouvait sous le présentoir à fusils était plein à craquer de cartouches. Il chargea les deux armes et alla s'asseoir au chevet de Rowland.

À présent, il était prêt.

Stéphanie agrippa le bras de Davis. Celui-ci était déjà debout, prêt à agir. « Qu'est-ce que vous faites ?

— Nous devons y aller.

— Et qu'allons-nous faire, une fois à l'intérieur ?

— L'arrêter. Il est d'ores et déjà en train de tuer cet homme. »

Elle savait qu'il avait raison.

« Je prends par-devant, dit-elle. La seule autre issue est la baie vitrée donnant sur la terrasse extérieure : couvrez-la. Essayons de lui faire commettre une erreur. »

Davis se précipita.

Elle fit de même, se demandant si son allié avait déjà affronté un péril de cette nature. Si c'était la première fois, c'était un homme sacrément courageux. Sinon, ce n'était qu'un abruti.

Ils rejoignirent la petite route poussiéreuse et coururent en direction de la maison, en faisant le moins de bruit possible. Davis longea le lac et monta doucement sur la terrasse en bois. Derrière les portes-fenêtres, les rideaux avaient été tirés. Davis alla se poster à l'autre bout de la terrasse. Une fois qu'il fut en position, Stéphanie s'avança vers la porte principale et décida d'opter pour l'approche la plus directe.

Elle frappa violemment à la porte.

Puis s'éloigna du seuil.

Smith sursauta sur sa chaise. Quelqu'un venait de frapper à la porte. Puis il entendit des pas sur la terrasse. On tapa à nouveau. Cette fois-ci contre les portes-fenêtres.

« Sors de là, espèce d'enfoiré », cria un homme.

Herbert Rowland n'entendit rien. Sa respiration se faisait de plus en plus laborieuse à mesure que son corps dépérissait.

Smith se saisit des deux fusils et se dirigea vers le salon.

Stéphanie entendit Davis défier l'assassin.

Qu'est-ce qui lui prenait ?

Smith se précipita dans le salon, posa le Mossberg sur le comptoir de la cuisine américaine, et tira à deux reprises avec le Remington sur les rideaux tirés devant les portes-fenêtres. Un vent froid pénétra dans la maison. Il profita de ce moment de confusion pour se réfugier derrière le comptoir.

Les balles qui s'abattirent à sa droite le forcèrent à s'étaler par terre.

Stéphanie ouvrit le feu sur la fenêtre qui se trouvait à côté de la porte. Puis tira une seconde fois. Cela suffirait peut-être à détourner l'attention de l'intrus de la terrasse, où Davis se trouvait, sans arme.

Elle avait entendu deux coups de feu, probablement un fusil de chasse. Son plan était simplement de surprendre le meurtrier en lui faisant comprendre que deux personnes se trouvaient dehors, et d'attendre qu'il commette une erreur.

Manifestement, Davis avait un autre plan.

Smith n'avait pas l'habitude de se faire cerner. Était-ce les deux intrus qui avaient failli le prendre sur le fait ? Sûrement. La police ? Peu probable. Ils avaient frappé à la porte, nom de Dieu ! L'un d'eux l'avait même invité à venir régler ça d'homme à homme. Non, ces deux-là étaient tout sauf des flics. Mais l'analyse pouvait attendre. Pour lors, il lui fallait avant tout sortir de ce guêpier.

Qu'est-ce que MacGyver aurait fait à sa place ?

Il adorait cette série.

Sers-toi de ta tête.

Stéphanie quitta le seuil de la maison et se précipita en direction de la terrasse, guettant les fenêtres, se servant du pick-up de Rowland pour se protéger d'éventuels coups de feu. Elle gardait son pistolet pointé vers la maison, prête à appuyer sur la détente. Ce mouvement stratégique pouvait s'avérer très dangereux, mais elle devait rejoindre Davis. La menace larvée qu'ils avaient découverte avait soudain gagné en ampleur.

Elle courut, aperçut les quelques marches qui menaient à la terrasse, et arriva juste à temps pour voir Edwin Davis lancer ce qui semblait être une chaise en fer forgé dans les portes-fenêtres.

Smith entendit quelque chose passer au travers de ce qui restait des portes-fenêtres, et arracher les rideaux de leur tringle. Il se releva pour tirer à nouveau, en profita pour se saisir du Mossberg, avant de se précipiter dans la chambre. Ceux qui se trouvaient dehors, qui que ce fût, hésiteraient forcément à entrer, et Smith devait mettre à profit ces quelques secondes pour mettre toutes les chances de son côté.

Herbert Rowland était toujours allongé dans son lit. S'il n'était pas encore mort, il devait être en bonne voie. Sans la moindre preuve de quelque crime que ce soit. La fiole et la seringue étaient en sécurité dans la poche de Smith. Des coups de feu avaient été échangés, mais rien ne permettrait par la suite de l'identifier.

Il ouvrit l'une des fenêtres à guillotine de la chambre et sortit le plus rapidement possible. Personne ne se trouvait de ce côté-ci de la maison. Il referma la fenêtre derrière lui. Il s'occuperait plus tard de ceux qui se trouvaient sûrement déjà à l'intérieur, mais pour l'heure il avait pris suffisamment de risques comme ça.

Il s'agissait à présent de jouer en finesse.

Fusil en main, il s'enfonça dans les bois.

« Est-ce que vous avez complètement perdu la tête ? » cria Stéphanie à Davis.

Celui-ci était toujours sur la terrasse.

« Il est parti », dit Davis.

Elle gravit les marches. Elle n'en croyait pas un mot.

« J'ai entendu une fenêtre s'ouvrir, puis se refermer.

— Ça ne signifie pas qu'il est parti, ça signifie simplement qu'une fenêtre a été ouverte, puis refermée. »

Davis s'avança sur les bris de verre.

« Edwin… »

Il disparut à l'intérieur, et elle se précipita derrière lui. Il se dirigeait vers la chambre. Une lampe s'alluma, et Stéphanie arriva sur le seuil. Davis était déjà en train de prendre le pouls d'Herbert Rowland.

« Son cœur bat à peine. Et apparemment, il n'a absolument rien entendu. Il est plongé dans le coma. »

Stéphanie s'attendait à voir surgir l'homme au fusil de chasse. Davis saisit le téléphone qui se trouvait sur la table de chevet, et elle vit le numéro qu'il composa.

911.

Le numéro des urgences.

49

Ramsey entendit sonner à sa porte. Il sourit. Il était resté assis chez lui, à attendre, en lisant un thriller de David Morrell, l'un de ses romanciers préférés. Il referma le livre et laissa mariner un peu son visiteur nocturne. Il se leva enfin, marcha jusqu'au vestibule et ouvrit la porte.

Le sénateur Aatos Kane se tenait sur le seuil, transi de froid.

« Espèce de sale… » commença-t-il à dire.

Ramsey haussa les épaules. « Si vous voulez vraiment mon avis, je me suis dit que ma réponse était assez mesurée, comparée à la rudesse dont a fait preuve votre assistant à mon égard. »

Kane entra comme un ouragan.

Ramsey ne lui proposa pas de le débarrasser. Manifestement, la propriétaire de la boutique de cartes avait d'ores et déjà exécuté ses ordres en envoyant à Kane un message par le biais de son directeur de cabinet, ce trou du cul insolent qui avait joué les gros bras. Un message lui signifiant qu'elle possédait des informations au sujet de la disparition d'une de ses assistantes, trois ans auparavant. Une rousse très séduisante originaire du Michigan qui avait été la victime d'un tueur en série opérant dans Washington et ses environs. On avait fini par retrouver le tueur, suicidé, et l'affaire avait fait la une de tous les journaux du pays.

« Espèce de salaud, cria Kane, vous aviez dit que tout était fini !

— Asseyons-nous un moment.

— Je n'ai pas envie de m'asseoir. J'ai envie de vous défoncer la gueule.

— Ce qui ne changerait rien. » Ramsey adorait remuer le couteau dans la plaie. « J'aurais toujours l'ascendant. Mieux vaudrait se poser la question suivante : voulez-vous vraiment avoir une chance de devenir Président ou préférez-vous tomber en disgrâce ? »

La colère de Kane était teintée d'un flagrant malaise. Le fait de le voir se débattre dans le piège était très jouissif.

Ils s'échangeaient des regards durs, tels deux lions se demandant qui se repaîtrait de l'autre. Kane finit par acquiescer. Ramsey conduisit le sénateur au salon, et ils s'assirent. La pièce était petite, imposant une intimité inconfortable. Visiblement, Kane supportait mal cette position.

« Hier soir, ainsi que ce matin, j'ai sollicité votre aide, dit Ramsey. Une requête sincère adressée à ce que je croyais être un ami. » Il observa une courte pause. « Je n'ai reçu pour seule réponse qu'arrogance et mépris. Votre directeur de cabinet s'est montré aussi déplaisant que grossier. Bien entendu, il ne faisait qu'obéir à vos consignes. D'où ma réponse.

— Vous êtes une saloperie de manipulateur.

— Et vous êtes un époux infidèle qui est parvenu à dissimuler sa faute grâce à la mort très commode d'un tueur en série. Si je me souviens bien, vous avez même réussi à gagner la sympathie de l'opinion publique en faisant étalage de la colère qu'avait suscitée en vous la disparition tragique de votre assistante. Qu'est-ce que vos électeurs, qu'est-ce que votre famille diraient s'ils apprenaient qu'elle s'était fait avorter peu avant de mourir, et que vous étiez le père ?

— Rien ne prouve que j'étais le père.

— Pourtant, cela vous a vraiment paniqué, à l'époque.

— Vous savez parfaitement qu'elle aurait été en mesure de me détruire, que je sois le père ou pas. Ses accusations auraient suffi pour ruiner ma carrière et ma vie. »

Ramsey se tenait droit comme un piquet. L'amiral Dyals lui avait enseigné comment imposer clairement sa supériorité.

« Et votre maîtresse le savait tout aussi parfaitement, dit Ramsey, raison pour laquelle elle a tenté de vous manipuler, ceci expliquant le soulagement qui fut le vôtre lorsque je vous ai aidé. »

Le souvenir de cette fâcheuse posture parut apaiser la colère de Kane. « J'ignorais complètement ce que vous aviez prévu de faire. Si je l'avais su, je m'y serais opposé.

— Vraiment ? » Ramsey s'était attendu à cette tartufferie. « Nous l'avons tuée et nous avons désigné comme coupable un tueur en série, que nous avons également tué. Je me rappelle que la presse avait applaudi des deux mains la conclusion de cette affaire. Le suicide a permis de faire l'économie d'un procès et d'une exécution, et cette histoire a fourni un matériau de premier ordre à une infinité d'articles et de sujets journalistiques. » Il observa un court silence. « Et je ne me souviens pas de la moindre objection de votre part à cette époque. »

Ramsey savait que la plus grande menace pour un politicien était les accusations d'une prétendue maîtresse. Tant d'hommes devaient leur chute à ce procédé si simple. Peu importait que ces allégations fussent dénuées de preuves, voire tout bonnement fausses. Il suffisait simplement qu'elles existent.

Kane s'adossa à son siège. « Quand j'ai su ce que vous aviez fait, il ne me restait plus vraiment de choix. Que voulez-vous, Ramsey ? »

Pas d'« amiral », pas même l'utilisation courtoise de son prénom. « Je veux m'assurer de ma prochaine nomination au Comité des chefs de l'état-major américain. Je croyais avoir déjà exprimé clairement ce souhait ce matin.

— Avez-vous la moindre idée du nombre de personnes qui veulent ce poste ?

— Il doit être relativement important, j'en suis sûr. Mais voyez-vous, Aatos, c'est moi qui ai libéré ce poste : il me revient de droit. »

Kane fixa sur lui un regard hésitant, encaissant le choc de la révélation. « J'aurais dû m'en douter.

— Je viens de vous dire ceci pour trois raisons. Premièrement, parce que je sais que vous ne le répéterez pas sur tous les toits. Deuxièmement, pour que vous compreniez bien à qui vous avez affaire. Et troisièmement, parce que je sais que vous voulez être Président. Les experts s'accordent à dire que vous avez de sérieuses chances de le devenir. Vous avez le soutien de votre parti, vos résultats dans les sondages sont excellents, et vos adversaires ne font pas le poids. Je me suis laissé dire que vous bénéficiez d'un capital de 30 millions de dollars, fruit des donations de plusieurs généreux contributeurs.

— Vous n'avez pas chômé, dit Kane d'un ton aussi poli que triste.

— Vous êtes relativement jeune, en bonne santé, votre femme vous soutient inconditionnellement. Vos enfants vous adorent. Je dois avouer que vous faites figure de candidat parfait.

— Mis à part le fait que j'ai baisé une assistante il y a trois ans, qu'elle est tombée enceinte, s'est fait avorter, avant de se mettre en tête qu'elle était amoureuse de moi.

— Quelque chose dans ce goût-là. Malheureusement pour elle, elle fut victime d'un tueur psychopathe qui,

352

emporté par ses propres bouffées délirantes, se suicida après coup. Et fort heureusement, il laissa derrière lui un bon nombre de preuves le désignant comme l'auteur de plusieurs meurtres, y compris celui de votre assistante, transformant du même coup ce qui représentait pour vous un danger potentiel en un petit plus vis-à-vis de l'opinion publique. »

En outre, Ramsey avait sagement assuré sa mise en obtenant le registre des interruptions volontaires de grossesse de la clinique du sud du Texas, ainsi qu'une copie vidéo de l'entrevue avec une conseillère imposée par les lois texanes avant chaque avortement. Bien qu'inscrite sous un autre nom que le sien, l'assistante avait fini par craquer et avait dit à la conseillère, sans citer personne nommément, qu'elle avait eu une relation avec son employeur. Bien peu de détails en somme, mais assez pour intéresser un grand nombre d'émissions grand public, et annihiler définitivement toute chance qu'aurait pu avoir Aatos Kane d'accéder à la Maison Blanche.

La propriétaire de la boutique de cartes avait remarquablement bien joué, en insistant auprès du directeur de cabinet de Kane sur le fait qu'elle était cette conseillère. Si le sénateur refusait de s'entretenir avec elle, elle contacterait aussitôt la chaîne Fox News, qui ne tarissait jamais de critiques à l'endroit de Kane. Les réputations étaient décidément aussi fragiles que des verres du plus fin cristal.

« Vous avez tué Sylvian ? demanda Kane.

— À votre avis ? »

Kane le toisait sans rien dissimuler de son mépris. Mais il était par ailleurs si anxieux, si désireux de se sortir de ce piège, si pathétique, qu'il finit par fléchir. « Très bien. Je pense que je peux arranger cette nomination. Daniels a besoin de moi. »

L'expression de Ramsey s'adoucit d'un sourire. « Je ne le sais que trop bien. À présent, abordons le deuxième point. » Il ne laissa aucune lueur d'humour ou de sympathie briller dans son regard.

« Quel deuxième point ?

— Je serai votre colistier. »

Kane éclata de rire. « Vous avez perdu la tête.

— Loin s'en faut. La course présidentielle n'est pas difficile à prédire. Trois candidats au sein de votre parti, peut-être quatre, aucun n'ayant votre envergure. Il y aura quelques luttes au cours des primaires, mais vous disposez de ressources trop importantes, sans parler de votre puissance politique, pour que quiconque arrive à vous distancer. Par la suite, vous pourriez être tenté de réunifier le parti en choisissant le meilleur des perdants comme colistier, ou un concurrent inoffensif, mais aucun de ces choix ne serait très avisé. Le premier sera amer, et le second ne vous servira à rien dans la lutte qui vous attend. Vous pourriez vouloir jeter votre dévolu sur quelqu'un qui vous garantirait les votes d'une certaine part de l'électorat, mais cette approche sous-entend que les électeurs s'expriment pour un candidat en fonction de son futur vice-Président, ce qui, comme nous le montre l'histoire, est tout à fait faux. De façon plus réaliste, vous pourriez choisir un colistier qui vous assurerait les votes de son État. Mais là encore, il s'agit d'une stratégie inepte. John Kerry a choisi John Edwards en 2004, mais a perdu la Caroline du Nord. Il a même perdu dans la circonscription d'Edwards. »

Kane afficha un petit sourire narquois.

« Votre plus gros point faible est votre inexpérience en politique étrangère. Les sénateurs n'ont pas l'occasion d'agir dans ce domaine, à moins de s'y immiscer volontairement, chose que, très sagement, vous avez évité de faire au long de toutes ces années. Je peux vous être d'une aide considérable à ce titre. C'est justement mon point fort. Vous n'avez jamais servi sous les drapeaux, et cela fait quarante ans que j'y officie.

— Et vous êtes noir. »

Ramsey sourit. « Vous avez remarqué ? On ne peut décidément rien vous cacher. »

Kane déclara plein d'emphase : « Le vice-Président Langford Ramsey, qui, si un malheur arrivait au Président... »

Ramsey l'interrompit en levant la main. « N'évoquons pas une pareille tragédie. Je souhaite simplement être vice-Président durant huit ans. »

Kane sourit. « Deux mandats consécutifs ?

— Bien sûr.

— Vous avez fait tout cela uniquement pour vous assurer un boulot ?

— Qu'y a-t-il de mal à cela ? N'est-ce pas votre objectif, à vous aussi ? Vous, mieux que quiconque, devriez comprendre ma stratégie. Je ne pourrai jamais être élu Président. Je suis un amiral, sans la moindre formation politique. Mais je suis en mesure d'espérer la deuxième place. Tout ce que je dois faire, c'est impressionner la personne qui occupera la première. Vous. »

Il attendit que ses mots fassent leur effet sur son interlocuteur.

« Inutile de vous détailler tous les avantages que vous tireriez de cet accord, Aatos. Je peux être un allié de poids. Ou, si vous décidez de ne pas honorer notre marché, je peux devenir un redoutable adversaire. »

Il observa Kane peser le pour et le contre. Il connaissait bien cet homme. C'était un hypocrite, immoral et sans cœur, qui avait passé toute sa vie de représentant du peuple à se forger une réputation et une popularité qu'il entendait à présent mettre à profit pour accéder à la présidence.

Rien ne semblait pouvoir empêcher la marche du destin.

Rien ne l'empêcherait, à moins que...

« Très bien, Langford. Je vous donnerai une place dans l'histoire. »

Il se décidait enfin à l'appeler par son prénom. C'était un bon début.

« Je peux également vous offrir autre chose, dit Ramsey. Appelons ça un bon geste, afin de vous prouver que je ne suis pas le démon pour lequel vous me prenez. »

Il surprit de la méfiance dans le regard pénétrant de Kane.

« J'ai appris que votre principal opposant durant les primaires sera le gouverneur de la Caroline du Sud. Lui et vous vous entendez comme chien et chat, et le combat qui vous attend pourrait vite prendre une tournure personnelle. Il représente un danger potentiel, principalement dans le Sud. Voyons les choses en face : il est impossible de remporter la Maison Blanche sans le Sud. On ne saurait ignorer le poids électoral de cette région.

— À qui le dites-vous.

— Je peux empêcher sa candidature. »

Kane leva les mains, comme pour l'arrêter. « Je ne veux plus un seul mort, vous m'entendez ?

— Vous me croyez à ce point stupide ? J'ai en ma possession des informations qui pourraient réduire toutes ses chances à néant avant même le début des primaires. »

Ramsey surprit une brève lueur amusée dans les yeux de Kane. Son interlocuteur prenait d'ores et déjà plaisir à leur alliance. Ça n'avait rien de surprenant : plus que tout, Kane savait s'adapter. « S'il se retirait de la course dès à présent, cela ne ferait que faciliter la collecte de fonds pour la campagne.

— Dans ce cas, considérez cela comme un cadeau de votre nouvel allié. Il se retirera… » Une courte pause, et il poursuivit : « … dès que je serai entré au Comité des chefs d'état-major. »

50

Ramsey avait du mal à contenir sa joie. Tout s'était passé précisément comme il l'avait prédit. Si Aatos Kane était élu Président, la postérité de Ramsey serait assurée. Et s'il perdait les élections, Ramsey prendrait sa retraite en tant qu'ancien membre du Comité des chefs d'état-major.

Dans les deux cas, il s'agirait d'une victoire.

Il éteignit les lampes et se dirigea vers l'escalier. Quelques heures de sommeil ne lui feraient pas de mal : la journée du lendemain serait cruciale. Dès que Kane aurait contacté la Maison Blanche, les rumeurs fuseraient tous azimuts. Ramsey devait se préparer à esquiver les assauts de la presse, sans jamais rien nier ou confirmer quoi que ce soit. Il serait alors question d'un bruit de couloir sur une possible nomination par la Maison Blanche, et il devrait se montrer ravi du simple fait que de telles rumeurs puissent courir. Le soir même, les *spin doctors* confirmeraient sa nomination hors caméra, afin d'évaluer les réactions, et, à moins d'un improbable retournement de situation, la rumeur deviendrait réalité dès le lendemain.

Son téléphone portable sonna dans la poche de sa robe de chambre. Bizarre, à cette heure.

Il se saisit de l'objet, sur l'écran duquel aucun numéro ne s'était affiché.

La curiosité l'emporta. Il s'immobilisa au milieu de l'escalier et répondit à l'appel.

« Amiral Ramsey, ici Isabel Oberhauser. »

Il était rarement surpris, mais ces simples mots lui firent écarquiller les yeux. La voix était âgée, râpeuse. Les mots anglais étaient teintés d'un accent germanique.

« Vous êtes pleine de ressources, *Frau* Oberhauser. Après toutes ces années passées à infiltrer la marine dans l'espoir d'obtenir des renseignements, voici que vous êtes parvenue à me contacter directement.

— Cela n'a pas été si difficile. Le capitaine Wilkerson m'a donné votre numéro. Avec une arme chargée pressée contre sa tempe, il s'est montré particulièrement coopératif. »

L'inquiétude de Ramsey grandit soudain.

« Il m'a dit beaucoup d'autres choses, amiral. Il tenait tellement à vivre qu'il a cru qu'en répondant à mes questions il parviendrait à ses fins. Hélas ! il en fut tout autrement.

— Vous l'avez tué ?

— Je vous ai épargné cette tâche. »

Il était hors de question que Ramsey admette la moindre chose. « Que voulez-vous ?

— En vérité, je vous appelle pour vous proposer quelque chose. Mais avant cela, puis-je me permettre de vous poser une question ? »

Ramsey finit de grimper les marches et alla s'asseoir sur le bord de son lit. « Je vous en prie.

— Pourquoi mon mari est-il mort ? »

Il perçut un soupçon fugace d'émotion dans sa voix glaciale et comprit immédiatement quel était le talon d'Achille de cette femme. Il décida de lui dire la vérité. « Il s'est porté volontaire pour une mission périlleuse. La même qu'entreprit son propre père, de nombreuses années auparavant. Et quelque chose est arrivé au sous-marin.

— Vous vous contentez d'évidences, sans répondre à ma question.

— Nous ignorons complètement pourquoi le sous-marin a sombré. Nous savons simplement que c'est ce qui s'est passé.

— L'avez-vous retrouvé ?

— Il n'est jamais revenu à son port d'attache.

— À nouveau, vous ne répondez pas à ma question.

— Peu importe qu'on l'ait retrouvé ou pas. Cela ne change rien au fait que l'équipage soit mort.

— Cela a de l'importance à mes yeux, amiral. J'aurais préféré inhumer mon époux. Il méritait de reposer auprès de ses ancêtres. »

Ramsey, lui aussi, avait une question. « Pourquoi avoir tué Wilkerson ?

— Ce n'était qu'un opportuniste. Il voulait profiter de la fortune de la famille. Je ne l'aurais pas accepté. De plus, c'était votre espion.

— Vous semblez être une femme particulièrement dangereuse.

— Wilkerson a dit la même chose. Il m'a dit que vous vouliez qu'il meure. Que vous lui aviez menti. Que vous vous étiez servi de lui. C'était un homme faible, amiral. Mais il m'a également répété ce que vous aviez dit à ma fille. Comment était-ce ? Ah ! oui : "Vous ne pouvez même pas imaginer ce qui s'y trouve." C'est ce que vous lui avez répondu lorsqu'elle vous a demandé s'il y avait quelque chose à trouver en Antarctique. Mais répondez donc à ma question. Pourquoi mon époux est-il mort ? »

Cette femme était persuadée d'avoir le dessus, se croyant permis de l'appeler ainsi, au beau milieu de la nuit, pour l'informer de la mort du directeur des renseignements de la Navy à Berlin. Elle avait du cran, il le reconnaissait. Mais elle était en position d'infériorité, car il en savait bien plus qu'elle.

« Avant de proposer à votre époux de prendre part à cette expédition en Antarctique, nous nous sommes renseignés de façon approfondie à son sujet, ainsi qu'au sujet de son père. Ce qui a suscité en premier lieu notre intérêt fut l'obsession des nazis pour cette quête en Antarctique. C'est vrai, ils ont trouvé un certain nombre de choses en 1938, vous n'êtes pas sans le savoir, bien entendu. Malheureusement, les nazis étaient bien trop obtus pour comprendre la réelle valeur de ce qu'ils avaient trouvé. Ils ont réduit au silence votre beau-père. Et lorsqu'il a recouvré sa liberté de parler de ses recherches, cela n'intéressait plus personne. De plus, votre époux ne parvint pas à apprendre ce qu'avait découvert son père. La quête resta au point mort… jusqu'à ce que nous entrions en scène, bien sûr.

— Et qu'avez-vous appris ? »

Ramsey gloussa. « Ce serait beaucoup moins palpitant si je vous le disais maintenant.

— Comme je vous l'ai dit précédemment, je vous ai appelé pour vous proposer quelque chose. Vous avez envoyé un homme pour tuer Cotton Malone et ma fille Dorothea. Il est entré par effraction dans notre demeure familiale, mais il avait sous-estimé nos forces. Il en est mort. Je ne veux pas que ma fille meure, d'autant plus que Dorothea ne représente à vos yeux aucune menace. Ce qui n'est pas le cas de Cotton Malone, depuis qu'il a pris connaissance du rapport d'enquête sur la disparition du sous-marin. Ai-je tort ?

— Je vous écoute.

— Je sais précisément où il se trouve. Pas vous.

— Comment pouvez-vous en être aussi sûre ?

— Parce qu'il y a quelques heures à peine, à Aix-la-Chapelle, Malone a tué deux hommes venus l'assassiner. Des hommes également dépêchés par vous. »

Ramsey l'ignorait jusqu'alors : il attendait encore les rapports d'Allemagne. « Votre réseau d'information est très efficace.

— *Genau*. Voulez-vous savoir où se trouve Malone ? »

La curiosité ne l'avait pas quitté. « À quel petit jeu jouez-vous ?

— Je ne désire qu'une chose : que vous ne vous mêliez plus de nos affaires de famille. Vous non plus n'aimeriez pas que nous nous mêlions des vôtres. Nous n'avons qu'à rester chacun de notre côté. »

Ramsey comprit que cette femme pouvait être une alliée de taille, aussi décida-t-il de lui offrir quelque chose. « Je suis allé là-bas, *Frau* Oberhauser. En Antarctique. Juste après la disparition du sous-marin. J'y ai effectué une plongée décisive. J'y ai vu des choses.

— Des choses que je ne peux même pas m'imaginer ?

— Des choses qui sont restées pour toujours gravées dans mon esprit.

— Et pourtant, vous n'en avez jamais parlé.

— C'est en cela que consiste mon travail.

— Je veux connaître ce secret. Avant de mourir, je veux savoir pourquoi mon mari n'est jamais revenu.

— Peut-être puis-je vous aider à le découvrir.

— À condition que je vous dise où se trouve Cotton Malone en ce moment même ?

— Je ne vous promets rien, mais je suis le meilleur atout dont vous disposiez.

— Raison pour laquelle je vous ai appelé.

— Dans ce cas, dites-moi ce que je veux savoir, lança Ramsey.

— Malone se dirige vers le village d'Ossau, en France. Il devrait y arriver dans quatre heures. Ça vous laisse amplement le temps d'y envoyer un petit comité d'accueil. »

51

Stéphanie se trouvait sur le seuil de la chambre d'Herbert Rowland, dans le couloir de l'hôpital. Edwin Davis était à ses côtés. Rowland avait été accueilli en toute hâte aux urgences, s'accrochant encore à un brin de vie, mais l'équipe soignante avait réussi à stabiliser son état. Stéphanie était toujours furieuse envers Davis.

« Je vais appeler mon équipe, lui lança-t-elle.

— J'ai déjà contacté la Maison Blanche. »

Une demi-heure auparavant, il avait soudain disparu, et elle s'était demandé ce qu'il manigançait encore.

« Et qu'a dit le Président ?

— Il dort. Mais les services secrets sont en route.

— Il était temps que vous vous mettiez à réfléchir.

— Je voulais mettre la main sur ce fils de pute.

— Vous avez eu de la chance qu'il ne vous tue pas.

— On finira par l'avoir.

— Et comment ? Grâce à vous, il a disparu dans la nature. Nous aurions pu lui faire peur, le coincer dans cette maison jusqu'à ce que les flics arrivent. Mais non,

362

il fallait absolument le défier et balancer une chaise à travers les portes-fenêtres.

— J'ai fait ce que je devais faire, Stéphanie.

— Vous perdez les pédales, Edwin. Vous vouliez que je vous aide, et je vous ai aidé. Si vous désirez vraiment vous faire tuer, parfait, faites donc, mais ne comptez pas sur moi pour assister au spectacle.

— Si je n'avais pas un minimum de bon sens, je croirais que vous vous faites du souci pour moi. »

Le numéro de charme ne prendrait pas. « Edwin, vous aviez raison, il y a bien un assassin lâché dans la nature. Mais ce n'est pas ainsi qu'on l'attrapera, très cher. Pas du tout. C'est tout le contraire. »

Le téléphone portable de Davis sonna. Il regarda l'écran. « C'est le Président. » Il appuya sur un bouton. « Monsieur. »

Davis écouta pendant un certain temps avant de tendre le téléphone à Stéphanie en lui disant : « Il souhaite vous parler. »

Elle s'en saisit aussitôt : « Votre conseiller est timbré.

— Racontez-moi ce qui s'est passé. »

Elle lui fit un résumé.

Lorsqu'elle eut fini, Daniels déclara : « Vous avez raison : il est temps que je reprenne un peu les rênes. Edwin est trop impliqué personnellement. J'étais au courant pour Millicent. C'est l'une des raisons qui m'ont poussé à lui donner mon accord. Ramsey l'a bien tuée, ça ne fait aucun doute de mon point de vue. Je suis également convaincu qu'il a assassiné l'amiral Sylvian et le capitaine de corvette Alexander. Trouver des preuves qui corroboreraient ces certitudes, ça, c'est bien évidemment une tout autre paire de manches.

— Nous sommes peut-être arrivés dans un cul-de-sac, dit Stéphanie.

— Ce n'est pas la première fois. Trouvons un moyen de continuer à avancer.

— On dirait que j'ai le chic pour tomber dans ce genre de pétrins. »

Daniels gloussa. « C'est l'un de vos talents. À titre informatif, je viens d'apprendre qu'on a retrouvé deux cadavres dans la cathédrale d'Aix-la-Chapelle, il y a quelques heures à peine. Avec des impacts de balles un peu partout à l'intérieur. L'un des deux hommes a été abattu, l'autre a fait une chute mortelle. Tous deux étaient des indépendants que nos agences de renseignement engageaient fréquemment pour des missions ponctuelles. Les Allemands ont ouvert une enquête, conjointement avec nous. Cette info faisait partie de mon briefing matinal. Ça a peut-être un rapport avec notre affaire. »

Stéphanie choisit de ne pas mentir. « Malone se trouve à Aix-la-Chapelle.

— Je savais que vous alliez me dire ça.

— Quelque chose se trame là-bas, et Cotton pense que c'est lié à ce qui se passe ici.

— Il a sans doute raison. Il faut absolument que vous restiez sur le coup, Stéphanie. »

Elle jeta un regard à Edwin Davis qui se tenait en retrait, dos au mur.

La porte de la chambre d'Herbert Rowland s'ouvrit sur un homme vêtu d'une combinaison verte : « Il est conscient et désire vous parler.

— Il faut que je vous laisse, dit Stéphanie à Daniels.

— Prenez bien soin de mon petit gars. »

À bord de sa voiture de location, Malone remontait une côte. De part et d'autre de la bande d'asphalte, la neige recouvrait la campagne rocailleuse : les services municipaux avaient parfaitement déblayé l'autoroute. Il se trouvait au cœur des Pyrénées, du côté français, non loin de la frontière espagnole, et se dirigeait vers le village d'Ossau.

Il avait pris le premier train à Aix-la-Chapelle et, une fois arrivé à Toulouse, avait loué une voiture pour s'enfoncer plus avant, vers le sud-ouest. En tapant « clarté de Dieu Éginhard » sur Google la nuit dernière, il avait appris que ces mots faisaient référence à un monastère du VIIIe siècle, situé dans les montagnes françaises. Les Romains avaient bâti à cet endroit une ville immense, véritable métropole des Pyrénées, qui était bien vite devenue un des centres d'échanges commerciaux et culturels de l'empire. Mais au cours des guerres fratricides qui opposèrent les rois francs, la ville avait été mise à sac, incendiée et détruite. Aucun habitant n'avait été épargné. Plus une pierre ne reposait sur l'autre. Seul un rocher se dressait au milieu des champs ravagés, figurant, comme le dit un chroniqueur de l'époque, « un désert de solitude ». Les lieux restèrent tels quels durant deux siècles, jusqu'à ce que Charlemagne ordonne la construction d'un monastère qui comporterait une chapelle, une salle capitulaire et un cloître, ainsi que la création d'un village à proximité. Éginhard lui-même supervisa les travaux, nommant à la tête du monastère son premier évêque, Bertrand, qui s'illustra tant par sa piété que par ses qualités d'administrateur. Bertrand mourut en 820 au pied de l'autel et fut inhumé sous la chapelle à laquelle il avait donné le nom de Sainte-Estelle.

Au volant de sa voiture, Malone avait traversé une série de villages très pittoresques. Il avait déjà visité cette région, et la dernière fois qu'il s'y était rendu remontait à l'été précédent. Si ce n'est par leur nom, ces villages se ressemblaient tous. À Ossau, de vieilles maisons bordaient des rues sinueuses et pentues, présentant au monde des façades de pierre brute, embellies pour certaines par des décorations, des blasons et des corbeaux ouvragés. Le sommet des toits de tuiles présentait des angles confus, semblables à des briques qu'on aurait jetées dans la neige. Des cheminées fumaient dans l'air frais. Le village comptait un millier d'habitants et quatre auberges destinées aux touristes.

Malone se gara au centre du village. Il remarqua une ruelle qui menait jusqu'à un jardin public. Habillées chaudement, quelques personnes entraient et sortaient des différents commerces, le visage fermé.

Il contempla le ciel clair au-dessus des toits, et s'engagea sur une route escarpée au bout de laquelle une tour carrée se dressait sur un éperon rocheux.

Les ruines de Sainte-Estelle.

Stéphanie se tenait au chevet d'Herbert Rowland. Davis se trouvait face à elle. Rowland était encore sous le choc, mais bel et bien conscient.

« C'est vous qui m'avez sauvé la vie ? » demanda-t-il d'une voix qui n'était presque qu'un murmure.

« Monsieur Rowland, dit Davis. Nous travaillons pour le gouvernement. Nous n'avons pas beaucoup de temps devant nous. Nous devons vous poser certaines questions.

— Vous m'avez sauvé la vie ? »

Stéphanie lança à Davis un regard qui signifiait « Laissez-moi faire ». « Monsieur Rowland, un homme a tenté de vous tuer hier soir. Nous ne savons pas encore par quel moyen, mais il a réussi à vous plonger dans un coma diabétique. Par chance, nous étions là. Vous sentez-vous en mesure de répondre à quelques questions ?

— Pourquoi voudrait-on me tuer ?

— Vous souvenez-vous de l'*USS Holden* et de sa mission en Antarctique ? »

Il parut chercher au fin fond de sa mémoire. « Ça remonte à longtemps. »

Elle acquiesça. « Effectivement. Mais c'est à cause de cela que cet homme a tenté de vous tuer.

— Pour qui travaillez-vous ?

— Une agence de renseignement. » Elle pointa Davis du doigt. « Et lui travaille pour la Maison Blanche. Le capitaine de l'*USS Holden*, Zachary Alexander, a été assassiné avant-hier soir. L'un des hommes qui vous ont accompagné dans votre mission en Antarctique, Nick Sayers, est mort il y a déjà plusieurs années. Nous nous sommes dit que vous pourriez être la prochaine victime, et nous avions malheureusement raison.

— Je ne sais rien.

— Qu'avez-vous découvert en Antarctique ? » demanda Davis.

Rowland ferma les yeux, et Stéphanie craignit qu'il ne s'endorme. Au bout de quelques secondes, il les rouvrit et secoua la tête. « J'ai reçu l'ordre de ne jamais parler de ça. À qui que ce soit. L'amiral Dyals me l'a ordonné en personne. »

Stéphanie connaissait Raymond Dyals, ancien chef des opérations navales.

« C'est lui qui a envoyé le NR-1A là-bas », dit Davis.

Cela, elle l'ignorait.

« Vous êtes au courant, pour le sous-marin ? » demanda Rowland.

Stéphanie acquiesça. « Nous avons lu le rapport d'enquête sur sa disparition, et nous nous sommes entretenus avec le capitaine Alexander avant qu'il meure. Alors dites-nous ce que vous savez. » Elle décida de jouer cartes sur table. « Il se pourrait que votre vie en dépende.

— Il faut que j'arrête de boire, dit Rowland. Mon docteur m'a dit que ça finirait un jour par me tuer. Je prends mon insuline tous les...

— Vous en êtes-vous injecté hier soir ? »

Il acquiesça.

Stéphanie commençait à bouillir d'impatience. « Les médecins nous ont dit que votre taux d'insuline était nul. C'est pour cette raison que vous êtes tombé dans le coma. Cela, plus l'alcool. Mais tout cela est secondaire. Nous devons savoir ce que vous avez découvert en Antarctique. »

52

Malone inspecta les quatre auberges d'Ossau et porta son choix sur L'Arlequin, à la façade austère, mais à l'intérieur élégant, avec pour décoration de Noël un sapin odorant, une crèche délicate et du houx accroché aux portes des chambres. Le propriétaire lui ouvrit son livre d'or, dans lequel, expliqua-t-il, se trouvaient les noms des plus fameux explorateurs des Pyrénées, ainsi que de nombreuses célébrités des XIXᵉ et XXᵉ siècles. On servait au restaurant un délicieux ragoût de lotte assorti de jambon de pays : Malone ne se fit pas prier pour en faire son déjeuner, avant d'attendre près d'une heure pour savourer une bûche maison au chocolat et aux châtaignes.

Il apprit par le serveur que les vestiges de Sainte-Estelle étaient fermés au public durant l'hiver, et n'étaient ouverts qu'entre mai et août afin de présenter aux touristes qui affluaient alors en masse un superbe panorama sur la région. Toujours selon le serveur, il n'y avait pas grand-chose à voir sur place, à part des ruines. Chaque année, la municipalité et le diocèse finançaient des travaux de restauration. En dehors de tout cela, l'endroit était constamment désert.

Malone se dit qu'une visite s'imposait. La nuit tomberait

vite, sûrement autour de 17 heures : il devait profiter des quelques heures d'ensoleillement qui lui restaient.

Il quitta l'auberge avec son pistolet et ses deux dernières cartouches. Il devait faire −5 °C. La neige qui tapissait le paysage craquait sous les semelles de ses bottes comme des céréales. Il se félicita d'avoir acheté ces nouvelles bottes à Aix-la-Chapelle, sachant qu'il allait devoir progresser sur un terrain accidenté. Le nouveau pull qu'il portait sous sa veste de cuir le protégeait parfaitement du froid, et ses gants fins de cuir lui assuraient confort et mobilité.

Il était prêt.

Mais à quoi ?

Cela, il n'en savait rien.

Stéphanie attendait qu'Herbert Rowland réponde à sa question concernant ses agissements en 1971.

« Je ne dois rien à ces salauds, marmonna Rowland. J'ai tenu parole. Jamais dit un traître mot. Mais ils sont quand même venus me faire la peau.

— Il faut que nous sachions pourquoi », dit Stéphanie.

Rowland inspira une bouffée d'oxygène par son masque. « C'est le truc le plus fou qui me soit jamais arrivé. Ramsey est arrivé à la base, il nous a pris, Sayers et moi, et il nous a dit qu'on allait en Antarctique. On faisait partie des forces spéciales, on était habitués aux missions bizarres, mais, celle-ci, ça a été la plus bizarre de toutes. À l'autre bout de la terre, pour ainsi dire. » Il inspira une autre bouffée. « Nous avons pris un jet pour l'Argentine, nous sommes montés à bord de l'*USS Holden*, et on est restés entre nous, en évitant les contacts avec le reste de l'équipage. On nous avait dit de guetter au sonar le signal d'une balise acoustique, mais ce n'est qu'une fois sur la terre ferme qu'on a fini par l'entendre. C'est là que Ramsey a enfilé sa combinaison et a fait une plongée. Il est revenu environ cinquante minutes plus tard. »

« *Qu'est-ce que vous avez trouvé ?* » *demanda Rowland en aidant Ramsey à sortir de l'eau glacée en le saisissant par une épaule.*

Nick Sayers se saisit de l'autre : « Quelque chose d'intéressant ? »

Ramsey enleva son masque et sa cagoule étanche. « Il fait aussi froid que dans le cul d'un ours polaire, là-dedans. Même avec cette combinaison. Sacrée plongée, en tout cas.

— Ça fait presque une heure que vous êtes parti. Des problèmes de palier ? » demanda Rowland.

Ramsey hocha la tête. « Je suis resté au-dessus de trente pieds tout du long. » Il pointa du doigt vers sa droite. « L'océan remonte jusque là-bas, au pied de la montagne. »

Ramsey retira ses gants de plongée et Sayers lui en tendit une nouvelle paire, sèche. La peau ne pouvait pas rester exposée plus d'une minute d'affilée. « Il faut que j'enlève cette combinaison et que j'enfile mes vêtements.

— Et vous avez vu quoi, alors, en dessous ?

— La flotte est tellement claire. C'est tellement coloré qu'on dirait une barrière de corail. »

Rowland comprit que Ramsey s'obstinerait à ignorer leurs questions. Il remarqua un sac étanche et opaque accroché à la taille de Ramsey. Cinquante minutes auparavant, le sac était vide. À présent, il contenait quelque chose.

« Qu'est-ce qu'il y a là-dedans ? » demanda-t-il.

« Il ne m'a pas répondu, chuchota Rowland. Et il nous a interdit, à Sayers et à moi, de toucher à ce sac.

371

— Que s'est-il passé ensuite ? demanda Stéphanie.

— Nous sommes repartis. C'était Ramsey qui commandait. On a fait quelques mesures de radioactivité, sans rien trouver, et puis Ramsey a ordonné que l'*Holden* prenne plein nord. Il n'a jamais dit un mot à propos de ce qu'il avait vu au cours de cette plongée.

— Quelque chose m'échappe, dit Davis. En quoi représentez-vous une menace ? »

Rowland s'humecta les lèvres. « Sans doute à cause de ce qui s'est passé sur le retour. »

Rowland et Sayers décidèrent de prendre le risque. Ramsey se trouvait sur le pont supérieur en compagnie du capitaine Alexander, à jouer aux cartes avec d'autres hommes. Ils avaient l'occasion de voir ce que le chef de leur mission spéciale avait trouvé au cours de sa plongée. Ni l'un ni l'autre n'appréciaient qu'on leur cache quoi que ce soit.

« Tu es sûr de connaître la combinaison ? demanda Sayers.

— C'est le maître de manœuvre qui me l'a donnée. Ramsey joue son petit chef depuis le début, et ce n'est même pas son navire : il s'est fait une joie de m'aider. »

À côté du casier de Ramsey se trouvait un petit coffre. Ce qu'il avait ramené de sa plongée se trouvait à l'intérieur, depuis ces trois derniers jours au cours desquels ils étaient sortis du cercle arctique pour croiser dans l'Atlantique-Sud.

« Garde un œil sur la porte », dit-il à Sayers. Il s'agenouilla et composa la combinaison qu'on lui avait donnée.

Les trois cliquètements indiquèrent que les chiffres étaient les bons.

Il ouvrit le coffre et aperçut le petit sac hermétique. Il le retira et sentit qu'il contenait un objet de 25 centimètres sur 20 environ, pour une hauteur approximative de 2,5 centimètres. Il ouvrit la fermeture Éclair du sac, en vida le contenu et comprit aussitôt ce dont il s'agissait : le journal de bord d'un navire. Sur la première page, écrit à l'encre bleue d'une main assez épaisse, on lisait : « DÉBUT DE LA MISSION : 17 OCTOBRE 1971. FIN DE LA MISSION : ___ » La deuxième date aurait dû être inscrite une fois le navire de retour à son port d'attache. Mais Rowland savait que le capitaine qui avait tenu ce carnet de bord n'avait pas eu la chance d'accomplir sa mission jusqu'au bout.

Sayers s'approcha. « Qu'est-ce que c'est ? »

La porte de la cellule s'ouvrit soudain.

Ramsey entra. « J'étais sûr que vous finiriez par faire quelque chose dans ce goût-là.

— Va te faire mettre, Ramsey, lança Rowland. Nous sommes tous du même grade. Tu n'es pas notre supérieur. »

Un sourire plissa les lèvres sombres de Ramsey. « En réalité, je suis bel et bien votre supérieur. Mais peut-être valait-il mieux que vous fassiez cette bêtise. À présent, vous connaissez les enjeux de cette mission.

— Tu m'étonnes, lui répondit Sayers. On s'est portés volontaires, comme toi, et, nous aussi, on veut notre récompense.

— Libre à vous de me croire, dit Ramsey, mais je comptais tout vous révéler avant que nous arrivions au port. Il reste certaines choses à faire, et je ne peux y arriver tout seul. »

« Qu'est-ce que ce carnet avait de si important ? » demanda Stéphanie.

Davis, lui, semblait avoir compris. « Ça saute aux yeux.

— Pas aux miens, en tout cas.

— Ce journal de bord était celui du NR-1A », répondit Rowland.

Malone remonta le sentier caillouteux, une fine bande au bord du versant boisé, qui décrivait un virage en tête d'épingle tous les trente mètres. D'un côté, les stations du chemin de croix en fer forgé se succédaient en une solennelle procession, et, de l'autre, la vue s'élargissait peu à peu en un incroyable panorama. Le soleil baignait la vallée encaissée, et, au loin, Malone devina de sombres et profondes gorges.

Il se dirigeait vers l'un des cirques pyrénéens, ces enceintes circulaires nichées au cœur des montagnes auxquelles on n'accédait qu'à pied. Les hêtres semblaient s'accrocher au versant, chétifs et torturés, leurs branches nues enneigées, tordues en nœuds informes. Il observait attentivement le sentier irrégulier, mais n'y décela aucune trace de pas, ce qui ne signifiait pas grand-chose, étant donné la puissance du vent qui balayait toute la région.

Un dernier coude, et l'entrée du monastère se dressa au loin, au bord du cirque. Malone s'arrêta un instant pour reprendre haleine et contempla la vue. Plus loin dans la vallée, de violentes bourrasques soulevaient la neige en tourbillons.

Une haute muraille s'étendait à droite et à gauche. À en croire ce qu'il avait lu, ces pierres avaient vu passer Romains, Wisigoths, Maures et Francs, sans oublier les chevaliers de la croisade des Albigeois. Des batailles avaient certainement été livrées pour prendre ce lieu stratégique. Le silence était palpable, et l'atmosphère solennelle. L'histoire de cet endroit reposait dans cette terre même, les chroniques de sa gloire passée n'ayant été ni gravées dans la pierre ni écrites sur le parchemin.

La clarté de Dieu.

Rêve ? Ou réalité ?

Il parcourut les quinze derniers mètres, s'approcha de la grille d'acier qui barrait l'entrée, et y aperçut une chaîne et un puissant cadenas.

Génial.

Impossible d'escalader ces murs.

Il se saisit des barreaux de la grille. Le froid du métal traversa le cuir de ses gants. Et maintenant ? Fallait-il faire le tour du site en espérant trouver un trou dans la maçonnerie ? C'était apparemment la seule solution. Malone était exténué, et il connaissait bien ce stade de la fatigue : c'était là que l'esprit se perdait dans un dédale de possibilités, et que chaque idée aboutissait à un cul-de-sac.

Dans un élan de colère, il secoua la grille.

La chaîne d'acier tomba au sol.

53

CHARLOTTE

Stéphanie assimila ce qu'Herbert Rowland venait de lui dire, avant de lui demander : « Vous êtes en train de nous dire que le NR-1A était intact ? »

Rowland commençait à fatiguer, mais il fallait aller jusqu'au bout de cet entretien.

« Je vous ai simplement dit que Ramsey avait ramené le journal de bord. »

Davis lança un regard qui en disait long à Stéphanie. « Je vous avais dit que ce fils de pute était profondément impliqué dans cette affaire.

— C'est Ramsey qui a cherché à me tuer ? » demanda Rowland.

Elle n'avait aucune intention de lui répondre, mais comprit que Davis était d'un tout autre avis.

« Il a le droit de savoir, dit Davis.

— C'est déjà assez compliqué comme ça. Vous voulez vraiment nous rendre la tâche impossible ? »

Davis regarda Rowland droit dans les yeux. « Nous pensons que Ramsey est derrière tout ça.

— Nous n'avons aucune *certitude* à ce sujet, s'empressa-t-elle d'ajouter. Mais ça semble se confirmer.

— Ramsey a toujours été un salaud, dit Rowland. Une fois notre mission remplie, c'est lui qui en a retiré tous les bénéfices. Sayers et moi, on n'y a quasiment rien gagné. Oh ! bien sûr, on a eu un peu d'avancement, mais rien comparé à ce que Ramsey a réussi à obtenir. » Rowland reprit son souffle, clairement fatigué. « Un grade d'amiral. Et toutes les étoiles qui vont avec.

— Peut-être ferions-nous mieux de remettre la suite de cet entretien à plus tard, dit Stéphanie.

— Certainement pas, répondit Rowland. Personne ne s'en prend à moi sans s'en mordre les doigts. Si je n'étais pas cloué à ce lit, j'irais le tuer moi-même. »

Stéphanie se demanda s'il ne s'agissait vraiment que d'une façon de parler.

« C'est la dernière fois que je bois une goutte d'alcool, dit Rowland. Plus jamais ça. Je le jure. »

La colère était une médecine efficace. Les yeux de Rowland étincelaient littéralement. « Dites-nous tout, lança Stéphanie.

— Qu'est-ce que vous savez au sujet de l'opération Highjump ?

— La version officielle, c'est tout, répondit Davis.

— Qui est un ramassis de foutaises. »

L'amiral Byrd avait emmené avec lui en Antarctique six avions R4-D, équipés de caméras hypersophistiquées et de magnétomètres. Ils décollaient du porte-avions grâce à des appareillages à réaction. La petite flotte aérienne comptabilisa deux cents heures de vol pour 37 000 kilomètres parcourus au-dessus du continent glacé. À l'issue d'un des derniers vols ayant pour mission de cartographier la zone, l'avion de Byrd revint avec trois heures de retard. Le rapport officiel mentionna qu'un de ses moteurs avait eu des ratés, mais le journal de Byrd, transmis au chef des opérations navales de l'époque, révélait une tout autre version.

Byrd avait survolé ce que les Allemands avaient baptisé « Nouvelle-Souabe ». Il se dirigeait plein ouest, vers un horizon d'un blanc immaculé, lorsqu'il aperçut soudain trois lacs séparés par des masses de roches nues, d'une couleur brun-rouge. Les lacs revêtaient, quant à eux, des teintes de rouge, de bleu et de vert. Byrd releva leur position et, dès le lendemain, dépêcha sur cette zone une équipe spéciale qui découvrit que l'eau de ces lacs était chaude et emplie d'algues, responsables de leurs singulières couleurs. L'eau était en outre saumâtre, ce qui indiquait que les lacs communiquaient avec l'océan.

Cette découverte enthousiasma Byrd au plus haut point. Il avait connaissance des rapports de l'expédition nazie de 1938, qui avait observé des phénomènes similaires. Connaissant le continent antarctique et sa nature inhospitalière, il avait d'abord cru à une pure invention de la part des explorateurs allemands. L'équipe spéciale passa la zone des lacs au peigne fin durant plusieurs jours.

« J'ignorais que Byrd avait tenu un journal, dit Davis.

— Je l'ai eu entre les mains, répliqua Rowland. L'opération Highjump était classée "secret défense", mais, à notre retour de mission, nous avons eu accès à un grand nombre de documents, et j'y ai jeté un œil. Ce n'est qu'il y a vingt ans qu'on a commencé à révéler au public des détails sur l'opération Highjump… détails qui sont pour la plupart complètement faux.

— Qu'avez-vous fait, Sayers, Ramsey et vous, à votre retour ? demanda Stéphanie.

— Nous avons transféré tout ce que Byrd avait ramené en 1947 dans un autre endroit.

— Tout avait été conservé ? »

Rowland acquiesça. « Absolument tout. Des caisses entières. L'État ne jette jamais rien.

— Qu'y avait-il dans ces caisses ?

— Je n'en ai aucune idée. On s'est contentés de les déplacer, sans jamais rien ouvrir. Au fait, je commence à me faire du souci pour ma femme. Elle est chez sa sœur.

— Donnez-moi l'adresse, dit Davis, et je chargerai les services secrets d'entrer en contact avec elle. Mais c'est après vous que Ramsey en a. Et vous ne nous avez toujours pas expliqué pourquoi Ramsey vous considère comme une menace. »

Rowland ne bougeait pas, les deux bras reliés par des tubes à des cathéters. « Je n'arrive pas à croire que j'aie frôlé la mort.

— L'homme que nous avons pris par surprise a profité de votre absence pour s'introduire chez vous, hier, au cours de la journée, dit Davis. Je commence à croire qu'il s'en est pris à vos doses d'insuline.

— J'ai la tête comme une pastèque. »

Stéphanie avait envie d'insister, mais elle savait que le vieil homme ne parlerait que quand il le voudrait. « À partir de maintenant, nous nous assurerons que votre protection soit optimale. Mais nous devons savoir pourquoi. »

Le visage de Rowland semblait un kaléidoscope d'émotions contradictoires. Il paraissait lutter contre quelque chose. Son souffle se fit plus précipité, ses yeux vitreux figés en un regard plein de mépris. « Cette saloperie était parfaitement sèche. Pas une seule goutte d'eau sur aucune des pages.

— Vous voulez parler du journal de bord du NR-1A ? » lança Stéphanie.

Il acquiesça. « Ramsey l'a ramené de sous l'eau dans un sac étanche. Ça signifie qu'à aucun moment le journal n'a pris la flotte.

— Bon sang ! » marmonna Davis.

Stéphanie comprit soudain ce que cela impliquait. « Le NR-1A était intact ?

— Seul Ramsey le sait.

— C'est pour cela qu'il a tenté de les tuer, dit Davis à Stéphanie. Quand vous avez communiqué ce rapport d'enquête à Malone, il a paniqué. Pour rien au monde il ne voudrait que tout cela s'ébruite. Vous imaginez ce que ça impliquerait pour la Navy ? »

Stéphanie doutait que le fin mot de l'histoire fût aussi simple.

Davis regarda Rowland droit dans les yeux. « Qui d'autre est au courant ?

— À part moi, Sayers, mais il est mort. L'amiral Dyals. C'est lui qui nous a envoyés là-bas, et qui nous a ordonné de ne jamais rien raconter. »

Winterhawk. C'était le surnom que la presse donnait à Dyals, se référant tant à son âge avancé qu'à son influence politique. Il avait été longtemps comparé à un autre amiral plein de mépris, qui avait été finalement poussé à se retirer : Hyman Rickover.

« Ramsey est devenu le protégé de Dyals, dit Rowland. Il a été affecté au personnel de l'amiral. Ramsey le vénérait.

— Assez pour vouloir protéger sa réputation jusqu'à maintenant ? demanda Stéphanie.

— Difficile à dire. Ramsey est un drôle d'oiseau. Il ne réfléchit pas comme le commun des mortels. J'étais bien content de m'en débarrasser une fois notre mission accomplie.

— Ainsi, Dyals est le seul à savoir, outre Sayers et vous ? » demanda Davis.

Rowland hocha la tête. « Un autre était au courant. Dans ce genre d'opération, il y a toujours un expert scientifique. C'était un chercheur de premier ordre que la Navy avait recruté. Un type curieux. On l'appelait le

Magicien d'Oz. Vous voyez, le mec derrière le rideau que personne ne voit jamais ? C'est Dyals en personne qui l'a engagé, et il ne rendait de comptes qu'à Ramsey et à l'amiral. C'est lui qui a ouvert toutes ces caisses, tout seul.

— Il nous faut un nom, dit Davis.

— Douglas Scofield. *Professeur* Scofield. C'était comme ça qu'il voulait qu'on l'appelle, et il ne perdait jamais une occasion de nous le rappeler. Mais ça n'impressionnait personne. Ce mec avait un talent rare pour cirer les pompes de Dyals.

— Qu'est-il devenu ? demanda Stéphanie.

— Du diable si j'en sais quelque chose. »

Davis et Stéphanie devaient agir au plus vite. Mais avant tout, il restait une ultime question. « Et pour ce qui est de ces caisses ?

— On a tout mis dans un entrepôt de Fort Lee. En Virginie. Et on a laissé Scofield s'amuser avec ce qu'elles contenaient. Après ça, je ne sais pas ce qu'elles sont devenues. »

54

Malone considéra la chaîne tombée dans la neige. *Réfléchis. Prudence.* Quelque chose clochait. À commencer par la façon dont l'un des maillons d'acier de la chaîne avait été impeccablement découpé. Quelqu'un était déjà passé par ici, dûment équipé d'un coupe-boulon.

Il tira le pistolet de sous sa veste de cuir et ouvrit le portail.

Les gonds gelés grincèrent.

Il pénétra dans le site en avançant sur des débris de maçonnerie, et s'approcha de la série de voûtes qui prolongeaient une porte romane. Il descendit quelques marches de pierre brisées, s'enfonçant dans une intense pénombre. Le peu de lumière qui régnait à l'intérieur filtrait à travers des fenêtres sans carreaux par lesquelles le vent s'engouffrait. L'épaisseur des murs, le léger affaissement des voûtes, tout indiquait l'âge très avancé de cet étonnant édifice. Malone observa un instant ces lieux, jadis si importants, à la fois lieu de culte et citadelle, une imposante place forte érigée en bordure d'empire.

Il scruta le sol, mais rien n'indiquait qu'on l'avait précédé ici.

Il s'avança dans un dédale de colonnades qui soutenaient le plafond intact, constitué de sombres voûtes. Il eut la sensation de se trouver dans une forêt de grands arbres pétrifiés, sans savoir au juste ce qu'il cherchait ni ce à quoi il devait se préparer, et ce ne fut qu'au prix d'un certain effort qu'il ne se laissa pas terrifier par cet endroit peu rassurant.

Au cours de ses recherches sur Internet, Malone avait appris que le premier évêque du lieu, Bertrand, s'était acquis une réputation qui avait traversé les siècles. On lui attribuait un grand nombre de hauts faits. Il arrivait fréquemment que certains chefs armés de l'Espagne voisine traversent les Pyrénées, laissant derrière eux une traînée de sang et de feu, terrifiant les populations locales. Mais lorsque Bertrand s'interposa, ils rendirent leurs prisonniers et rebroussèrent chemin, pour ne plus jamais revenir.

Et puis il y avait le miracle de Bertrand.

Une femme s'était présentée à lui avec son bébé pour se plaindre du fait que le père de l'enfant refusait de le reconnaître. Face à l'homme qui s'obstinait à nier, Bertrand ordonna qu'on dépose un seau d'eau froide entre eux, et il plongea une pierre dans le seau. Il dit à l'homme de se saisir de la pierre : s'il mentait, Dieu enverrait un signe. L'homme s'exécuta, et, lorsque ses mains sortirent de l'eau, on vit qu'elles étaient ébouillantées. Il s'empressa alors d'avouer qu'il était le père de l'enfant et accepta d'assumer ses responsabilités. La piété de Bertrand lui valut très vite le surnom de « Clarté de Dieu ». En toute humilité, il rejeta cette appellation, mais autorisa à ce qu'on l'applique au monastère. Manifestement, plusieurs décennies plus tard, Éginhard s'en était souvenu lors de la rédaction de son testament.

Malone pénétra dans un cloître en forme de trapèze,

présentant une série d'arches, de colonnades et de chapiteaux, ainsi qu'un plafond irrégulier. Les poutres apparentes semblaient neuves : on avait dû les poser ou les restaurer lors des derniers travaux. Deux salles jouxtaient le côté droit du cloître, toutes deux vides, l'une sans toit, l'autre aux murs effondrés. Sûrement d'anciens réfectoires, autrefois destinés aux moines et à leurs hôtes, et à présent investis par la faune et la flore locales.

Malone s'engagea dans la plus petite galerie du cloître, passant devant d'autres pièces et recoins effondrés, infestés d'orties et de ronces, recouverts de la neige qui s'était engouffrée par les cadres de fenêtres nus ou les plafonds éventrés. Au-dessus d'une des portes, un bas-relief de la Vierge Marie à moitié effacé par le temps parut le regarder. Du seuil, Malone considéra la vaste pièce. Il s'agissait probablement de la salle capitulaire où se réunissaient les moines. Son regard se porta à nouveau vers le jardin, sur une fontaine à moitié en ruine, dont les motifs sculptés disparaissaient sous les ronces, et dont la base était recouverte de neige.

Quelque chose bougea dans le cloître.

Dans la galerie opposée. Un mouvement rapide que Malone avait failli ne pas remarquer, mais bel et bien réel.

Il s'accroupit et rejoignit l'un des coins du cloître.

La plus longue galerie du cloître s'étendait devant lui, sur plus de quinze mètres, pour aboutir sur une double voûte sans porte. L'entrée de la chapelle. Malone était convaincu que c'était là que devait se trouver ce qu'il était venu chercher, quoi que ce fût. Il se pouvait aussi bien qu'il ait fait le voyage pour rien, pourtant quelqu'un avait bel et bien sectionné la chaîne de la grille d'entrée.

Il se retourna vers le mur intérieur qui se trouvait sur sa droite.

Trois portes se trouvaient entre lui et le bout de la galerie. Sur sa gauche, les arches qui encadraient le jardin blanc de neige frappaient par leur austérité : leurs motifs sculptés avaient eux aussi été effacés par le temps et les éléments. Il distingua un angelot qui avait survécu aux assauts de l'érosion, tenant entre ses mains un blason. Soudain, il entendit un bruit à sa gauche, dans la longue galerie.

Des bruits de pas.

Se dirigeant vers lui.

Ramsey gara sa voiture et s'empressa d'entrer au chaud dans le bâtiment administratif principal des services de renseignement de la Navy. Ici, aucun contrôle d'identité, aucun détecteur de métaux. L'un des lieutenants de son équipe l'attendait sur le seuil de la porte. Alors qu'ils se dirigeaient vers son bureau, il briefa Ramsey, comme chaque matin.

Hovey l'attendait dans son bureau. « On a retrouvé le corps de Wilkerson.

— Dites-moi tout.

— À Munich, près du parc olympique. Une balle dans la tête.

— Ça devrait vous faire plaisir.

— Bon débarras. »

En réalité, la nouvelle réjouissait beaucoup moins Ramsey. La conversation qu'il avait eue avec Isabel Oberhauser lui pesait encore.

« Voulez-vous que j'autorise le paiement de nos collaborateurs qui se sont acquittés de cette tâche ?

— Pas encore. » Ramsey les avait déjà rappelés. « Je les ai chargés d'une autre mission, en France. Ils doivent être déjà à l'œuvre, à l'heure qu'il est. »

Charlie Smith finissait son bol de gruau de maïs dans un restaurant Shoney's. Il adorait ce plat, particulièrement avec du sel et du beurre. Il n'avait pas beaucoup dormi. Ce qui s'était passé la nuit dernière représentait un gros problème. Ces deux individus étaient venus spécialement pour lui mettre le grappin dessus.

Il s'était enfui de la maison, avait pris sa voiture pour se garer quelques kilomètres plus loin sur l'autoroute. Il avait aperçu une ambulance se diriger à toute vitesse vers la cabane, et l'avait ensuite suivie jusqu'à un hôpital des environs de Charlotte. Sa première idée avait été de s'y introduire, mais, après réflexion, il avait préféré s'en abstenir. Il était retourné à son hôtel où il avait tâché de dormir un peu.

Il lui faudrait bientôt appeler Ramsey. Celui-ci n'accepterait que la confirmation de l'élimination des trois cibles. À la moindre évocation d'un quelconque problème, Charlie Smith deviendrait la quatrième. Il provoquait Ramsey, abusait de l'ancienneté de leur collaboration et de l'aura que lui valaient toutes les missions qu'il avait brillamment accomplies, mais uniquement parce qu'il savait que Ramsey avait besoin de lui.

À la moindre erreur, le rapport de force pouvait changer du tout au tout.

Smith consulta sa montre.

06 h 15.

Il devait prendre le risque.

Il avait remarqué une cabine téléphonique à l'extérieur. Il paya l'addition et alla appeler. Après avoir entendu le message enregistré de l'accueil téléphonique de l'hôpital, il demanda à être mis en relation avec le service d'information des patients. Ne connaissant pas le numéro de la chambre, il attendit d'avoir une opératrice au bout du fil.

« J'aurais aimé avoir des nouvelles concernant l'état

d'Herbert Rowland. Il s'agit de mon oncle, il est entré hier dans votre hôpital. »

L'opératrice lui demanda d'attendre un instant, puis lui répondit : « Nous sommes désolés de vous faire part du décès de M. Rowland, survenu peu après son transfert aux urgences. »

Smith prit un ton de circonstance : « Mon Dieu, c'est horrible ! »

L'opératrice lui présenta ses condoléances. Il la remercia d'une voix blanche, raccrocha et poussa un soupir de soulagement.

Ça avait été moins une.

Il reprit ses esprits, se saisit de son téléphone portable et composa un numéro familier. Lorsque Ramsey décrocha, il dit d'un ton joyeux : « 3-0, la balle au centre. Un match parfait, comme toujours.

— Vous me voyez ravi de constater à quel point votre travail vous tient à cœur.

— Notre premier objectif est de satisfaire le client.

— Alors réitérez. Le quatrième. Vous avez le feu vert. Occupez-vous-en. »

Malone tendit l'oreille. Il avait l'impression que l'intrus se trouvait à la fois devant et derrière lui. En se baissant toujours, il fila dans une pièce qui jouxtait la galerie, l'une des rares pourvues de murs et d'un plafond. Il se plaqua dos au mur, à côté du seuil. Les coins de la pièce étaient plongés dans l'obscurité la plus profonde. Il se trouvait à six mètres à peine de l'entrée de la chapelle.

Des bruits de pas.

Provenant de la galerie, du côté opposé à la chapelle.

Malone serra la crosse de son pistolet dans sa main et attendit, immobile.

Ceux qui se trouvaient ici approchaient. L'avaient-ils vu entrer dans cette salle ? Il fallait croire que non, puisqu'ils ne faisaient aucun effort pour assourdir leurs pas dans la neige. Il se tint prêt, penchant légèrement la tête et se concentrant sur sa vision périphérique pour observer le seuil. Les pas résonnaient à présent de l'autre côté du mur contre lequel il s'appuyait.

Une silhouette apparut, se dirigeant vers la chapelle.

Malone pivota et attrapa une épaule, retournant l'intrus pour lui flanquer le canon de son pistolet dans les côtes.

La surprise fut réciproque.

Il s'agissait d'un homme.

55

Stéphanie appela le quartier général de l'unité Magellan et demanda le maximum d'informations au sujet du dénommé Douglas Scofield. Davis et elle étaient seul à seule. Une demi-heure auparavant, deux agents des services secrets étaient arrivés, et leur avaient donné l'ordinateur portable sécurisé que Davis avait demandé. Les agents avaient pour mission de protéger Herbert Rowland, qu'on avait transféré dans une autre chambre, sous un nom d'emprunt. Davis s'était entretenu avec la directrice de l'hôpital et avait réussi à la convaincre de faire croire à la mort de Rowland. Quelqu'un allait forcément s'enquérir de son état. Sans surprise, l'opératrice du standard les informa que vingt minutes auparavant elle avait eu au téléphone un homme qui, se présentant comme le neveu de Rowland, lui avait demandé comment il se portait.

« Ça a dû sacrément le soulager, observa Davis. Je doute que notre meurtrier se risque à entrer dans l'enceinte de l'hôpital. Afin de mettre toutes les chances de notre côté, nous diffuserons une notice nécrologique dans le journal. J'ai chargé les agents de tout expliquer aux parents les plus proches de Rowland et de s'assurer de leur coopération.

— C'est un peu dur pour le reste de sa famille et ses amis, dit Stéphanie.

— La situation serait encore plus délicate si notre assassin comprenait son échec et venait ici pour achever ce qu'il a commencé. »

L'ordinateur portable indiqua par un signal sonore qu'il venait de recevoir un e-mail. Stéphanie cliqua sur le message qui émanait du quartier général de l'unité Magellan :

Douglas Scofield est professeur d'anthropologie de l'East Tennessee State University. Il a collaboré avec la marine de 1968 à 1972 en tant que conseiller indépendant, pour des missions classées « secret défense ». On peut accéder à ses ordres de mission, mais pas sans laisser de trace : nous n'en avons donc rien fait, compte tenu de votre insistance sur la discrétion impérative de nos présentes recherches. Il a publié de nombreux ouvrages. En plus de ses diverses collaborations à des journaux d'anthropologie, il écrit également pour des publications à tendance ésotériste et/ou occultiste. Une rapide recherche Internet a permis de relever des sujets de prédilection tels que l'Atlantide, les ovnis, les astronautes de l'Antiquité et les phénomènes paranormaux. Il est en outre l'auteur de *Maps of Ancient Explorers*[1] (1986), un essai grand public ayant pour objet d'exposer l'influence de civilisations oubliées sur l'art de la cartographie. Il participe en ce moment même à une conférence à Asheville, en Caroline du Nord, intitulée « Mystères anciens enfin révélés », et se tenant dans l'hôtel du domaine Biltmore. Environ cent cinquante inscrits. Il en est l'un des fondateurs et l'un des principaux participants. Apparemment un événement annuel : la conférence est présentée comme la « quatorzième édition ».

1. « Les cartes des anciens explorateurs », ouvrage fictif. *(N.d.T.)*

« Il est le dernier sur la liste, dit Davis qui avait lu par-dessus l'épaule de Stéphanie. Asheville n'est pas si loin d'ici. »

Elle savait parfaitement quelle idée il avait en tête. « Vous plaisantez.

— J'y vais. Vous pouvez m'accompagner si vous voulez. Nous devons impérativement prendre contact avec lui.

— Alors envoyez-lui les services secrets.

— Stéphanie, la plus grande maladresse serait de l'intimider. Allons-y, et voyons où ça nous mène.

— Il se pourrait qu'on y retrouve notre ami de la nuit passée.

— Espérons-le. »

Un nouveau signal sonore indiqua que la réponse à sa deuxième demande venait d'être réceptionnée. Elle ouvrit l'e-mail :

La Navy a à sa disposition des entrepôts au sein de Fort Lee, en Virginie, et ce depuis la Deuxième Guerre mondiale. En l'occurrence, trois entrepôts. Un seul est ultrasécurisé : il comporte un compartiment réfrigéré installé en 1972. Son accès est soumis à un code numérique et une reconnaissance par empreintes digitales, sous l'autorité du Bureau du renseignement de la marine. Nous avons pu accéder à l'historique des visites dans la base de données de la Navy. Détail important : la consultation de ces données n'est pas restreinte. Seul un individu n'appartenant pas au personnel de Fort Lee y a pénétré au cours des cent quatre-vingts derniers jours : l'amiral Langford Ramsey. Hier.

« Vous avez encore des objections ? demanda Davis. Vous savez parfaitement que j'ai raison.

— Raison de plus pour demander de l'aide. »

Davis hocha la tête. « Le Président s'y opposera.

— Non. C'est vous qui vous y opposez. »

L'expression de Davis refléta à la fois la résignation et

une résolution inébranlable. « Il faut que j'y aille. Vous aussi, du reste. Rappelez-vous : le père de Malone se trouvait à bord de ce sous-marin. Lui aussi a le droit à des réponses.

— Edwin, vous avez failli vous faire tuer, hier soir.

— Mais j'ai survécu.

— La vengeance est le plus sûr moyen de se faire tuer. Pourquoi est-ce que vous ne me laissez pas m'occuper de tout cela ? J'ai des agents à ma disposition dont c'est la spécialité. »

Un court silence emplit la petite salle de réunion que l'hôpital avait mise à leur disposition.

« C'est hors de question », finit par répondre Davis.

Stéphanie se rendit compte que toute discussion serait vaine.

Forrest Malone avait bel et bien disparu à bord de ce sous-marin. Davis avait raison. C'était une raison suffisante pour agir.

Elle rabattit l'écran de l'ordinateur portable et se leva de sa chaise.

« À vue d'œil, ça devrait nous faire trois heures de route jusqu'à Asheville. »

« Qui êtes-vous ? demanda Malone à l'homme.

— Vous m'avez fait une peur bleue.

— Répondez.

— Werner Lindauer. »

Malone fit immédiatement le rapprochement. « L'époux de Dorothea ? »

L'homme acquiesça. « Mon passeport se trouve dans ma poche. »

Pas le temps de vérifier. Malone cessa de presser le canon de son pistolet contre son flanc et poussa son otage dans la salle adjacente à la galerie. « Que faites-vous ici ?

— Dorothea a pénétré dans ces lieux il y a de cela trois heures. Je suis venu m'assurer qu'elle allait bien.

— Comment savait-elle qu'il fallait se rendre dans ce monastère ?

— Manifestement, vous êtes loin de la connaître. Elle n'a pas pour habitude de s'expliquer. Christl est également ici. »

Cela, Malone s'en était douté. Au restaurant, il s'était dit qu'ou bien elle connaissait déjà cet endroit, ou bien elle découvrirait son existence aussi facilement que lui.

« Elle est arrivée avant Dorothea. »

L'attention de Malone se porta sur le cloître. Il était temps de voir ce qui pouvait bien se trouver dans la chapelle. Il en indiqua la direction du canon de son arme. « Après vous. À votre droite, puis tout droit jusqu'au bout de la galerie.

— Est-ce bien sage ?

— Rien de tout cela n'est sage. »

Il suivit Werner le long de la galerie et, après avoir passé la double voûte, se mit à couvert derrière une épaisse colonne. Une vaste nef, dont le nombre impressionnant de colonnades donnait le sentiment qu'elle était plus petite, s'étendait devant lui. Les colonnes décrivaient un demi-cercle derrière l'autel, suivant la courbe de l'abside. Les murs qui s'élevaient de part et d'autre étaient assez hauts, les bas-côtés spacieux. Aucune décoration, aucun ornement : la chapelle était plus une ruine qu'un édifice. Le chant sépulcral du vent sifflait par les fenêtres nues barrées de croix de pierre. Malone regardait en direction de l'autel de granit. Ce n'était pas l'autel qui retenait son attention, mais ce qui se trouvait à ses pieds.

Deux personnes. Bâillonnées. Une de chaque côté de l'autel, assises toutes deux par terre, les mains ligotées dans leur dos. Dorothea et Christl.

56

Ramsey retourna à son bureau. Il attendait un rapport de la France, et avait bien stipulé aux hommes à l'œuvre de l'autre côté de l'Atlantique qu'il ne tolérerait aucune autre nouvelle que celle de la mort de Cotton Malone. Entretemps, il s'était penché sur le cas d'Isabel Oberhauser, mais il n'avait pas encore arrêté sa décision sur la meilleure façon de traiter ce problème. Il n'avait pensé qu'à cela durant toute la réunion à laquelle il venait d'assister, ressassant intérieurement une phrase toute faite qu'il affectionnait particulièrement : Ce n'est pas parce que je suis paranoïaque qu'il n'existe pas de raison de l'être.

Fort heureusement, il bénéficiait d'amples renseignements concernant cette vieille femme.

Elle avait épousé Dietz Oberhauser à la fin des années 1950. Lui était l'héritier d'une riche famille d'aristocrates bavarois, et elle la fille d'un maire, notable de la région. Le père d'Isabel Oberhauser avait été très proche d'Hitler durant la guerre et avait aidé les Américains durant les années qui suivirent. Elle assurait la pleine et entière gestion de la fortune des Oberhauser depuis 1972, à la suite de la disparition de son époux. Après de longs mois, elle s'était résignée à le déclarer légalement mort. Cette déclaration permit d'appliquer son testament, qui lui conféra toute responsabilité sur la fortune familiale, au profit exclusif de leurs filles. Avant de charger Wilkerson de nouer contact avec cette famille, Ramsey avait étudié ce testament. Il avait remarqué, non sans intérêt, que la date à laquelle les deux sœurs hériteraient dans les faits de la gestion et de la jouissance financières de l'empire Oberhauser avait été entièrement laissée à la libre appréciation d'Isabel Oberhauser. Trente-huit ans avaient passé, et elle se trouvait toujours aux commandes. Wilkerson avait informé Ramsey de la très grande animosité que nourrissait chaque sœur envers l'autre, ce qui expliquait en partie ce délai incroyablement long. Cependant, jusqu'à présent, Ramsey ne s'était pas soucié de ces dissensions familiales.

Il savait qu'Isabel Oberhauser s'intéressait depuis longtemps à l'affaire *USS Blazek*, et ne s'en était jamais cachée. Elle avait engagé des avocats qui avaient tâché d'accéder à ces informations par des biais légaux, et, devant leur échec, avait tenté d'en apprendre plus par des moyens moins avouables, tels que des pots-de-vin. Les agents de Ramsey spécialisés dans le contre-espionnage lui avaient rapporté toutes les tentatives qui avaient été faites en la matière. C'était à ce moment qu'il avait décidé d'agir et avait envoyé Wilkerson.

Et à présent, cet homme était mort. Mais dans quelles circonstances avait-il perdu la vie ?

Ramsey savait qu'Isabel Oberhauser employait un ressortissant de l'ex-Allemagne de l'Est, du nom d'Ulrich Henn. Le rapport ayant pour objet son passé mentionnait que le grand-père maternel d'Henn avait dirigé l'un des camps de transit nazis, et supervisé l'exécution de vingt-huit mille Ukrainiens qui furent jetés dans un ravin. Lors de son procès pour crimes de guerre, il ne nia rien et déclara avec fierté : « J'y étais. » Cela ne fit que faciliter la tâche aux Alliés, qui s'empressèrent de le pendre.

Henn fut élevé par un beau-père, chef d'une nouvelle famille qui s'assimila parfaitement à l'État communiste. Henn servit dans l'armée est-allemande, plus précisément au sein de la Stasi. Son actuelle bienfaitrice n'était dans un sens pas si différente de ses anciens supérieurs communistes : Isabel Oberhauser prenait des décisions avec la froideur calculatrice d'un comptable, avant de les appliquer en despote, sans le moindre remords ni le moindre questionnement.

Isabel Oberhauser était véritablement une femme formidable.

Elle avait l'argent, le pouvoir et le cran. Mais elle avait un point faible : feu son mari. Elle voulait savoir pourquoi il était mort. Cette obsession était restée sans conséquence avant que Stéphanie Nelle ne se fût procuré le rapport d'enquête sur la disparition du NR-1A pour le transmettre à Cotton Malone, outre-Atlantique.

À présent, cela constituait un problème.

Un problème qui, Ramsey l'espérait, était en voie de résolution, en ce moment même, en France.

Malone observa Christl qui, les yeux rivés sur lui, luttait contre la corde qu'on avait enroulée autour de ses poignets. Une bande de ruban adhésif la bâillonnait. Elle secoua la tête.

Deux hommes sortirent de derrière les colonnes. Celui de gauche était grand, dégingandé, aux cheveux bruns, et l'autre courtaud, aux cheveux courts. Malone se demanda s'il s'en cachait encore beaucoup d'autres.

« Nous sommes venus pour toi, lui dit le brun. On a trouvé ces deux-là sur place. »

Malone restait caché derrière une colonne, pistolet au poing, prêt à faire feu. Ils ignoraient qu'il n'avait plus que trois cartouches en magasin.

« Et qu'est-ce que j'ai de si intéressant ?

— Alors là, tu me poses une sacrée colle. Mais je suis drôlement content que certains te trouvent tellement intéressant. »

Le blond approcha le canon de son arme de la tête de Dorothea Lindauer.

« On va commencer par celle-ci », dit le brun.

Malone réfléchissait aussi vite qu'il pouvait. Il remarqua que Werner n'avait pas été mentionné. Il se retourna vers celui-ci et murmura : « Vous avez déjà tiré sur un homme ?

— Non.

— Vous en sentez-vous capable ? »

Werner hésita. « S'il le faut. Je suis prêt à le faire pour Dorothea.

— Vous savez vous servir d'une arme à feu ?

— Je chasse depuis mon plus jeune âge. »

Malone tendit le pistolet à Werner, ajoutant ce geste à la trop longue liste des choses stupides qu'il avait faites dans sa vie.

« Qu'est-ce que vous attendez de moi ? demanda Werner.

— Descendez un des deux types.

— Lequel ?

— Je m'en fous. Descendez-en un avant qu'ils aient le temps de me descendre. »

Werner donna son assentiment d'un bref mouvement de la tête.

Malone inspira profondément à trois reprises, se prépara mentalement et sortit de derrière la colonne, brandissant ses mains vides. « D'accord, me voici. »

Aucun des deux hommes ne bougea. Apparemment, il les avait pris par surprise. C'était bien là la pierre d'angle de sa tactique. Le blond écarta son arme de la tempe de Dorothea Lindauer et s'éloigna de la colonne, s'exposant complètement. Il était jeune, sur ses gardes et prêt à réagir, son fusil automatique dressé.

Un coup de feu retentit et la poitrine du blond explosa.

Manifestement, Werner Lindauer était une fine gâchette.

Malone plongea sur sa droite pour se cacher derrière une autre colonne, bien conscient que le brun ne prendrait pas plus d'une nanoseconde pour se remettre de sa surprise. Une rafale d'arme automatique mugit, et les balles ricochèrent contre la pierre, à quelques centimètres à peine de la tête de Malone. Il regarda à l'autre bout de la nef, en direction de Werner, qui lui aussi avait trouvé refuge derrière une colonne.

Le brun cracha un chapelet de jurons avant de crier : « Je vais les tuer toutes les deux. Sur-le-champ.

— Rien à foutre, répondit Malone.

— Tu en es sûr ? C'est ton dernier mot ? »

Il fallait absolument le pousser à la faute. En une brève pantomime, il fit comprendre à Werner qu'il avait l'intention d'avancer en direction du transept en se servant des colonnes pour couvrir sa progression.

Le moment de vérité était arrivé. Il fit signe à Werner de lui lancer le pistolet.

Celui-ci s'exécuta. Malone attrapa l'arme au vol et intima à Werner l'ordre muet de rester où il était.

Puis il pivota sur la gauche et traversa comme une flèche l'espace qui le séparait de la colonne suivante.

Une nouvelle rafale de balles tenta de le rattraper.

Il parvint à jeter un regard en direction de Dorothea et Christl. Elles étaient toujours attachées. Il ne lui restait plus que deux cartouches en magasin. Il ramassa une pierre de la taille d'une orange qu'il jeta en direction du brun, et se précipita immédiatement jusqu'à la colonne suivante. Le projectile heurta quelque chose, puis rebondit au sol.

Seules cinq colonnes le séparaient de Dorothea Lindauer, qui se trouvait de ce côté-ci de la nef.

« Jette un œil par ici », dit le brun.

Malone risqua un regard.

Christl gisait sur le dallage irrégulier. La corde était encore enroulée autour de ses poignets, mais elle avait été tranchée. Le brun restait à couvert, mais Malone apercevait le canon de son fusil-mitrailleur.

« Tu en as vraiment rien à foutre ? cria le brun. Tu veux vraiment la voir crever ? »

Une rafale de balles ricocha sur le dallage, entre l'homme et Christl. La peur la força à ramper en avant sur le sol recouvert de lichens.

« Arrête-toi », lui intima le brun.

Elle obéit.

« La prochaine rafale lui arrache les jambes. »

Malone s'accorda un bref moment de réflexion, tâchant de rester maître de lui-même. Où avait disparu Werner Lindauer ?

« J'imagine qu'on ne peut pas discuter tranquillement de tout ça, lança Malone.

— Balance ton arme et ramène ton cul par ici. »

Toujours aucune mention de Werner. Le tueur à gages devait forcément savoir qu'il y avait quelqu'un d'autre. « Je te l'ai déjà dit, j'en ai rien à foutre. Tue-la. »

Malone pivota vers la droite tout en lui lançant cet ultime défi. Son angle de tir en fut amélioré : il avait une meilleure visibilité de l'autel. Dans la lueur verdâtre et irréelle de ce début de soirée, il aperçut le brun s'éloigner de moins d'un mètre de sa colonne, afin de pouvoir viser plus précisément Christl.

Malone ouvrit le feu, mais ne toucha pas sa cible.

Plus une seule cartouche.

Le brun se réfugia aussitôt derrière la colonne.

Malone courut jusqu'à la colonne suivante. Il vit une ombre s'extraire de la rangée de colonnes qui se trouvait au fond de la nef, et se diriger vers le brun. L'attention de ce dernier était exclusivement concentrée sur Malone, ce qui laissait toute liberté de mouvement à la silhouette. Sa forme et sa taille confirmèrent son identité. Werner Lindauer avait un sacré cran.

« D'accord, donc tu as un flingue, dit le brun. Je lui tire dessus, tu me tires dessus. Mais je peux parfaitement buter l'autre sans que tu voies le bout de mon nez. »

Malone entendit un grognement, puis le choc sourd de deux corps. Malone jeta un coup d'œil de derrière la colonne et aperçut Werner Lindauer, à cheval sur le tueur à gages, brandissant son poing. Les deux hommes roulèrent l'un sur l'autre dans la nef, et le brun parvint à repousser Werner. Il tenait toujours son arme dans ses mains.

Christl s'était immédiatement relevée.

Le brun commença à se redresser.

Malone sortit de derrière la colonne.

La déflagration d'un puissant fusil résonna contre les murs nus.

Le sang coula sur la gorge du tueur à gages. Il lâcha son arme en comprenant qu'il avait été touché, et plaqua aussitôt ses mains contre son cou, essayant de toutes ses forces de respirer. Malone entendit un second coup de feu, le corps de l'homme se raidit, puis tomba lourdement à terre.

Un silence de mort emplit la chapelle.

Werner était allongé au sol. Christl se tenait debout. Dorothea était toujours assise. Malone regarda sur sa gauche.

Dans la galerie qui surplombait le vestibule de la chapelle, là où jadis un chœur avait peut-être chanté, Ulrich Henn abaissa son fusil à lunette. À côté de lui, dardant un regard lugubre et méfiant en contrebas, se tenait Isabel Oberhauser.

57

Ramsey observa Diane McCoy ouvrir la porte de la voiture pour se glisser sur le siège passager. Il l'avait attendue en bas du bâtiment administratif. Son appel, quinze minutes auparavant, l'avait relativement alarmé.

« Qu'est-ce que vous avez encore fichu ? » demanda-t-elle.

Il n'avait aucune intention de tout révéler aussi ouvertement.

« Daniels m'a convoquée dans le Bureau ovale il y a une heure et m'a passé un sacré savon.

— Allez-vous m'expliquer pourquoi ?

— Ne jouez pas les saintes-nitouches avec moi, d'accord ? Vous avez fait pression sur Aatos Kane, pas vrai ?

— Nous avons discuté.

— Et lui a discuté avec le Président. »

Ramsey resta parfaitement calme. Il connaissait McCoy depuis plusieurs années déjà. Il avait étudié son passé en détail. Elle était aussi circonspecte que réfléchie. La nature même de sa profession exigeait de celles et ceux qui l'exerçaient la plus grande des patiences. Et elle se comportait à présent comme une hystérique. Pourquoi ?

Son téléphone portable, posé sur le tableau de bord, s'illumina, signalant un appel. « Veuillez m'excuser. Je ne peux me permettre d'être indisponible. » Il jeta un coup d'œil à l'écran, mais ne décrocha pas. « Cela peut attendre. Qu'est-ce qui ne va pas, Diane ? Je n'ai fait que demander le soutien du sénateur. Êtes-vous en train de me dire que personne n'a contacté la Maison Blanche dans le même but ?

— Ce que je suis en train de vous dire, c'est qu'Aatos Kane est bien différent du commun des politiques. Qu'est-ce que vous avez fabriqué ?

— Pas grand-chose. Le fait que je fasse appel à lui l'a beaucoup enthousiasmé. Il m'a dit que j'étais tout indiqué pour siéger au sein du Comité des chefs d'état-major. Je lui ai répondu que s'il était sincèrement de cet avis, j'accueillerais toute marque de soutien de sa part avec une joie immense.

— Langford, il n'y a que vous et moi ici, alors épargnez-moi vos jolis discours. Daniels était dans une rage folle. L'implication de Kane lui a particulièrement déplu, et il me l'a reprochée. Il m'a accusée d'être de mèche avec vous. » Ramsey fronça les sourcils. « De mèche avec moi ? À quel titre ?

— Vous êtes vraiment un petit marrant. Vous m'avez dit l'autre jour que vous étiez en mesure de vous assurer le soutien de Kane, et vous y êtes parfaitement parvenu. Je ne veux pas savoir comment vous vous y êtes pris, mais ce que j'aimerais que vous m'expliquiez, c'est comment Daniels a réussi à faire le lien entre vous et moi. C'est la peau de mes fesses que je risque ici.

— De bien jolies fesses, au demeurant. »

Elle soupira ostensiblement. « Je vois mal en quoi ces considérations peuvent nous aider.

— En rien. Ce n'était qu'une observation objective.

— Qu'est-ce que vous comptez faire ? J'ai travaillé longtemps pour arriver là où j'en suis.

— Qu'est-ce que le Président vous a dit, précisément ? » Ramsey tenait absolument à le savoir.

Diane McCoy rejeta sa question d'un revers de main. « Comme si j'allais vous le dire.

— Et pourquoi pas ? Vous êtes en train de m'accuser d'avoir mal agi, il me semble naturel de vous demander ce que Daniels y a trouvé à redire.

— On est loin du ton que vous aviez lors de notre dernier entretien », dit-elle en baissant un peu la voix. Ramsey haussa les épaules. « Je crois me souvenir que vous me considériez alors, vous aussi, comme le meilleur prétendant au poste laissé vacant au Comité des chefs d'état-major. N'est-ce pas votre devoir, en tant que conseillère adjointe du Président en matière de sécurité nationale, que de lui recommander les meilleurs éléments ?

— D'accord, amiral. Faites votre petit soldat dévoué. Ça ne change rien au fait que le président des États-Unis est dans une colère pas croyable, à l'instar du sénateur Kane.

— Je ne comprends décidément pas pourquoi. La conversation que j'ai eue avec le sénateur a été des plus plaisantes, et je n'ai même pas parlé au Président. Je vois mal quelle raison il aurait d'être en colère après moi.

— Vous comptez assister aux funérailles de l'amiral Sylvian ? »

Curieux changement de sujet. « Bien sûr. On m'a même proposé de faire partie de la garde d'honneur.

— Vous avez un sacré culot. »

Il lui décocha son sourire le plus charmeur. « Cette proposition m'a particulièrement touché, je dois l'avouer.

— Je vous ai appelé parce qu'il fallait que nous parlions. Et me voici dans cette voiture, à l'arrêt, comme une conne, parce que je me suis mise avec vous dans ce…

— Dans ce quoi ?

— Vous savez bien dans quoi. L'autre nuit, vous avez bien spécifié qu'une place allait se libérer au sein du Comité des chefs d'état-major. Une place qui était alors bel et bien occupée.

— Ce n'est pas ce dont je me souviens. C'est vous qui aviez demandé à me voir. Il était déjà tard, mais vous avez insisté. Vous êtes venue chez moi. Vous vous inquiétiez au sujet de Daniels et de son attitude vis-à-vis de l'armée. Nous avons parlé du Comité des chefs d'état-major, comme ça, en nous contentant de généralités. Ni vous ni moi ne pouvions prévoir qu'une place se libérerait. Et sûrement pas dès le lendemain. La mort de David Sylvian est une véritable tragédie. C'était un homme droit et honnête. Je vois mal en quoi tout cela nous place dans une position inconfortable. »

Diane McCoy hocha la tête, incrédule. « Je dois y aller. »

Il n'essaya pas de la retenir.

« Bonne journée, amiral. »

Et elle claqua la portière.

Il se repassa toute la conversation mentalement. Il s'en était bien sorti, exposant son point de vue d'un ton tout à fait innocent. L'avant-veille au soir, lors de sa dernière entrevue avec Diane McCoy, celle-ci avait fait clairement figure d'alliée. Cela n'avait fait aucun doute. Mais les choses avaient changé depuis.

L'attaché-case de Ramsey reposait sur la banquette arrière. À l'intérieur se trouvait une console ultrasophistiquée qui permettait de repérer tout dispositif électronique enregistrant ou diffusant des données dans les environs. Ramsey gardait chez lui une console identique à celle-ci, grâce à laquelle il s'était assuré que personne n'avait espionné leur conversation nocturne.

Hovey avait passé tout le parking au peigne fin grâce à tout un réseau de caméras de vidéosurveillance. Lorsque le téléphone de Ramsey s'était illuminé, cela avait été en réalité pour signaler la réception d'un SMS d'Hovey : « Sa voiture est garée côté ouest parking. Examinée. Récepteur/enregistreur à l'intérieur. » La console qui se trouvait sur la banquette arrière avait également émis un signal. La fin du SMS était limpide comme de l'eau de roche : « Elle a un micro. »

Ramsey sortit de sa voiture et en verrouilla les portes.

Ce ne pouvait être Kane. Il avait beaucoup trop à gagner et encore plus à perdre. Le sénateur savait pertinemment qu'une trahison entraînerait des conséquences aussi fulgurantes que dévastatrices.

Non.

C'était du Diane McCoy tout craché.

Malone vit Werner détacher Dorothea, qui arracha aussitôt la bande de ruban adhésif qui la bâillonnait.

« Quelle mouche t'a piqué ? cria-t-elle. Tu as perdu la tête ?

— Il s'apprêtait à te tirer dessus, répondit calmement son époux. Je savais qu'*Herr* Malone était là, armé de son pistolet. » Malone se tenait dans la nef, levant à présent les yeux en direction de la galerie où se trouvaient Isabel Oberhauser et Ulrich Henn. « Je constate que vous en savez plus que ce que vous m'aviez laissé entendre.

— Ces hommes étaient venus vous tuer, répliqua la vieille femme.

— Et comment saviez-vous qu'ils viendraient jusqu'ici ?

— Je suis venue m'assurer que mes filles étaient saines et sauves. »

Ce n'était pas une réponse. Il se tourna vers Christl. Son regard ne trahissait aucune de ses pensées. « J'ai attendu un moment votre arrivée au village, mais, en réalité, vous m'aviez devancé.

— Cela a été un jeu d'enfant de trouver le lien entre Éginhard et la Clarté de Dieu. »

Malone pointa du doigt la galerie supérieure. « Ça ne m'explique pas comment elle ainsi que votre sœur savaient où aller.

— Je me suis entretenue avec ma mère, hier soir, après votre départ. »

Malone s'approcha de Werner. « Je suis entièrement d'accord avec votre femme. Ce que vous avez fait était stupide.

— Il aurait pu te tuer, renchérit Dorothea.

— Cela aurait mis un terme à nos problèmes de couple.

— Je n'ai jamais dit que je voulais que tu meures. »

Malone comprenait parfaitement ces sentiments d'amour et de haine au sein d'un couple marié. Il avait vécu la même chose, et cela avait perduré longtemps après son divorce. Fort heureusement, il avait fini par enterrer la hache de guerre avec son ex-épouse, même si cela avait été au prix de gros efforts. Ces deux-là semblaient encore bien loin d'une quelconque réconciliation.

« Je n'ai fait que ce qui s'imposait, dit Werner. Et je n'hésiterais pas à le refaire. »

Malone releva à nouveau les yeux. Henn quitta son poste, disparaissant derrière Isabel Oberhauser.

« Et si nous cherchions ce que nous sommes tous venus trouver en ces lieux, à présent ? » proposa-t-elle.

Henn réapparut pour lui murmurer quelque chose à l'oreille.

« *Herr* Malone, reprit-elle, quatre hommes ont été dépêchés pour vous tuer. Nous pensions que les deux autres ne poseraient aucun problème, mais ils viennent à l'instant de pénétrer sur le site. »

58

Charlie Smith consultait le dossier de Douglas Scofield. Il avait étudié cette cible plus d'un an auparavant, mais, contrairement aux autres, cet homme avait toujours joui du statut de victime optionnelle.

Ce n'était à présent plus le cas.

Les plans avaient été modifiés, aussi avait-il besoin de se rafraîchir un peu la mémoire.

Smith avait quitté Charlotte, prenant plein nord sur l'US 321 jusqu'à Hickory, où il avait pris l'I-40 en direction de l'ouest, vers la chaîne montagneuse des Smoky Mountains. Il avait recoupé les informations contenues dans le dossier par des recherches Internet, afin de s'assurer qu'elles étaient toujours d'actualité. Le professeur Scofield devait s'exprimer lors de la conférence qu'il organisait chaque hiver, cette année dans le très fameux domaine Biltmore. Cet événement avait tout l'air d'une réunion de timbrés. Ufologie, fantômes, nécromancie, enlèvements par des extra-terrestres, cryptozoologie.

Tout un tas de sujets plus bizarres les uns que les autres. Scofield, bien que professeur d'anthropologie dans une université du Tennessee, se piquait ouvertement de pseudo-science, dont il faisait l'apologie dans des ouvrages et des articles signés de son nom. Jusqu'à présent, il n'avait pas été question de s'occuper de son cas. Smith ne s'était donc pas encore penché sur les moyens de le faire disparaître. Il était garé face à un McDonald's, à une centaine de mètres de l'entrée du domaine Biltmore.

Il continuait à feuilleter le dossier, l'air de rien.

Les passe-temps de Scofield étaient nombreux. Il adorait chasser, et passait de nombreux week-ends d'hiver à traquer le cerf et le sanglier. En matière d'arme, sa préférence se portait systématiquement sur l'arc, même s'il possédait une impressionnante collection de fusils à longue portée. Smith avait toujours celui qu'il avait emprunté à Herbert Rowland. Il se trouvait dans le coffre de la voiture, déjà chargé, au cas où. La pêche et le rafting faisaient également partie des passions de Scofield, mais ces deux activités ne se prêtaient pas aux conditions météorologiques de la saison.

Smith téléchargea le programme de la conférence, traquant le moindre élément susceptible d'être utile. L'épisode de la nuit passée l'avait passablement déstabilisé. Ces deux-là ne s'étaient pas trouvés chez Rowland par hasard. Bien que cette légère mésaventure n'ait pas suffi, et de loin, à le soulager de sa suffisance naturelle (après tout, la confiance en soi était la clef de la réussite), Smith jugea bon d'éviter à l'avenir tout risque superflu.

L'heure était aux préparatifs.

Deux points du programme de la conférence retinrent son attention et engendrèrent deux stratégies.

L'une défensive, l'autre offensive.

Il avait horreur des boulots faits à la va-vite, mais il était hors de question de rappeler Ramsey pour lui dire qu'il était incapable de s'en occuper.

Il saisit son téléphone portable et composa le numéro d'Atlanta.

Dieu merci, la Géorgie était toute proche !

Malone répondit à Isabel Oberhauser : « Le problème, c'est qu'il ne me reste plus de munitions. »

Elle lança quelques mots à Henn, et celui-ci sortit de sous son manteau un pistolet qu'il jeta à Malone. Deux chargeurs pleins suivirent.

« Vous n'êtes pas venus les mains vides, commenta Malone.

— C'est une habitude », répondit Isabel Oberhauser.

Malone empocha les chargeurs.

« C'était assez courageux de votre part de m'avoir fait confiance, tout à l'heure, lui dit Werner.

— Comme si j'avais eu le choix.

— Il n'empêche. »

Malone jeta un regard à Christl et Dorothea. « Vous deux, trouvez-vous une cachette sûre. » Il désigna l'abside d'un geste de la main. « Là-bas derrière, ça semble parfait. »

Il les vit se presser dans cette direction, puis s'adressa à la matriarche. « Pourrait-on en prendre au moins un vivant ? »

Henn avait déjà disparu.

Elle acquiesça. « Tout dépendra d'eux. »

Malone entendit deux coups de feu.

« Ulrich a manifestement ouvert les hostilités », remarqua-t-elle.

Malone traversa à toutes jambes la nef, puis le vestibule, pour déboucher sur le cloître. Il aperçut l'un des hommes à l'autre bout, en train de courir. La lumière du jour avait faibli, et la température considérablement baissé.

D'autres coups de feu.

Mais cette fois, ce n'était plus Henn qui tirait.

Stéphanie quitta l'I-70 pour déboucher sur une avenue au trafic assez dense et trouva l'entrée principale du domaine Biltmore. Elle avait déjà visité les lieux à deux reprises, dont une, comme c'était le cas ce jour-là, durant les vacances de Noël. Le domaine comprenait plusieurs centaines d'hectares au centre desquels se dressait un château Renaissance d'inspiration française de plus de 16 200 mètres carrés, la plus grande résidence privée de tous les États-Unis. Autrefois propriété de George Vanderbilt, édifiée dans les années 1880, elle était devenue une luxueuse attraction touristique, imposant vestige de la période dorée des États-Unis d'Amérique.

À gauche se dressait une série de maisons de briques recouvertes de crépi, aux toits pentus, aux poutres apparentes et aux vastes porches. Des trottoirs de briques longeaient la chaussée impeccable bordée d'arbres. Des branches de sapin et des rubans de Noël décoraient les lampadaires.

« Le village Biltmore, commenta Stéphanie. Là où résidaient jadis les employés et les domestiques du domaine. Vanderbilt leur avait construit leur propre hameau.

— On se croirait dans un roman de Dickens.

— Le but était de donner l'impression d'un village anglais, effectivement. À présent, il n'y a plus que des commerces et des cafés.

— Vous connaissez bien cet endroit.

— C'est l'un de mes coins préférés. »

Elle aperçut un McDonald's qui se fondait parfaitement

dans le décor architectural. « Il faut que j'aille me repoudrer le nez. » Elle ralentit et s'engagea sur le parking du fast-food.

« Un petit milk-shake serait le bienvenu, dit Davis.

— Vous suivez un régime alimentaire très curieux. »

Il haussa les épaules. « Tout passe, du moment que ça me remplit l'estomac. »

Elle consulta sa montre. 11 h 15. « Une petite pause, et on s'y met. L'hôtel est à un peu plus d'un kilomètre de l'entrée du domaine. »

Charlie Smith commanda un Big Mac sans sauce ni oignons, des frites et un Coca light taille XL. C'était l'un de ses plats préférés. Lui qui pesait 75 kilos tout mouillé n'avait jamais eu à se soucier de sa ligne. Il jouissait d'un métabolisme qui éliminait très facilement les graisses, auquel s'ajoutaient un mode de vie très actif, trois séances d'exercice physique hebdomadaires et une alimentation équilibrée. Ou presque. La plupart du temps, ses exercices physiques consistaient à appeler le service de chambre de l'hôtel ou à revenir s'asseoir derrière son volant avec un menu à emporter à la main. Son boulot était bien assez épuisant comme ça.

Il louait un appartement dans les environs de Washington, mais n'y passait que rarement. Il ressentait le besoin de s'enraciner quelque part. Peut-être était-il temps de s'installer pour de bon dans une maison bien à lui, comme Bailey Mill. Il s'était fichu de Ramsey, l'autre jour, mais il pourrait peut-être retaper cette ancienne ferme du Maryland et y vivre. Ce serait adorablement kitsch. Comme toutes ces maisons et édifices qui l'entouraient. Et ce McDonald's, qui ne ressemblait à aucun autre qu'il avait vu jusqu'à présent. On aurait dit une maison de conte de fées, avec son piano mécanique, ses carreaux de marbre et sa minicascade chatoyante.

Il s'assit en déposant son plateau sur la table.

Une fois son repas fini, il se dirigerait vers l'hôtel Biltmore. Il avait d'ores et déjà réservé une chambre par Internet pour les deux nuits à venir. Un coin très classieux. Très cher, aussi. Mais il aimait s'offrir ce qu'il y avait de mieux. Il le méritait bien, du reste. Et de plus, tous ses frais étaient à la charge de Ramsey, alors à quoi bon s'en préoccuper ?

Le programme de la quatorzième édition de la conférence « Mystères anciens enfin révélés » indiquait que Douglas Scofield serait le principal animateur du dîner du lendemain, auquel était convié l'ensemble des personnes inscrites. Un apéritif serait servi au préalable dans le hall de l'hôtel.

Smith avait déjà entendu parler du domaine Biltmore, sans y être jamais allé. Peut-être ferait-il un tour du propriétaire, histoire de voir comment vivait jadis le haut du panier. Et le cas échéant, trouver une ou deux idées de déco intérieure. Après tout, il pouvait se permettre ce genre de luxe. Qui avait dit que le crime ne payait pas ? Ses cachets et ses investissements lui avaient permis d'amasser jusqu'ici pas loin de 20 millions de dollars. Il avait dit la vérité à Ramsey sur un point : il n'avait pas l'intention de faire ça jusqu'à la fin de ses jours, même s'il tirait beaucoup de joie de son travail.

Il étala un soupçon de moutarde douce et de ketchup dans son Big Mac. Il n'aimait pas surcharger en sauce ses aliments : un petit peu pour donner du goût, cela suffisait amplement. Il mâcha la première bouchée en observant les passants. La plupart étaient manifestement venus ici pour visiter Biltmore et acheter quelques cadeaux dans les boutiques du village.

Les lieux étaient bondés de touristes.

C'était parfait ainsi.

Un tas de visages inconnus dans lequel on pouvait aisément disparaître.

Malone avait deux problèmes. Le premier était qu'il poursuivait un homme de main à travers un cloître obscur et froid, et le second était qu'il se reposait sur des alliés qui étaient tout sauf dignes de confiance.

Deux choses lui avaient mis la puce à l'oreille.

Primo, Werner Lindauer. « Je savais qu'*Herr* Malone était là, armé de son pistolet. » Vraiment ? Pourtant, à aucun moment Malone ne s'était présenté, et c'était bien la première fois que leurs chemins se croisaient. Comment Werner Lindauer aurait-il pu connaître son nom, alors que personne dans la chapelle ne l'avait prononcé ?

Et *secundo*, le tueur à gages brun.

Il ne s'était pas inquiété un seul moment de la présence d'un deuxième rival, une deuxième personne qui avait pourtant abattu son collègue. Christl avait dit qu'elle avait parlé à sa mère d'Ossau. Elle aurait très bien pu mentionner également que Malone s'y rendrait aussi. Mais cela n'expliquait en rien la présence de Werner Lindauer ni le fait qu'il connaissait l'identité de Malone. Et si cette information venait de Christl, c'était le signe d'une coopération au sein de la famille Oberhauser, coopération qu'il croyait jusqu'alors complètement impossible.

Tout cela ne sentait pas bon.

Malone ralentit et écouta les sifflements du vent. Il était accroupi, les genoux douloureux à force de les plier de la sorte. De l'autre côté du jardin du cloître, entre les flocons de neige qui tombaient, il ne remarqua aucun mouvement. L'air froid lui brûlait la gorge et les poumons.

Il aurait été plus avisé de ne pas assouvir sa curiosité, mais il ne put résister à la tentation.

Bien qu'il imaginât fort bien ce dont il retournait, il avait besoin de s'en assurer.

Dorothea observait Werner, qui tenait dans sa main le pistolet que Malone lui avait passé avant de disparaître. Au cours des vingt-quatre dernières heures, elle en avait beaucoup appris au sujet de son époux. Appris des choses qu'elle n'aurait pas même soupçonnées.

« Je dois y aller », dit Christl.

Dorothea ne put s'empêcher de répliquer : « J'ai remarqué la façon dont tu regardais Malone. Tu t'inquiètes pour lui.

— Il a besoin d'aide.

— Et c'est toi qui vas lui en fournir ? »

Christl secoua la tête avant de partir.

« Tu vas bien ? demanda Werner.

— Ce sera le cas quand tout cela sera fini. Le fait de se fier à Christl ou à ma mère est une lourde erreur. Tu le sais parfaitement. »

Un frisson la parcourut. Elle croisa les bras et rechercha un peu de chaleur et de réconfort dans son manteau de laine. Ils avaient suivi le conseil de Malone, s'étaient réfugiés dans l'abside, tout en continuant à jouer leurs rôles. Les ruines de la chapelle lui donnaient une impression de mauvais augure. Son grand-père avait-il réellement trouvé des réponses ici ?

Werner saisit son bras. « Nous allons y arriver.

— Nous n'avons pas vraiment le choix, répondit-elle, peu satisfaite des conditions de l'offre de sa mère.

— Ou bien tu essaies d'en tirer le meilleur profit, ou bien tu continues à t'y opposer, à ton seul détriment.

Cela n'engage que toi. Ça devrait t'aider à te décider, non ? »

Elle perçut une certaine insécurité dans son ton. « L'homme de main a vraiment été surpris quand tu lui as sauté dessus. »

Il haussa les épaules. « Nous lui avions dit de s'attendre à une ou deux surprises.

— C'est le cas de le dire. »

La nuit tombait. L'obscurité gagnait la chapelle, et la température chutait.

« Il ne s'est pas imaginé une seule seconde qu'il finirait par mourir, dit Werner.

— Tant pis pour lui.

— Et Malone ? Tu penses qu'il a compris ? »

Elle hésita, se souvenant des doutes qu'elle avait eus l'autre jour, à l'abbaye, lorsqu'elle avait fait sa connaissance.

« Il vaudrait mieux pour lui. »

Malone entra dans l'une des salles adjacentes au cloître. Là, au milieu des ruines, il passa en revue ce dont il disposait. Un pistolet, des balles. Pourquoi ne pas avoir recours à la même tactique qui avait fait ses preuves avec Werner ? Peut-être le tueur à gages qui se trouvait à l'autre bout du cloître finirait-il par se diriger vers lui ou vers l'entrée de la chapelle, et peut-être pourrait-il le prendre par surprise.

« Il est là-bas », cria un homme.

Il jeta un coup d'œil en direction du cloître.

Un deuxième homme avait fait irruption, par la petite galerie, passant devant l'entrée de la chapelle pour aller droit vers lui. Apparemment, Ulrich Henn n'était pas parvenu à l'arrêter.

L'homme releva son pistolet et ouvrit le feu sur Malone.

Il se baissa vivement, et une balle mordit le mur.

Un autre projectile ricocha devant lui : l'autre homme venait de tirer de l'autre bout du cloître. La salle où Malone se trouvait n'avait pas de fenêtre, et son plafond était intact, à l'instar de ses murs. Ce qui lui avait semblé être le plus sûr des refuges était en fin de compte un cul-de-sac.

Aucune issue.

Il était pris au piège.

QUATRIÈME
PARTIE

59

Stéphanie admirait l'hôtel du domaine Biltmore, un luxueux édifice de pierre et de stuc dominant les vignes réputées de la propriété du sommet d'une colline herbeuse. L'accès par véhicule motorisé était restreint aux clients. Davis et elle s'étaient arrêtés à la porte principale du domaine pour acheter un passe leur permettant de visiter les lieux, y compris l'hôtel.

Stéphanie épargna tout effort au personnel chargé de garer les véhicules, déjà très affairé, et arrêta leur voiture sur l'une des places de parking. De là, ils gravirent une pente aménagée jusqu'à l'entrée principale, devant laquelle des portiers en costume les accueillirent avec de larges sourires. La décoration intérieure donnait une idée parfaite de ce qu'avaient pu contempler un siècle auparavant les divers invités du magnat Vanderbilt. Des murs recouverts de riches panneaux de bois patiné couleur miel, un carrelage en marbre, d'élégantes œuvres d'art, ainsi que des tentures et tapisseries aux délicats motifs floraux. De superbes plantes débordaient de pots en pierre, donnant un peu de vie au décor raffiné qui semblait s'ouvrir littéralement sur l'étage supérieur, coiffé d'un plafond à caisson qui s'élevait à plus de six mètres. Une véranda emplie de chaises à bascule s'ouvrait sur une large baie vitrée qui donnait sur la forêt Pisgah et la chaîne des Smoky Mountains.

Stéphanie prêta l'oreille au pianiste qui jouait à côté d'une cheminée de lauze. Un escalier descendait, permettant d'accéder à une vaste salle de restaurant, à en juger par les sons et les odeurs qui s'en échappaient. Une procession continue de clients montaient et descendaient les marches. Davis et Stéphanie s'adressèrent à la réception, et, suivant les indications qui leur furent données, traversèrent le hall d'entrée, passant devant le pianiste, pour longer un couloir flanqué de fenêtres jusqu'aux salles de conférences, à l'entrée desquelles ils trouvèrent le guichet des « Mystères anciens enfin révélés ».

Davis se saisit du plus haut exemplaire de la pile des programmes et consulta la page dédiée à ce jour. « Scofield ne s'exprimera pas cet après-midi. »

Une jeune femme pétillante aux cheveux noirs surprit sa remarque et s'empressa de lui dire : « Le professeur Scofield s'exprimera demain. Cette journée est consacrée aux présentations générales des sujets.

— Savez-vous où se trouve le professeur Scofield ? demanda Stéphanie.

— Il était dans le coin tout à l'heure, mais cela fait déjà un certain temps que je ne l'ai plus revu. » Elle observa une courte pause. « Vous êtes de la presse, vous aussi ? »

Stéphanie décida de jouer le jeu : « Nous ne sommes pas les premiers ?

— Non, un journaliste s'est présenté il n'y a pas longtemps. Lui aussi voulait voir Scofield.

— Et que lui avez-vous répondu ? » demanda Davis.

La réceptionniste haussa les épaules. « La même chose qu'à vous. Que je n'en avais pas la moindre idée. »

Stéphanie se pencha sur le programme et lut la présentation de la prochaine participation, à 13 heures, intitulée « La sagesse pléiadienne : un phare dans notre époque troublée » :

> « Canalisatrice de transe mondialement reconnue, Suzanne Johnson est également l'auteur de plusieurs livres à succès. Entrez en contact avec les Pléiadiens, ces incroyables êtres immatériels capables de voyager dans le temps, par le biais de Suzanne, qui deviendra leur vecteur pour deux heures de questions essentielles et de réponses parfois dures à entendre, mais toujours positives, et pleines de sens pour notre existence. Les sujets de prédilection des Pléiadiens incluent entre autres : l'accélération de l'énergie, l'histoire, les erreurs et jeux divins, les symboles, le contrôle de l'esprit, l'éveil des capacités psychiques, la guérison par le voyage temporel mental, l'éveil de soi et bien plus encore. »

Le reste de l'après-midi verrait se succéder tout un tas d'autres sujets plus étranges les uns que les autres, tels que les *crop circles*, la fin imminente du monde, les sites sacrés et magiques, sans oublier une conférence excessivement chère sur la grandeur et le déclin de la civilisation, le mouvement binaire, les fluctuations d'ondes électromagnétiques et les conséquences des catastrophes à venir, avec une étude détaillée de la précession des équinoxes.

Stéphanie ne put s'empêcher de secouer la tête. C'était pire que de regarder de la peinture sécher. Une véritable perte de temps.

Davis remercia la réceptionniste et s'éloigna du guichet, le programme toujours à la main. « Aucun journaliste n'est venu ici pour l'interviewer. »

Stéphanie ne partageait pas sa certitude. « Je sais très bien ce que vous avez derrière la tête, mais notre lascar a l'habitude d'agir beaucoup plus en finesse que cela.

— Il est peut-être pressé par le temps.

« — Il n'est peut-être même pas dans les parages. »

Davis accéléra le pas en direction du hall principal.

« Où allez-vous ? demanda Stéphanie.

— C'est l'heure du déjeuner. Allons voir si Scofield est en train de casser la croûte. »

Ramsey se hâta de rejoindre son bureau où il attendit le retour d'Hovey. Celui-ci arriva quelques instants plus tard pour lui dire : « McCoy a quitté les lieux aussitôt après l'entrevue. »

Ramsey était furieux. « Je veux que vous me transmettiez tout ce qu'on a sur elle. »

Son assistant acquiesça. « Elle a agi en solo, dit-il. Vous le savez.

— C'est vrai, mais il n'en reste pas moins qu'elle éprouve le besoin d'enregistrer mes paroles à mon insu. Ça représente un problème de taille. »

Hovey savait que son supérieur faisait feu de tout bois afin d'obtenir sa nomination au sein du Comité des chefs d'état-major, mais il ignorait le détail de ces efforts. La relation professionnelle qui unissait Ramsey et Charlie Smith depuis tant d'années ne regardait que l'amiral. Il avait d'ores et déjà promis à son assistant qu'il le suivrait au Pentagone : c'était bien assez pour encourager Hovey à mettre la main à la pâte. Fort heureusement pour Ramsey, tout capitaine aspirait à devenir amiral.

« Transmettez-moi sur-le-champ toutes les informations dont nous disposons à son sujet », répéta-t-il.

Hovey quitta son bureau. Ramsey se saisit de son téléphone et appela Charlie Smith. Quatre sonneries, et il décrocha.

« Où êtes-vous ?

— Je suis en train de me régaler d'un délicieux repas. »

Ramsey se moquait des détails, mais il savait ce à quoi il allait avoir droit.

« La salle est ravissante. Très vaste, avec une cheminée, décorée avec beaucoup d'élégance. Lumière tamisée, atmosphère apaisante. Et le service ! Superbe. Le niveau de l'eau dans mon verre n'a pas baissé de plus de la moitié depuis le début du repas, et la corbeille à pain n'a pas désempli. Le chef de salle en personne est venu me voir il y a un instant afin de s'assurer que tout allait au mieux.

— Charlie, fermez-la.

— Un peu soupe au lait, aujourd'hui ?

— Écoutez-moi. J'imagine que vous êtes en train de faire ce que je vous ai demandé.

— Comme toujours.

— Il faut absolument que vous soyez de retour demain, alors ne traînez pas.

— On vient juste de m'amener un échantillon de desserts, avec la crème brûlée et la mousse au chocolat de la maison. Vous devriez vraiment faire un saut ici, un de ces quatre. »

Ramsey ne voulait plus rien entendre. « Charlie, faites ce que vous avez à faire et soyez ici demain après-midi au plus tard. »

Smith raccrocha et reporta toute son attention sur les desserts. À l'autre bout de la salle du restaurant de l'hôtel, le professeur Scofield, assis à une table avec trois autres personnes, déjeunait lui aussi.

Stéphanie descendit les marches recouvertes d'un riche tapis et pénétra dans la vaste salle du restaurant, s'arrêtant devant le pupitre de l'hôtesse. Dans une autre cheminée de lauze, un feu crépitait. La plupart des tables recouvertes de nappes blanches étaient occupées. Elle jeta un coup d'œil à la porcelaine fine, aux verres de cristal, aux lustres de laiton, ainsi qu'aux divers tissus marron, or, verts et beiges. Une décoration d'un goût on ne peut plus sudiste. Davis tenait toujours son programme, et Stéphanie savait parfaitement ce qu'il était en train de faire : il était à la recherche d'un visage correspondant trait pour trait à l'imposant portrait du professeur Scofield de la page 2.

Stéphanie fut la première à le repérer, assis à une table près d'une fenêtre, en compagnie de trois autres personnes. Davis l'aperçut à son tour. Elle attrapa son collègue par la manche et secoua la tête. « Pas maintenant. Nous ne pouvons nous permettre d'attirer l'attention.

— Ce n'est pas mon intention.

— Il n'est pas seul. Trouvons-nous une table et attendons qu'il en ait fini avec eux pour l'aborder.

— Nous n'avons pas le temps pour ce type d'approche.

— Pourquoi cela ? Nous sommes attendus quelque part ?

— Je ne sais pas pour vous, mais j'ai vraiment hâte d'assister à la séance médiumnique avec les Pléiadiens prévue pour 13 heures. »

Stéphanie sourit. « Vous êtes impossible.

— Mais vous commencez à succomber à mon charme. »

Elle décida de céder et lâcha la manche de Davis.

Celui-ci se fraya un chemin parmi les tablées et elle lui emboîta le pas.

Ils arrivèrent à hauteur de la table, et Davis s'adressa à l'intéressé : « Professeur Scofield, j'aurais aimé m'entretenir très brièvement avec vous. »

Scofield devait avoir une soixantaine d'années. Il était chauve, avait un nez large, des dents trop régulières et trop blanches pour être vraies. Son visage bien en chair trahit l'exaspération que confirma son regard.

« Je suis en train de déjeuner. »

L'expression de Davis demeura cordiale. « Je dois vous parler. C'est assez important. »

Scofield reposa sa fourchette. « Comme vous pouvez le remarquer, je suis déjà en train de m'entretenir avec ces personnes. Je comprends fort bien que vous vous soyez inscrit à la conférence, et que vous désiriez discuter avec moi, mais je me dois d'être impartial dans la gestion du temps accordé à chacun.

— Je vous demande pardon ? »

Le ton de la question ne plut pas à Stéphanie. Manifestement, Davis avait également saisi le message implicite de Scofield, résumable en ces mots : « Je suis terriblement important. »

Le professeur soupira et pointa du doigt le programme que tenait Davis. « J'organise cette conférence chaque année afin de rencontrer quiconque s'intéresse à mes recherches. Je comprends que vous vouliez m'interroger sur plusieurs points et je m'en réjouis même. Une fois que j'en aurai fini ici, peut-être pourrions-nous discuter à l'étage, près du piano ? »

L'exaspération perçait toujours sous son ton. Les trois personnes assises à ses côtés partageaient le même sentiment. L'un d'eux lança : « Ça fait un an que nous attendons ce déjeuner.

— Et vous serez libres de le poursuivre, répliqua Davis. Une fois que j'en aurai fini.

— Qui êtes-vous ? demanda Scofield.

— Raymond Dyals, retraité de la Navy. »

Stéphanie comprit à l'expression de Scofield que le nom était loin de lui être inconnu.

« Fort bien, monsieur Dyals. J'imagine que vous avez découvert la source de jouvence.

— Vous seriez surpris d'apprendre ce que j'ai découvert. »

Scofield cligna des yeux. « Vous et moi avons manifestement beaucoup à nous dire. »

60

Malone décida d'agir. Il brandit son pistolet et tira à deux reprises dans le cloître. Il n'avait aucune idée de l'endroit où se trouvait son adversaire, mais le message qu'il souhaitait lui envoyer était sans équivoque.

Il était armé.

Une balle traversa le seuil, le poussant aussitôt à se mettre à couvert.

Il avait réussi à déterminer son point d'origine.

C'était le second homme de main qui avait ouvert le feu, de ce côté-ci de la galerie, à droite de Malone.

Il leva les yeux. Le toit était soutenu par des poutres grossières : l'une d'elles traversait la salle dans toute sa longueur. Les pierres et les débris qui jonchaient la pièce s'élevaient en un tas plus important au pied du mur le plus endommagé. Malone fourra son pistolet dans la poche de sa veste de cuir et grimpa sur le tas, gagnant ainsi plus d'un demi-mètre. Il sauta en l'air, s'agrippa à une poutre froide qu'il enserra entre ses jambes avant de se hisser pour la chevaucher. Il se trémoussa le plus vite possible en direction du mur contre lequel il s'était appuyé, à ceci près que, cette fois, il était à trois mètres du sol. Il se redressa et s'accroupit en équilibre sur la poutre porteuse, saisissant son pistolet, les muscles tétanisés au point qu'ils semblaient à deux doigts de rompre.

Des coups de feu résonnèrent dans le cloître. Des tirs de plusieurs armes.

Henn était-il de la partie ?

Il entendit un impact sourd, similaire au son qu'avait fait Werner en percutant l'homme brun dans la chapelle, suivi de grognements, de souffles rauques et de bruits de lutte. Il ne pouvait rien voir d'autre que les dalles de pierre du sol qui se détachaient dans la pénombre.

Une ombre les occulta.

Malone se prépara.

Deux coups de feu retentirent, et l'homme se précipita à l'abri dans la pièce.

Malone bondit de la poutre sur son adversaire, pour rouler aussitôt de côté et se redresser, prêt au combat.

L'homme était très robuste, large d'épaules, et son corps semblait aussi dur que du métal. Il se remit très rapidement de l'assaut et se redressa les mains vides : son arme avait dû glisser lors de l'impact.

Malone abattit la crosse de son pistolet sur le visage de l'homme, l'envoyant contre le mur, à moitié assommé. Il pointa alors le canon de son arme dans sa direction afin d'en faire son prisonnier, mais un coup de feu retentit derrière lui, et l'homme s'affaissa dans les gravats.

Malone se retourna en un éclair.

Henn se tenait sur le seuil de la porte, son fusil en joue.

Christl apparut à ses côtés.

Inutile de demander si ce meurtre était nécessaire. Il savait que oui. Mais autre chose le tracassait : « Et le second ?

— Mort également, dit Christl en se saisissant de l'arme de l'homme de main.

— Ça vous embête si je vous la prends ? » demanda Malone.

Elle tenta de dissimuler la surprise qui perça dans son regard. « Vous êtes d'une méfiance sans bornes.

— C'est ce qui arrive lorsqu'on est entouré de menteurs. » Elle lui tendit l'arme à feu.

Stéphanie s'était assise aux côtés de Davis et Scofield à l'étage supérieur, dans une salle jouxtant le hall principal de l'hôtel du domaine Biltmore. Elle comportait une bibliothèque, ainsi qu'une baie vitrée donnant sur un superbe panorama. Plusieurs personnes consultaient les dos des livres, et Stéphanie remarqua un petit écriteau indiquant que la consultation des ouvrages était libre.

Un serveur s'approcha discrètement, et elle lui fit signe qu'ils n'avaient besoin de rien.

« Puisque sans le moindre doute vous n'êtes pas l'amiral Dyals, dit Scofield, pourrais-je savoir à qui j'ai affaire ?

— À un membre de la Maison Blanche, répondit Davis. Elle est du département de la Justice. Nous luttons tous les deux contre le crime. » Scofield parut réprimer un frisson. « J'ai accepté de m'entretenir avec vous en pensant que vous étiez sérieux.

— Aussi sérieux que toutes ces conneries que vous avez organisées ici », répliqua Davis.

Le visage de Scofield s'empourpra. « Personne ici ne considère cette conférence comme une connerie.

— Vraiment ? En ce moment même, il doit bien y avoir une centaine de gens qui tentent de communiquer par le biais d'un médium avec une civilisation disparue. Vous êtes un anthropologue aguerri, dont les talents et les connaissances furent mis à profit par le gouvernement sur un projet classé "secret défense".

— Tout cela remonte à bien longtemps.

— Vous seriez surpris d'apprendre à quel point cela reste d'actualité.

— Je suppose que vous avez sur vous une carte permettant de prouver vos fonctions ?

— C'est effectivement le cas.

— Montrez voir.

— Quelqu'un a assassiné Herbert Rowland hier soir, coupa net Davis. La nuit précédente, on a tué un ancien capitaine de la marine lié à Rowland. Vous ne vous souvenez peut-être pas de Rowland, mais il n'en reste pas moins qu'il a travaillé avec vous à Fort Lee, lorsque vous avez déballé de leurs caisses toutes les saloperies ramenées par l'opération Highjump. Nous ne sommes pas sûrs à cent pour cent que vous serez le prochain sur la liste, mais c'est hautement probable. Ça vous suffit, comme éléments prouvant notre bonne foi ? »

Scofield éclata de rire. « Tout cela remonte à trente-huit ans.

— Ça ne semble pas avoir la moindre importance, dit Stéphanie.

— Je ne peux parler de ce qui s'est passé alors. Comme vous l'avez dit, c'est classé "secret défense". »

Scofield avait prononcé ces mots comme s'il s'agissait d'un bouclier capable de le protéger de tout danger.

« Je suis obligée de me répéter, répliqua Stéphanie. Cela non plus n'a manifestement aucune importance. »

Scofield fronça les sourcils. « Vous perdez votre temps, tous les deux. Je dois encore parler avec beaucoup d'autres personnes.

— Je vous propose quelque chose, dit-elle. Dites-nous ce que vous vous sentez en mesure de révéler. » Elle espérait secrètement que, une fois lancé, cet imbécile imbu de lui-même ne pourrait s'arrêter de parler.

Scofield consulta sa montre avant de répondre : « J'ai écrit un livre intitulé *Maps of Ancient Explorers*. Vous devriez le lire : il contient un assez grand nombre d'explications. Vous pouvez vous en procurer un exemplaire au stand librairie de la conférence. » Il pointa son index vers la gauche. « C'est par là.

— Faites-nous un résumé, lança Davis.

— Pourquoi ça ? Vous venez de dire que nous étions tous fous. En quoi ce que je pense peut-il avoir la moindre importance ? »

Davis ouvrit la bouche pour lui répondre, mais Stéphanie lui fit signe de la laisser parler. « Convainquez-nous. Nous n'avons pas fait tout ce chemin jusqu'ici pour rien. »

Scofield observa un court silence, cherchant apparemment les mots les plus pertinents pour leur exposer son point de vue.

« Savez-vous ce qu'est le rasoir d'Occam ? »

Stéphanie hocha la tête.

« C'est un principe philosophique. "Les entités ne doivent pas être multipliées sans nécessité." Ou plus simplement : il faut écarter les solutions compliquées là où des solutions simples suffisent. Ce principe s'applique à tout, y compris aux civilisations. »

Stéphanie se demanda si elle allait regretter d'avoir demandé à Scofield son opinion.

« Les premiers textes des Sumériens, parmi lesquels la célèbre épopée de Gilgamesh, font référence à plusieurs reprises à un peuple quasi divin, de haute taille, vivant parmi eux. Ils les appelaient "les Gardiens". D'anciens écrits judaïques, dont certaines versions de la Bible, parlent de ces Gardiens sumériens, et les décrivent comme des dieux, des anges et des fils du ciel. Le Livre d'Hénoch explique que ce peuple étrange envoyait des émissaires dans le monde entier afin d'enseigner aux autres hommes de nouvelles techniques. Uriel, l'ange qui enseigna à Hénoch l'astronomie, est décrit comme l'un de ces Gardiens. Le Livre d'Hénoch cite en fait les noms de huit Gardiens. Ils étaient, paraît-il, versés dans les arts de la magie, du bouturage, de l'astrologie, de la météorologie, de la géologie et de l'astronomie. Les manuscrits de la mer Morte font eux-mêmes référence aux Gardiens, notamment dans le passage où Noé, frappé par l'extrême beauté de son fils, en vient à redouter que sa femme n'ait partagé la couche de l'un d'eux.

— Ça n'a aucun sens », dit Davis.

Scofield réprima un sourire. « Savez-vous combien de fois j'ai entendu cette phrase ? Voici quelques données *historiques*. Au Mexique, Quetzalcóatl, le dieu barbu à la peau claire, aurait dispensé ses enseignements à la civilisation qui avait précédé les Aztèques. Il était venu de la mer et portait de longs vêtements brodés. Lorsque Cortés arriva, au XVIe siècle, sur ce territoire, on le prit pour Quetzalcóatl. Les Mayas eurent également un professeur du même acabit, Kukulcán, qui arriva lui aussi de la mer, de là où naissait le soleil. Les Espagnols brûlèrent tous les textes mayas au XVIIe siècle, mais un évêque reprit un passage des écrits sacrés de ce peuple, évoquant des visiteurs vêtus de longues robes qui, conduits par un certain Votan, débarquèrent à plusieurs reprises sur leurs côtes. Les Incas avaient un dieu similaire, Viracocha, qui venait du grand océan de l'Ouest. À l'instar des Aztèques, ils crurent que Pizarro était ce dieu, enfin de retour parmi eux. Aussi, monsieur de la Maison Blanche, qui que vous soyez réellement, permettez-moi de vous dire que vous ignorez complètement ce dont vous parlez. »

Stéphanie constata qu'elle avait vu juste : cet homme adorait s'entendre parler.

« En 1936, un archéologue allemand a trouvé un vase en argile, avec un cylindre de cuivre et une verge de fer, dans un tombeau parthe datant de 250 avant

Jésus-Christ. En versant du jus de fruits dans le vase, on obtenait un courant de 0,5 volt pendant deux semaines. Juste assez pour de la galvanoplastie, une technique qui, nous le savons, était utilisée à cette époque. En 1837, on a trouvé dans la Grande Pyramide une assiette de fer qui avait été fondue à plus d'un millier de degrés Celsius. Elle contenait en outre du nickel, ce qui était très inhabituel à l'époque, et remontait à deux mille ans avant l'âge du fer. Lorsque Christophe Colomb aborda sur ce qui deviendrait le Costa Rica, en 1502, il fut reçu avec tous les honneurs et amené à l'intérieur des terres jusqu'au tombeau d'un personnage de premier rang, tombeau qui comportait, entre autres décorations, la proue d'un singulier navire. La stèle funéraire présentait en gravure des hommes qui ressemblaient fort à Colomb et à ses hommes. Mais à l'époque, aucun Européen n'avait encore visité ces terres.

« La Chine fournit des exemples tout aussi intéressants, poursuivit Scofield. Le grand philosophe Lao-Tseu parle dans ses écrits des Anciens. Tout comme Confucius. Lao-Tseu les décrit comme sages, experts en plusieurs arts et techniques, puissants, philanthropes et, plus important encore, humains. Son témoignage remonte au VIe siècle avant Jésus-Christ. Ses écrits ont survécu au temps. Voudriez-vous que je vous en livre un extrait ?

— Nous sommes ici pour ça, répondit Stéphanie.

— "Les Anciens étaient subtils, mystérieux, profonds et avisés. La profondeur de leurs connaissances est inestimable. Parce qu'elle est inestimable, on ne peut que décrire leur apparence. Ils étaient prudents, tels des hommes traversant une rivière gelée en hiver. Alertes, tels des hommes conscients du danger. Courtois, tels des hôtes de passage. Accommodants, telle la glace sur le point de fondre. Simples, tels de grossiers blocs de bois." Intéressant, non, pour un témoignage datant de vingt-six siècles ? »

Stéphanie trouvait en effet tout cela très curieux.

« Savez-vous ce qui a changé définitivement le cours du monde ? Ce qui a modifié à tout jamais le destin de l'humanité ? » Scofield n'attendit pas une éventuelle réponse de ses interlocuteurs. « La roue ? Le feu ? » Il hocha la tête. « Non, quelque chose de bien plus important : l'écriture. Voilà ce qui a tout bouleversé. Lorsque nous avons appris à registrer nos pensées afin que, des siècles plus tard, d'autres puissent en avoir connaissance, nous avons complètement changé notre rapport au monde. Les Sumériens et les Égyptiens ont laissé des témoignages écrits d'un peuple qui les visitait et leur apprenait moult choses. Des gens d'apparence normale, qui vivaient et mouraient tout comme eux. Ce n'est pas mon avis que je vous expose ici. C'est un fait historique. Saviez-vous que le gouvernement canadien est, en ce moment même, en train de mener des fouilles sous-marines au large des îles de la Reine-Charlotte dans l'espoir de retrouver les vestiges d'une civilisation dont on ne soupçonnait pas l'existence ? Ce site serait une sorte de port d'attache qui se trouvait autrefois sur les rives d'un lac.

— D'où venaient ces étranges visiteurs ? demanda Stéphanie.

— De la mer. Ils étaient passés maîtres dans la navigation. Récemment, on a découvert d'anciens instruments de navigation au large de Chypre qui remontent à 12 000 ans : ils font partie des plus anciens objets qu'on ait retrouvés dans cette région. Cette découverte implique que des personnes sillonnaient à cette époque les eaux de la Méditerranée et occupaient Chypre, deux mille ans avant le peuplement de cette île. Au Canada, ces marins durent certainement s'installer à cause des vastes champs d'algues géantes. Il est tout à fait logique de penser que ce peuple choisissait l'emplacement de leurs comptoirs en fonction de leurs routes maritimes marchandes et des ressources disponibles sur place.

— Je vais me répéter, dit Davis. C'est un ramassis d'élucubrations.

— Vraiment ? Saviez-vous que la mythologie des Indiens d'Amérique comportait des prophéties où des bienfaiteurs quasi divins venus de la mer avaient le beau rôle ? Les documents mayas parlent de Popul Vuh, une terre où la lumière et l'obscurité se confondent. Des peintures rupestres en Afrique subsaharienne et en Égypte mettent en scène un peuple de la mer qu'on n'a pas réussi à identifier. Celles de France, vieilles de dix millénaires, montrent des hommes et des femmes vêtus d'habits confortables, bien loin des peaux de bêtes qu'on associe aux humains de cette époque. On a découvert en Rhodésie une mine de cuivre qui aurait près de quarante-sept mille ans, d'après les datations. Quand je parle de mine, je parle bien évidemment d'un site où les excavations auraient été entreprises dans un but bien précis d'exploitation.

— Vous êtes en train de nous parler du peuple de l'Atlantide, c'est ça ? lança Davis.

— L'Atlantide n'a jamais existé, répliqua Scofield.

— Je suis certain qu'un grand nombre de personnes présentes dans cet hôtel ne seraient pas du même avis que vous.

— Si c'est vrai, ces personnes se trompent. L'Atlantide n'est qu'une fable. C'est un mythe qu'on retrouve dans de nombreuses cultures, à l'instar de celui du Déluge. Cela relève de la pure invention : la réalité n'est pas à ce point fantastique. On a retrouvé des sites mégalithiques submergés à de faibles profondeurs au large des côtes du monde entier. À Malte, en Égypte, en Grèce, au Liban, en Espagne, en Inde, en Chine, au Japon. Ces méga-lithes furent érigés durant la dernière période glaciaire : à la fin de cette ère, autour de 10000 avant Jésus-Christ, la glace fondit, augmentant le niveau des mers qui les submergèrent. Voici ce qu'est en réalité l'Atlantide : de simples sites préhistoriques, qui ne font que confirmer le rasoir d'Occam. Nul n'est besoin de solutions compliquées là où des explications simples suffisent. Toute explication se doit d'être rationnelle.

— Il faudrait que vous m'expliquiez ce qu'il y a de rationnel dans tout ce que vous venez de nous raconter, dit Davis.

— Alors que les hommes préhistoriques apprenaient peu à peu à cultiver et à élever des bêtes, avec des instruments en pierre, dans des huttes grossières, il existait une civilisation capable de bâtir des navires viables et de dresser des cartes précises du monde. Ils semblent avoir pris très au sérieux leur avance technologique, et s'être montrés soucieux de nous enseigner les choses qu'ils avaient apprises. Leurs intentions étaient pacifiques. Il n'est fait mention nulle part d'une quelconque agression ou hostilité de la part de ce peuple. Mais leur message de sagesse finit par se perdre au gré du temps, et fut totalement rejeté et oublié lorsque nous nous mîmes à considérer notre propre culture comme le summum de la connaissance et de la civilisation. » Scofield lança à Davis un regard dur. « C'est notre arrogance qui précipitera notre chute.

— Les foutaises de ce genre aussi », répondit Davis.

Scofield parut s'être attendu à ce camouflet. « Sur l'ensemble du globe, cette civilisation ancienne a laissé des messages, qu'il s'agisse d'objets, de cartes ou de manuscrits. Ces messages ne sont ni clairs ni explicites, c'est certain, mais on peut parvenir à comprendre leur sens profond, qui somme toute est la simplicité même : *Votre civilisation n'est pas la première, pas plus que les cultures que vous considérez comme votre héritage ne furent en vérité le début de toute civilisation. Des milliers d'années avant vous, nous savions déjà ce que vous venez à peine de découvrir. Nous arpentions ce monde encore jeune, lorsque la banquise recouvrait*

le Nord et que les mers du Sud étaient encore prati-
cables. Nous avons laissé derrière nous les cartes des
lieux que nous avons visités. Nous avons laissé derrière
nous les connaissances que nous avions sur ce monde,
sur le cosmos, les mathématiques, les sciences et la
philosophie. Quelques-uns des peuples que nous visi-
tâmes conservèrent des parcelles de ces connaissances,
qui vous aidèrent à bâtir votre propre civilisation.
Souvenez-vous de nous. »

La tirade ne sembla pas impressionner Davis.
« Qu'est-ce que tout cela a à voir avec l'opération Highjump et Raymond Dyals ?

— Tout. Mais, je vous le répète, cette affaire est classée "secret défense". Croyez-moi, j'aurais aimé que ce
ne soit pas le cas. Mais je ne peux rien y faire. J'ai fait
le serment de ne jamais rien dire, et je n'ai pas manqué
à ma parole durant toutes ces années. À présent, et
puisque vous me prenez pour un fou (je dois vous dire
du reste que je me fais la même opinion à votre sujet), je
vais vous laisser. »

Scofield se leva. Mais avant de partir, il hésita un
instant.

« Une dernière remarque sur laquelle il vous serait
profitable de réfléchir. Une étude menée il y a dix ans
à l'université de Cambridge par une équipe de savants
reconnus mondialement a abouti à la conclusion que
moins de dix pour cent des documents écrits de l'Antiquité avaient survécu. Quatre-vingt-dix pour cent des
connaissances antiques ont été définitivement perdus.
Comment savoir alors ce qui relève vraiment de l'invention et de la réalité ? »

61

Ramsey marchait tranquillement dans le Capitol Mall, en direction de l'endroit précis où, la veille, il avait retrouvé le directeur de cabinet du sénateur Aatos Kane. Le jeune homme en question se tenait justement là, dans le même manteau de laine, tapant du pied pour lutter contre le froid. Cette fois-ci, Ramsey l'avait fait attendre quarante-cinq minutes.

« Très bien, amiral, j'ai compris la leçon. Vous avez gagné », dit-il alors que Ramsey s'approchait.

Ramsey afficha un air consterné. « Ça n'a rien d'un jeu.

— Bien sûr que si. Je vous l'ai mis profond la dernière fois, vous l'avez mis encore plus profond à mon chef par la suite, et à présent nous sommes tous copains comme cochons. Tout cela est un jeu, amiral, et vous avez gagné. »

Ramsey brandit un petit objet en plastique, de la taille d'une télécommande, et l'alluma. « Veuillez m'excuser. »

L'appareil confirma aussitôt l'absence de tout mouchard

dans les parages. Hovey se trouvait à l'autre bout du Capitol Mall, guettant la moindre activité de dispositifs paraboliques. Mais Ramsey doutait fort que ces précautions fussent nécessaires. Le laquais qui se tenait devant lui travaillait pour un professionnel qui savait pertinemment qu'il fallait donner pour recevoir.

« Dites-moi tout, dit Ramsey.

— Le sénateur s'est entretenu avec le Président ce matin même. Il lui a dit ce qu'il désirait. Le Président s'est enquis de ses raisons, et le sénateur lui a répondu qu'il avait pour vous la plus grande admiration. »

Cela confirmait en partie les dires de Diane McCoy. Les mains enfoncées dans les poches, Ramsey écouta la suite.

« Le Président a émis des réserves. Il a dit que vous n'étiez pas le favori de son équipe. Ses collaborateurs avaient d'autres noms en tête. Mais le sénateur savait ce que désirait le Président. »

Cela piqua la curiosité de Ramsey. « C'est-à-dire ?

— Un poste est sur le point de se libérer au sein de la Cour suprême des États-Unis. Une démission. La justice aimerait laisser le choix à l'administration Daniels. Celui-ci a déjà un nom en tête, et voudrait qu'il soit soutenu par le Sénat. »

Très intéressant.

« Nous sommes à la tête du Comité judiciaire du Sénat. Le favori du Président est loin d'être mauvais, donc rien ne s'oppose à sa nomination. Nous sommes à même d'exaucer le vœu présidentiel. » La fierté du jeune directeur de cabinet perçait dans son ton.

« Le Président a-t-il d'importants griefs à mon endroit ? »

L'homme se permit un large sourire, suivi d'un gloussement. « Qu'est-ce que vous voulez de plus ? Une invitation en lettres d'or à votre nom ? Tous les Présidents ont horreur qu'on leur dise quoi faire, de même qu'ils détestent qu'on leur demande des faveurs. Ils préfèrent être les seuls à en demander. Pourtant, Daniels s'est montré assez ouvert. De toute façon, à ses yeux, le Comité des chefs d'état-major ne sert à rien.

— Une chance pour nous qu'il lui reste moins de trois ans à la tête du pays.

— J'ignore dans quelle mesure cela représente une chance pour nous. Daniels est un marchandeur hors pair. Il sait parfaitement donner pour prendre. Nous n'avons eu aucun problème lors du marchandage, et il jouit d'une popularité impressionnante.

— On préfère toujours un mal qu'on connaît à un mal inconnu, c'est cela ?

— Quelque chose dans ce goût-là. »

Ramsey devait tirer de son interlocuteur tout renseignement susceptible de l'aider. Il fallait qu'il sache si Diane McCoy s'était engagée seule dans sa surprenante croisade, et, si ce n'était pas le cas, qu'il connaisse l'identité de ceux qui la soutenaient.

« Nous aimerions savoir quand vous comptez vous occuper du gouverneur de la Caroline du Sud, dit le directeur de cabinet.

— Dès le lendemain de mon arrivée au Pentagone.

— Et si vous n'êtes pas en mesure de le faire ?

— Alors j'anéantirai votre supérieur. » Il laissa percer dans son regard une étincelle de plaisir quasi sexuel. « Nous agirons à ma façon. C'est clair ?

— Et ça signifie quoi, "à votre façon" ?

— En tout premier lieu, je veux savoir ce que vous faites concrètement pour vous assurer de ma nomination. Un compte rendu exhaustif et détaillé, et pas uniquement ce que vous voulez bien me dire. Et si vous vous avisez de mettre ma patience à l'épreuve, je m'empresserai de suivre le conseil que vous m'avez donné la dernière fois : je prendrai ma retraite et regarderai vos carrières partir en fumée. »

Le directeur de cabinet leva les mains comme pour se rendre. « Doucement, amiral. Je ne suis pas venu ici pour me bagarrer. Je suis venu vous briefer.

— Alors briefez-moi, espèce de petite merde. »

L'homme essuya l'insulte d'un haussement d'épaules. « Daniels marche avec nous. Il a dit qu'il suivra les instructions. Kane est en mesure de lui assurer les votes du Comité judiciaire du Sénat. Daniels le sait parfaitement. Votre nomination sera rendue publique demain.

— Avant les funérailles de Sylvian ? »

L'homme acquiesça. « Inutile d'attendre. »

Ramsey était d'accord. Il restait la question de Diane McCoy. « Aucune objection à ma nomination du côté du Bureau des conseillers en matière de sécurité nationale ?

— Daniels n'a rien mentionné à ce titre. C'est tout à fait secondaire, de toute façon.

— Vous ne pensez pas qu'il serait avisé de savoir si certains de ses plus proches collaborateurs ont l'intention de saboter ce à quoi nous œuvrons ? »

Le directeur de cabinet lui décocha un demi-sourire. « Cela ne poserait aucun problème le cas échéant. À partir du moment où Daniels marche avec nous, tout le reste importe peu. Il sait tenir ses troupes. Quel est votre problème, amiral ? Vous avez des ennemis au sein de la Maison Blanche ? »

Non. Rien qu'une simple petite embûche. Ramsey comprenait à quel point elle était négligeable en vérité. « Dites au sénateur que ses efforts me vont droit au cœur. Nous restons en contact.

— Dois-je me retirer à présent ? »

Le silence de Ramsey répondit à sa place.

Le directeur de cabinet du sénateur parut heureux d'être arrivé à la fin de l'entretien et s'en alla.

Ramsey alla s'asseoir sur le même banc où il s'était assis auparavant. Hovey attendit cinq minutes avant de venir s'asseoir à ses côtés. « La zone est propre, dit-il. Personne n'écoutait.

— Tout va bien du côté de Kane. C'est McCoy qui pose problème. Elle a tout inventé.

— Peut-être croit-elle que le fait de vous piéger lui assurera plus efficacement un avenir digne de ses espérances. »

L'heure était venue pour Ramsey de voir jusqu'où son assistant était prêt à aller pour se garantir, lui aussi, un avenir digne de ses espérances. « Il faudrait peut-être l'éliminer. Tout comme Wilkerson. »

Le silence d'Hovey fut éloquent.

« Qu'avons-nous d'autre à son sujet ? demanda Ramsey.

— Pas mal d'informations, pour la plupart aussi ennuyeuses que le personnage. Elle vit seule, pas de relations sentimentales, une droguée du boulot. Ses collègues l'apprécient, mais elle n'est pas de ces confrères à côté desquels on a envie de s'asseoir durant un dîner de gala. Ce n'est pas sans lui conférer un certain charisme. »

Effectivement.

La sonnerie du téléphone portable d'Hovey retentit, à moitié étouffée par l'épaisseur de son manteau. L'échange fut bref. « De nouveaux problèmes. »

Ramsey attendit ses explications.

« Diane McCoy vient d'essayer de pénétrer dans l'entrepôt de Fort Lee. »

Malone entra dans la chapelle, emboîtant le pas à Henn et Christl. Isabel les attendait dans le chœur, aux côtés de Dorothea et Werner.

Il décida de mettre un terme à toute cette plaisanterie et, s'approchant d'Henn par-derrière, pointa son pistolet contre la nuque du cerbère des Oberhauser, avant de s'emparer de son arme.

Il se recula alors et mit Isabel en joue. « Dites à votre majordome de se tenir tranquille.

— Et que comptez-vous faire si je refuse, *Herr* Malone ? M'abattre ? » Malone baissa son arme. « Inutile. Tout cela n'est qu'une mise en scène. Ces quatre hommes étaient destinés à mourir. Même s'ils l'ignoraient tous. Vous ne vouliez pas que je leur pose certaines questions.

— Comment pouvez-vous en être aussi sûr ? demanda Isabel.

— Il m'arrive d'être observateur.

— Très bien. Je savais qu'ils viendraient ici, et ils pensaient que nous étions leurs alliés.

— C'est donc qu'ils étaient encore plus idiots que moi.

— Eux, peut-être pas, mais l'homme qui les a envoyés, certainement. Pourrions-nous nous dispenser des effets théâtraux, de votre côté comme du mien, et parler franchement ?

— Je vous écoute.

— Je sais qui cherche à vous tuer, dit Isabel. Mais j'ai besoin de votre aide. »

Le vent, de plus en plus froid à chaque seconde qui passait, s'engouffrait par les fenêtres dépouillées de leurs carreaux, amenant à Malone les premières rumeurs de la nuit.

Il avait parfaitement saisi le sens implicite de sa phrase. « Donnant-donnant ?

— Je suis désolée de vous avoir ainsi menti, mais cela m'a semblé être la seule façon de m'assurer de votre coopération.

— Vous auriez pu simplement me demander.

— C'est ce que j'ai tenté de faire à Reichshoffen. Je me suis dit que cette méthode s'avérerait peut-être plus efficace.

— Méthode qui aurait pu me coûter la vie.

— Allons, allons, *Herr* Malone. J'ai bien plus confiance en vos qualités que vous semblez en avoir. »

Malone en avait assez. « Je rentre à l'auberge. »

Il tourna les talons et se mit en marche.

« Je sais quel était l'objectif de Dietz, lui lança alors Isabel. L'endroit où votre père devait l'emmener en Antarctique. »

Qu'elle aille se faire foutre.

« Ce que Dietz n'a pu trouver là-bas se trouve quelque part ici même. »

La colère de Malone laissa soudain place à une faim de loup. « Je vais dîner. » Il poursuivit sans s'arrêter. « Je veux bien vous écouter en mangeant, mais si vous n'avez aucune information digne de ce nom à me soumettre, je vous préviens tout de suite que vous pourrez faire une croix définitive sur mon aide.

— Je puis vous assurer, *Herr* Malone, que ce que j'ai à vous dire est bien plus qu'intéressant. »

62

« Vous avez brusqué Scofield », dit Stéphanie à Edwin Davis.

Ils étaient toujours assis dans la salle attenante au hall d'entrée de l'hôtel. Dehors, un soleil radieux inondait au loin la forêt dénudée par l'hiver. Sur leur gauche, en direction du sud-est, Stéphanie aperçut faiblement le château du domaine, à plus d'un kilomètre et demi, perché sur sa petite colline.

« Scofield est un con, dit Davis. Il pense que Ramsey se soucie du fait qu'il ait gardé le silence durant toutes ces années.

— Nous ignorons ce dont Ramsey se soucie ou pas.

— Quelqu'un va essayer de tuer Scofield. »

Stéphanie n'en était pas aussi sûre. « Et selon vous, que devrions-nous faire pour empêcher cela ?

— Rester près de lui.

— Nous pourrions le mettre en état d'arrestation.

— Nous perdrions notre appât.

— Si ses jours sont vraiment en danger, vous pensez

445

vraiment qu'il est juste de nous en servir comme d'un appât ?

— Il nous prend pour de parfaits abrutis. »

Stéphanie non plus n'appréciait pas Douglas Scofield, mais ce sentiment ne pouvait entrer en ligne de compte dans leurs décisions. Et ce n'était pas tout : « Vous vous rendez tout de même compte que nous ne sommes toujours pas en mesure de prouver quoi que ce soit, j'espère. »

Davis jeta un coup d'œil à l'horloge qui se trouvait à l'autre bout de la salle. « Je dois appeler. »

Il se leva de son siège et s'approcha de la baie vitrée, à trois mètres de Stéphanie, s'asseyant sur le sofa aux motifs floraux qui lui faisait face. Elle l'observa. Davis était un être aussi torturé que complexe. Tout comme elle, il semblait lutter contre ses émotions. Et tout comme elle, il se refusait à les exprimer.

Davis lui fit signe d'approcher.

Elle vint s'asseoir à côté de lui.

« Il veut à nouveau vous parler. »

Elle colla le téléphone contre son oreille, sachant pertinemment qui se trouvait à l'autre bout du fil.

« Stéphanie, dit le président Daniels, tout cela devient très compliqué. Ramsey a manipulé Aatos Kane. Ce cher sénateur aimerait que je donne la place vacante au Comité des chefs d'état-major à Ramsey. Ça n'arrivera bien évidemment jamais, mais je n'en ai rien dit à Kane. J'ai entendu un jour un vieux proverbe indien qui disait : "Si vous vivez dans la rivière, devenez l'ami des crocodiles." Manifestement, Ramsey est en train d'appliquer ce truisme à la lettre.

— À moins qu'il ne s'agisse de Kane.

— C'est ce que je vous disais : la situation est extrêmement complexe. Ces deux-là ne se sont pas alliés spontanément. Quelque chose les a poussés à unir leurs forces. Je peux faire traîner tout cela encore quelques jours, mais il faut absolument que vous arriviez à quelque chose de concluant de votre côté. Comment se porte mon petit gars ?

— Il est assez difficile à suivre. »

Daniels gloussa. « À présent vous comprenez ce que j'endure avec vous. Pas si facile à brider, hein ?

— On peut dire ça.

— Roosevelt l'a dit encore mieux : "Faites ce que vous pouvez avec ce que vous avez, là où vous vous trouvez." Suivez ça à la lettre.

— Je n'ai pas vraiment le choix, après tout.

— C'est vrai. Mais j'ai un petit biscuit pour vous : on a retrouvé à Munich le cadavre du chef du Bureau du renseignement de la Navy à Berlin, un capitaine du nom de Sterling Wilkerson.

— Ce qui, à votre avis, ne relève pas de la coïncidence.

— Tout le contraire, nom de Dieu ! Ramsey manigance quelque chose sur les deux continents. Je ne suis pas en mesure de le prouver, mais je le sens. Du nouveau au sujet de Malone ?

— Rien pour l'instant.

— Répondez-moi franchement : est-ce que vous pensez que ce professeur est en danger ?

— Je n'en sais rien. Mais je pense que nous ferions mieux de rester sur place jusqu'à demain, par simple précaution.

— Je vais vous dire quelque chose que je n'ai pas dit à Edwin. Il faut que vous m'assuriez que votre visage restera aussi impassible qu'à une table de poker. »

Elle sourit. « Très bien.

— Je me méfie de Diane McCoy. J'ai appris il y a bien longtemps à observer mes ennemis, pour la simple et bonne raison que ce sont toujours eux qui repèrent en premier nos faiblesses. Je l'ai fait surveiller. Edwin le sait. Ce qu'il ignore, c'est qu'elle a quitté la Maison Blanche aujourd'hui pour se rendre en Virginie. En ce moment même, elle se trouve à Fort Lee, en train d'inspecter un entrepôt appartenant au service de renseignement de la Navy. J'ai fait mes petites recherches. Ramsey s'y est rendu en personne pas plus tard qu'hier. »

Cela, Stéphanie le savait déjà, grâce à son équipe.

Davis lui fit signe qu'il allait chercher quelque chose à boire sur le buffet à côté de la cheminée, et lui demanda tout aussi silencieusement si elle désirait quelque chose. Elle hocha la tête.

« Davis s'est éloigné, reprit-elle. Je suppose que vous ne me dites pas cela sans raison.

— On dirait que Diane est devenue elle aussi l'amie des crocodiles, mais j'ai bien peur qu'elle se fasse manger.

— Ce serait bien dommage. Une si gentille femme…

— Vous avez tendance à vous montrer assez méchante.

— J'ai tendance à me montrer assez réaliste.

— Stéphanie, vous paraissez inquiète.

— En dépit de tous mes doutes, j'ai la sensation que l'homme que nous cherchons se trouve ici.

— Vous voulez que je vous envoie de l'aide ? demanda Daniels.

— Moi oui, mais Davis non.

— Et depuis quand vous tenez compte de son avis ?

— C'est son affaire. Sa mission.

— L'amour peut pousser à tout, mais faites en sorte que cela ne le tue pas. J'ai besoin de lui. »

Smith profitait des notes du piano et du feu qui crépitait dans l'âtre. Le déjeuner avait été excellent. La salade et les amuse-bouches avaient été délicieux, la soupe avait été un vrai régal, mais, de tous les plats, c'était sans le moindre doute l'agneau accompagné de légumes de saison qui avait été le plus succulent.

Smith était remonté à l'étage après que l'homme et la femme eurent abordé Scofield et l'eurent détourné de son repas. Il n'avait pas réussi à entendre le moindre mot échangé. Il se demandait s'il s'agissait des deux individus de la nuit précédente. C'était difficile à dire.

Au cours de ces dernières heures, Scofield n'avait cessé de se faire aborder. En fait, la conférence semblait être une sorte de communion païenne centrée sur sa personne. Le professeur était présenté dans les brochures comme l'un des initiateurs de cet événement. Il serait le lendemain soir le principal participant du dîner-conférence. Et ce soir même, il dirigerait en personne une visite du bâtiment à la lueur des bougies. Le lendemain matin aurait lieu ce que le programme nommait « la Grande Chasse au Sanglier » de Scofield. Trois heures de chasse à l'arc dans l'une des forêts voisines, sous la direction, là encore, du professeur. La réceptionniste lui avait dit que cette escapade matinale était très populaire, et qu'une trentaine de personnes au moins y participaient chaque année. Deux personnes de plus ou de moins abordant le professeur Scofield ne constituaient pas forcément une raison de s'alarmer. Smith réprima donc sa paranoïa, afin de rester maître de lui-même. Il ne voulait pas se l'avouer, mais les événements de la nuit précédente l'avaient secoué.

Il observa l'homme quitter le sofa pour s'approcher de la table recouverte d'une nappe verte, à côté de la cheminée, et se servir un verre d'eau glacée.

Smith se leva, s'approcha à son tour d'un pas décontracté et remplit sa tasse de thé. Le service était irréprochable. Des rafraîchissements étaient mis à la disposition des clients tout au long de la journée. Il versa un peu d'édulcorant artificiel dans son thé (il détestait le sucre) et remua sa cuiller.

Tout en sirotant son verre d'eau, l'homme revint vers la femme qui finissait sa conversation téléphonique. Le feu dans l'âtre n'était quasiment plus que braises, dont de rares flammes s'échappaient parfois. L'un des serveurs ouvrit la grille de l'âtre et déposa quelques bûches. Smith pourrait très bien espionner ces deux-là et voir où cela le mènerait, mais il avait d'ores et déjà décidé d'opter pour une solution plus radicale.

Quelque chose d'innovant.

D'une efficacité garantie.

Et qui correspondrait parfaitement au grand Douglas Scofield.

Malone entra dans l'auberge L'Arlequin et se dirigea droit vers la salle du restaurant, dont le plancher était recouvert d'un tapis coloré. Sa petite suite lui emboîtait le pas, et toutes et tous se débarrassèrent de leurs manteaux. Isabel échangea quelques mots avec le patron. Celui-ci les laissa seuls en fermant les portes du restaurant derrière lui. Malone, en retirant sa veste de cuir et ses gants, se rendit compte que sa chemise était trempée de sueur.

« Il n'y a que huit chambres à l'étage, dit Isabel. Je les ai toutes retenues pour la nuit, et le propriétaire des lieux est en train de préparer un repas. »

Malone s'assit sur l'un des bancs disposés face aux deux tables de chêne massif. « Parfait. J'ai une faim de loup. »

Christl, Dorothea et Werner s'assirent face à lui. Henn prit place un peu en retrait, posant un cartable à côté de lui, tandis qu'Isabel présidait la table. « *Herr* Malone, je ne vous dirai rien d'autre que la pure vérité.

— J'en doute fortement, mais je vous en prie : parlez. »

Les mains d'Isabel se crispèrent, et elle se mit à tambouriner des doigts sur la table.

« Je ne suis pas votre enfant et je ne figure pas sur le testament, ajouta Malone. Alors venez-en directement au fait.

— Je sais qu'Hermann est venu deux fois ici, dit-elle. Une première fois avant la guerre, en 1937. La seconde fois en 1952. Peu avant sa mort, ma belle-mère nous informa, Dietz et moi, de ces deux voyages. Mais elle ignorait totalement ce qu'Hermann était venu faire ici. Dietz lui-même s'est rendu en ces lieux, un an avant sa disparition.

— Tu ne nous l'as jamais dit », interrompit Christl.

Isabel hocha la tête. « Je n'avais pas compris qu'il existait un lien entre cet endroit et le Mystère de Charlemagne. Je savais simplement que votre grand-père et votre père étaient venus ici. Hier, lorsque tu m'as parlé d'Ossau, j'ai tout de suite fait le rapprochement. »

Les effets de l'adrénaline s'étaient effacés, et tous les membres de Malone étaient lourds de fatigue. Mais il devait néanmoins rester concentré. « Ainsi, Hermann et Dietz sont venus ici. Information plutôt inutile, étant donné qu'apparemment seul Hermann y a trouvé quelque chose, et qu'il n'a révélé à personne ce dont il s'agissait.

— Selon le testament d'Éginhard, dit Christl, il faut, pour élucider ce mystère, "appliquer la perfection de l'ange à la sanctification du Seigneur". Alors, "seuls ceux capables d'apprécier le trône de Salomon et la frivolité romaine sauront trouver le chemin qui mène au ciel". »

Dorothea et Werner restaient silencieux. Malone se demandait même ce qu'ils faisaient ici. Leur petite comédie dans la chapelle semblait effectivement le seul rôle qui leur avait été laissé. Il les pointa tous les deux du doigt et demanda : « Alors, vous avez fini par vous réconcilier ?

— Quelle importance cela a ? » riposta Dorothea.

Malone haussa les épaules. « Ça en a pour moi.

— *Herr* Malone, coupa Isabel. Nous devons résoudre ce mystère.

— Vous avez vu cette chapelle ? Une vraie ruine. Rien de ce qui s'y trouvait il y a mille deux cents ans n'a subsisté. Les murs tiennent à peine debout et toute la toiture a été refaite. Le dallage du sol est fissuré et craquelé, l'autel a été comme poncé par le temps. Comment comptez-vous vous reposer sur tout ça pour résoudre quoi que ce soit ? »

Isabel fit un geste de la main et Henn lui tendit le cartable. Elle en défit les lanières de cuir et en sortit une carte en mauvais état, au papier couleur rouille pâle. Elle la déplia précautionneusement et l'étala sur la table. La carte mesurait environ 60 centimètres sur 45. Malone comprit qu'elle représentait une partie d'une côte au contour torturé.

« Ceci est la carte d'Hermann qui fut utilisée lors de l'expédition allemande de 1938 en Antarctique. C'est la zone qu'il a explorée.

— Aucun mot n'y figure », fit remarquer Malone.

Certains lieux étaient indiqués par des △. Les X semblaient représenter les montagnes. Un □ paraissait indiquer un point central, par lequel passait une route, mais pas le moindre mot sur l'ensemble de la carte.

« Mon époux n'a pas pris cette carte lorsqu'il s'est embarqué en 1971. Il en a préféré une autre. Mais je sais très exactement vers où Dietz se dirigeait. » Elle tira une autre carte du cartable. Nettement plus récente, elle représentait l'Antarctique au 1/8 000 000. « C'est quelque part sur ce continent que nous devrons nous rendre. »

Elle tira deux nouveaux objets du cartable, tous deux protégés par des sacs plastique. Les livres. Celui provenant du tombeau de Charlemagne, que Dorothea lui avait montré, et celui découvert dans le tombeau d'Éginhard, qui appartenait à Christl.

Isabel posa celui de Christl et souleva celui de Dorothea.

« Ce livre est la clef, mais nous sommes incapables de le déchiffrer. Quelque part dans ce monastère se trouve ce qui nous permettra de le faire. Je crains que, bien que nous sachions précisément où nous rendre en Antarctique, notre voyage sur ce continent ne s'avère totalement improductif si nous ne parvenons pas à comprendre auparavant ce que contiennent ces pages. Nous devons acquérir, comme le dit Éginhard, une pleine compréhension de la sagesse du ciel.

— Votre époux y est allé sans l'avoir acquise.

— Telle fut son erreur, répondit Isabel.

— Est-ce qu'on pourrait dîner ? demanda Malone, lassé de l'écouter.

— Je conçois tout à fait que vous nous en vouliez, lança Isabel. Mais je suis venue ici pour vous proposer un marché.

— Non. Vous êtes venue pour me tendre un piège. » Il jeta un regard en direction des deux sœurs jumelles. « Une fois de plus.

— Si nous parvenons à déchiffrer ce livre, reprit Isabel, et que le jeu vous paraît en valoir la chandelle, ce dont je ne doute pas un seul instant, je suppose que vous vous rendrez en Antarctique ?

— Je n'y ai pas encore pensé.

— J'aimerais que vous emmeniez avec vous mes deux filles, ainsi que Werner et Ulrich.

— Autre chose ? rétorqua Malone, presque amusé.

— Je suis on ne peut plus sérieuse. Tel est le prix que vous aurez à payer pour que je vous révèle l'emplacement exact. Sans connaissance de cet emplacement, votre expédition sera aussi vaine que celle de Dietz.

— Dans ce cas, je pense qu'il me faudra refuser votre

marché : votre contrepartie relève tout bonnement de la folie. Nous ne sommes pas en train de parler d'une petite balade dans la neige. Nous sommes en train de parler de l'Antarctique. L'un des endroits les plus hostiles à la surface de la planète.

— J'ai consulté la météo ce matin. La température à la base Halvorsen, qui comporte la piste d'atterrissage la plus proche du lieu en question, atteignait −7 °C. Ce n'est pas si terrible. Le temps était au beau fixe.

— Beau fixe qui peut changer à tout instant.

— À vous entendre, on a l'impression que vous vous êtes déjà rendu sur ce continent, dit Werner.

— C'est le cas. Et ce n'est pas le genre d'endroit où on aime s'attarder.

— Cotton, dit Christl, ma mère nous a tout expliqué tout à l'heure. L'expédition se dirigeait vers un point bien précis. » Elle posa un index sur la carte étalée sur la table. « Vous rendez-vous compte que le sous-marin repose peut-être quelque part sous la mer, non loin de cette destination ? »

Christl venait de jouer la carte que Malone redoutait. Il s'était déjà fait la même réflexion. Le rapport d'enquête mentionnait la dernière position enregistrée du NR-1A : 73 degrés sud, 15 degrés ouest, à environ 150 milles nautiques au nord du cap Norvegia. En confrontant cette localisation à un autre point de référence, il serait peut-être à même de retrouver l'épave du sous-marin. Mais pour ce faire, il lui fallait accepter de jouer le jeu.

« Je suppose que si j'accepte d'emmener avec moi la fine équipe, aucun renseignement ne me sera donné avant le décollage.

— En réalité, pas avant l'atterrissage, répondit Isabel. Ulrich a reçu de la Stasi un entraînement très complet. Il vous donnera les indications topographiques une fois que vous serez tous sur place.

— Vous me voyez tout à fait anéanti par le peu de confiance que vous me portez.

— Le manque de confiance est en l'occurrence réciproque.

— Vous comprenez certainement que je n'aurai pas le dernier mot quant aux gens que je pourrais emmener là-bas. Pour me rendre en Antarctique, je vais devoir demander le soutien de l'armée des États-Unis. Il se pourrait qu'ils refusent tout simplement que nous nous y rendions. »

Le visage morose et usé d'Isabel s'illumina d'un sourire fugace. « Allons, allons, *Herr* Malone. Vous sous-estimez votre influence. Je suis convaincue que vous parviendrez à les convaincre. »

Malone détourna le regard en direction des deux femmes et de l'homme assis en face de lui. « Est-ce que vous avez la moindre idée de ce dans quoi vous vous embarquez ?

— C'est le prix qu'il nous faut payer », répondit Dorothea.

À présent, Malone comprenait. Leur petit jeu n'était pas terminé.

« Et je suis prête à m'en acquitter », ajouta Dorothea.

Werner acquiesça. « Moi aussi. »

Malone regarda Christl.

« Je veux savoir ce qui leur est arrivé », répondit cette dernière, les yeux baissés.

Malone aussi. Même si c'était de la folie.

« Très bien, *Frau* Oberhauser. Si nous parvenons à résoudre le Mystère de Charlemagne, vous pourrez considérer le marché conclu. »

63

Ramsey ouvrit la portière et sortit de l'hélicoptère. Pour relier Washington à Fort Lee, il avait pris cet appareil que le service de renseignement de la Navy tenait à sa disposition vingt-quatre heures sur vingt-quatre au centre administratif.

Une voiture l'attendait : Ramsey fut aussitôt conduit là où Diane McCoy était détenue. Il avait ordonné qu'on se saisisse d'elle à l'instant même où Hovey lui avait dit qu'elle tentait de pénétrer dans l'entrepôt. Le fait de détenir une conseillère adjointe en matière de sécurité nationale attachée à la Maison Blanche était susceptible d'entraîner un certain nombre de problèmes, mais Ramsey avait assuré au commandant de Fort Lee qu'il assumerait toutes les conséquences de cette arrestation.

Il était convaincu qu'il n'y aurait pas de représailles.

McCoy avait agi seule, et elle ne mêlerait pour rien au monde la Maison Blanche à tout cela. Cette certitude s'appuyait sur le fait qu'elle n'avait pas réclamé le moindre appel téléphonique.

Ramsey sortit de la voiture à l'arrêt et pénétra dans le bâtiment principal de la base, dévolu à sa sécurité et à sa protection. Un sergent-major l'escorta jusqu'à la pièce où se trouvait McCoy. Il entra et referma la porte derrière lui. On avait décidé de la retenir dans le confortable bureau du chef de la sécurité.

« Il était temps, dit-elle. Ça fait deux heures que j'attends ici. »

Ramsey déboutonna son pardessus. On lui avait déjà indiqué qu'elle avait été fouillée, et qu'elle n'avait aucun mouchard sur elle. Il s'assit sur une chaise à côté d'elle. « Je croyais que vous et moi avions conclu un marché.

— Non, Langford. Vous aviez tout à y gagner, et moi rien : on ne peut pas appeler ça un marché.

— Je vous ai dit que je ferai tout mon possible pour que vous fassiez partie de la prochaine administration.

— Vous êtes incapable de me garantir cette place.

— Rien n'est sûr en ce bas monde, mais je suis en mesure de mettre toutes les chances de votre côté. Je m'y attelle déjà, du reste. Et pourtant, vous enregistrez mes paroles à mon insu. Vous me poussez à admettre certaines choses de vive voix. Et à présent, vous venez ici. Ça ne marche pas comme ça, Diane.

— Qu'y a-t-il dans cet entrepôt ?

— Comment en avez-vous appris l'existence ?

— Je suis conseillère adjointe en matière de sécurité nationale. »

Ramsey décida d'être partiellement franc avec elle. « Cet entrepôt contient des objets découverts en 1947 durant l'opération Highjump, ainsi qu'en 1948 au cours de l'opération Windmill. Des objets tout à fait singuliers. Ils ont également une part de responsabilité dans ce qui est arrivé au NR-1A en 1971. La mission du sous-marin était directement liée à ces objets.

— Edwin Davis a parlé au Président des opérations Highjump et Windmill. Je l'ai entendu.

— Diane, vous comprenez certainement que si l'on révélait publiquement que la marine a omis de rechercher un sous-marin disparu en mer, les conséquences seraient désastreuses. Pire encore : non seulement on ne l'a pas recherché, mais on a monté de toutes pièces une histoire afin de dissimuler les véritables circonstances de cette disparition. On a menti aux familles des victimes, on a falsifié des rapports. À l'époque, les choses étaient bien différentes : de telles manipulations pouvaient être exercées presque sans danger. Mais ce n'est plus le cas aujourd'hui.

— Quel rapport avez-vous avec tout cela ? »

Intéressant. Après tout, elle n'était pas si bien informée que cela. « L'amiral Dyals a ordonné de ne pas rechercher le NR-1A. Bien que l'équipage tout entier ait expressément accepté avant de partir en mer qu'en cas de naufrage aucun ordre ne serait donné pour les retrouver, la réputation de l'amiral serait définitivement détruite si la vérité était révélée. Et je dois beaucoup à cet homme.

— Dans ce cas, pourquoi avoir tué Sylvian ? »

Ramsey refusait de s'engager sur ce terrain. « Je n'ai tué personne. »

Elle ouvrit la bouche pour répliquer, mais il l'en empêcha en levant simplement la main. « Je ne nie pas pour autant que ce poste m'intéresse au plus haut point. »

L'atmosphère qui régnait dans la pièce était extrêmement tendue, semblable à celle qui régnait à la table d'une partie de poker. Ramsey regarda McCoy droit dans les yeux. « Je suis honnête avec vous dans l'espoir que vous le soyez avec moi. »

Grâce au directeur de cabinet d'Aatos Kane, il savait que Daniels n'avait pas mal accueilli l'idée de sa nomination, ce qui contredisait totalement les propos que McCoy lui avait tenus lors de sa petite mise en scène. Il était vital pour lui de conserver une paire d'yeux et d'oreilles à l'intérieur du Bureau ovale. Les bonnes décisions reposaient toujours sur de bonnes informations. Bien que McCoy représentât un problème, Ramsey avait absolument besoin d'elle.

« Je savais que vous viendriez ici, dit-elle. Intéressant

de constater que vous contrôlez personnellement les entrées et sorties dans cet entrepôt. »

Ramsey haussa les épaules. « Il appartient au service de renseignement de la Navy. Avant que je dirige ce service, mes prédécesseurs en ont fait autant. Ce n'est pas le seul lieu de stockage sous notre responsabilité.

— Je veux bien vous croire. Mais vous êtes loin de m'avoir tout dit sur ce qui se passe en ce moment même. Le chef du bureau berlinois du renseignement naval, par exemple. Ce Wilkerson. Pourquoi a-t-il trouvé la mort ? »

Ramsey savait que cette nouvelle figurerait dans tous les briefings des responsables politiques de ce pays. Mais il aurait été très peu sage d'encourager tout rapprochement entre cet événement et lui. « J'ai ouvert une enquête à ce sujet. Les causes de ce meurtre pourraient être d'ordre privé : il avait une liaison avec une femme mariée. Nos hommes s'attellent en ce moment même à la résolution de cette affaire. Il est encore trop tôt pour émettre la moindre conclusion.

— Je veux voir ce qui se trouve dans cet entrepôt. »

Ramsey l'observa, sans afficher la moindre hostilité ou la moindre colère à son égard. « Et qu'est-ce que cela vous apporterait ?

— Je veux voir à quoi tout cela rime.

— Non, vous ne le voulez pas. »

Il l'observa à nouveau très attentivement. Sa bouche affichait naturellement une charmante moue. Ses cheveux clairs tombaient en deux vagues incurvées de part et d'autre de son visage en forme de cœur. Elle était très attirante, et Ramsey se demanda si un peu de charme l'aiderait. « Diane, écoutez-moi. Vous n'avez aucun besoin d'en venir jusqu'à ces extrémités. J'honorerai ma part du marché. Mais afin de pouvoir le faire, je dois m'y prendre à ma façon. Votre venue ici peut tout faire capoter.

— Je ne suis pas prête à remettre ma carrière entre vos mains. »

Il connaissait un peu l'histoire de sa vie. Le père de McCoy était un politicien de l'Indiana, qui s'était rendu célèbre en se faisant élire lieutenant-gouverneur avant de retourner sa veste au profit du parti opposant. Peut-être était-ce là un trait de famille ? Ramsey devait en tout état de cause clarifier les choses : « Dans ce cas, j'ai bien peur que vous vous retrouviez seule dans votre camp. »

Ramsey put lire sur son visage qu'elle en saisissait parfaitement les conséquences. « Et que je finirai par me faire assassiner ?

— Ai-je dit quelque chose d'approchant ?

— Inutile de le spécifier. »

Elle avait raison. Mais il s'agissait avant tout de limiter au possible les dégâts. « Voici ce que je vous propose. Nous allons prétexter un faux pas dans la procédure. Vous serez venue ici afin d'initier des recherches préliminaires, et la Maison Blanche sera finalement tombée d'accord avec le renseignement naval pour que ce dernier vous livre les informations que vous recherchiez. Ainsi, le chef de cette base sera content, et aucune autre question que celles qui vous ont déjà été posées ne sera abordée. Et tout le monde rentrera chez lui souriant et heureux. »

La défaite se lisait dans les yeux de Diane McCoy.

« N'essayez pas de m'avoir, dit-elle.

— Je n'ai rien fait. C'est vous qui voyez le mal partout.

— Langford, je vous jure que si vous essayez de m'avoir, je détruirai votre carrière. »

Ramsey considéra qu'il valait mieux avoir recours à la diplomatie. Pour l'instant, du moins. « Comme je vous l'ai dit et répété, j'honorerai ma part du marché. »

Malone prit d'autant plus plaisir à dîner qu'il avait dépensé énormément de calories ce jour-là. Lorsqu'il travaillait dans sa librairie, la faim se rappelait à son souvenir à intervalles aussi réguliers que prévisibles. Mais sur le terrain, en mission, ce besoin se tenait coi dans le feu de l'action.

Isabel et ses filles, ainsi que Werner Lindauer, lui avaient longuement parlé d'Hermann et Dietz Oberhauser. La tension qui existait entre les deux sœurs était plus que palpable. Ulrich Henn avait également dîné avec eux, et Malone l'avait méticuleusement observé. L'Allemand n'avait pas émis le moindre son, agissant comme s'il n'entendait rien, mais ne perdant pas un seul mot de la conversation.

Isabel était véritablement la matriarche de cette famille : les émotions des trois autres fluctuaient au gré de ses sautes d'humeur et de ton. Aucune des deux sœurs n'osait s'opposer frontalement à ses opinions. Ou bien elles approuvaient, ou bien elles se taisaient. Et Werner n'avait rien dit de véritablement utile.

Malone s'abstint de dessert et décida de rejoindre sa chambre. Dans le petit hall d'entrée de l'hôtel, un feu brûlait dans la cheminée, emplissant la pièce d'une odeur de résine. Il s'arrêta devant pour en profiter et remarqua trois gravures encadrées du monastère, accrochées au mur. La première était une vue d'ensemble extérieure : tout y semblait intact. Malone aperçut la date dans le coin de la gravure. 1784. Les deux autres étaient des vues d'intérieur. La première représentait le cloître, dont les voûtes et les colonnes étaient encore recouvertes d'images gravées dans la pierre avec une régularité quasiment mathématique. Au centre du cloître, dans le petit jardin, la fontaine se dressait dans toute sa gloire, son bassin de fer débordant d'eau cristalline. Malone imagina des silhouettes en soutane allant et venant sous les arches.

La dernière gravure représentait l'intérieur de la chapelle.

Une vue d'angle de l'abside, face à l'autel, donnant sur

l'espace que Malone avait parcouru pour s'approcher du tueur à gages en s'arrêtant de colonne en colonne. Aucun débris n'était visible. La pierre, le bois et le verre étaient agencés en un ensemble d'une grâce miraculeuse, moitié romane, moitié gothique. Les colonnes étaient recouvertes d'ornements d'une délicate modestie, à mille lieues de leur ruine actuelle. Une grille de bronze encerclait le chœur, et ses boucles rappelèrent à Malone ce qu'il avait pu voir dans la cathédrale d'Aix-la-Chapelle. Le dallage était intact, et une vaste gamme de gris et de noirs semblait indiquer qu'il avait été jadis coloré. Les deux gravures étaient datées de 1772.

Le propriétaire des lieux se trouvait derrière le comptoir de la réception. Malone lui demanda : « Ce sont des originaux ? »

L'homme acquiesça. « Ils sont accrochés à ce mur depuis toujours, pour ainsi dire. Notre monastère a eu son heure de gloire. Mais c'est de l'histoire ancienne.

— Pourquoi se trouve-t-il dans cet état aujourd'hui ?

— À cause de la guerre. De la négligence. De la météo. Toutes trois ont littéralement dévoré cet endroit. »

Avant de quitter la table du dîner, Malone avait entendu Isabel ordonner à Henn de se débarrasser des corps. Henn venait justement de passer dans le hall en enfilant son manteau pour sortir dans la nuit glaciale.

Une bourrasque de vent fouetta le visage de Malone alors que le maître des lieux lui tendait la clef de sa chambre. Malone gravit les marches de bois. Il n'avait pas amené d'affaires de rechange, et les vêtements qu'il portait avaient grand besoin d'être lavés, surtout sa chemise. Une fois dans la chambre, il jeta sa veste et ses gants de cuir sur le lit, et enleva aussitôt sa chemise. Dans la petite salle de bain, il la mouilla, frotta avec du savon avant de la rincer dans l'évier, l'essora et la mit à sécher sur le radiateur.

En maillot de corps, il s'observa dans la glace. Depuis

ses six ans, il avait toujours porté un maillot, habitude que lui avait inculquée son père. « C'est dégoûtant d'avoir la poitrine nue, avait-il coutume de dire. Tu veux que tes vêtements sentent la sueur ? » Il n'avait jamais remis en question les leçons de son père : il les avait scrupuleusement suivies, et portait toujours un maillot de corps, avec de larges cols en V, car comme le disait également son père : « Porter un maillot, c'est une chose, le voir, c'en est une autre. » Malone était toujours surpris par la facilité avec laquelle on pouvait évoquer d'aussi anciens souvenirs. Il n'avait connu son père que durant bien peu d'années. Ses premiers souvenirs de lui remontaient à ses trois ans, et les derniers, entre ses sept et ses dix ans. Il possédait encore le drapeau utilisé lors de la cérémonie mortuaire de son père, drapeau qu'il conservait dans un présentoir en verre, à côté de son lit. Sa mère avait refusé cet objet en disant qu'elle ne voulait plus entendre parler de la Navy. Mais huit ans plus tard, lorsque Malone lui apprit qu'il allait rejoindre ce corps d'armée, elle ne s'y était pas opposée. « Qu'est-ce que le fils de Forrest Malone aurait pu faire d'autre ? » lui avait-elle dit.

Rien. Malone en était aussi conscient qu'elle.

Il entendit un faible grattement à sa porte et sortit de la salle de bain pour ouvrir. Christl se tenait sur le seuil.

« Vous permettez ? » demanda-t-elle.

Il acquiesça et referma la porte derrière elle.

« Je tenais à ce que vous sachiez que je n'approuve en rien ce qui s'est passé au monastère aujourd'hui. C'est pour cette raison que je suis venue vous chercher. J'avais demandé à ma mère de ne pas vous mentir.

— Contrairement à vous.

— Jouons cartes sur table, vous voulez bien ? Si je vous avais dit que j'avais d'ores et déjà fait le rapprochement entre les mots d'Éginhard et l'inscription de la mosaïque, auriez-vous seulement pris la peine de vous rendre à Aix-la-Chapelle ? »

Probablement pas. Mais Malone ne répondit pas.

« C'est bien ce que je me suis dit, dit-elle en lisant sa réponse sur son visage.

— On aime prendre des risques idiots dans votre famille.

— Les enjeux sont considérables. Ma mère m'a demandé de vous dire quelque chose, seul à seul, sans Dorothea et Werner. »

Malone s'était demandé quand Isabel se déciderait à lui livrer les véritables informations qu'elle lui avait promises plus tôt dans la soirée. « Très bien. Alors dites-moi qui cherche à me tuer.

— Un homme du nom de Langford Ramsey. Elle s'est entretenue avec lui. C'est lui qui a chargé ces hommes de nous tuer à Garmisch, Reichshoffen, Aix-la-Chapelle et ici même, à Ossau. Il est directeur du service du renseignement de la Navy. Ma mère a fait semblant de s'allier avec lui.

— Voilà qui est original : mettre ma vie en danger pour la sauver.

— Elle cherche à vous aider.

— En révélant à Ramsey où je serai aujourd'hui ? »

Christl acquiesça. « Nous avons mis en scène cette fausse prise d'otages de concert avec eux afin de pouvoir les tuer. Nous n'avions pas prévu que les deux autres entreraient. Ils étaient censés rester dehors. Ulrich pense que ce sont les coups de feu qui les ont poussés à improviser. » Elle hésita. « Cotton, je suis heureuse que vous soyez ici. Sain et sauf. Je tenais à ce que vous le sachiez. »

Malone avait l'impression de se précipiter de piège en piège, la tête devant.

« Où est votre chemise ? demanda Christl.

— Quand on vit seul, on fait soi-même sa lessive. »

Elle afficha un sourire amical qui détendit un peu l'atmosphère. « Je vis seule depuis que je suis adulte.

— Je pensais que vous aviez été mariée ?

— Nous n'avons jamais vécu ensemble. Une erreur de plus, sans doute. Nous avons passé de merveilleux week-ends, mais ce fut à peu près tout. Combien de temps a duré votre mariage ?

— Presque vingt ans.

— Des enfants ?

— Un fils.

— Porte-t-il votre nom ?

— Il s'appelle Gary. »

Le silence qui suivit était étrangement empreint de paix.

Christl portait un jean, une chemise gris pierre et un cardigan bleu marine. Malone la voyait encore, ligotée au pied de l'autel. Bien entendu, le fait qu'une femme lui mente n'avait malheureusement rien de nouveau. Son ex-femme lui avait menti pendant des années au sujet du père biologique de Gary. Stéphanie n'hésitait jamais à mentir lorsque cela s'avérait nécessaire. Sa propre mère, cette femme qui exprimait si rarement ses émotions, lui avait même menti au sujet de son père. Le souvenir qu'elle avait de son époux touchait à la perfection. Malone savait que ce n'était qu'une illusion. Il voulait plus que tout savoir quel homme avait été son père. Il se moquait du mythe, de la légende, de son souvenir : seul l'homme qu'il avait été l'intéressait.

Malone était exténué. « Il est temps de se coucher. »

Christl s'approcha de la lampe de chevet. Malone avait éteint la lumière de la salle de bain avant de lui ouvrir. Lorsqu'elle tira sur la chaînette, la chambre fut plongée dans l'obscurité.

« Je suis complètement d'accord », dit-elle.

64

Par l'entrebâillement de sa porte, Dorothea vit sa sœur entrer dans la chambre de Malone. Elle l'avait surprise après le dîner en train d'échanger quelques mots avec leur mère, et s'était demandé ce dont elles avaient bien pu parler. Ulrich était parti pour s'acquitter d'une tâche dont Dorothea imaginait sans peine la nature. Elle se demandait quel devait être son rôle à elle. Apparemment, elle devait se réconcilier avec son époux : on leur avait donné une chambre commune avec un lit minuscule. Lorsqu'elle avait demandé une autre chambre au propriétaire des lieux, il lui avait répondu qu'elles étaient toutes prises.

« Ce n'est pas si grave, dit Werner.

— Tout dépend de ta définition de "grave". »

En réalité, elle trouvait la situation cocasse. Tous deux se comportaient comme deux adolescents lors de leur première soirée en amoureux. Ils se trouvaient tous deux dans une position comique dans un sens et, dans un autre, tragique. L'espace restreint contraignait Dorothea à supporter les miasmes de son après-rasage, de son tabac à pipe et l'odeur de clou de girofle de sa marque préférée de chewing-gum. Toutes ces odeurs rappelaient en outre à Dorothea qu'il y avait bien long-temps qu'elle ne partageait plus l'intimité de son époux.

« Ça va trop loin, Werner. Et beaucoup trop rapide-ment à mon goût.

— Je doute que tu aies vraiment le choix. »

Il se tenait près de la fenêtre, les mains jointes dans le dos. Ce qu'il avait fait dans la chapelle ne finissait pas de déstabiliser Dorothea. « Tu croyais vraiment que cet homme allait me tirer dessus ?

— Tout a changé lorsque j'ai abattu son comparse. Il était hors de lui. Il aurait pu faire n'importe quoi.

— Tu as tué cet homme avec une telle facilité. »

Werner hocha la tête. « Loin s'en faut, mais c'était nécessaire. Ce n'est pas si différent que d'abattre un cerf.

— Je n'aurais jamais soupçonné cette part de toi.

— Ces derniers jours, j'en ai moi-même beaucoup appris sur mon propre compte.

— Ces hommes de main n'étaient que des sots, seul l'appât du gain les guidait. » À l'instar de cette femme qu'elle avait empoisonnée dans l'abbaye, pensa-t-elle. « Ils n'avaient aucune raison de se fier à nous, pas plus que nous en avions de leur faire confiance. »

La tristesse se lut soudain sur le visage de Werner. « Pourquoi éviter ainsi les sujets qui fâchent ?

— Je doute qu'il s'agisse du moment et du lieu appro-priés pour discuter de nos problèmes personnels. »

Il haussa un sourcil incrédule. « Au contraire, aucun autre moment ne pourrait mieux s'y prêter. Nous sommes sur le point de prendre des décisions irrévocables. »

Le fossé qui s'était creusé au cours de ces dernières années avait annihilé la capacité que Dorothea avait autrefois de percevoir les intentions cachées de son époux. Elle l'avait ignoré pendant si longtemps, en le laissant vivre sa propre vie à sa guise. À présent, elle se maudissait d'avoir été si indifférente à son sort. « Que veux-tu, Werner ?

— La même chose que toi. L'argent, le pouvoir, la sécurité. Ton héritage.

— Tu n'as aucun droit dessus.

— Un héritage très intéressant, au demeurant. Ton grand-père était un nazi. Il vénérait Adolf Hitler comme un dieu.

— Ce n'était pas un nazi, lança-t-elle.

— Il a collaboré au mal qu'ils ont fait. Ses théories ont servi la Solution finale.

— Ce que tu dis est grotesque.

— Tu oublies ces thèses sur les Aryens ? Nos soi-disant ancêtres ? Cette théorie selon laquelle nous serions une race à part, issue d'une région du globe unique elle aussi ? Himmler raffolait de ces ordures. Elles légitimaient à merveille la propagande barbare des nazis. »

Ces mots éveillèrent en elle un tourbillon de pensées désagréables. Elle se souvint de choses que sa mère lui avait dites, de choses qu'elle avait entendues encore enfant. Les idées d'extrême droite revendiquées par son grand-père. Son refus absolu de toute critique du IIIe Reich. Le credo répété sans cesse par son père, selon lequel la fin de la guerre n'avait pas profité à l'Allemagne. Ces paroles cent fois répétées : « Une Allemagne divisée est pire que tout ce qu'Hitler a pu faire. » Sa mère avait raison. Mieux valait que l'histoire de la famille Oberhauser demeure tue et enterrée.

« Tu dois faire preuve de la plus grande prudence, Dorothea », murmura Werner.

Son ton avait quelque chose d'inquiétant. Que savait-il de plus qu'elle ?

« Peut-être le fait de me prendre pour un imbécile soulage-t-il ta conscience, poursuivit-il. Peut-être cela t'aide-t-il à mépriser notre mariage, à me mépriser, moi. »

Elle refusait de mordre à l'hameçon qu'il semblait secouer sous son nez.

« Mais je ne suis pas idiot. »

Une question taraudait Dorothea. « Que sais-tu au sujet de Christl ? »

Werner désigna la porte de la chambre. « Je sais qu'elle est là-bas, avec Malone. Tu comprends ce que cela implique ?

— Dis-moi.

— Elle est en train de contracter une alliance. Malone fait partie du camp des Américains. Ta mère sait choisir ses alliés : Malone sera à même de rendre certaines choses possibles, lorsque nous aurons décidé du moment opportun. Sans lui, comment pourrions-nous nous rendre en Antarctique ? Christl est en train d'exécuter les ordres de votre mère. »

Il avait raison. « Dis-moi, Werner, prends-tu plaisir à envisager mon échec ?

— Si c'était le cas, je ne me trouverais pas ici. Je me contenterais d'observer ta défaite. »

La réserve de son ton alerta Dorothea. De toute évidence, il en savait plus qu'il n'en disait, et sa façon de tourner autour du pot irritait Dorothea au plus haut point.

Elle réprima un frisson en se rendant soudain compte que cet homme, qui était à présent plus un inconnu qu'un époux, l'attirait.

« Lorsque tu as tué cet homme, dans la petite maison, demanda Werner, tu n'as rien ressenti ?

— Si. Du soulagement. » Les mots avaient sifflé entre ses dents.

Impassible, Werner sembla réfléchir à cet aveu. « Nous devons l'emporter, Dorothea. S'il faut pour ce faire coopérer avec ta mère et avec Christl, alors ainsi soit-il. Nous ne pouvons pas laisser ta sœur prendre le dessus dans cette quête.

— Ma mère et toi, vous vous consultez à ce sujet depuis un certain temps, n'est-ce pas ?

— Georg lui manque autant qu'à nous. Il représentait l'avenir de cette famille. À présent, l'existence de celle-ci est remise en question. Il n'y a plus un seul héritier Oberhauser. »

Dorothea perçut dans son ton quelque chose que son regard lui confirma. Ce quelque chose qu'il désirait en vérité. « Tu n'es tout de même pas sérieux ? demanda-t-elle.

— Tu as quarante-huit ans. Tu peux encore enfanter. »

Werner s'approcha et déposa un doux baiser sur son cou.

Elle le gifla.

Il éclata de rire. « Une émotion intense. De la violence. Après tout, tu es quand même humaine. »

La sueur perlait au front de Dorothea, bien qu'il ne fît pas chaud dans la chambre. Elle refusait d'en entendre plus.

Elle se dirigea vers la porte.

Werner la saisit par le bras et la força à lui faire face.

« Tu ne me fuiras pas. Pas cette fois.

— Lâche-moi. » Mais le ton de sa voix la trahissait. « Tu es un être abject. Tu me dégoûtes.

— Ta mère a bien spécifié que si nous donnions naissance à un fils, tout te reviendrait. » Il l'attira à lui. « Tu as bien entendu ? Tout. Christl se moque d'avoir des enfants ou un mari. Mais peut-être que votre mère lui a fait miroiter la même promesse. À ton avis, qu'est-elle en train de faire, en ce moment même ? »

Le visage de Werner était à deux doigts du sien.

« Réfléchis, bon sang ! Votre mère vous a dressées l'une contre l'autre à seule fin de découvrir ce qui est arrivé à son époux. Mais plus que tout, elle veut que votre nom se perpétue. Les Oberhauser ont l'argent et le pouvoir. Il ne leur manque qu'un héritier. »

Dorothea se libéra de son étreinte. Il avait raison. Christl avait rejoint Malone dans sa chambre. Et il était impossible de se fier à leur mère : elle avait très certainement promis la même chose aux deux sœurs rivales.

« Nous avons un avantage sur elle, dit Werner. Notre enfant serait légitime. »

Cette idée la mettait hors d'elle. Mais ce salaud avait raison.

« Pouvons-nous nous atteler à la tâche, à présent ? » lui demanda-t-il.

65

Stéphanie était quelque peu déconcertée. Davis avait décidé qu'ils passeraient la nuit sur place et avait réservé une chambre pour eux deux.

« Habituellement, je ne suis pas du genre à aller à l'hôtel dès le premier rendez-vous, lui dit-elle alors qu'il ouvrait la porte de la chambre.

— Ah bon ? répliqua-t-il. J'avais entendu dire que vous étiez une fille facile. »

Elle lui donna une petite tape sur la nuque. « Ne prenez pas vos désirs pour des réalités. »

Il se retourna vers elle. « La nuit dernière, nous avons passé ensemble une superbe nuit, d'abord recroquevillés dans le froid, puis à essuyer des tirs d'arme à feu. Et nous voici à présent dans un romantique hôtel quatre étoiles. J'ai comme l'impression que ça commence à être sérieux entre nous deux. »

Elle sourit. « Ne me rappelez pas la nuit dernière. Et au fait, j'ai adoré votre subtilité d'approche avec Scofield. Ça a terriblement bien marché. Vous l'avez littéralement conquis.

— Ce n'est qu'un monsieur Je-sais-tout arrogant et imbu de sa petite personne.

— Qui a pris part aux événements de 1971, et qui en sait plus que vous et moi réunis. »

Davis s'écroula sur le dessus-de-lit à motifs floraux. L'ensemble de la chambre avait été décoré à l'ancienne mode du sud des États-Unis. Des meubles ravissants, des rideaux élégants, inspirés directement des manoirs anglais et des châteaux français. Stéphanie mourait d'envie d'essayer la vaste baignoire. Elle ne s'était pas douchée depuis la veille au matin à Atlanta. Était-ce cela que devaient endurer ses agents sur le terrain ? Et en tant que directrice de l'unité Magellan, n'était-elle pas censée ne rien endurer du genre ?

« Chambre premier choix avec lits king-size, commenta-t-il. Les tarifs sont bien au-dessus des défraiements quotidiens du gouvernement, mais au diable l'avarice. Vous le valez bien. »

Stéphanie s'effondra sur l'un des fauteuils de la chambre et posa ses jambes sur le pouf assorti. « Si vous arrivez à supporter cette promiscuité, j'imagine que je peux faire un effort moi aussi. De toute façon, j'ai l'impression que nous n'allons pas beaucoup dormir ce soir.

— Il est ici, dit Davis. Je le sens. »

Stéphanie n'en était pas aussi sûre, mais elle ne pouvait nier qu'une certaine anxiété lui nouait le ventre.

« Scofield occupe la suite Wharton au sixième étage, poursuivit Davis. Comme à son habitude.

— C'est la réceptionniste de l'hôtel qui vous l'a dit ? »

Il acquiesça. « Elle non plus n'aime pas Scofield. »

Davis sortit de sa poche le programme de la conférence. « Dans peu de temps, il va mener une visite du château Biltmore. Et demain matin, il dirigera une chasse au sanglier.

— Si notre homme est ici, il n'a que l'embarras du choix pour agir. Sans parler de cette nuit à l'hôtel. »

Elle observa le visage de Davis. D'habitude, son expression ne laissait jamais filtrer ses sentiments, mais il avait à présent baissé le masque. Il était anxieux. La curiosité qu'elle éprouvait se mêlait d'une certaine appréhension, mais elle lui demanda quand même : « Que comptez-vous faire lorsque vous l'aurez retrouvé ?

— Le tuer.

— Cela constituerait tout bonnement un homicide prémédité.

— Peut-être bien. Mais je doute que notre homme se laisse appréhender sans se défendre.

— Vous l'aimiez à ce point ?

— Un homme ne doit pas battre une femme. »

Stéphanie se demanda si ces paroles étaient adressées à elle, à Millicent ou à Ramsey.

« J'étais dans l'incapacité d'agir, autrefois, dit Davis. Plus maintenant. » Son visage se ferma à nouveau, dissimulant toute émotion. « À présent dites-moi ce que le Président n'a pas voulu me révéler. »

Stéphanie s'était attendue à cette question. « C'est au sujet d'une de vos collègues. » Elle lui révéla où Diane McCoy s'était rendue. « Daniels a confiance en vous, Edwin. Plus encore que vous ne le pensez. » Elle s'aperçut qu'il avait parfaitement compris le sens implicite de ses mots : « Ne le laissez pas tomber. »

« Je ne le décevrai pas.

— Vous ne pouvez pas tuer cet homme, Edwin. Nous devons l'attraper vivant afin de pouvoir coincer Ramsey. Sans quoi, le problème restera entier.

— Je sais. » Il y avait de la défaite dans sa voix.

Davis se leva.

« Nous devons y aller. »

Ils allèrent à la réception pour s'inscrire au reste de

la conférence, puis se rendirent à l'étage où ils obtinrent deux tickets pour la visite à la lueur des chandelles.

« Nous devrons rester près de Scofield, dit Davis. Que ça lui plaise ou non. »

Charlie Smith pénétra dans le château Biltmore à la suite du groupe. Lorsqu'il s'était inscrit à la conférence « Mystères anciens enfin révélés », on lui avait remis un ticket pour cette visite nocturne. En feuilletant quelques prospectus dans la boutique de l'hôtel, il avait appris qu'entre novembre et la nuit de la Saint-Sylvestre des soirées prétendument magiques étaient proposées, au cours desquelles les clients pouvaient visiter le château éclairé uniquement par ses chandeliers et ses cheminées rutilantes, avec à la clef quelques concerts nocturnes. Il fallait pour y prendre part réserver sa place, et la visite de ce soir était strictement réservée aux personnes inscrites à la conférence.

Le groupe avait relié l'hôtel au château en emplissant deux bus du domaine Biltmore. Smith avait estimé le nombre de participants à environ quatre-vingts personnes. Il était vêtu comme tous les autres de couleurs hivernales, manteau de laine et chaussures sombres. Durant le trajet, il avait discuté de *Star Trek* avec l'un des participants, comparant leurs séries préférées : Smith avait avancé que *Enterprise* était de loin la meilleure, tandis que son interlocuteur avait défendu *Voyager*.

« Mesdames, messieurs, lança Scofield alors qu'ils étaient massés dans la nuit glaciale face aux portes du château, veuillez me suivre. Nous allons commencer cette visite dont vous vous souviendrez longtemps. »

Le groupe passa le seuil d'une grille de fer forgé aux formes alambiquées. Smith avait lu que toutes les pièces du château avaient été spécialement décorées pour Noël, comme George Vanderbilt avait coutume de le faire dès 1885, la première année de son installation sur son domaine.

Smith avait hâte de profiter du spectacle.

Celui du château.

Et le sien.

Malone se réveilla. Christl dormait, nue, blottie contre lui. Il consulta sa montre. Minuit trente-cinq. Un jour nouveau, le vendredi 14 décembre, venait de commencer.

Il avait dormi deux heures.

Tout son corps était parcouru d'une profonde sensation de bien-être.

Cela faisait longtemps que ça ne lui était pas arrivé.

Après qu'ils eurent fait l'amour, il s'était abîmé dans un sommeil profond entremêlé d'images aux nombreux détails.

Aussi nombreux que ceux de la gravure qui se trouvait à l'étage inférieur.

Celle de la chapelle datant de 1772.

Très étrangement, la solution s'était imposée à son esprit, telle la dernière carte d'une réussite. La même chose était arrivée deux ans auparavant. Au château de Cassiopée Vitt. Il se souvint d'elle. Ses visites s'étaient faites rares ces derniers temps, et elle était à présent Dieu sait où. À Aix-la-Chapelle, il avait envisagé de l'appeler à l'aide, pour décider finalement de se débrouiller seul. Il restait immobile, allongé sur le lit, à réfléchir à la myriade de choix que la vie offrait à chaque instant. La rapidité avec laquelle il avait cédé aux avances de Christl le taraudait.

Au moins, il en était sorti plus que du simple plaisir.

Il connaissait à présent le fin mot du Mystère de Charlemagne.

66

Stéphanie et Edwin Davis suivirent le groupe dans le grand hall du château Biltmore aux hauts murs de calcaire. Sur la droite, dans un jardin d'hiver au toit de verre, un massif de poinsettias blancs encerclait une fontaine de marbre et de bronze. L'air doux charriait un parfum de verdure et de cannelle.

Dans le bus, une femme leur avait dit que, d'après la brochure, la visite était un véritable retour dans le passé, avec chandelles et décorations d'époque : on avait l'impression de progresser dans une carte postale victorienne. Conformément à ce qu'annonçait le programme, on pouvait entendre, venant d'une pièce qu'on devinait éloignée, les chants de Noël qu'interprétait une chorale. En l'absence de vestiaire, Stéphanie garda son manteau qu'elle déboutonna. Tous deux restaient à l'arrière du groupe, hors de vue de Scofield qui prenait un plaisir évident à diriger une telle foule.

« Pour quelque temps, ce château nous appartient ! dit le professeur. C'est l'une des traditions de cette conférence. Deux cent cinquante pièces, trente-quatre chambres, quarante-trois salles de bain, soixante-cinq cheminées, trois cuisines et une piscine intérieure. Je n'arrive pas à croire que j'aie pu retenir tous ces chiffres. » Il rit à sa propre plaisanterie. « Je vous guiderai à travers cette incroyable demeure, en rehaussant la visite de quelques anecdotes et autres observations. À la fin, nous reviendrons dans ce hall, et vous serez libres de déambuler à votre guise pendant environ une demi-heure, avant de reprendre le bus pour rentrer à l'hôtel. » Il observa une courte pause. « Pouvons-nous commencer ? »

Scofield conduisit sa suite le long d'une galerie longue d'un peu moins de trente mètres, décorée de riches tapisseries qui, comme il l'expliqua, avaient été réalisées en Belgique aux alentours de 1530.

Ils visitèrent la somptueuse bibliothèque qui contenait vingt-trois mille ouvrages et possédait un plafond d'inspiration vénitienne, puis la salle de musique où était exposée une incroyable gravure de Dürer. Enfin, ils entrèrent dans une imposante salle de banquet avec d'autres tapisseries flamandes, un orgue, et une gigantesque table de chêne massif autour de laquelle auraient pu se réunir (Stéphanie compta les chaises) soixante-quatre convives. Chandelles, cheminées et illuminations de Noël éclairaient la scène.

« Ceci est la plus vaste pièce du château, déclara Scofield, 22 mètres de long, 13 mètres de large, coiffée d'une voûte en berceau culminant à plus de 21 mètres. »

On avait installé dans la pièce un énorme sapin dont le sommet atteignait la moitié de la hauteur du plafond, et on l'avait décoré de jouets, de fleurs séchées, de perles d'or, d'angelots, de rubans de velours et de dentelle. L'orgue emplissait la salle d'une joyeuse musique.

Stéphanie vit Davis s'approcher de la table et le suivit aussitôt pour lui chuchoter : « Qu'y a-t-il ? »

Il pointa du doigt la triple cheminée décorée d'un blason, en faisant mine de l'admirer, et lui répondit : « Ce type, petit et assez maigre, avec un pantalon de toile bleu marine, une chemise, une veste d'hiver au col de velours côtelé. Derrière nous. »

Afin de résister à la tentation de se retourner, Stéphanie fixa son regard sur l'âtre et le dessus de cheminée en haut-relief, qui donnait au tout un air de temple grec.

« Il épiait Scofield.

— Comme à peu près toutes les personnes présentes.

— Il n'a parlé à personne et, à deux reprises, il a jeté un coup d'œil par les fenêtres. J'ai intentionnellement croisé son regard afin de voir ce qui se passerait, et il s'est aussitôt détourné. Il est bien trop nerveux à mon goût. »

À son tour, Stéphanie désigna les lustres de bronze massif. Des flammes avaient été accrochées aux murs de la salle, représentant les drapeaux des treize premières colonies précédant la Révolution américaine, comme était en train de l'expliquer Scofield.

« Vous n'avez aucune certitude, n'est-ce pas ? demanda-t-elle à Davis.

— Mettez ça sur le compte de mon flair. Il est en train de regarder par la fenêtre, de nouveau. Toutes les personnes ici présentes sont venues pour admirer ce qu'il y avait à l'intérieur du château, pas à l'extérieur.

— Vous me permettez d'aller vérifier ? demanda-t-elle.

— Je vous en prie. »

Davis fit mine de rester bouche bée face à la splendeur de la salle de banquet tandis que Stéphanie s'approchait d'un pas désinvolte vers le sapin de Noël, où l'homme au pantalon de toile se tenait, à côté d'un petit groupe de personnes. Elle ne sentit aucune menace, mais remarqua qu'il restait très concentré sur Scofield bien que celui-ci fût engagé dans une conversation assez animée avec d'autres participants.

L'homme s'éloigna du sapin et se dirigea vers le seuil d'une porte, où il jeta quelque chose dans une petite poubelle avant de s'engager dans la pièce contiguë.

Elle attendit un instant avant de le suivre, les yeux rivés par-delà le seuil qu'il venait de traverser.

L'homme arpentait une salle de billard qui avait tout d'un club pour gentleman du XIXe siècle, avec de riches panneaux de bois fixés aux murs, un plafond ouvragé et des tapis orientaux aux couleurs profondes. Il examina des gravures accrochées aux murs, pas assez attentivement aux yeux de Stéphanie.

Elle jeta un rapide coup d'œil à la poubelle et remarqua quelque chose. Elle se pencha, saisit l'objet et revint sur ses pas.

Elle regarda ce qu'elle tenait dans la paume de sa main.

Une petite boîte d'allumettes, d'un restaurant Ruth's Chris.

À Charlotte, en Caroline du Nord.

Ne trouvant plus le sommeil à cause des idées qui fusaient dans son esprit, Malone quitta la chaleur de l'épaisse couette et se leva. Il fallait absolument qu'il descende au rez-de-chaussée pour étudier plus en détail la gravure.

Christl se réveilla. « Où vas-tu ? »

Il ramassa son pantalon qui traînait par terre. « Voir si j'ai raison.

— Tu as eu une idée ? » Elle se redressa dans le lit et alluma la lampe de chevet. « À quoi penses-tu ? »

La nudité ne semblait pas la gêner le moins du monde, et le fait de la voir nue était loin de gêner Malone. Il ferma sa braguette et enfila sa chemise, sans se soucier de mettre ses chaussures.

« Attends », dit Christl en se levant pour mettre la main sur ses vêtements.

Le rez-de-chaussée n'était éclairé que par deux petites lampes et les braises encore ardentes de l'âtre.

La réception avait été désertée, et aucun bruit ne provenait du restaurant. Malone alluma une autre lampe et se campa devant la gravure.

« Ça date de 1772. Manifestement, la chapelle était alors en meilleur état. Tu ne remarques pas quelque chose ? » Christl s'approcha de la gravure pour l'observer minutieusement.

« Les vitraux étaient intacts. Il y avait des statues. La grille qui cerne l'autel semble carolingienne, à l'instar de celle d'Aix-la-Chapelle.

— Non, ce n'est pas ça. »

Le fait d'avoir enfin une longueur d'avance sur Christl plaisait énormément à Malone. Il admirait sa taille de guêpe, ses belles hanches et les boucles de ses cheveux blonds. Elle n'avait pas mis sa chemise dans son pantalon, aussi aperçut-il le dessin de sa colonne vertébrale lorsqu'elle tendit le bras pour faire glisser un doigt sur le verre du cadre.

Elle se retourna. « Le sol. »

Ses yeux marron clair étincelaient.

« Dis-moi.

— Il y a un motif. On a du mal à le distinguer, mais il y en a bien un. »

Elle avait vu juste. La gravure présentait une vue d'angle, afin de mettre en valeur la hauteur des murs et des voûtes, au détriment du sol. Mais Malone avait remarqué le même détail. Des lignes sombres tracées sur un fond plus clair, un carré contenant un autre carré qui en contenait lui-même un troisième. Un motif familier.

« C'est un plateau de jeu de mérelles, dit-il. Nous ne pourrons nous en assurer qu'en retournant sur les lieux, mais j'ai la quasi-certitude que c'était bien ce qui figurait jadis sur cette dalle.

— Ce sera difficile à confirmer, répliqua Christl. J'ai rampé au sol. On ne discerne quasiment plus rien.

— Ça faisait partie du rôle d'otage que tu devais jouer ?

« — C'était l'idée de ma mère. Pas la mienne.

— Et nous ne pouvons rien refuser à maman, n'est-ce pas ? »

Un sourire discret se dessina sur ses lèvres. « Non, nous ne pouvons rien lui refuser.

— "Seuls ceux capables d'apprécier le trône de Salomon et la frivolité romaine sauront trouver le chemin qui mène au ciel", cita Malone.

— Un plateau de jeu de mérelles sur le trône d'Aix-la-Chapelle, et un autre ici.

— Éginhard a supervisé la construction de cette église, dit-il. Plusieurs années plus tard, il élabora le Mystère de Charlemagne en se servant des chapelles d'Aix et d'Ossau comme points de repère. Apparemment, à cette époque, le trône se trouvait déjà dans la chapelle palatine. » Il pointa son index. « Regarde dans le coin en bas à droite. Par terre, vers le centre de la nef, là où devait s'étendre le plateau du jeu de mérelles. Que vois-tu ? »

Elle plissa insensiblement les yeux. « Quelque chose semble avoir été gravé dans le dallage. Difficile à dire. Les traits sont confus. On dirait une croix minuscule avec des lettres. Un "R" et un "L", mais le reste est trouble. »

Soudain, Malone perçut sur son visage qu'elle venait de comprendre ce dont il s'agissait.

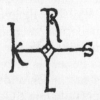

« C'est une partie de la signature de Charlemagne, dit Christl.

— Ça semble effectivement être le cas, mais il n'y a qu'une seule façon de s'en assurer. »

67

Stéphanie rejoignit Davis et lui montra la boîte d'allumettes.

« Ça fait beaucoup de coïncidences, lança-t-il. Cet homme n'est pas venu ici pour assister à la conférence. Il est en train de guetter sa proie. »

L'assassin ne manquait ni de culot ni d'assurance. Le fait de se trouver là, incognito au sein d'un groupe, était certainement le signe d'une personnalité téméraire. Après tout, en l'espace de quarante-huit heures, il était parvenu à éliminer au moins deux personnes sans laisser la moindre trace, et avait failli en tuer une troisième.

Davis s'éloigna soudain à grands pas.

« Edwin. »

Il se dirigeait vers le salon de billard. Le reste des participants était éparpillé aux quatre coins de la salle de banquet, et Scofield commençait à les diriger vers la pièce où se trouvait déjà le tueur potentiel.

Stéphanie secoua la tête et suivit Davis.

Davis approcha des tables de billard, là où l'homme se tenait, à côté d'une cheminée décorée de branches de

483

pin et d'un tapis de fourrure d'ours étalé sur le parquet. D'autres participants à la visite se trouvaient déjà dans la pièce. Les autres étaient sur le point d'y pénétrer.

« Excusez-moi, dit Davis. Vous, là-bas. »

L'homme se retourna, identifia celui qui le hélait et se recula.

« J'ai à vous parler », dit Davis d'un ton ferme.

L'homme se précipita en avant, bousculant Davis qui se trouvait sur son chemin. Sa main droite glissa sous son manteau déboutonné.

« Edwin ! » cria Stéphanie.

Davis avait lui aussi remarqué le geste de l'homme, et plongea sous l'une des tables de billard.

Stéphanie se saisit de son arme qu'elle pointa en direction de l'homme en s'écriant : « Arrêtez-vous ! »

Les autres personnes présentes virent son pistolet.

Une femme poussa des cris perçants.

L'homme disparut par une porte ouverte.

Davis se releva en un éclair et courut à sa poursuite.

Malone et Christl sortirent de l'hôtel. Le silence régnait dans la nuit claire et froide. Les étoiles brillaient d'une clarté irréelle, baignant Ossau d'une luminosité sans couleur.

Christl avait trouvé deux lampes torches derrière le comptoir de la réception. Bien que Malone fût encore exténué, un flot de combativité stimulait sa vitalité. Il venait de faire l'amour avec une femme superbe à laquelle il ne faisait aucune confiance mais à qui il ne pouvait résister.

Christl avait attaché ses cheveux en un chignon haut, dont de longues boucles s'échappaient, encadrant son doux visage. Le sol était parcouru d'ombres imprécises, et le vent charriait une odeur de fumée. Ils remontèrent à pas lourds le sentier recouvert de neige qui conduisait au monastère et s'arrêtèrent face au portail. Malone remarqua qu'Henn, après avoir tout nettoyé, avait repositionné la chaîne sectionnée, de sorte que le portail parût solidement fermé.

Il retira la chaîne, et ils entrèrent dans l'enceinte du monastère.

Il régnait partout un lugubre silence, vieux de plusieurs siècles. À la lueur de leurs lampes torches, ils empruntèrent les galeries sombres du cloître, en direction de la chapelle. Malone avait l'impression de se trouver dans un congélateur : le froid sec tranchait à vif sur ses lèvres.

Une fois dans la chapelle, il s'empressa de parcourir du faisceau de sa lampe le sol recouvert de mousse auquel il n'avait auparavant guère prêté d'attention. L'ouvrage était très abîmé, les joints larges, et beaucoup de dalles étaient ou bien craquelées, ou bien absentes, dévoilant la terre nue et caillouteuse. L'appréhension commençait à le gagner. Il avait emmené avec lui son pistolet et ses chargeurs supplémentaires, juste au cas où.

« Regarde, dit-il à Christl. Voici le motif. Ou du moins ce qu'il en reste. » Il leva les yeux en direction de la galerie supérieure où Isabel et Henn étaient apparus. « Suis-moi. »

Il trouva l'escalier qu'ils gravirent sans perdre de temps. Le point de vue leur permit de mieux voir le motif : ils purent se rendre compte que le dallage avait probablement représenté un plateau de jeu de mérelles.

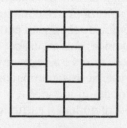

Malone pointa le faisceau de sa lampe sur ce qui avait dû être le centre du plateau. « Éginhard était précis dans ses indications, il faut bien l'admettre. Le centre du plateau coïncide avec celui de la nef.

— C'est très excitant, dit-elle. C'est exactement ce qu'a dû faire mon grand-père en son temps.

— Descendons voir si l'on peut y trouver quelque chose d'intéressant. »

« Écoutez-moi tous », dit Stéphanie, tentant de maîtriser la situation. Les têtes se tournèrent, et le silence se fit aussitôt.

Scofield franchit le seuil de la pièce. « Que se passe-t-il ici ?

— Professeur Scofield, reconduisez tout le monde à l'entrée. Des agents de sécurité vous y attendront. La visite est terminée. »

Stéphanie tenait toujours son pistolet à la main, ce qui parut conférer à ses ordres un poids supplémentaire. Mais elle ne pouvait cependant pas attendre de voir si Scofield s'exécuterait.

Elle courut dans la direction empruntée par Davis, redoutant ce qu'il était en train de faire.

Elle quitta le salon de billard pour entrer dans un hall faiblement éclairé. Une pancarte indiquait qu'elle se trouvait dans « l'aile des Célibataires ». Sur sa droite, deux portes s'ouvraient sur des pièces contiguës. Sur sa gauche, un escalier permettait d'accéder à l'étage inférieur : à en juger par le manque d'ornements, ce devait être un escalier de service, autrefois réservé aux domestiques. Stéphanie entendit des bruits de pas résonner le long des marches.

Des pas précipités.

Elle courut en direction de l'escalier.

Malone considérait le dallage du centre de la nef. Il était en grande partie intact, bien que recouvert de terre et de lichen. Christl et lui descendirent, et il éclaira la dalle centrale en s'accroupissant devant.

« Regarde », dit-il.

Le temps avait presque tout effacé, mais on parvenait encore à distinguer de faibles traits sur la pierre. Deux lignes qui avaient formé les côtés d'un triangle, et les vestiges des lettres « K » et « L ».

« Ce ne peut être que la signature de Charlemagne, dit Christl.

— Il nous faut une pelle.

— Il y a une petite remise devant le cloître. Nous l'avons aperçue hier matin en arrivant.

— Va voir ce que tu peux y trouver. »

Elle s'empressa d'obéir.

Malone observa la pierre incrustée dans la terre gelée.

Quelque chose le taraudait. Si Hermann Oberhauser avait déjà suivi la même piste, il semblait peu probable qu'il restât ici quoi que ce fût d'intéressant. Isabel avait dit qu'il était venu ici une première fois à la fin des années 1930, avant d'aller en Antarctique, puis une seconde fois au début des années 1950. Quant à son époux, il était passé par ici en 1970.

Et pourtant, nul ne semblait savoir ce qui se trouvait ici.

Un faisceau de lumière dansait à l'extérieur, gagnant en intensité. Christl réapparut enfin, une pelle à la main.

Malone en saisit la poignée, passa sa lampe torche à Christl et pressa la lame de la pelle entre deux dalles. Comme il s'y était attendu, la terre était aussi dure que du béton. Il leva la pelle et l'abattit de toutes ses forces, avant de remuer la lame. Après plusieurs coups, ses efforts commencèrent à porter leurs fruits : le sol se mit à céder.

Il planta à nouveau la pelle dans la terre et, cette fois, parvint à la glisser sous la dalle, secouant la poignée de bois, et se servant de l'outil comme d'un levier afin d'arracher la pierre à l'étreinte millénaire de la terre.

Il retira la pelle et réitéra l'opération sur les trois autres côtés.

La dalle finit par se désolidariser. Il la souleva en appuyant sur la poignée.

« Tiens la pelle », dit-il à Christl. Il s'allongea à même le sol et, de ses mains gantées, finit de libérer la dalle.

Les deux lampes torches étaient posées à côté. Il en saisit une et, dans le faisceau de lumière, n'aperçut que de la terre.

« Laisse-moi essayer », dit Christl.

Elle se mit à donner de petits coups brusques dans la terre, tordant la lame à chaque impact, de plus en plus profondément. Elle heurta quelque chose. Elle écarta la pelle, et Malone déblaya la terre jusqu'à mettre au jour ce qui au début semblait être une pierre, mais s'avéra vite être plat.

Avec une ardeur nouvelle, il continua à écarter la terre froide.

Gravée au centre d'un rectangle, se détachant très clairement de la surface plate, se trouvait la signature de Charlemagne. Il déblaya les côtés de l'objet et comprit qu'il s'agissait d'un reliquaire de pierre. Long d'une quarantaine de centimètres et large d'environ vingt-cinq centimètres. Il insinua ses doigts sur les côtés et évalua la hauteur de l'objet à une quinzaine de centimètres.

Puis il le souleva.

Christl s'accroupit. « Cela date de Charlemagne. Tout est carolingien : le style, le marbre. Et bien sûr, la signature.

— À toi l'honneur », lança Malone.

Un sourire enthousiaste se dessina sur les lèvres de Christl. Elle posa ses mains de part et d'autre du reliquaire, et souleva la partie supérieure de l'objet. La partie inférieure contenait un paquet qui semblait fait de toile cirée.

Malone le souleva et défit les ficelles qui l'entouraient.

Avec mille précautions, il ouvrit le paquet dans le faisceau de la lampe que tenait Christl.

68

Stéphanie dévala les marches jusqu'à arriver au sous-sol du château.

Davis l'attendait en bas de l'escalier. « Vous en avez pris, du temps. » Il lui prit son pistolet. « J'ai besoin de ça.

— Qu'est-ce que vous comptez faire ?

— Comme je vous l'ai déjà dit, tuer cet enfoiré.

— Edwin, nous ne savons même pas qui il est.

— Il a pris la fuite dès qu'il m'a vu. »

Stéphanie devait rester maîtresse de la situation comme Daniels le lui avait demandé. « Personne ne nous a vus hier, et nous ne l'avons pas même aperçu. Comment a-t-il pu vous reconnaître ?

— Je l'ignore, Stéphanie, mais il m'a bel et bien reconnu. »

L'homme avait effectivement fui. Cette réaction ne plaidait certes pas en sa faveur, mais Stéphanie n'était pas prête à le condamner à mort pour si peu.

Des pas se firent entendre derrière eux, et un garde en uniforme apparut. Il aperçut le pistolet que tenait Davis, mais Stéphanie l'apaisa aussitôt en brandissant sa carte de l'unité Magellan. « Nous sommes des agents fédéraux, et nous sommes sur la piste d'une personne que nous recherchons activement. Cet individu vient de prendre la fuite. Combien y a-t-il d'issues à ce niveau ?

— Il y a un autre escalier à l'autre bout. Plusieurs portes donnent sur l'extérieur.

— Pouvez-vous surveiller ces issues ? »

L'homme hésita un instant, puis, apparemment convaincu de leur identité, saisit le radioémetteur qui pendait à sa ceinture et contacta ses collègues.

« Nous devons à tout prix attraper ce type, qu'il sorte par une porte ou par une fenêtre. C'est compris ? insista Stéphanie. Disposez des hommes à l'extérieur. »

Le garde acquiesça et donna ses instructions avant de s'adresser à Davis et Stéphanie : « Les visiteurs viennent d'entrer dans les bus. Il n'y a plus que nous dans le château.

— Nous et l'homme que nous recherchons », dit Davis avant de s'éloigner.

Le garde n'était pas armé. Pas de chance. Mais Stéphanie vit l'un des fascicules que tenaient les visiteurs dépasser de la poche de sa chemise. Elle le pointa du doigt : « Est-ce que ce dépliant comporte un plan de ce niveau ? »

Le garde acquiesça : « Un plan pour chacun des quatre niveaux. » Il le lui tendit. « Nous sommes au sous-sol. Salles de repos, cuisines, quartiers du personnel, réserves. Un tas de coins où se cacher. »

C'était bien ce qu'elle craignait. « Appelez la police. Demandez-leur de venir au plus vite. Puis surveillez l'escalier. Ce type est probablement très dangereux.

— Probablement ?

— C'est là tout le problème. Nous n'en savons rien. »

Dans le paquet, protégé par une pochette plastique, se trouvait un livre dont dépassait une enveloppe bleu pâle. Malone déposa la pochette au sol et sortit le livre sur lequel il braqua le faisceau de sa lampe.

Christl se saisit de l'enveloppe, l'ouvrit et en tira deux feuilles qu'elle déplia. Elles étaient recouvertes de phrases en allemand, écrites à l'encre noire ; la main était épaisse, masculine.

« C'est l'écriture de mon grand-père. J'ai lu ses notes manuscrites. »

Stéphanie se précipita à la poursuite de Davis, qu'elle rattrapa à une bifurcation : une galerie partait sur la gauche, tandis que le couloir continuait tout droit jusqu'à des portes vitrées donnant sur ce qui semblait être un garde-manger. Stéphanie consulta rapidement la carte. Le couloir donnait effectivement sur les cuisines.

Elle entendit un bruit sur leur gauche.

Le schéma du prospectus indiquait que le couloir de gauche aboutissait aux chambres du personnel, qui n'étaient reliées à aucune autre zone du sous-sol. Un cul-de-sac.

Davis s'engagea dans le couloir de gauche, en direction du bruit.

Ils traversèrent une salle de sport équipée de barres parallèles, d'haltères, de ballons d'entraînement et d'un rameur. À droite, ils trouvèrent la piscine intérieure, sous une voûte majestueuse, recouverte de carrelage blanc, et sans la moindre fenêtre : la seule lumière provenait des néons blancs. Le bassin profond et brillant était vide.

Une ombre traversa le seuil de l'autre issue de la piscine.

Ils contournèrent le bassin, longeant la barrière de bois qui en délimitait le bord, Davis en tête.

Stéphanie consulta son plan. « Il n'y a pas d'autre issue permettant de sortir des quartiers du personnel. À part l'escalier principal, mais en principe les vigiles couvrent cet accès.

— Alors nous l'avons coincé. Il sera obligé de repasser par ici.

— À moins que ce soit lui qui nous ait coincés. »

Davis jeta un rapide coup d'œil au plan, puis ils passèrent une porte et descendirent quelques marches. Il lui redonna son pistolet. « J'attendrai ici. » Il pointa du doigt vers la gauche. « Ce couloir fait un tour avant d'aboutir ici même. »

Stéphanie ressentit un nœud à l'estomac. « Edwin, c'est de la folie.

— Vous n'avez qu'à le forcer à venir dans cette direction. » Son œil droit fut parcouru d'un léger tressaillement. « Je dois l'arrêter. Poussez-le à venir à moi.

— Qu'est-ce que vous comptez faire ?

— L'attendre de pied ferme. »

Elle acquiesça, cherchant les mots qui conviendraient à la situation. Elle savait que rien ne pouvait s'opposer à sa volonté. « Très bien. »

Il remonta les marches qu'ils venaient de descendre.

Stéphanie se dirigea vers la gauche et, arrivée à l'escalier principal menant à l'étage supérieur, aperçut un garde de faction. Celui-ci hocha la tête, lui indiquant que personne n'était passé par ici. Elle acquiesça et lui fit signe qu'elle continuait sa progression vers la gauche.

Elle emprunta deux couloirs sinueux et sans fenêtres qui l'amenèrent jusqu'à une longue pièce emplie d'objets historiques et de photographies noir et blanc. Les murs étaient recouverts d'une multitude d'images colorées.

Le salon d'Halloween. Stéphanie se souvint des explications contenues dans le fascicule : au cours d'une des fêtes d'Halloween, dans les années 1920, les convives avaient peint eux-mêmes les murs comme bon leur chantait.

Elle aperçut l'homme qu'ils recherchaient à l'autre bout de la pièce : il se dirigeait vers la seule issue possible.

« Arrêtez-vous ! » cria-t-elle.

Il n'en fit rien.

Elle visa et tira.

Le vacarme du coup de feu l'assourdit. La balle alla se loger dans l'un des présentoirs. Elle n'avait pas voulu toucher l'homme, seulement l'effrayer. Mais il s'était précipité par la porte et avait couru de plus belle.

Elle se mit à le pourchasser.

Elle n'avait eu le temps que de l'entr'apercevoir : impossible de savoir s'il était armé ou pas.

Stéphanie traversa un salon avant de déboucher dans une salle de bowling, pourvue de deux allées, d'un superbe plancher, de boules et de quilles. Un sacré luxe au XIXe siècle.

Elle décida de jouer le tout pour le tout.

« À quoi bon courir ? s'écria-t-elle à l'intention de l'homme. Il ne vous reste plus une seule issue. Le château est cerné. »

Silence.

Sur la gauche se trouvait une série de cabines personnelles. Stéphanie imagina les messieurs et dames de la haute société qui cent ans auparavant y revêtaient leurs habits de loisir. Le couloir qui se trouvait en face d'elle aboutissait à l'endroit précis où Davis attendait, tout près de la piscine. Elle avait fait le tour.

« Sortez d'où vous êtes, dit-elle. Vous n'irez pas plus loin, de toute façon. »

Elle sentait sa présence. Toute proche.

Soudain, à moins de vingt mètres d'elle, une silhouette surgit d'une des cabines.

L'individu jeta dans sa direction une quille de bowling qui siffla dans l'air comme un boomerang.

Stéphanie évita le projectile.

La quille percuta le mur qui se trouvait derrière elle et tomba au sol dans un bruit sourd.

L'homme prit la fuite.

Stéphanie se ressaisit et fonça à sa poursuite. Au bout du couloir, elle s'arrêta un bref instant pour jeter un coup d'œil autour d'elle. Personne en vue. Elle gravit à toute vitesse la petite volée de marches et pénétra dans la pièce où se trouvait la piscine. L'homme était à l'autre bout, sur le point de passer le seuil de la porte qui donnait sur la salle de sport. Elle brandit son pistolet et visa ses jambes. Mais avant qu'elle ait ouvert le feu, Davis surgit de derrière l'encadrement de la porte et heurta l'homme de plein fouet. Ils percutèrent la barrière de bois longeant le périmètre du bassin, qui céda instantanément sous la force de l'impact. Stéphanie vit les deux corps plonger dans la piscine vide.

Un mètre plus bas, chair et os s'abattirent lourdement sur les carreaux de céramique.

69

À mon cher fils,

Ceci est sans doute la dernière chose que je ferai en possession de toutes mes facultés. Mon esprit sombre d'ores et déjà dans un épais brouillard. J'ai tenté d'y résister, en vain. Avant que je perde tout à fait la tête, je me dois d'écrire ces mots. Si tu les lis, cela signifie que tu es parvenu à découvrir le Mystère de Charlemagne. Que Dieu te bénisse. Sache que je suis fier de toi. J'ai moi-même cherché et découvert l'ultime héritage laissé par nos illustres ancêtres aryens. J'étais convaincu qu'ils existaient. J'ai voulu convaincre mon Führer que sa vision du passé était inexacte, mais il refusa d'écouter. Le plus grand des souverains, cet homme qui, le premier, entreprit d'unifier notre continent, Charlemagne, connaissait parfaitement notre passé et notre destinée. Il connaissait la très grande valeur de ce que les Très Saints lui avaient enseigné. Il savait qu'ils étaient sages, et il sut écouter leurs conseils. Ici, en ce lieu saint, Éginhard dissimula la clef du langage des cieux. Le Grand Conseiller lui-même enseigna Éginhard, et ce dernier protégea jalousement ce qu'il eut le privilège d'apprendre. Imagine le bonheur indescriptible qui fut le mien, plus d'un millier d'années plus tard, en étant le premier à découvrir ce qu'Éginhard savait, ce que Charlemagne savait, ce que nous, peuple allemand, devrions tous apprendre. Mais nul n'apprécia à sa juste valeur l'objet de ma découverte. Je fus montré du doigt comme un élément instable et dangereux, et me vis à jamais condamné au silence. Après la guerre, nul ne se soucia plus de l'héritage de notre peuple. Le fait de prononcer le mot « Aryen » suffisait à éveiller les souvenirs d'atrocités que nul ne souhaitait se rappeler. Tout ceci me rendit proprement malade. Si seulement ils avaient su ce que je sais. Si seulement ils avaient vu ce que j'ai vu. Mon fils, si tu es parvenu jusqu'ici, c'est grâce à ce que je t'ai révélé du Mystère de Charlemagne. Éginhard avait bien précisé que ni lui ni les Très Saints n'avaient de patience envers l'ignorance. Moi non plus, mon fils. Par tes actes, tu m'as fait honneur, et tu t'es montré digne de cette récompense. À présent tu peux connaître le langage du ciel. Savoure-le. Émerveille-toi en apprenant le lieu dont nous sommes issus.

« Ta mère a dit qu'Hermann était venu ici pour la seconde fois au début des années 1950, dit Malone. Ton père devait alors avoir une trentaine d'années, n'est-ce pas ? »

Christl acquiesça. « Il est né en 1921 et mort à cinquante ans.

— Ce qui signifie qu'Hermann Oberhauser a ramené ce qu'il avait trouvé, l'a redéposé ici, afin que son fils puisse à son tour résoudre le mystère.

— Mon grand-père était quelqu'un de très étrange. Durant les quinze dernières années de son existence, il n'a plus quitté Reichshoffen. Lorsqu'il est mort, nous étions toutes de parfaites inconnues à ses yeux. Il ne m'a presque jamais parlé. »

Malone se souvint d'une autre chose qu'Isabel lui avait révélée. « Ta mère m'a dit que Dietz est venu ici après la mort d'Hermann. Mais il faut croire qu'il n'a rien trouvé, puisque ce livre est toujours ici. » Il comprit alors ce que cela impliquait. « Il s'est donc vraiment rendu en Antarctique sans rien savoir. »

Elle hocha la tête. « Il avait les cartes de mon grand-père.

— Tu les as vues, comme moi. Aucun mot n'y figure. Tu l'as dit toi-même à Aix-la-Chapelle : toute carte est inutile sans légende ou annotations.

— Mais il disposait des notes de mon grand-père. Elles fourmillent d'informations. »

Malone pointa du doigt le livre qui reposait dans le paquet de toile cirée. « Ton père avait besoin de cela pour avoir une pleine connaissance de ce que savait ton grand-père. »

Il se demandait pourquoi la Navy avait accepté de mettre sur pied une opération aussi aventureuse. Qu'est-ce que Dietz Oberhauser avait bien pu leur promettre ? Qu'avaient-ils espéré en tirer ?

Le froid ambiant engourdissait ses oreilles.

Il considéra la couverture du livre. Le même symbole que celui qui figurait sur l'ouvrage tiré du tombeau de Charlemagne y avait été apposé.

Malone ouvrit le volume. Par sa taille, sa forme et sa couleur, il était presque identique aux deux autres qu'il avait vus. À l'intérieur, on retrouvait le même langage étrange, avec des annotations.

« Tous ces pleins et ces déliés sont des lettres, dit-il, remarquant que chaque page présentait une façon de traduire ce curieux alphabet en latin. Elles représentent le langage des cieux.

— Nous pouvons y arriver, dit Christl.

— Comment ça ?

— Ma mère a fait scanner l'intégralité du livre de Charlemagne. Il y a un an de cela, elle a engagé des linguistes dans l'espoir qu'ils parviennent à le déchiffrer. Bien entendu, ils ont échoué, puisque ce texte est écrit dans une langue que nul ne connaît. Je m'étais attendue à cette découverte : je savais que ce qui se trouvait dans cette chapelle, quoi que ce fût, devait nécessairement représenter un moyen de déchiffrer le livre. Hier, ma mère m'a donné le fichier électronique. Je possède un programme de traduction automatique qui devrait faire l'affaire. Il ne nous reste plus qu'à scanner ces pages et les transférer dans l'interface de ce programme.

— Dis-moi que tu as un ordinateur à ta disposition. »

Christl acquiesça. « Ma mère m'a ramené le mien de Reichshoffen. Ainsi qu'un scanner. »

Enfin une bonne nouvelle.

Stéphanie était impuissante. Davis et l'homme roulaient l'un sur l'autre dans la piscine vide, de plus en plus profondément, jusqu'à en atteindre le fond, à deux mètres quarante en contrebas.

Ils percutèrent le bas d'une échelle de bois fixée à une plate-forme qui devait être totalement submergée lorsque le bassin était plein. Trois échelons de plus, et on accédait au niveau où Stéphanie se trouvait.

Davis repoussa l'homme pour se relever aussitôt, allant et venant de gauche et de droite afin d'empêcher toute fuite. L'homme sembla hésiter un instant, dode-linant de la tête au fond de cette arène pour le moins inhabituelle.

Davis jeta son manteau au sol.

L'homme accepta le défi et fit de même.

Stéphanie voulait mettre un terme à tout cela, mais elle savait que Davis ne le lui aurait jamais pardonné.

L'inconnu devait avoir une quarantaine d'années, un avantage face à la cinquantaine de Davis, mais la colère de ce dernier jouait en sa faveur.

Elle entendit l'impact sourd du poing de Davis frapper la mâchoire de son adversaire, envoyant celui-ci tituber en arrière. Mais il recouvra aussitôt ses esprits et s'avança pour enfoncer un pied dans le ventre de Davis.

Stéphanie entendit le souffle qu'il expira malgré lui.

L'homme n'arrêtait pas de sautiller, décochant au passage des coups rapides et précis, pour finir par un direct au sternum.

Davis tituba à son tour. Au moment même où il réussit à se ressaisir, l'homme lui asséna un coup à la pomme d'Adam. Le crochet du droit de Davis ne rencontra que l'air.

Un sourire narquois et fier se dessina sur le visage de son adversaire.

Davis tomba à genoux, penché en avant, comme pour prier, la tête penchée et les bras pendant de part et d'autre de son corps. L'homme s'apprêtait à lancer un nouvel assaut. Stéphanie entendit Davis reprendre son souffle. Elle avait elle-même la gorge sèche. L'homme s'approcha, apparemment avec l'intention d'en finir. Mais Davis réunit toutes les forces qui lui restaient, se précipita en avant, la tête la première, et percuta de plein fouet les côtes de son adversaire.

Il y eut un craquement d'os.

L'homme hurla de douleur et s'effondra par terre.

Davis s'empressa de lui asséner coup de poing sur coup de poing.

Le sang gicla du nez de l'homme, éclaboussant la céramique immaculée. Ses membres cessèrent de bouger. Davis continuait à faire pleuvoir une pluie de coups puissants et précis sur son visage.

« Edwin », lança Stéphanie.

Il parut ne rien entendre.

« Edwin ! » cria-t-elle.

Il s'arrêta enfin. Il respirait bruyamment mais restait parfaitement immobile.

« C'est fini », ajouta-t-elle.

Davis lui lança un regard meurtrier.

Il finit par se relever, mais ses genoux tremblèrent aussitôt, et il trébucha. Il tenta de se hisser sur un bras afin de se relever à nouveau, mais en vain.

Il s'écroula de tout son long au fond du bassin.

70

Ossau
03 h 00

Christl retira son ordinateur portable de son sac de voyage. Ils étaient retournés à l'hôtel sans voir ni entendre qui que ce soit. Dehors, la neige s'était remise à tomber en tourbillons cotonneux soulevés par le vent. Christl alluma l'ordinateur, puis se saisit du scanner portable qu'elle connecta à l'un des ports USB.

« Cela va prendre un certain temps, dit-elle. C'est loin d'être le scanner le plus rapide au monde. »

Malone tenait le livre qu'ils avaient trouvé dans la chapelle. Ils en avaient feuilleté la moindre page : l'ouvrage semblait présenter une traduction exhaustive de chaque lettre du langage du ciel en latin.

« Il faut que tu saches que la traduction ne sera pas exacte, ajouta Christl. Certaines lettres ont peut-être plusieurs valeurs. D'autres décrivent sans doute des phonèmes n'existant pas en latin. Par exemple.

— Ton grand-père y est parvenu. »

Elle lui lança un regard étrange où se mêlaient agacement et gratitude. « Je pourrai traduire automatiquement du latin vers l'allemand ou l'anglais. En réalité, je ne savais pas vraiment ce qui nous attendrait ici. Je n'ai jamais complètement accordé foi à ce que prétendait mon grand-père. Il y a quelques mois de cela, ma mère m'a autorisée à consulter un certain nombre de carnets de notes de mon grand-père et de mon père. Mais je n'y ai appris que peu de choses. Apparemment, elle a préféré garder pour elle ce qu'elle considérait important. Les cartes, par exemple. Les livres issus des tombeaux respectifs d'Éginhard et de Charlemagne. Aussi, le doute subsistait en moi : je n'ai cessé de penser que, peut-être, mon grand-père n'avait été qu'un simple illuminé. »

Malone restait dubitatif face à cette soudaine franchise de la part de Christl. C'était aussi agréablement inhabituel que suspect.

« Tu as vu de tes propres yeux tous ces objets du IIIᵉ Reich qu'il collectionnait. C'était une obsession. Le plus curieux, c'est que, bien qu'il ne souffrît pas directement de la fin de la guerre, il semble avoir regretté jusqu'à ces derniers jours de ne pas avoir été entraîné dans la chute du régime nazi. L'amertume le rongeait jour et nuit. C'est presque une bénédiction que la démence l'ait gagné.

— Et nous sommes à présent sur le point de donner raison à ses élucubrations. » L'ordinateur émit un signal sonore, indiquant qu'il était prêt.

Christl prit le livre que Malone lui tendait. « Je vais faire tout mon possible pour que ce soit le cas. Et toi, que comptes-tu faire pendant ce temps-là ? »

Malone s'allongea sur le lit. « J'ai l'intention de dormir. Réveille-moi quand tu en auras fini. »

Ramsey s'assura que Diane McCoy ait bien quitté Fort Lee, puis fila droit à Washington. Il n'inspecta pas l'entrepôt afin de ne pas attirer encore plus l'attention, et expliqua au chef de la base que tout n'avait été qu'un conflit mineur entre la Maison Blanche et la marine. Le mensonge parut apaiser tous les doutes soulevés par les visites relativement nombreuses de hauts fonctionnaires d'État au cours des deux derniers jours.

Ramsey consulta sa montre. 20 h 50.

Il était à présent assis dans une petite trattoria dans la banlieue de Washington. Des plats italiens très honnêtes, un cadre qui ne payait pas de mine et une excellente carte de vins. Autant de détails qui, ce soir, n'avaient aucune importance à ses yeux.

Il sirota une gorgée de vin.

Une femme pénétra dans le restaurant. Grande et mince, elle était vêtue d'un manteau de velours et d'un jean noir usé. Une écharpe de cachemire beige protégeait sa gorge. Elle se fraya un chemin entre les tables occupées pour s'asseoir à la sienne.

C'était la femme de la boutique de cartes.

« Vous avez fait du beau travail avec le sénateur, lui dit Ramsey. Rien à redire. »

Elle accueillit le compliment en baissant légèrement la tête.

« Où est-elle ? » demanda-t-il. Il lui avait ordonné de surveiller de près Diane McCoy.

« Ça ne va pas vous plaire », répondit-elle.

Un frisson parcourut l'échine de Ramsey.

« Elle est en compagnie de Kane. En ce moment même.

— Où ça ?

— Ils ont arpenté le mémorial Lincoln, puis ont longé le bassin en direction du Washington Monument.

— Il fait un peu froid pour se promener.

— Je ne vous le fais pas dire. J'ai chargé un de mes hommes de la suivre. Elle s'apprête à rentrer chez elle. »

Tout cela était très déstabilisant. Le seul lien existant à sa connaissance entre McCoy et Kane n'était autre que lui-même. Il avait cru avoir réussi à la calmer, mais il se pouvait qu'il ait sous-estimé la force de son caractère.

Son téléphone portable sonna dans sa poche. Il consulta l'écran. Hovey.

« Je dois répondre, dit-il. Auriez-vous l'obligeance d'attendre près de la porte ? »

Elle comprit et obéit aussitôt.

« Qu'y a-t-il ? demanda-t-il à Hovey.

— La Maison Blanche est en ligne. Ils désirent vous parler. »

Rien d'inhabituel. « Et ?

— Il s'agit du Président en personne. »

Cela, c'était tout à fait inhabituel.

« Passez-le-moi. »

Quelques secondes plus tard, Ramsey entendit la voix grave et forte que le monde entier connaissait. « Amiral, j'espère que vous passez une bonne soirée.

— Un peu fraîche, monsieur le Président.

— Effectivement. Et de plus en plus froide, même. Je vous appelle parce que Aatos Kane veut que vous soyez nommé au Comité des chefs d'état-major. Selon lui, vous êtes celui qui convient le mieux pour ce poste.

— Tout dépend de votre avis, monsieur. » Ramsey maintenait sa voix à un niveau sonore inférieur à celui des conversations discrètes qui l'entouraient.

« Je suis d'accord. J'y ai réfléchi toute la journée, mais, en définitive, je n'y vois pas d'objection. Est-ce que ce poste vous intéresse ?

— Je suis prêt à assumer les fonctions que vous voudrez bien m'attribuer, quelles qu'elles soient.

— Vous savez parfaitement ce que je pense du Comité des chefs d'état-major, mais voyons les choses en face : rien ne changera, et je préfère encore que vous en fassiez partie.

— Cet honneur me va droit au cœur. Quand comptez-vous rendre publique ma nomination ?

— Je vais faire courir la rumeur de votre nomination dans l'heure. Vous ferez les unes de demain matin. Préparez-vous dès maintenant à ce qui vous attend, amiral : c'est une tout autre cour de récré que le renseignement de la Navy.

— C'est entendu, monsieur.

— Heureux de vous accueillir à bord. »

Et Daniels raccrocha. Le silence se fit soudain dans l'esprit de Ramsey. Un court instant, il baissa sa garde. Ses craintes s'évanouirent. Il avait réussi. Ce que Diane McCoy pouvait bien manigancer n'avait à présent plus la moindre importance.

Il allait être nommé.

Dorothea était allongée sur le lit, à mi-chemin entre la veille et le sommeil, dans cet état où il était parfois possible de contrôler ses propres pensées. Pourquoi avait-elle fait l'amour avec Werner ? Elle n'aurait jamais cru que ce serait à nouveau possible, convaincue que cette partie de sa vie était morte et enterrée à jamais.

Mais elle s'était peut-être trompée.

Deux heures auparavant, elle avait entendu la porte de la chambre de Malone s'ouvrir, puis se refermer. Des murmures avaient percé à travers les murs peu épais, mais rien qu'elle parvînt à comprendre. Que pouvait bien faire sa sœur au beau milieu de la nuit ?

Werner était allongé, appuyé contre elle dans ce lit étroit. Il avait raison. Ils étaient mariés, et leur héritier serait légitime. Mais était-ce bien raisonnable de mettre au monde un enfant à quarante-huit ans ? Peut-être était-ce là le prix à payer. Werner et sa mère avaient apparemment noué une sorte d'alliance, assez forte pour que la mort de Sterling Wilkerson s'avère nécessaire, assez

506

forte pour transformer Werner en quelque chose qui s'approchait assez d'un homme.

Des voix lui parvinrent du palier.

Elle quitta le lit et colla son oreille au mur, mais ne put entendre aucun mot distinct. Elle s'avança à pas feutrés jusqu'à la fenêtre. De gros flocons de neige tombaient silencieusement. Toute sa vie, elle avait vécu parmi les montagnes et la neige. Elle avait appris à chasser, à tirer au fusil et à skier dès son plus jeune âge. Elle n'avait presque peur de rien, à l'exception de l'échec et de sa mère. Elle appuya son corps nu contre le rebord glacial de la fenêtre, victime d'un sentiment d'impuissance et de mélancolie, et regarda son mari, roulé en boule sous l'édredon.

Elle se demanda si la rancœur qu'elle lui vouait n'était, après tout, rien d'autre qu'une conséquence du douloureux deuil de leur fils. Longtemps après la mort de celui-ci, les jours et les nuits avaient eu quelque chose d'intrinsèquement cauchemardesque : elle avait eu la sensation de continuer à avancer, mais sans but ni destination en vue.

Un frisson la parcourut.

Elle croisa les bras sur sa poitrine nue.

Elle avait l'impression qu'à chaque année qui passait elle devenait de plus en plus amère, de plus en plus insatisfaite. Georg lui manquait. Mais peut-être Werner avait-il raison. Peut-être le temps était-il venu de vivre. D'aimer. D'être aimée.

Elle étira ses jambes. Plus aucun bruit ne lui parvenait de la chambre voisine. Elle se retourna et scruta à nouveau les ténèbres qui s'emplissaient de neige.

Elle caressa son ventre plat.

Un autre bébé.

Pourquoi pas ?

71

ASHEVILLE
23 H 15

Stéphanie et Edwin Davis rentrèrent à l'hôtel Biltmore. Davis avait fini par se relever, perclus de douleur, le visage couvert de bleus, mais son amour-propre intact. Son adversaire était entré, sous bonne garde bien qu'inconscient, à l'hôpital le plus proche, victime d'une commotion et souffrant de plusieurs contusions. La police avait escorté l'ambulance et monterait la garde jusqu'à l'arrivée des services secrets, dans moins d'une heure. Les médecins avaient déjà dit à la police qu'il faudrait attendre le lendemain matin pour interroger le suspect. On avait posé des scellés sur toutes les issues du château, et d'autres policiers passaient l'intérieur au peigne fin, au cas où le suspect y aurait laissé quelque chose d'intéressant. En outre, on visionnait les enregistrements des caméras de vidéosurveillance afin de réunir de plus amples informations.

Davis n'avait quasiment rien dit depuis qu'il était sorti de la piscine. Un appel à la Maison Blanche avait suffi pour confirmer son identité et celle de Stéphanie. Ils n'avaient pas été obligés de répondre à l'interrogatoire de rigueur. C'était mieux ainsi. Rien qu'en le regardant, Stéphanie avait la certitude que Davis n'était pas d'humeur à répondre à des questions.

Le chef de la sécurité du domaine les avait raccompagnés à l'hôtel. Ils passèrent par le comptoir de la réception, où l'administrateur, répondant à l'ordre de Davis, lui tendit un bout de papier. « Voici le numéro de la suite de Scofield.

— Allons-y », dit Davis à Stéphanie.

Ils se rendirent au sixième étage et Davis tapa à la porte. Scofield vint ouvrir, vêtu d'une robe de chambre de l'hôtel. « Il est tard et je dois me lever très tôt demain. Qu'est-ce que vous voulez encore ? Vous ne pensez pas avoir assez mis la pagaille comme ça ? »

Davis poussa le professeur et pénétra dans la suite, qui comportait un vaste salon avec un divan, des fauteuils, un bar avec évier et des fenêtres qui devaient donner sur une vue imprenable des montagnes.

« Tout à l'heure, j'ai supporté votre attitude de trou du cul suffisant parce que j'y étais obligé, lança Davis. Vous nous preniez pour des abrutis finis. Mais nous venons de vous sauver la peau. La moindre des choses serait que vous répondiez à quelques questions.

— Quelqu'un était venu me tuer ? »

Davis pointa du doigt ses ecchymoses. « Regardez bien mon visage. Lui se trouve à l'hôpital. Il est temps que vous nous révéliez certaines choses, professeur. Des choses classées "secret défense". »

Scofield parut ravaler un peu de sa suffisance. « Vous avez raison. Je me suis comporté comme un goujat, tout à l'heure, mais je n'avais pas compris que…

— Un homme est venu ici pour vous tuer, insista Stéphanie. Bien que nous devions encore l'interroger pour nous en assurer, il semblerait que nous ayons appréhendé la bonne personne. »

Scofield acquiesça et leur fit signe de s'asseoir.

« Je n'arrive pas à comprendre en quoi je peux représenter une menace, après toutes ces années. J'ai tenu parole. Je n'ai jamais rien dit à personne. Et pourtant, si je l'avais fait, j'aurais acquis une réputation bien supérieure à celle dont je jouis aujourd'hui. »

Stéphanie attendit qu'il s'explique.

« Depuis 1972, je n'ai fait que tenter de prouver, par d'autres biais, ce que je sais déjà. »

Stéphanie avait lu le bref résumé de l'ouvrage de Scofield que son équipe lui avait transmis la veille par e-mail. Dans son livre, il avançait qu'une civilisation très avancée, et présente aux quatre coins du monde, avait existé plusieurs milliers d'années avant la civilisation égyptienne. Il se reposait sur des cartes bien connues de la communauté scientifique, telles que celle de Piri Reis, et qui, selon les conclusions de Scofield, auraient été conçues à partir de cartes encore plus anciennes, et à présent disparues. Scofield était d'avis que cet ancien peuple cartographe était scientifiquement plus avancé que les civilisations grecque, égyptienne et babylonienne : ils auraient représenté l'ensemble des continents, cartographiant l'Amérique du Nord plusieurs milliers d'années avant la découverte de Christophe Colomb, et jusqu'à l'Antarctique, à une époque où ses côtes n'étaient pas prisonnières de la banquise. Aucune étude scientifique sérieuse ne corroborait les thèses de Scofield, mais, selon le même e-mail, aucune ne les avait récusées.

« Professeur, dit Stéphanie. Afin que nous puissions découvrir pourquoi on cherche à vous tuer, nous devons savoir ce dont il retourne vraiment. Il faut que vous nous parliez de votre collaboration avec la Navy. »

Scofield baissa la tête. « Ces trois lieutenants m'ont amené des caisses pleines de pierres. Elles avaient été trouvées au cours des opérations Highjump et Windmill, dans les années 1940, et on les avait simplement rangées dans un entrepôt quelconque. Personne ne s'y était jamais intéressé. Vous imaginez un peu ? Des preuves pareilles, et tout le monde s'en fichait.

« J'étais le seul habilité à examiner le contenu de ces caisses, bien que Ramsey eût la permission d'aller et venir à sa guise. Des lettres étaient gravées sur ces pierres. Des lettres uniques, une succession de boucles ne correspondant à aucun langage connu. Mais le plus spectaculaire, c'est que ces pierres provenaient de l'Antarctique, un continent enseveli sous la glace depuis des milliers d'années. Et pourtant, nous les avons trouvées. Enfin, les Allemands les ont trouvées. Ils se sont rendus en Antarctique en 1938 et ont localisé les sites de fouille. Nous y sommes allés en 1947 et en 1948, et avons mis la main dessus.

— Et nous y sommes retournés en 1971 », dit Davis.

Le visage de Scofield refléta son incrédulité. « C'est vrai ? »

Stéphanie vit qu'il ne mentait pas, aussi décida-t-elle de lui faire une fleur. « Un sous-marin y a été envoyé, mais il a sombré. C'est cet événement qui est à l'origine de tout ce qui est en train d'arriver, ici et maintenant. Quelqu'un essaie par tous les moyens de cacher au monde entier un aspect bien précis de cette mission que nous ignorons encore.

— Je n'en avais jamais entendu parler. Mais cela n'a rien d'étonnant : je n'avais pas besoin d'être au courant de cette mission. J'ai été engagé uniquement pour analyser cette écriture. Afin de déterminer si l'on pouvait la déchiffrer.

— Y êtes-vous parvenu ? » demanda Davis.

Scofield hocha la tête. « On ne m'a pas laissé le temps de finir. L'amiral Dyals a soudain mis un terme au projet. On m'a fait promettre de garder le silence, et on m'a remercié. Ce fut sans doute le jour le plus triste de toute ma vie. » Ses gestes et son expression le confirmèrent. « Et ce fut tout. Nous avions la preuve de l'existence d'une première civilisation. Nous avions même des traces écrites de cette civilisation, des traces de leur langage. Si nous avions réussi à les comprendre, nous aurions tout su d'eux, nous aurions pu savoir s'il s'agissait véritablement d'une civilisation très ancienne de seigneurs des mers. C'était là mon intime conviction, mais il ne m'a pas été donné de la vérifier. »

Son ton laissait percer tout à la fois une excitation encore intacte et une peine immense.

« Comment auriez-vous pu réussir à comprendre ce langage ? demanda Davis. Sans un semblant de pierre de Rosette, sans traduction dans un langage connu, la tâche aurait été de toute façon impossible.

— Justement. Sur ces mêmes pierres figuraient des lettres et des mots que je comprenais. Des phrases latines et grecques. Et même quelques hiéroglyphes. C'est la preuve que cette civilisation interagissait avec les autres. Il y avait échange entre elles. Ces pierres étaient des messages, des annonces, des déclarations, qui sait ? Mais quoi que ce fût, elles étaient destinées à être lues. »

Stéphanie se sentit gagnée par l'incertitude et pensa soudain à Malone, à ce qu'il pouvait bien être en train de faire. « Connaissez-vous le nom "Oberhauser" ? »

Scofield acquiesça. « Hermann Oberhauser. Il faisait partie de l'expédition nazie de 1938 en Antarctique. C'est entre autres à cause de lui que les opérations Highjump et Windmill ont été lancées. L'amiral Byrd était fasciné par les thèses d'Oberhauser sur les Aryens et les civilisations oubliées. Bien entendu, à cette époque (après la Deuxième Guerre mondiale), on ne pouvait parler ouvertement de ce genre de choses. C'est pourquoi Byrd a mené lui-même ses propres fouilles en marge de l'opération Highjump, et c'est là qu'il a trouvé ces pierres. Le gouvernement décida de dissimuler ces découvertes parce qu'elles confirmaient une partie des thèses d'Oberhauser, et, au final, on oublia tout simplement ce que Byrd avait trouvé en Antarctique.

— Et ce n'est qu'à cause de ça qu'on cherche à vous tuer ? marmonna Davis. C'est complètement ridicule.

— Ce n'est pas tout », ajouta Scofield.

Malone se réveilla en sursaut. « Viens, lève-toi », venait de lui dire Christl.

Il se frotta les yeux et consulta sa montre. Il venait de dormir deux heures. S'accommodant de la lumière crue des lampes de la chambre, il finit par distinguer Christl. Elle dardait sur lui un regard triomphant.

« J'ai réussi. »

Stéphanie tendit l'oreille.

« Lorsqu'on considère le monde sous un angle nouveau, tout prend des proportions insoupçonnées. Pour repérer des points sur le globe, nous avons recours à la latitude et à la longitude, mais la mesure fiable de cette dernière est très récente dans l'histoire de l'humanité. Le méridien de référence passe par Greenwich, en Angleterre, point choisi arbitrairement à la fin du XIXe siècle. Mon étude de cartes anciennes m'a amené à découvrir quelque chose de tout bonnement extraordinaire. »

Scofield se leva et saisit un bloc-notes de l'hôtel ainsi qu'un stylo. Il dessina un planisphère approximatif qu'il quadrilla de latitudes et de longitudes.

« C'est assez sommaire, mais cela suffira pour que

vous compreniez de quoi je veux vous parler. Croyez-moi, sur une véritable carte, tout ce que je m'apprête à vous montrer est rigoureusement vrai. Cette longitude au centre du globe, se trouvant à 31 degrés 8 minutes est, passe par la grande pyramide de Gizeh. Si nous prenons cette longitude comme le méridien 0, le méridien de référence, voici ce qui se passe. »

De la pointe de son stylo, Scofield indiqua l'emplacement de la Bolivie. « Tiahuanaco. Construite en 15000 avant Jésus-Christ. Capitale d'une civilisation préinca inconnue, proche du lac Titicaca. D'aucuns prétendent qu'il s'agirait de la plus ancienne cité au monde. Elle se trouve à 100 degrés ouest du méridien de Gizeh. »

Il désigna ensuite le Mexique. « Teotihuacán. Cité aussi ancienne que la précédente. Son nom signifie "lieu de naissance des dieux". On ignore qui l'a bâtie. C'est une cité sacrée du Mexique. À 120 degrés ouest du méridien de Gizeh. »

La pointe du stylo se posa sur l'océan Pacifique. « L'île de Pâques. Emplie de monuments que nous ne parvenons toujours pas à expliquer. À 140 degrés ouest du méridien de Gizeh. » Il indiqua ensuite un point plus central du Pacifique. « Raiatea, berceau mythique de la culture polynésienne, lieu sacré s'il en est. À 180 degrés ouest du méridien de Gizeh.

— Est-ce que ça marche aussi dans l'autre sens ? demanda Stéphanie.

— Bien sûr. » Le stylo se posa au Moyen-Orient. « Irak. La cité biblique d'Ur en Chaldée, lieu de naissance d'Abraham. Située à 15 degrés est du méridien de Gizeh. » Il indiqua une autre position. « Ici aussi. Lhassa, ville sainte du Tibet, extrêmement ancienne. 60 degrés est. Et il existe encore de nombreux sites historiques situés très précisément par rapport au méridien de Gizeh. Des lieux saints. Construits pour la plupart par des peuples inconnus, et comportant des pyramides ou d'autres formes de monuments élevés. Le fait qu'ils soient tous situés à des points très précis ne saurait être une simple coïncidence.

— Et vous pensez que ceux qui ont gravé ces signes sur les pierres se cachent derrière tout ça ? demanda Davis.

— Rappelez-vous que toute explication se doit d'être rationnelle. Et lorsqu'on confronte ces éléments au yard mégalithique, une seule conclusion s'impose. Dès les années 1950, et jusqu'au milieu des années 1980, Alexander Thom, un ingénieur écossais, a entrepris une étude poussée de quarante-six cercles de pierre remontant au Néolithique et à l'âge du bronze. En tout et pour tout, il s'intéressa à plus de trois cents sites, et découvrit qu'ils avaient été bâtis selon une seule et même unité de mesure, qu'il baptisa "yard mégalithique".

— Cela paraît impossible, vu les disparités existant entre les différentes cultures, observa Stéphanie.

— Et pourtant, cette thèse se tient parfaitement. Il existe partout à la surface du globe des monuments semblables à Stonehenge : ces ensembles mégalithiques n'étaient rien d'autre que des observatoires. Les hommes qui les ont édifiés avaient remarqué qu'en se plaçant au centre d'un cercle, face au soleil levant dont on relevait chaque jour la position, on trouvait au bout d'un an 366 de ces jalons plantés dans le sol. La distance entre chacun de ses repères était toujours la même : 16,32 pouces.

« Bien entendu, ces peuples n'avaient recours pour leurs mesures ni aux pouces ni aux centimètres. Mais la distance reste la même, quelle que soit l'unité qu'on choisisse. Ces mêmes peuples apprirent par la suite qu'il fallait 3,93 minutes à une étoile pour parcourir la distance comprise entre deux de ces repères. Là encore, ils n'utilisaient pas nos minutes, mais cela ne les empêcha pas de remarquer cette constante temporelle. » Scofield observa une courte pause. « C'est là que ça devient intéressant. Pour qu'un pendule se balance 366 fois en 3,93 minutes, il doit mesurer très exactement 16,32 pouces. Étonnant, n'est-il pas ? Et ce n'est en aucun cas une simple coïncidence. C'est pour cette raison que ces 16,32 pouces furent choisis par ces anciens bâtisseurs pour le yard mégalithique. »

Scofield parut s'aviser de leur incrédulité.

« Ça n'a rien d'étonnant en soi, ajouta-t-il. Une méthode similaire fut jadis proposée afin de déterminer la longueur exacte du mètre étalon. Les Français choisirent finalement d'utiliser une division d'un quart de méridien, car la précision de leurs horloges laissait encore à désirer.

— Comment est-ce que des peuples aussi anciens ont pu découvrir tout cela ? demanda Davis. Pour comprendre de tels mécanismes, il faut jouir d'une connaissance poussée en mathématiques et en astronomie.

— Voici un parfait exemple de notre arrogance moderne. Ces peuples étaient tout sauf des hommes des cavernes ignorants. Ils possédaient une intelligence intuitive. Ils avaient pleinement conscience du monde qui les entourait. Nous bridons nos sens et nous cantonnons à n'étudier que de petites choses. Eux élargissaient leur perception et comprenaient le cosmos.

— Est-ce que tout cela repose sur des preuves scientifiques ? demanda Stéphanie.

— Je viens de vous donner des preuves physiques et mathématiques, éléments que, du reste, cette civilisation maritime devait parfaitement comprendre et maîtriser. Alexander Thom postula que des verges de bois longues d'un yard mégalithique ont pu être utilisées en guise d'étalons, étalons qui devaient nécessairement avoir été produits en un seul et même lieu, ce qui expliquerait qu'on retrouve cette même mesure sur des sites différents. Ce peuple premier a manifestement enseigné ses techniques et ses connaissances à des élèves désireux d'apprendre. »

Stéphanie lisait sur le visage de Scofield qu'il croyait profondément en ce qu'il était en train de dire.

« On trouve d'autres "coïncidences" historiques dans les systèmes de mesure, qui étayent toutes la thèse du yard mégalithique. En étudiant la civilisation minoenne, l'archéologue J. Walter Graham avança que ce peuple de Crète possédait une unité de mesure, qu'il nomma "pied minoen". Il existe un lien entre cette unité et le yard mégalithique. 366 yards mégalithiques représentent très précisément 1 000 pieds minoens. Une incroyable coïncidence de plus, me direz-vous sans doute.

« Il existe également un lien entre la coudée royale égyptienne et le yard mégalithique. Un cercle d'un diamètre d'une demi-coudée royale a une circonférence égale à un yard mégalithique. Comment peut-on expliquer une telle corrélation, si ce n'est par l'existence d'un dénominateur commun ? Il semblerait que les Minoens et les Égyptiens aient d'abord appris à utiliser le yard mégalithique, pour l'adapter ensuite aux besoins propres à leurs civilisations respectives.

— Et comment se fait-il que je n'ai jamais rien lu ni jamais rien entendu à ce sujet ? demanda Davis.

— Les scientifiques traditionnels sont incapables de confirmer ou d'infirmer la véracité du yard mégalithique. Certains avancent qu'il n'existe aucune preuve de l'utilisation courante du pendule à l'époque, pas plus qu'il n'existe de preuve de l'existence même du principe de pendule avant Galilée. Un autre exemple de l'arrogance moderne. Nous croyons être les premiers à avoir tout découvert. D'autres chercheurs prétendent également que les peuples du Néolithique ne disposaient d'aucun système d'écriture qui leur aurait permis de noter leurs observations quant aux orbites et aux mouvements stellaires. Seulement…

— Les pierres, coupa Stéphanie. Elles sont recouvertes d'écriture. »

Scofield sourit. « Précisément. Une écriture ancienne correspondant à un langage inconnu. Mais tant qu'on ne l'aura pas déchiffrée, ou tant qu'on n'aura pas trouvé une verge-étalon du yard mégalithique, cette théorie ne reposera sur aucune preuve. »

Scofield se tut. Stéphanie attendait qu'il leur en révèle plus sur ces pierres mystérieuses.

« Je n'étais habilité qu'à étudier ces pierres, reprit Scofield. Elles furent transférées dans un entrepôt de Fort Lee. Mais dans ce lieu se trouvait également un compartiment réfrigéré, interdit à tous. Seul l'amiral pouvait y entrer. Lorsque j'ai été engagé, cette section de l'entrepôt avait déjà été remplie. Dyals m'avait dit que si je parvenais à déchiffrer cette langue, j'aurais le droit de jeter un œil à l'intérieur.

— Pas la moindre idée de ce qui pouvait s'y trouver ? » demanda Davis.

Scofield hocha la tête. « L'amiral était un maniaque du secret. Il ne me laissait jamais seul, ordonnant à ses lieutenants de monter bonne garde. Mais je reste encore convaincu que les objets vraiment importants se trouvaient dans ce compartiment réfrigéré.

— Avez-vous bien connu Ramsey ? demanda Davis.

— Oh oui ! C'était le favori de Dyals. Il dirigeait toutes les opérations.

— Ramsey est derrière tout cela », déclara Davis.

La colère et les regrets semblaient sur le point d'étouffer Scofield. « A-t-il la moindre idée du nombre de livres que j'aurais pu écrire sur ces pierres ? Leur existence aurait dû être révélée au monde entier. Elle aurait suffi à prouver l'ensemble de mes travaux. Elles sont la preuve de l'existence d'une civilisation inconnue de marins, bien avant l'avènement de notre civilisation. Une idée proprement révolutionnaire.

— Ramsey se moque éperdument de ce genre de considérations, observa Davis. Tout ce qui l'intéresse, c'est lui-même. »

Un détail taraudait Stéphanie : « Comment savez-vous qu'il s'agissait d'une civilisation de marins ?

— Grâce aux images gravées sur les pierres. De grands navires, très sophistiqués, des baleines, des icebergs, des phoques. Des pingouins, également, et pas des petits : de la taille d'un homme. Nous savons à présent qu'une espèce de cette taille a jadis existé en Antarctique, et s'est éteinte il y a plusieurs dizaines de milliers d'années. Et pourtant, on trouve des représentations de ces animaux fabuleux sur ces pierres.

— Selon vous, qu'est-il arrivé à cette civilisation inconnue ? » demanda Stéphanie.

Scofield haussa les épaules. « Probablement ce qui arrive à toute civilisation. Nous finissons toujours par nous détruire nous-mêmes, intentionnellement ou par négligence. »

Davis se retourna vers Stéphanie. « Nous devons aller voir à Fort Lee si toutes ces choses s'y trouvent encore.

— L'affaire entière est classée "secret défense", remarqua Scofield. Vous ne pourrez pas vous en approcher. »

Il avait raison. Mais Stéphanie savait que cela ne suffirait pas à décourager Davis. « N'en soyez pas aussi sûr.

— À présent, puis-je aller me coucher ? demanda Scofield. Je dois me lever dans quelques heures pour notre chasse annuelle. Au programme : sanglier, arcs et flèches. Chaque année, je guide un groupe de participants à la conférence à travers les bois. »

Davis quitta son siège. « Bien sûr. Nous partirons de bonne heure, nous aussi. »

Stéphanie se leva à son tour.

« Écoutez, ajouta Scofield d'un ton résigné. Je suis

désolé de m'être comporté comme un mufle. Je vous suis extrêmement reconnaissant.

— Vous devriez penser à annuler la partie de chasse », dit Stéphanie. Scofield hocha la tête. « Je ne peux me permettre de décevoir toutes ces personnes. La plupart attendent cet événement tout le reste de l'année.

— Le choix vous revient, conclut Davis. Mais personnellement, je pense que vous ne courez aucun risque. Ce serait une sottise de tenter une seconde fois de vous tuer, et Ramsey est tout sauf un imbécile. »

72

Bacchus m'a dit qu'ils avaient connu bien des peuples, et qu'ils respectaient toutes les langues, les trouvant chacune belle à sa façon. Celle de cette contrée grise est douce et ruisselante, et son alphabet fut inventé il y a fort longtemps. Leur opinion quant à l'écriture est partagée. Ils la considèrent comme nécessaire, mais ils se défient d'elle, car, selon eux, l'écriture encourage l'oubli et affaiblit la mémoire. Il n'est rien de plus vrai. Je circule librement parmi leur peuple, sans la moindre peur. Les crimes sont rares et sanctionnés par l'isolement. Un jour, on me demanda mon aide pour poser la pierre angulaire d'un mur. Bacchus se réjouit de ma participation, et m'exhorta à irriter les vaisseaux de la terre, car ils distillent un vin étrange qui pousse sous ma main et recouvre l'ensemble des cieux. Bacchus dit que nous devons vénérer cette merveille, car c'est d'elle que naît la vie. Ici, le monde est brisé par des vents puissants et des voix qui hurlent dans une langue que nul mortel ne peut entendre. Aux sons de cette joie primordiale je pénètre dans la maison d'Hathor et pose en offrande cinq joyaux sur son autel. Le vent chante puissamment, si fort que tous les individus présents semblent en extase, et j'en viens à penser que nous nous trouvons bel et bien au royaume des cieux. Nous nous agenouillons face à une statue pour lui rendre hommage. Le son d'une flûte flotte dans l'air. Les neiges sont éternelles et un étrange parfum s'élève. Une nuit, Bacchus tint un incroyable discours que je ne pus comprendre. Je demandai à ce que l'on m'enseignât à comprendre ces mots, Bacchus accepta et j'appris de mon plein gré le langage du ciel. Je suis heureux que mon roi m'ait permis de me rendre dans cette singulière contrée au soleil pâle. Ces gens délirent et poussent des hurlements, ils écument de folie. Un temps, j'eus peur d'être seul. Je rêvais de chaleureux couchers de soleil, de fleurs aux couleurs vives et de feuilles épaisses. Mais plus maintenant. Ici, l'âme est ivre. La vie est pleine. Elle tue et satisfait, mais ne déçoit jamais.

J'ai remarqué un trait constant que l'on retrouve ici partout. Tout ce qui tourne tourne naturellement vers la gauche. Ceux qui se sont égarés tournent vers la gauche. La neige tourbillonne vers la gauche. Les empreintes des animaux portent à gauche. Les créatures de la mer nagent en cercles vers la gauche. Les formations des oiseaux approchent toujours par la gauche. Le soleil de l'été ne cesse de se déplacer à l'horizon, toujours de droite à gauche. Les jeunes sont encouragés à connaître leur environnement naturel. On leur enseigne à prévoir les tempêtes et l'approche du danger : ils apprennent à être conscients, en paix avec eux-mêmes, ils apprennent à vivre. Je me suis un jour joint à une randonnée. Cette occupation est aussi prisée que dangereuse. Un bon sens de l'orientation et des pieds agiles sont requis. Je remarquai que, même lorsque notre guide tournait sciemment à droite, la somme de tous ces mouvements était orientée vers la gauche, afin que, sans repère topographique (cette contrée en est en effet totalement dépourvue), il soit quasi impossible de revenir au point de départ autrement que par la gauche. Hommes, oiseaux et créatures de la mer participent à ce même mouvement, que tous semblent suivre sans même s'en rendre compte. Lorsque je fais remarquer cette tendance aux habitants de cette contrée grise, ceux-ci se contentent de hausser les épaules et de sourire.

Aujourd'hui, Bacchus et moi avons rendu visite à Adonaï, qui a eu vent de mon intérêt pour les mathématiques et l'architecture. Adonaï est un maître en ces matières. Il m'a montré des verges de mesure, utilisées tant pour les plans que pour la construction. La précision est la clef de la réussite, me dit-il. Je lui appris que les plans de la chapelle du roi ont été grandement influencés par les connaissances de ses élèves, et il en fut très heureux. Adonaï dit que, au lieu d'être craintifs, soupçonneux et ignorants du monde, nous devons apprendre des ouvrages de la nature. Les contours des côtes, les lieux où surgit la chaleur de la terre, les angles du soleil et la mer sont des éléments à considérer lorsqu'il s'agit d'édifier une ville, et même un simple bâtiment. La sagesse d'Adonaï est considérable, et je le remerciai de m'avoir dispensé ses lumières. On me montra également un jardin. Beaucoup de plantes ont survécu, mais plus encore ont péri. Les plantes sont cultivées entre les murs dans une terre riche mêlée de cendres, de pierre ponce, de sable et de minéraux. D'autres sont également cultivées dans l'eau de mer et l'eau douce. On consomme rarement de la viande. On m'a appris que la viande diminue la vigueur du corps et le rend plus susceptible de contracter des maux. Je ne me suis jamais senti aussi bien qu'en suivant cette diète constituée principalement de végétaux, agrémentée de temps à autre d'un peu de poisson.

Quel plaisir de revoir enfin le soleil. Les longues ténèbres de l'hiver ont pris fin. Les murs de cristal semblent presque animés du rayonnement coloré de la lumière. Un chœur chante une mélopée grave, douce et rythmée, de plus en plus fort à mesure que le soleil s'élève dans ce ciel nouveau. Des trompettes soufflent l'ultime note, et tous baissent la tête en l'honneur des forces de la vie. La ville accueille la saison estivale. On joue, on assiste à des leçons données en plein jour, on se rend visite les uns les autres, et l'on célèbre tous ensemble la Fête de l'An. À chaque fois que le pendule central de la grand-place s'arrête, tous font face au temple et contemplent les couleurs dont le cristal éclabousse la ville. Après ce long hiver, le spectacle est très apprécié. C'est le temps des unions, et beaucoup déclarent leur amour et leur fidélité. Chacun accepte un bracelet de promesse et assure l'autre de sa fidélité. Cette période s'accompagne de grandes joies. Vivre en harmonie est le but ultime, m'apprend-on. Mais cette année trois unions doivent être dissoutes. Pour les deux premières, les parents acceptent de partager la responsabilité de l'éducation des enfants, malgré leur séparation. Pour la troisième, les parents refusent. Leurs enfants sont donc confiés à d'autres désirant depuis long-temps en avoir, et, à nouveau, la joie est grande.

J'occupe une maison où quatre pièces encerclent une cour. Aucun des murs n'est pourvu de fenêtre, mais les salles sont superbement éclairées par un plafond de cristal, et l'intérieur de la demeure est constamment plein de lumière et de chaleur. Des conduits parcourent toute la ville et toutes ses maisons, telles des racines serpentant sur le sol, et apportent une chaleur qui jamais ne faiblit. Seules deux règles sont à respecter dans les maisons : on ne doit ni y manger ni y soulager ses besoins. On ne doit profaner les pièces en y mangeant, m'a-t-on dit. Tous prennent part aux repas ensemble, dans de vastes salles de banquet prévues à cet effet. La toilette, le bain et les déjections disposent de salles spécifiques. Je me suis enquis des raisons qui les poussaient à observer ces règles, et l'on m'a répondu que toute matière impure était instantanément précipitée des salles de banquet et de toilette jusque dans le feu qui ne s'éteint jamais, où elle se voit consumée. C'est ainsi que le Tartare reste propre et sain. Le respect de ces deux règles est le sacrifice auquel chacun consent pour préserver la pureté de la ville.

Cette contrée grise est divisée en neuf Quartiers, chacun comportant sa ville qui s'étend à partir d'une place centrale semblable à une agora. Chaque Quartier est administré par un Conseiller, choisi par le peuple de son Quartier par un vote, auquel hommes et femmes participent à voix égales. Les lois sont édictées par les neuf Conseillers, et inscrites sur les Colonnes de Vertu qui se dressent sur la place centrale de chaque ville, afin que nul n'ignore les lois. On se repose sur celles-ci afin de prononcer divers jugements solennels. Les neuf Conseillers se réunissent durant la Fête de l'An, sur la place centrale du Tartare, et choisissent parmi eux le Haut Conseiller. L'esprit de l'ensemble de leurs lois peut se résumer d'une simple phrase : traite la terre et autrui comme tu voudrais qu'on te traite. Les Conseillers délibèrent pour le bien de tous sous le symbole de la Vertu. Au sommet de ce symbole se trouve le soleil, à moitié visible dans sa gloire. Puis vient la Terre, un simple cercle, et les planètes représentées par un point en son centre. La croix symbolise la terre, et, tout en bas, on peut voir les vagues de la mer. Le dessin que j'en ai fait ici est maladroit, mais reste fidèle au symbole de la Vertu :

73

Stéphanie fut brutalement tirée de son sommeil par la sonnerie du téléphone posé sur la table de chevet. Elle jeta un coup d'œil à l'horloge électronique. 05:10. Davis était allongé sur l'autre lit, lui aussi complètement habillé, en train de dormir. Ni lui ni elle n'avaient pris la peine d'ouvrir leur lit avant de se coucher.

Elle décrocha le combiné, écouta ce qu'on lui dit, puis se redressa. « Vous pouvez me répéter ça ?

— L'homme appréhendé s'appelle Chuck Walters. Nous avons confirmé son identité grâce à ses empreintes digitales. Il a un casier judiciaire, mais pour des affaires sans importance, rien de comparable à ce dont il est question ici. Il vit et travaille à Atlanta. Nous avons vérifié son alibi. Des témoins assurent qu'il se trouvait en Géorgie l'avant-veille au soir. Nous les avons interrogés. Son alibi tient la route. »

Stéphanie tâcha de remettre de l'ordre dans son esprit. « Pourquoi a-t-il pris la fuite ?

— Il a dit qu'un homme s'était précipité vers lui. Ces derniers mois, il a entretenu une relation avec une femme mariée : il a cru qu'il s'agissait de l'époux de celle-ci. Nous l'avons contactée, et elle a confirmé sa version. Lorsque Davis l'a interpellé, il a pris peur et s'est enfui. Lorsque vous avez ouvert le feu dans sa direction, il a *vraiment* pris peur, ce qui explique pourquoi il vous a lancé cette quille de bowling. Il ne comprenait plus ce qui lui arrivait. Et là-dessus, Davis le bat comme du linge à la rivière. Il a l'intention de le traîner devant les tribunaux.

— Est-ce qu'il se pourrait qu'il mente ?

— D'après ce que nous avons trouvé, non. Ce type n'est pas un assassin professionnel.

— Qu'est-il venu faire à Asheville ?

— Sa femme l'a jeté dehors il y a deux jours. Il a simplement décidé de venir dans le coin pour se changer les idées. C'est tout. Rien de sordide.

— Et je suppose que vous avez contacté son épouse qui vous a confirmé sa version.

— Nous sommes payés pour ça. »

Elle secoua la tête. *Merde*.

« Que voulez-vous que nous fassions de lui ?

— Libérez-le. C'est la seule chose à faire. »

Elle raccrocha et dit à Davis : « Ce n'est pas lui. »

Davis était assis sur le bord de son lit.

Tous deux pensèrent soudain à la même chose.

Scofield.

Ils se précipitèrent vers la porte de la chambre.

Charlie Smith était perché dans l'arbre depuis près d'une heure. Les branches étaient pleines de sève, et les épaisses aiguilles permettaient un camouflage optimal au milieu de ce petit bois de grands pins. L'air matutinal était d'une froideur mordante, et l'humidité extrême qui régnait augmentait encore l'inconfort de Smith.

Fort heureusement, il s'était habillé chaudement et avait choisi cet emplacement avec le plus grand soin.

Le petit spectacle de la veille au soir avait été exemplaire. Smith avait orchestré cette mascarade de main de maître, et s'était délecté de voir ses adversaires non seulement mordre à l'hameçon, mais avaler toute la ligne, toute la canne à pêche, le moulinet et le bateau tout entier. Il devait s'assurer qu'aucun piège ne lui serait tendu : il avait donc appelé un extra à Atlanta, auquel il avait déjà eu recours auparavant. Ses instructions avaient été claires. Attendre le signal, puis attirer l'attention sur lui. Smith avait vu l'homme et la femme entrer dans le bus qui les avait conduits jusqu'au château. Il se demandait encore s'il s'agissait bien de ses poursuivants, mais, une fois à l'intérieur du château, tous ses doutes s'étaient envolés. Il avait alors donné le signal, et l'homme qu'il avait engagé avait joué son rôle, digne d'un oscar. Smith, quant à lui, à côté de l'énorme sapin de Noël de la salle de banquet, avait assisté à la représentation.

Ses ordres avaient été très stricts : « Pas d'arme. Ne faites rien, si ce n'est courir. Laissez-les vous attraper, puis plaidez l'innocence. » Sachant que chaque information serait vérifiée, Smith s'était assuré qu'il ait un alibi en béton pour l'avant-veille au soir. Le fait que son leurre avait effectivement des problèmes de couple et couchait bien avec une femme mariée constituait à la fois le meilleur des alibis et la meilleure des raisons pour prendre la fuite aussi précipitamment.

En définitive, tout s'était passé à la perfection.

À présent, il ne lui restait plus qu'à apporter la touche finale.

Stéphanie tapa violemment à la porte de la chambre de l'organisatrice de la conférence, qui finit par ouvrir. La réception leur avait communiqué le numéro de sa suite.

« Bon sang ! mais qui êtes… »

Stéphanie brandit aussitôt sa carte. « Nous sommes des agents du gouvernement. Nous devons savoir où se déroule la partie de chasse de ce matin. »

La femme hésita une seconde, puis répondit : « Sur le domaine, à une vingtaine de minutes d'ici.

— Dessinez-nous un plan », ordonna Davis.

Smith observait les chasseurs grâce à des jumelles qu'il avait achetées la veille. Il se félicita d'avoir encore en sa possession le fusil d'Herbert Rowland. Il lui restait quatre cartouches. C'était plus que suffisant. En fait, une seule aurait suffi.

La chasse au sanglier n'était pas à la portée du premier venu, Smith le savait bien. Les sangliers étaient mauvais, vicieux, et avaient tendance à habiter les zones de végétation les plus denses, hors des sentiers battus. Le dossier de Scofield indiquait qu'il adorait chasser le sanglier. Lorsque Smith avait pris connaissance de cette partie de chasse, son esprit n'avait pas mis longtemps à établir les modalités de l'élimination de sa cible.

Smith regarda autour de lui. L'emplacement était idéal. Des arbres partout. Pas de maisons. Des bois touffus à perte de vue. Des couronnes de brume coiffaient les montagnes recouvertes de forêt. Par chance, Scofield n'avait pas amené de chiens : cela aurait posé un problème de taille. Smith avait appris que les participants avaient rendez-vous comme chaque année à un endroit bien précis, à plus de quatre kilomètres de l'hôtel, près de la rivière. Pour s'y rendre, ils suivraient un chemin balisé. Pas d'arme à feu. Rien que des arcs et des flèches. Et sans l'assurance de revenir avec un sanglier. C'était plutôt un prétexte pour discuter avec le professeur Scofield, parler boutique, profiter un peu de la forêt par un matin d'hiver. En conséquence, Smith était arrivé deux heures auparavant, bien avant l'aube, et avait emprunté le chemin pour choisir l'endroit le plus haut et le mieux situé, près du point de rendez-vous, en espérant qu'il aurait l'occasion d'agir comme il l'avait prévu.

Sinon, il devrait improviser.

Stéphanie était au volant, et Davis jouait le rôle de copilote. Ils avaient quitté l'hôtel à toute vitesse et avaient foncé plein ouest en direction des 3 000 hectares du domaine Biltmore. La route était une bande d'asphalte étroite qui traversait la rivière French Broad avant de s'enfoncer dans la forêt. L'organisatrice de la conférence leur avait dit que le point de rendez-vous de la partie de chasse se trouvait non loin de la rivière, et que le sentier forestier était facile à suivre.

Stéphanie aperçut des voitures au loin.

Elle s'était à peine garée dans une clairière que déjà Davis et elle bondissaient hors de la voiture. L'aube commençait à peine à éclaircir le ciel. Stéphanie avait le visage glacé par le vent humide.

Elle repéra le sentier et courut aussi vite qu'elle put.

Smith aperçut des taches orange à travers les branches des pins, à environ cinq cents mètres. Il était calé entre une épaisse branche et le tronc massif du pin sur lequel il avait jeté son dévolu. Un vent vif dispersait les dernières nuées nocturnes, dévoilant peu à peu un ciel azuré de décembre, clair et glacial.

À travers ses jumelles, il observa Scofield et sa troupe se diriger vers le nord. Smith avait misé sur le fait qu'ils suivraient le sentier tout du long. Il avait fait le bon choix.

Il passa la bandoulière des jumelles autour d'une branche courte et épaula son fusil, regardant à présent par la lunette de celui-ci. Il aurait préféré travailler plus discrètement, mais il n'avait amené aucun silencieux, et l'achat de ces objets était illégal dans l'État dans lequel il se trouvait. Il serra fermement la crosse dans sa main et attendit patiemment que sa proie se rapproche.

Plus que quelques minutes.

Stéphanie courait à en perdre haleine, en proie à une panique croissante. Elle regardait loin devant elle, scrutant les bois en quête du moindre mouvement. Ses poumons brûlaient.

N'étaient-ils pas censés porter des vestes orange fluorescentes ?

Le tueur se trouvait-il déjà dans les parages ?

Smith remarqua un mouvement suspect derrière la troupe de chasseurs. Il attrapa les jumelles et aperçut distinctement l'homme et la femme de la nuit précédente, courant comme des dératés, à environ cinquante mètres derrière Scofield et ses compagnons.

Apparemment, sa ruse n'avait que partiellement fonctionné.

Il imagina ce qui arriverait après la mort de Scofield. Les deux intrépides de service qui tentaient de rattraper le professeur s'empresseraient de crier à l'assassinat. Le shérif du coin et son équipe mèneraient l'enquête conjointement avec l'office des Forêts. Ils mesureraient, photographieraient, chercheraient, les angles et les trajectoires seraient scrupuleusement relevés. Une fois acquise la certitude que la balle serait venue d'en haut, on s'intéresserait de plus près aux arbres. Mais des arbres, il y en avait des dizaines de milliers alentour.

Lesquels inspecteraient-ils ?

Scofield se trouvait à présent à quatre cents mètres. Dans quelques instants, au détour d'un virage, l'homme et la femme apercevraient le professeur.

Smith épaula à nouveau le fusil et regarda par la lunette.

Trois cent cinquante mètres.

Le réticule de visée se trouvait en plein sur sa cible.

Le coup le plus sûr consistait à viser l'abdomen. Mais en visant la tête, on s'épargnait un deuxième tir.

Deux cent cinquante mètres.

Ces deux individus représentaient un véritable problème, mais, selon le vœu de Ramsey, le professeur Scofield devait mourir aujourd'hui.

Smith appuya sur la détente.

Le coup de feu retentit dans la vallée, et la tête de Scofield explosa.

En fin de compte, le coup valait la peine d'être tenté.

74

Malone avait lu assez de pages de la traduction de Christl pour savoir qu'il lui fallait aller en Antarctique. Et s'il devait emmener avec lui quatre civils, il en serait ainsi. Éginhard y avait manifestement vécu quelque chose d'extraordinaire, quelque chose qui avait tout autant ensorcelé Hermann Oberhauser. Malheureusement, le vieil Allemand avait senti que sa raison le quittait, et avait préféré remettre le livre à l'endroit où il était resté durant douze siècles, dans l'espoir que son fils soit en mesure de retourner en Antarctique à sa place. Mais Dietz avait échoué et avait entraîné dans sa chute l'équipage du NR-1A tout entier. Si c'était là la seule chance qui lui restait de retrouver le sous-marin, Malone se devait de la saisir.

Christl et lui avaient révélé à Isabel ce qu'ils avaient découvert.

Christl était ensuite retournée à sa traduction pour la parfaire et l'achever, dans l'espoir de ne négliger aucune information potentiellement importante.

Malone sortit de l'auberge en ce début d'après-midi glacial et se dirigea vers le centre d'Ossau, faisant craquer la neige fraîche à chaque pas. Il avait emmené son téléphone portable. Tout en marchant, il composa le numéro de Stéphanie. Elle répondit à la quatrième sonnerie : « J'avais hâte d'entendre de vos nouvelles.

— À votre ton, on dirait que les choses ne se sont pas passées comme prévu.

— Nous nous sommes fait avoir en beauté. » Stéphanie lui raconta tout ce qui s'était passé durant ces douze dernières heures, ainsi que ce qui venait d'arriver au domaine Biltmore. « J'ai vu le crâne de cet homme voler en éclats.

— Vous avez tenté de le dissuader de prendre part à cette partie de chasse, mais il n'a rien voulu entendre. Aucune trace du tireur ?

— Un épais sous-bois nous séparait de lui. Nous n'avons pas pu le retrouver. Il avait bien choisi son poste. »

Malone comprenait tout à fait la colère de Stéphanie, mais il préféra lui présenter le bon côté des choses : « Vous avez de toute façon une piste qui remonte jusqu'à Ramsey.

— On dirait plutôt que Ramsey se joue de nous.

— Mais vous savez à présent ce qui le lie à toute cette affaire. Il finira bien par commettre une erreur. Vous m'avez dit que, selon Daniels, Diane McCoy s'était rendue à Fort Lee, et Ramsey est allé au même endroit hier. Réfléchissez, Stéphanie. Le Président ne vous a pas soumis cette information par hasard.

— C'est bien mon avis.

— Vous savez ce qui vous reste à faire.

— Toute cette affaire pue à plein nez, Cotton. Scofield est mort parce que je n'ai pas assez réfléchi.

— Personne n'a jamais dit que c'était juste. Les règles du jeu sont dures, et les conséquences plus douloureuses encore. C'est ce que vous m'auriez dit si j'avais été à votre place. Faites votre boulot sans vous encombrer de remords, mais ne déconnez pas une seconde fois.

— C'est l'élève qui fait la leçon au professeur ?

— Si vous voulez. Maintenant j'ai une faveur à vous demander. Une grosse. »

Stéphanie téléphona à la Maison Blanche. Après que Malone lui eut soumis sa demande, elle lui avait dit qu'elle le rappellerait. Elle était du même avis que lui. Cela s'imposait. Elle pensait également, tout comme lui, que Daniels manigançait quelque chose.

Elle avait composé un numéro secret qui lui permettait d'être mise instantanément en relation avec le directeur de cabinet. Lorsque celui-ci répondit, elle exposa les raisons de son appel. Quelques instants plus tard, le Président accepta la communication et lui demanda : « Scofield est mort ?

— Par notre faute.

— Comment va Edwin ?

— Il est fou furieux. Qu'est-ce que Diane McCoy et vous êtes en train de tramer ?

— Pas mal. Je croyais avoir réussi à dissimuler ce coup-là.

— Les lauriers reviennent à Cotton Malone. J'ai tout juste été assez maligne pour l'écouter.

— C'est assez compliqué, Stéphanie. Disons simplement que l'approche d'Edwin ne me convenait pas tout à fait. Apparemment, mon intuition avait vu juste. »

Stéphanie n'avait rien à redire à ce sujet. « Cotton a besoin d'aide, et c'est directement lié à tout cela.

— Dites-moi.

— Il est parvenu à faire le lien entre Ramsey, le NR-1A, l'Antarctique et cet entrepôt de Fort Lee. Ces pierres recouvertes de lettres incompréhensibles : il a trouvé un moyen de les déchiffrer.

— C'est précisément ce que j'espérais, dit Daniels.

— Il va m'envoyer le programme de traduction par e-mail. Je suppose que c'est pour cela que le NR-1A est allé en Antarctique, pour en apprendre plus sur ces pierres. À présent, Malone doit absolument se rendre sur ce continent. À la base Halvorsen. Immédiatement. En compagnie de quatre autres passagers.

— Des civils ?

— J'ai bien peur que oui. Mais ils font partie d'un marché. Ils savent où se trouve le site. Sans eux, pas de localisation possible. Malone aura besoin de transports dans les airs et au sol, ainsi que de l'équipement adéquat. Il croit être en mesure de résoudre le mystère du NR-1A.

— Nous lui devons bien ça. Accordé.

— J'en reviens à ma question. Qu'est-ce que Diane McCoy et vous manigancez ?

— Désolé. Mon statut de Président me donne le droit de ne pas vous répondre. En revanche, j'aimerais savoir si vous comptez vous rendre à Fort Lee.

— Pouvons-nous utiliser le jet privé dans lequel les services secrets sont arrivés ? »

Daniels gloussa.

« Il est à vous pour la journée.

— Alors oui, nous y allons. »

Assis sur un banc glacial, Malone regardait passer de petits groupes de personnes qui riaient et plaisantaient. Que pouvait-il bien l'attendre en Antarctique ? Impossible à dire. Mais il ne pouvait s'empêcher de penser à cette expédition avec une appréhension croissante.

Il était assis seul, et ses émotions étaient aussi froides et cassantes que les stalactites de glace qui pendaient aux gouttières. Il se souvenait à peine de son père, mais, depuis ses dix ans, pas un jour n'était passé sans qu'il pense à lui. Lorsqu'il avait rejoint la Navy, il avait fait la connaissance de beaucoup de collègues de son père et avait vite compris que Forrest Malone avait été un officier respecté de tous. Sa renommée n'avait jamais été un poids (sans doute parce qu'elle représentait pour lui le minimum requis, et non un but ultime). Mais on lui avait souvent dit qu'il lui ressemblait énormément. Par sa franchise, sa détermination, sa loyauté. Il avait toujours pris cela pour un compliment, mais ce qui importait véritablement à ses yeux, c'était de savoir quel homme il avait été, et non de connaître le mythe.

Malheureusement, la mort avait rendu la chose impossible.

Et Malone en voulait à la Navy d'avoir menti.

Stéphanie, ainsi que le rapport d'enquête qu'elle lui avait transmis, lui avaient permis de comprendre une partie des raisons qui les avaient poussés à dissimuler les circonstances de la disparition du NR-1A. Le secret inhérent à ce prototype, la guerre froide, le caractère sans précédent de cette mission, le fait que l'équipage avait accepté de son plein gré de ne pas être sauvé si le pire devait arriver. Mais aucune de ces raisons n'était satisfaisante. Le père de Malone était mort dans le cadre d'une expédition téméraire, en quête de chimères. Et pourtant, la Navy avait donné son accord à pareille folie et avait même eu l'audace de dissimuler son échec par une histoire montée de toutes pièces.

Pourquoi ?

Son téléphone portable vibra dans sa main.

« Le Président a donné son accord pour toute l'opération, lui dit Stéphanie. En temps normal, on impose à toute personne se rendant en Antarctique une série de préparations et de procédures (entraînement, vaccins, examens médicaux), mais il a ordonné leur suspension. Un hélicoptère se dirige en ce moment même vers l'endroit où vous vous trouvez. Daniels vous souhaite bonne chance.

— Je vous enverrai le programme de traduction par e-mail.

— Cotton, qu'est-ce que vous espérez trouver là-bas ? »

Il inspira profondément afin de calmer ses nerfs, que la situation mettait à rude épreuve. « Je ne sais pas trop. Mais certaines personnes ici présentes, dont moi, ont besoin de risquer le tout pour le tout.

— Il est parfois préférable de laisser en paix certains fantômes.

— Ce n'est pas ce que vous pensiez il y a quelques années, lorsqu'il s'agissait de vos fantômes.

— Ce que vous vous apprêtez à faire est extrêmement dangereux. À plus d'un titre. »

Malone fixait la neige qui reposait à ses pieds, le téléphone vissé à l'oreille. « Je sais.

— Allez-y tout doux sur ce coup-là, Cotton.

— Vous aussi. »

75

Stéphanie était au volant d'une voiture qu'elle avait louée à l'aéroport de Richmond, où avait atterri le jet des services secrets au terme du rapide trajet en provenance d'Asheville. Davis était assis à côté d'elle, le visage aussi meurtri que son amour-propre. On s'était joué de lui à deux reprises. Ramsey l'avait pris une première fois pour un imbécile, des années auparavant, avec Millicent, et, la veille, cela avait été au tour de l'homme qui avait assassiné si expertement Douglas Scofield. La police enquêtait sur l'homicide, à la lueur des informations que Stéphanie et Edwin leur avaient soumises, mais n'avait trouvé jusqu'ici aucune trace du meurtrier. Elle et lui savaient pertinemment qu'il était parti aussitôt son crime commis : leur tâche était à présent de déterminer dans quelle direction. Mais avant tout, ils devaient savoir à quoi rimait toute cette histoire de dingues.

« Comment comptez-vous pénétrer dans l'entrepôt ? demanda Stéphanie. Diane McCoy n'y est pas parvenue.

— Je doute que cela pose un problème. »

Stéphanie craignait de savoir comment il s'y prendrait.

Elle arrêta la voiture à hauteur de la barrière. Elle présenta leurs cartes au militaire chargé des contrôles d'identité et lui dit : « Nous devons parler au chef de la base. Secret défense. »

Le caporal disparut dans sa petite cabine et en sortit presque aussitôt en brandissant une enveloppe. « C'est pour vous, m'dame. »

Stéphanie la prit, et le soldat lui fit signe d'avancer. Elle passa l'enveloppe à Davis qui l'ouvrit alors qu'elle redémarrait.

« Ce sont les indications à suivre », dit-il.

Il la guida en les lisant à haute voix, et ils arrivèrent enfin devant une série d'entrepôts en métal, alignés les uns à côté des autres comme des tranches de pain fraîchement découpées.

« L'entrepôt 12-E », dit Davis.

Sur le pas de la porte se trouvait un homme. Basané, les cheveux noir de jais, coupés court, les traits plus arabes qu'européens. Stéphanie se gara, et Davis et elle allèrent à sa rencontre.

« Bienvenue à Fort Lee, dit l'homme. Je suis le colonel William Gross. »

Il était vêtu d'un jean, de bottes et d'une chemise de bûcheron.

« Curieux uniforme, commenta Davis.

— J'étais parti à la chasse. On m'a téléphoné pour me dire de rappliquer, sans me changer, et d'être le plus discret possible. J'ai cru comprendre que vous vouliez jeter un coup d'œil à l'intérieur.

— Et qui vous a dit ça ? demanda Stéphanie.

— Le président des États-Unis, ni plus ni moins. Et c'est bien la première fois qu'un Président m'appelle. »

Ramsey considérait la journaliste du *Washington Post* qui se trouvait à l'autre bout de la table de conférence. C'était la neuvième interview qu'il accordait aujourd'hui, et la première de vive voix. Les autres avaient été menées par téléphone, comme c'était presque systématiquement le cas lorsque la presse était prise de court par la soudaineté d'un événement. Daniels, fidèle à sa parole, avait annoncé sa prochaine nomination quatre heures auparavant.

« Vous devez être très enthousiasmé », dit la journaliste. Elle s'était spécialisée dans les questions militaires depuis plusieurs années, et l'avait déjà interviewé. Pas franchement brillante, même si elle était convaincue du contraire.

« C'est un poste parfait pour finir ma carrière en beauté », répondit Ramsey. Il éclata de rire. « Il faut voir les choses en face : le Conseil des chefs d'état-major a toujours été l'ultime étape de la carrière de ceux qui m'y ont précédé. Les postes qui se trouvent au-dessus sont assez rares.

— Il y a la Maison Blanche. »

Ramsey se demanda si elle savait quelque chose, ou si elle essayait simplement de le faire mordre à l'hameçon. La seconde possibilité était la plus probable. Il décida de s'amuser un peu. « C'est vrai, je pourrais prendre ma retraite et me présenter aux présidentielles. Je vous remercie du tuyau. »

La journaliste sourit. « Douze militaires de carrière ont accédé au poste de Président. »

Ramsey leva les mains comme pour se rendre. « Je puis vous assurer que ce n'est pas du tout dans mes projets.

— Parmi les personnes avec lesquelles je me suis entretenue aujourd'hui, plusieurs ont avancé que vous feriez un excellent candidat. Votre carrière est exemplaire. Pas la moindre ombre de scandale. Vos opinions politiques ne sont connues que de vous, ce qui signifie que vous seriez en mesure de les adapter comme bon vous semblerait. Vous n'êtes d'aucun parti, ce qui vous laisse la plus grande liberté de choix. Et le peuple américain a toujours eu un faible pour les hommes en uniforme. »

Son raisonnement était absolument identique. Il croyait fermement qu'un sondage révélerait une cote de popularité très significative, motivée autant par sa personnalité que par ses qualités de chef. Bien que son nom ne fût pas aussi connu du grand public que d'autres, sa carrière parlait d'elle-même. Il avait passé toute sa vie au service de son pays, aux quatre coins du monde, sur pratiquement tous les fronts. Il avait reçu en tout et pour tout trente-trois distinctions. Ses amis politiciens étaient nombreux. Certains étaient des relations qu'il avait sciemment cultivées, telles que l'amiral Dyals ou le sénateur Kane, mais d'autres gravitaient autour de lui, pour la simple raison qu'il était un haut gradé occupant un poste très sensible et que, en tant que tel, il pouvait s'avérer un jour extrêmement utile.

« Vous savez, je laisse cet honneur aux militaires qui en rêvent. Ma seule hâte est de servir mon pays au sein du Comité des chefs d'état-major. Ce qui s'annonce d'ores et déjà comme un sacré défi.

— Je me suis laissé dire qu'Aatos Kane avait soutenu votre nomination. Est-ce vrai ? »

Cette femme était bien mieux informée qu'il ne s'y serait attendu. « Si le sénateur a proposé mon nom, je ne peux que lui en être reconnaissant. À l'approche de ma nomination effective, il est important de savoir qu'on a des amis au sein du Sénat.

— Vous pensez que la confirmation de votre nomination est susceptible de poser problème ? »

Ramsey haussa les épaules. « Je n'ai aucun avis là-dessus. J'espère simplement que les sénateurs me considéreront digne de ce poste. Et si ce n'est pas le cas, je serai ravi de finir ma carrière à celui que j'occupe.

— À vous entendre, on a l'impression qu'il vous importe peu d'être nommé ou pas. »

C'était là une règle d'or extrêmement simple que de nombreux candidats n'avaient su suivre : ne jamais paraître anxieux ou sûr de soi.

« Vous déformez quelque peu mes propos. Qu'y a-t-il ? Aucune histoire sordide derrière ma candidature, alors vous essayez d'en inventer une ? »

La journaliste sembla ne pas apprécier la réponse. « Soyons francs, amiral. Votre nom n'était pas celui que beaucoup s'imaginaient pour ce poste. Rosc au Pentagone, Blackwood à l'OTAN : ces deux-là étaient des candidats tout indiqués. Le vôtre est sorti de nulle part. C'est tout à fait fascinant.

— Peut-être les deux personnes que vous venez de citer n'étaient-elles pas intéressées ?

— Elles l'étaient. J'ai vérifié. Mais la Maison Blanche a donné votre nom de but en blanc, et, selon mes sources, ce fut grâce à l'intervention personnelle d'Aatos Kane.

— Il faudra lui poser la question.

— C'est ce que j'ai fait. Son directeur de cabinet m'a dit qu'il me soumettrait très rapidement la réponse du sénateur. Voilà plus de trois heures que j'attends. »

Il était temps de l'apaiser. « J'ai bien peur qu'il n'y ait aucun complot machiavélique là-dessous. En tout cas, aucun de mon fait. Je ne suis qu'un ancien de la Navy qui se réjouit de pouvoir servir son drapeau quelques années de plus. »

Stéphanie suivit le colonel Gross à l'intérieur de l'entrepôt, qu'il avait ouvert en composant un code avant de poser son pouce sur un scanner.

« Je suis chargé de la maintenance de tous ces entrepôts, dit Gross. Ma venue ici n'éveillera aucun soupçon. »

Stéphanie se dit que c'était précisément pour cette raison que Daniels avait fait appel à lui.

« Êtes-vous bien conscient que notre visite devra rester secrète ? demanda Davis.

— Mon supérieur me l'a bien fait comprendre, ainsi que le Président en personne. »

Ils se trouvaient dans une petite antichambre. Au-delà, des fenêtres à triple épaisseur s'étiraient sur toute la longueur de l'entrepôt d'énormes étagères de fer, à peine éclairées par quelques néons.

« Je suis censé vous raconter toute l'histoire, lança Gross. Cet entrepôt appartient à la Navy depuis octobre 1971.

— Avant que le NR-1A parte en mission, fit remarquer Davis.

— Je ne sais absolument rien de tout cela, précisa Gross. Mais ce que je sais, c'est que, depuis cette date, la Navy ne s'est jamais défaite de cet entrepôt. Il est équipé d'une chambre réfrigérée toujours opérationnelle, là-bas, derrière la dernière rangée d'étagères.

— Qu'y a-t-il dans cette chambre ? » demanda Stéphanie.

Gross hésita. « Je crois qu'il vaut mieux que vous voyiez ça de vos propres yeux.

— Est-ce pour cette raison que nous sommes ici ? »

Il haussa les épaules. « Aucune idée. Une chose est sûre : Fort Lee a scrupuleusement veillé à ce que cet entrepôt reste en parfait état au cours de ces trente-huit dernières années. J'en suis responsable depuis six ans. L'amiral Ramsey est la seule personne habilitée à entrer ici sans moi. J'accompagne chaque équipe de nettoyage, chaque réparateur, et je ne les lâche pas d'une semelle. Mes prédécesseurs en faisaient autant. Les scanners et les verrous électroniques ont été installés il y a cinq ans.

On dispose d'un fichier numérique qui recense les identités de toute personne entrant ici, et qu'on communique chaque jour au Bureau du renseignement de la Navy, qui est directement responsable de cet entrepôt. Tout ce qui se trouve ici est classé "secret défense", et tout le monde sait parfaitement ce que ça implique.

— À combien de reprises Ramsey est-il venu ici? demanda Davis.

— Une seule fois au cours de ces cinq dernières années. En tout cas, c'est ce qu'indique notre fichier. Il y a deux jours. Il en a même profité pour entrer dans le compartiment réfrigéré, qui comporte son propre verrou électronique et son propre registre d'entrées. »

Stéphanie avait hâte d'en avoir le cœur net. « Conduisez-nous là-bas. »

Ramsey reconduisit la journaliste du *Washington Post* jusqu'à la porte de son bureau. Hovey lui avait déjà indiqué qu'il restait trois autres interviews. Deux pour la télévision, une pour la radio. Toutes trois auraient lieu à l'étage inférieur, dans une salle de réunion, où les équipes techniques étaient d'ores et déjà en train d'installer leur matériel. Tout cela commençait à lui plaire énormément. C'était bien différent que de rester constamment dans l'ombre. Il ferait un excellent vice-chef du Comité d'état-major des États-Unis et, si tout se passait comme prévu, un vice-président meilleur encore.

Il n'avait jamais compris l'immobilisme de ceux qui avaient occupé ce dernier poste. Dick Cheney avait montré les possibilités inhérentes aux fonctions de vice-Président, façonnant silencieusement la politique du gouvernement sans avoir à pâtir de l'attention qu'attirait inévitablement le titre de Président. En tant que vice-Président, il pourrait se mêler de ce dont il voudrait se mêler, et quand il le voudrait. Et tout aussi rapidement s'en retirer, car, comme John Nance Garner, le premier vice-Président de Roosevelt, l'avait judicieusement remarqué, une écrasante majorité considérait ce poste comme ne valant même pas « un saut de crachat encore chaud ».

Il sourit.

Monsieur le vice-Président Langford Ramsey.

Le titre lui plaisait.

Son portable émit une sonnerie à peine audible. Il attrapa le téléphone posé sur la table et lut le nom de la personne qui cherchait à le joindre. Diane McCoy.

« Il faut que je vous parle, dit-elle.

— Je ne suis pas de cet avis.

— Sans micros, Langford. Je vous laisse le choix du lieu.

— Je n'ai pas le temps.

— Trouvez-en, ou il n'y aura pas de nomination.

— Pourquoi persistez-vous à vouloir me menacer ?

— Je viens vous voir à votre bureau. Ce doit être un des lieux où vous vous sentez le plus en sécurité. »

C'était effectivement le cas. « Quel sujet voulez-vous aborder si urgemment ?

— Celui d'un homme que l'on nomme Charles C. Smith. C'est un pseudonyme, mais c'est ainsi que vous l'appelez. »

Ramsey n'avait jamais entendu ce nom d'une autre bouche que la sienne. Hovey se chargeait des paiements, mais ils étaient transférés sur un compte en banque à l'étranger, à un autre nom que celui-ci, et étaient protégés par les lois relatives à la sécurité nationale.

Et pourtant, Diane McCoy avait découvert le pot aux roses.

Il jeta un coup d'œil à l'horloge qui reposait sur son bureau. 16 h 05.

« Très bien. Je vous attends. »

76

Malone s'installa dans le LC-130. Ils venaient d'achever un vol de dix heures entre la France et Le Cap, en Afrique du Sud. Un hélicoptère de l'armée française les avait transportés d'Ossau à la base aérienne de Cazaux, située à environ 240 kilomètres du monastère. Là, ils étaient montés à bord d'un C-21A, version militaire du Learjet, qui, à une vitesse à peine inférieure au mur du son, avait traversé la Méditerranée et l'Afrique dans toute sa longueur, avec tout juste deux escales très courtes pour se ravitailler en carburant.

Au Cap les attendaient un Lockheed C-130 Hercules et deux équipages du 109e de la Garde nationale aérienne de l'État de New York. Malone se rendit soudain compte que leur petite balade en C-21A risquait de leur paraître tout à fait luxueuse, en comparaison avec ce qu'ils s'apprêtaient à vivre au cours du prochain vol de 4 300 kilomètres plein sud, à destination de l'Antarctique, au-dessus de l'océan déchaîné, à l'exception du dernier millier de kilomètres, au cours duquel ils survoleraient une étendue de glace en apparence infinie.

Un véritable no man's land.

Leur équipement et leurs vêtements les attendaient à bord de l'appareil. Malone connaissait déjà le mot d'ordre : la multiplication des couches de vêtements. Tout d'abord, des sous-vêtements, maillots et pantalons, d'un matériau conçu spécialement pour garder la peau sèche. Puis une combinaison de laine étanche mais laissant respirer tout le corps, et un ensemble veste-pantalon doublé de laine de mouton. Enfin, une parka en Gore-Tex doublée elle aussi, et un pantalon coupe-vent adapté aux basses températures. Le tout, recouvert de motifs de camouflage, était tout droit sorti du stock de l'armée américaine. Des gants et des bottes en Gore-Tex, avec deux paires de chaussettes par personne, protégeraient leurs extrémités. Malone avait communiqué leurs tailles respectives plusieurs heures plus tôt, et remarqua que les bottes étaient plus grandes de deux tailles, afin d'accommoder l'épaisseur des chaussettes. Leur visage et leur cou seraient recouverts par une cagoule ne comportant qu'un large trou pour les yeux, qui quant à eux seraient protégés par des lunettes spéciales. Malone avait presque l'impression de faire une sortie dans l'espace et il n'avait pas tellement tort. Il avait entendu dire que, parfois, le froid qui régnait en Antarctique contractait tellement les plombages dentaires que ceux-ci en venaient à tomber.

Chacun d'eux avait apporté un sac à dos rempli d'effets personnels. Dans leur équipement s'en trouvait un autre, plus épais et imperméable, bien mieux adapté au climat qu'ils allaient affronter.

L'avion s'ébranla en direction de la piste de décollage.

Malone se retourna vers les autres, assis sur de simples sièges de toile. Personne n'avait encore enfilé sa cagoule : tous les visages étaient encore visibles. « Tout va bien ? »

Christl, qui se trouvait à côté de lui, acquiesça.

Tous semblaient mal à l'aise dans leurs épais habits. « Je peux vous assurer qu'il ne va pas faire bien chaud durant ce voyage : ces vêtements sont sur le point de devenir vos meilleurs amis.

— Ça va être difficile de s'y faire, dit Werner.

— C'est pourtant la phase la plus facile de notre voyage, précisa Malone. Si vous ne vous sentez pas à la hauteur, vous pouvez parfaitement rester à la base. Les bases de l'Antarctique sont très confortables.

— C'est une grande première, dit Dorothea. Je n'ai jamais rien fait de pareil. »

C'était en vérité l'aventure d'une vie : la première fois qu'un être humain avait posé un pied en Antarctique était censée remonter à 1820, et, depuis, seul un petit nombre de privilégiés avait eu la chance de s'y rendre. Malone savait qu'un traité signé par vingt-cinq États instituait la totalité de ce continent comme un lieu de paix, avec un échange libre et gratuit d'informations scientifiques, sans revendication territoriale possible, sans activités militaire ou minière à moins que l'ensemble des signataires ne donnent leur accord. Quatorze millions de kilomètres carrés, à peu près la superficie des États-Unis et du Mexique réunis, dont 80 % étaient recouverts d'un épais linceul gelé (70 % de l'eau douce de la Terre) qui contribuait à former l'un des plateaux de glace les plus hauts de la planète, avec une hauteur moyenne de plus de 2 400 mètres.

La vie n'existait que sur le pourtour de ce continent qui recevait moins de cinquante centimètres de précipitations par an. Aussi sec qu'un désert. Sa surface immaculée était incapable d'absorber lumière et chaleur : elle reflétait tout et maintenait ainsi la température moyenne à −56 °C.

Deux escapades en Antarctique, alors qu'il faisait encore partie de l'unité Magellan, avaient également familiarisé Malone avec la politique propre à ce continent. Sept nations (l'Argentine, le Royaume-Uni, la Norvège, le Chili, l'Australie, la France et la Nouvelle-Zélande) revendiquaient la propriété de huit territoires, définis par des longitudes qui se retrouvaient toutes au pôle Sud. Ils étaient sur le point de se rendre sur la portion du continent appartenant à la Norvège, la Terre de la Reine-Maud, qui s'étendait entre les longitudes 44 degrés 38 minutes est et 20 degrés ouest. Un assez gros morceau de sa partie occidentale (entre les longitudes 20 degrés ouest et 10 degrés ouest) avait été revendiqué en 1938 par l'Allemagne, qui l'avait rebaptisé du nom de Nouvelle-Souabe. Bien que la défaite des nazis ait mis un terme à ces revendications, cette région restait l'une des moins connues de tout le continent. La destination de Malone et de ses compagnons était la base Halvorsen, gérée par l'Australie pour le compte de la Norvège, et située sur la côte nord face à la pointe la plus méridionale de l'Afrique.

On leur avait fourni des bouchons d'oreille en mousse (Malone remarqua que tous les avaient introduits), mais le vacarme demeurait assourdissant. L'odeur âcre du carburant lui tournait la tête, mais il savait d'expérience que, bientôt, il ne la sentirait même plus. Ils étaient assis vers l'avant de l'avion, près du cockpit, auquel on accédait par cinq échelons de fer. Deux équipages allaient se relayer au cours de ce long vol. Malone s'était déjà trouvé à l'intérieur du cockpit lors d'un atterrissage en Antarctique. Une sacrée expérience. Qui allait certainement se répéter.

Ulrich Henn n'avait pas prononcé un mot lors du premier vol, et se trouvait à présent assis, impassible, à côté de Werner Lindauer. Malone savait que cet homme était dangereux, mais il ignorait s'il était là pour le surveiller lui, ou les trois autres passagers. Après tout, peu importait : Henn était le seul à posséder les informations dont ils auraient besoin une fois à terre, et un marché était un marché.

Christl tapota son bras et articula, sans un son, « merci ».

Malone acquiesça.

Les turbopropulseurs à plein régime, l'avion s'engagea sur la piste de décollage. Lentement tout d'abord, puis de plus en plus vite, jusqu'à décoller et monter de plus en plus haut au-dessus de l'océan.

Il était près de minuit, et ils étaient en chemin vers Dieu sait quoi.

77

FORT LEE, ÉTAT DE VIRGINIE

Stéphanie vit le colonel Gross débloquer le verrou électronique et ouvrir la porte d'acier du compartiment réfrigéré. Une brume glacée s'en échappa. Gross attendit quelques secondes qu'elle se fût dispersée, puis désigna l'intérieur d'un revers de main. « Après vous. »

Stéphanie entra la première, Davis sur ses talons. La superficie du compartiment n'excédait pas le mètre carré. Les deux murs latéraux en métal étaient tout à fait nus, et celui qui leur faisait face était dissimulé du sol au plafond par des étagères remplies de curieux ouvrages. Elle estima leur nombre à environ deux cents.

« Ils sont entreposés ici depuis 1971, dit Gross. Je n'ai aucune idée de l'endroit où on les gardait avant cette date. Mais il devait y faire plutôt froid, parce que, comme vous pouvez le voir, ils sont en excellent état.

— D'où proviennent-ils ? » demanda Davis.

Gross haussa les épaules. « Aucune idée. Mais les pierres qui se trouvent dans le reste de l'entrepôt ont été découvertes dans le cadre des opérations Highjump et Windmill, respectivement en 1947 et 1948. Il n'y aurait rien d'étonnant à ce que ces bouquins aient été trouvés au cours de ces mêmes opérations. »

Stéphanie s'approcha des étagères et examina les ouvrages. Ils étaient plutôt petits, environ quinze centimètres sur vingt, leur reliure était en bois, et les pages épaisses et grossières étaient retenues entre elles par des ficelles solidement attachées.

« Je peux en regarder un ? demanda-t-elle à Gross.

On m'a dit de vous laisser faire comme bon vous semblait. »

Très précautionneusement, Stéphanie saisit l'un des ouvrages gelés. Gross avait raison. Il était parfaitement conservé. Un thermomètre fixé à côté de la porte indiquait une température de – 12 °C. Elle avait lu un jour un article sur les expéditions d'Amundsen et de Scott au pôle Sud : plusieurs dizaines d'années plus tard, on avait retrouvé leurs stocks de nourriture intacts. Fromages et légumes étaient comestibles, les biscuits étaient encore craquants à souhait, et le sel, la moutarde et les condiments avaient été parfaitement conservés. Les pages des magazines retrouvés dans leur abri semblaient aussi neuves que si elles avaient été imprimées la veille. L'Antarctique était un congélateur naturel. Pas la moindre pourriture, pas la moindre rouille, pas la moindre moisissure, pas le moindre germe. Pas plus que d'humidité, de poussière ou d'insectes. Rien qui eût pu contribuer à la décomposition d'un élément organique, tel que, par exemple, une reliure de livre en bois.

« J'ai lu un jour qu'un chercheur avait proposé de bâtir une bibliothèque mondiale en Antarctique, fit observer Davis. Selon lui, le climat qui y règne suffirait à préserver l'ensemble des ouvrages. J'avais trouvé cette idée parfaitement ridicule.

— Il semble que vous aviez tort. »

Stéphanie considéra le symbole gravé sur la couverture de bois, un symbole qu'elle n'avait jamais vu auparavant.

Avec circonspection, elle feuilleta les pages rigides, entièrement recouvertes de lettres mystérieuses. Des boucles, des spirales, des cercles. Une étrange écriture, minuscule et compacte. Il y avait également des dessins, représentant des plantes, des personnes, des dispositifs singuliers. Chaque page était recouverte d'encre brun clair, sans la moindre tache.

Avant de leur avoir ouvert la porte du compartiment, Gross leur avait montré les étagères de l'entrepôt, chargées d'une multitude de pierres recouvertes des mêmes lettres.

« Une bibliothèque ? » demanda Davis à Stéphanie.

Celle-ci haussa les épaules.

« Madame », dit Gross.

Elle se retourna. Le colonel sortit de l'étagère la plus haute un carnet à la reliure de cuir, fermé par un cordon. « Le Président m'a chargé de vous remettre ceci. C'est le journal de l'amiral Byrd. »

Stéphanie se souvint aussitôt de ce qu'Herbert Rowland leur avait dit à son sujet.

« Classé "secret défense" depuis 1948, ajouta Gross. Il est ici depuis 1971. »

Stéphanie remarqua plusieurs marque-pages qui dépassaient du carnet.

« Les parties les plus importantes ont été indiquées.

— Par qui ? » demanda Davis.

Gross sourit. « Le Président m'a dit que vous me poseriez cette question.

— Et quelle est la réponse ?

— Un peu plus tôt dans la journée, j'ai amené ce journal à la Maison Blanche afin que le Président puisse

558

le lire. Il m'a chargé de vous dire que, contrairement à ce que vous et d'autres membres de son équipe pensez, cela fait bien longtemps qu'il a appris à lire. »

« De retour dans la vallée sèche, site 1345. Campement installé. Temps clair. Ciel sans nuages. Vent faible. Ai localisé l'ancien abri allemand. Journaux, garde-manger et équipement indiquent qu'il s'agit de l'exploration de 1938. Cabane de bois toujours debout. Sommairement meublée d'une table, chaises, poêle et radioémetteur. Rien d'intéressant sur place. Me suis rendu 22 kilomètres à l'est, site 1356, une autre vallée sèche. Trouvé pierres gravées au pied de la montagne. La plupart trop grosses pour être transportées, n'avons donc pris que les plus petites. Hélicoptères ont signalé leur approche. Ai examiné les pierres et en ai fait un relevé.

Oberhauser signale découvertes similaires en 1938. Éléments confirmant contenu des archives de guerre. Les Allemands sont passés par ici, sans le moindre doute possible. Preuves incontestables.

*

Ai examiné une crevasse dans la montagne, site 1578, donnant accès à une petite salle creusée dans la roche.

Lettres et dessins similaires à ceux du site 1356 sur les parois. Personnes, navires, animaux, chariots, le soleil, représentation du ciel, astres, lune. Ai photographié ces images. Observation personnelle : Oberhauser est venu ici en 1938, à la recherche de vestiges aryens. Il apparaît clairement qu'une civilisation a vécu jadis ici. Dessins qui les présentent comme des individus de grande taille, aux cheveux épais et aux traits européens. Femmes à poitrine avantageuse et cheveux longs. Je n'ai pu m'empêcher d'être perturbé en regardant ces représentations. Qui étaient ces gens ? Jusqu'à présent, je considérais les thèses d'Oberhauser comme un tissu d'aberrations. À présent, ne sais plus quoi en penser.

*

Arrivé sur site 1590. Nouvelle salle. Petite. À nouveau, lettres sur les murs. Dessins peu nombreux. Deux cent douze ouvrages à reliure de bois trouvés sur place, empilés sur table de pierre. Photographies du site. Même écriture inconnue dans les livres que sur les pierres. Pas assez de temps. Fin de l'opération dans dix-huit jours. Fin de l'été austral. Navires doivent repartir avant que la banquise ne se referme. Ai ordonné que les livres soient envoyés par caisses. »

Sa lecture achevée, Stéphanie releva les yeux. « C'est incroyable. Ils ont trouvé tout cela, et personne n'en a jamais rien fait.

— L'époque explique tout, dit posément Davis. Ils étaient alors bien trop occupés, entre Staline et une Europe ravagée par la guerre. Les civilisations disparues étaient de leur point de vue assez peu importantes, et tout particulièrement s'il s'agissait d'une civilisation dont l'existence aurait pu confirmer partiellement les thèses d'un savant allemand. Manifestement, Byrd se souciait beaucoup de cet aspect de la découverte. » Davis se retourna vers Gross. « Il prétend avoir photographié plusieurs sites. Peut-on se procurer ces clichés ?

— Le Président a déjà essayé de mettre la main dessus. Les photographies ont tout bonnement disparu. En fait, rien ne subsiste à l'exception de ce journal.

— Sans oublier les livres et les pierres », ajouta Stéphanie.

Davis feuilleta à son tour le journal, dont il lut à voix haute plusieurs passages. « Byrd a visité un grand nombre de sites. Dommage qu'il n'y ait pas de carte. Ces sites sont uniquement mentionnés par des nombres, pas par des coordonnées. »

Stéphanie aurait elle aussi préféré qu'il en fût autrement, surtout pour Malone. Mais il restait un espoir. Le programme de traduction dont Malone lui avait parlé. Ce qu'Hermann Oberhauser avait trouvé en France. Elle sortit du compartiment réfrigéré et appela Atlanta. On lui confirma que Malone lui avait bien envoyé un e-mail. Elle sourit et raccrocha aussitôt.

« J'ai besoin d'un de ces livres, dit-elle à Gross.

— Ils doivent rester dans ce compartiment. C'est le seul moyen de les conserver.

— Alors je veux pouvoir revenir ici. J'ai un ordinateur portable, mais j'aurais besoin d'un accès à Internet.

— Le Président m'a ordonné d'accéder à tous vos vœux.

— Une idée ? demanda Davis à Stéphanie.

— Je crois que oui. »

78

Ramsey entra dans son bureau après la dernière interview de la journée. Diane McCoy s'y trouvait déjà, assise là où Hovey l'avait priée d'attendre. Il referma la porte derrière lui. « Bien. Allons droit au fait. »

On l'avait fouillée et passée au détecteur. Elle ne portait aucun mouchard. Ramsey savait que son bureau était tout à fait sûr, aussi s'assit-il sans la moindre crainte.

« J'en veux plus », répondit-elle.

Elle portait un costume pied-de-poule en tweed, marron et ocre, et un pull à col roulé noir. Assez snob et désinvolte pour un membre de la Maison Blanche, mais très distingué. Son manteau reposait sur l'un des fauteuils du bureau.

« Comment ça, "plus" ? demanda-t-il.

— Il existe un homme qui se fait appeler Charles C. Smith Jr. Il travaille pour vous, et ce depuis longtemps. Vous le rémunérez très bien, bien que ce soit par des comptes numérotés anonymes ou ouverts sous des noms d'emprunt. Cet homme est votre assassin. C'est lui qui s'est occupé de l'amiral Sylvian, ainsi que de nombreux autres. »

Ramsey était sous le choc, mais n'en laissa rien paraître. « Des preuves ? »

Elle éclata de rire. « Comme si j'allais vous le dire. Tout ce qui compte, c'est que je suis au courant. » Elle afficha un large sourire. « Vous êtes sans doute la première personne dans toute l'histoire de l'armée américaine à avoir gravi les échelons de la hiérarchie par le meurtre. Merde, Langford. Vous êtes littéralement un monstre d'ambition.

— Que voulez-vous ?

— Vous allez être nommé. C'était ce que *vous* vouliez. Je suis certaine que vos ambitions vont bien au-delà de ce poste, mais, pour l'instant, vous avez obtenu ce que vous désiriez. Jusqu'à présent, les réactions ont été positives : l'affaire semble dans le sac. »

Ramsey était du même avis. En principe, tout problème sérieux aurait dû faire surface une fois le public mis au courant du choix du Président. C'était à cet instant que les appels téléphoniques anonymes auraient dû se multiplier au standard des différents journaux nationaux, initiant de la sorte un fulgurant travail de sape. Mais, après huit heures, aucune rumeur n'avait été lancée. McCoy avait raison. Ramsey avait gagné son poste et son grade par le meurtre : grâce à Charlie Smith, tous ceux qui auraient pu empêcher son ascension étaient à présent morts.

D'ailleurs, où donc était passé Smith ?

Ramsey avait été si occupé avec toutes ces interviews qu'il l'avait complètement oublié. Il avait ordonné à cet imbécile de s'occuper du professeur et de revenir à Washington avant la tombée de la nuit, et le soleil commençait déjà à se coucher.

« Vous n'avez pas chômé, commenta-t-il.

Il aurait été bête de ne pas se servir de tous ces

réseaux d'information auxquels j'ai accès, et dont vous n'oseriez même pas rêver. »

Ramsey ne doutait pas un seul instant des moyens dont elle disposait. « Et vous avez projeté de me causer du tort ?

— J'ai le projet de vous anéantir.

— À moins que ? »

Un fugace sourire passa sur les lèvres de McCoy. Cette salope était vraiment en train de prendre son pied.

« Tout dépend de vous, Langford. »

Il haussa les épaules. « Vous voulez prendre part à ce qui se passera après la fin du mandat de Daniels ? Je peux faire en sorte que ce soit le cas.

— Est-ce que je vous donne vraiment l'impression d'être née de la dernière pluie ? »

Ramsey sourit. « Vous parlez comme Daniels.

— Sans doute parce qu'il me répète cette phrase au moins deux fois par semaine. La plupart du temps, je mérite cette remontrance, car j'essaie de me jouer de lui. Il est très malin, je dois bien lui reconnaître cette qualité. Mais je ne suis pas une imbécile. Je veux bien plus. »

Ramsey devait savoir ce qu'elle désirait, mais à l'impatience qu'il ressentait s'ajoutait malgré lui une appréhension certaine.

« Je veux de l'argent.

— Combien ?

— 20 millions de dollars.

— Et comment êtes-vous arrivée à cette somme ?

— Je peux vivre très confortablement avec les intérêts d'un tel placement. J'ai fait mes petits calculs. »

Une lueur de plaisir étincelait dans le regard de Diane McCoy.

« Je suppose que vous voudriez que cette somme soit versée dans un paradis fiscal, sur un compte anonyme auquel seule vous auriez accès ?

— Comme c'est le cas pour Charles C. Smith. Avec cependant quelques conditions supplémentaires, mais nous aurons le temps de nous y attarder. »

Ramsey tâchait de garder son calme. « Pourquoi cette décision ?

— Vous allez me baiser. Je le sais, vous le savez. J'ai essayé d'enregistrer vos aveux à votre insu, mais vous vous êtes montré trop malin. Alors je me suis dit : "Joue cartes sur table. Dis-lui ce que tu sais. Mets-toi d'accord sur un arrangement. Obtiens quelque chose, sans faux-semblants." Considérez cela comme un acompte. Un investissement. Comme ça, vous réfléchirez à deux fois avant de me baiser. Vous m'aurez en quelque sorte achetée, et je serai prête à l'emploi.

— Et si je refuse ?

— Alors vous finirez en prison, ou, mieux encore, je mettrai peut-être la main sur Charles C. Smith Jr., et je lui demanderai ce que tout cela lui inspire. »

Ramsey ne dit rien.

« À moins que je me contente de vous balancer à la presse.

— Et que diriez-vous aux journalistes ?

— Je commencerai par leur parler de Millicent Senn.

— Et qu'est-ce que vous savez au juste sur son compte ?

— Jeune officier de la Navy, affectée à votre équipe à Bruxelles. Vous avez eu une liaison avec elle. Et puis voilà qu'elle tombe enceinte et, quelques semaines plus tard à peine, elle trouve la mort. Arrêt cardiaque. Les Belges ont conclu qu'il s'agissait d'une mort naturelle. Affaire classée. »

McCoy était décidément très bien informée. Par peur que son silence ne soit plus éloquent qu'une réponse, Ramsey s'empressa de dire : « Personne ne vous croira.

— Peut-être pas, mais cela constitue un superbe sujet. Le genre de trucs dont les médias raffolent. Saviez-vous que le père de Millicent est à l'heure qu'il est toujours convaincu qu'elle a été assassinée ? Il se fera une joie d'exposer ses vues devant une caméra. Le frère de Millicent (qui, soit dit en passant, est avocat) nourrit également des doutes quant à sa disparition. Bien sûr, tous deux ignorent complètement que vous aviez une relation avec elle. Ils ignorent également que vous adoriez la tabasser. À votre avis, quelle serait la réaction de ces deux parents, la réaction des autorités belges ou celle des médias, si certaines informations sensibles leur étaient transmises ? »

Elle l'avait pris au piège, et elle le savait.

« Il ne s'agit pas d'un piège, Langford. Mon but n'est pas de vous faire avouer quoi que ce soit. Je n'ai pas besoin que vous me donniez raison. Seul importe ce que je veux. Et je veux de l'argent.

— À simple titre informatif, si j'acceptais, qu'est-ce qui vous empêcherait par la suite de faire à nouveau pression sur moi ?

— Rien du tout », répondit-elle entre ses dents.

Ramsey s'autorisa un sourire, puis un bref ricanement. « Vous êtes le diable en personne. »

Elle lui retourna le compliment. « Alors nous sommes faits l'un pour l'autre. »

Le ton amical de sa voix plut à Ramsey. Il ne l'aurait jamais crue capable d'autant de fourberie. Aatos Kane aurait tout donné pour pouvoir se rétracter, et le moindre soupçon de scandale lui en aurait donné l'opportunité. « Je dois protéger mes arrières, lui dirait le sénateur, vos problèmes ne regardent que vous. »

Et Ramsey ne pourrait rien faire pour l'en empêcher.

Il ne faudrait pas plus d'une heure aux journalistes pour vérifier qu'il était bien en fonction à Bruxelles à la même époque que Millicent. C'était également le cas d'Edwin Davis, cette pauvre âme romantique qui s'était entichée de Millicent. Ramsey s'en était aperçu à l'époque, mais s'en était moqué éperdument. Davis était alors sans importance et sans influence. Ce n'était plus le cas. Dieu seul savait où il pouvait être. Il n'avait reçu aucune information à son sujet depuis déjà plusieurs jours. Mais la femme qui était assise face à lui représentait un danger bien réel. Elle tenait un pistolet chargé qu'elle pointait droit sur lui et elle savait où viser.

« Très bien. Je paierai. »

McCoy sortit de la poche intérieure de sa veste une feuille pliée. « Voici les coordonnées bancaires. Faites le versement dans l'heure. »

Elle jeta la feuille sur le bureau.

Il resta immobile.

Elle sourit. « Ne faites pas cette tête. »

Il resta silencieux.

« Vous savez quoi ? dit Diane McCoy. Afin de vous prouver ma bonne foi, et mon désir de travailler avec vous sur le long terme, une fois le versement confirmé, je vous donnerai quelque chose que vous désirez également depuis un certain temps. »

Elle se leva.

« C'est-à-dire ? demanda Ramsey.

— Moi. Je serai à vous demain soir. À condition que je sois payée dans l'heure. »

79

Dorothea était tout sauf à son aise. L'avion cahotait dans les perturbations tel un camion roulant sur une route creusée de nids-de-poule. Elle se souvint du chemin de terre que son père et elle empruntaient pour se rendre dans la vieille ferme. Tous deux adoraient les grands espaces. Depuis toujours, Christl évitait comme la peste la chasse et les fusils, qui étaient deux des passions de Dorothea. Malheureusement, elle n'avait pu en profiter longtemps en compagnie de son père. Elle avait dix ans lorsqu'il était mort. Ou plutôt lorsqu'il avait disparu. Ces pensées tristes lui nouèrent encore plus l'estomac, creusant d'autant ce vide en elle qui semblait ne jamais vouloir se résorber.

C'était à la suite de la disparition de leur père que Christl et elle s'étaient définitivement éloignées. Elles avaient eu des amis, des centres d'intérêt, des goûts différents. Des vies différentes. Comment est-ce que deux personnes issues du même ovule fécondé avaient-elles pu s'éloigner à ce point ?

Une seule réponse s'imposait.

Tout cela était de la faute de leur mère.

Depuis des décennies, elle les obligeait à s'opposer. Et ces batailles avaient engendré du ressentiment. Puis de l'antipathie. La haine était à un pas à peine, qu'elles n'avaient pas mis longtemps à franchir.

Dorothea était assise sur son siège, emmitouflée dans sa tenue. Malone avait dit vrai à propos de cet accoutrement. Le supplice durerait encore au moins cinq heures. Dès qu'ils étaient montés à bord, l'équipage leur avait distribué des en-cas. Un friand au fromage, des cookies, une barre chocolatée et une pomme. Dorothea se sentait incapable d'avaler ne fût-ce qu'une bouchée. Le simple fait de penser à de la nourriture lui soulevait le cœur. Elle s'enfonça dans son siège en tâchant de trouver une position relativement confortable. Cela faisait près d'une heure que Malone avait disparu dans le cockpit. Henn et Werner s'étaient endormis, mais Christl semblait éveillée.

Peut-être elle aussi était-elle nerveuse.

Ce vol était le pire que Dorothea ait connu de toute sa vie, et pas seulement à cause du manque de confort à bord. Ils volaient tous vers leur destin. Se trouvait-il vraiment quelque chose d'important en Antarctique ? Et si oui, était-ce quelque chose de bien ou de mal ?

Après s'être changés, ils avaient tous remplis leurs nouveaux sacs, complètement hermétiques. Dorothea n'avait emmené que quelques affaires de rechange, une brosse à dents, de quoi faire sa toilette et un pistolet semi-automatique. Sa mère le lui avait donné discrètement à Ossau. Elle savait que les vols qui s'ensuivraient ne seraient pas des vols commerciaux : aucune inspection de sécurité n'avait été menée. Bien que Dorothea vécût assez mal le fait de laisser une fois de plus sa mère décider à sa place, la présence de cette arme dans son bagage la rassurait.

Christl tourna la tête.

Leurs regards se croisèrent dans la pénombre.

Quelle ironie qu'elles se trouvent toutes deux ainsi, dans le même avion, obligées de supporter la présence de l'autre. Peut-être le fait de parler un peu leur ferait-il du bien.

Dorothea se résolut à essayer.

Elle détacha sa ceinture de sécurité et se leva de son siège. Elle traversa l'étroit passage et s'assit à côté de sa sœur. « Nous devons mettre un terme à tout cela, lui dit-elle dans le vacarme des réacteurs.

— C'est bien mon intention. Une fois que nous aurons trouvé ce qui, je le sais, se trouve là-bas. » L'expression de Christl était aussi froide que la température qui régnait dans l'avion.

Dorothea ne baissa pas les bras. « Rien de tout cela n'a d'importance.

— Pas à tes yeux, en tout cas. Ça n'en a jamais eu. Tout ce qui a jamais compté à tes yeux, c'était de léguer toutes nos richesses à ton précieux Georg. »

Ces mots lui transpercèrent le cœur. « Pourquoi ne l'as-tu jamais aimé ?

— Il était tout ce que je ne pourrai jamais donner, très chère sœur. »

Dorothea perçut dans son ton l'amertume dominant toutes les autres émotions contradictoires qui se bousculaient en elle. Dorothea avait pleuré aux côtés du cercueil de Georg pendant deux jours entiers, tâchant de toutes ses forces d'épuiser sa douleur. Christl était venue assister aux funérailles, mais elle était partie avant la fin. Pas une seule fois elle n'avait présenté ses condoléances à Dorothea.

Pas un mot de réconfort. Rien.

La mort de Georg avait représenté un tournant dans la vie de Dorothea. Tout avait alors changé. Son couple, sa famille. Et, plus important encore, elle-même. Elle n'aimait pas ce qu'elle était devenue : elle avait sciemment laissé la colère et le ressentiment remplacer ce fils qu'elle avait adoré, et perdu.

« Tu es stérile ? demanda-t-elle à Christl.

— Quelle importance cela a pour toi ?

— Est-ce que maman sait que tu ne peux pas avoir d'enfants ?

— Quelle importance ? Il n'est plus question de descendance, mais de l'héritage des Oberhauser. De ce en quoi cette famille croit. »

Dorothea se rendit compte que tous ses efforts étaient vains. Le fossé qui s'était creusé entre elles était bien trop large pour qu'on puisse le combler, ou même bâtir un pont.

Elle se leva du siège.

Christl saisit violemment son poignet pour la retenir. « Voilà pourquoi je n'ai rien dit quand il est mort. Toi au moins, tu sais ce que c'est que d'avoir un enfant. »

La mesquinerie de cette remarque choqua profondément Dorothea. « Si tu avais pu en mettre un au monde, il aurait été bien à plaindre. Tu n'aurais su t'en occuper. Tu es incapable de donner ce genre d'amour.

— On dirait que toi non plus tu n'y es pas franchement parvenue. Le tien est mort. »

La chienne.

La main de Dorothea se ferma en un poing, et son bras se propulsa en avant, droit vers le visage de Christl.

Assis à son bureau, Ramsey se préparait mentalement à ce qui l'attendait. Sans doute de nouvelles interviews, d'autres sollicitudes des médias. Les funérailles de l'amiral Sylvian auraient lieu le lendemain, au cimetière national d'Arlington[1] : il serait de bon ton de mentionner ce triste événement aux journalistes qui s'adresseraient à lui. *Insiste sur ton camarade disparu. Montre-toi humble, dis quel honneur c'est pour toi que de lui succéder à ce poste. Attarde-toi sur la perte de ce grand amiral, et sur la peine qu'elle te cause.* Les funérailles seraient une cérémonie tout ce qu'il y a de plus formelle, avec tenues d'apparat et honneurs de la patrie reconnaissante. Les militaires savaient comment enterrer les leurs. Ils avaient eu de nombreuses occasions de parfaire leur cérémonial.

Le téléphone portable de Ramsey retentit. Un numéro international. Provenant d'Allemagne. Il était temps.

« Bonsoir, amiral, dit une voix rauque et féminine.

— *Frau* Oberhauser. J'attendais votre appel.

— Et comment saviez-vous que je vous rappellerais ?

— Parce que vous êtes une vieille harpie craintive qui adore tout contrôler. »

Elle gloussa. « Tout à fait. Vos hommes ont fait du beau travail. Malone est mort.

— Je préfère attendre le rapport circonstancié qui me le confirmera.

— Je crains que vous ne le receviez jamais. Vos hommes aussi ont été éliminés.

— Dans ce cas, vous êtes dans un sacré pétrin. Je dois recevoir une confirmation formelle.

— Avez-vous reçu des nouvelles de Malone au cours des douze dernières heures ? Quelque rapport concernant ses activités ? »

Il n'avait effectivement rien reçu de ce genre.

« Il est mort sous mes yeux, ajouta-t-elle.

— Alors nous n'avons plus rien à nous dire.

— À cela près que vous devez encore répondre à ma question. Pourquoi mon époux n'est-il jamais revenu ? »

1. Célèbre cimetière militaire des États-Unis. *(N.d.T.)*

Oh, et puis à quoi bon ? Dis-lui. « Le sous-marin a été victime d'une avarie.

— Et l'équipage ? Et mon mari ?

— Ils n'ont pas survécu. »

Silence.

Isabel finit par demander : « Avez-vous vu le sous-marin et l'équipage ?

— Oui.

— Dites-moi très précisément ce que vous avez vu.

— Vous ne voulez pas le savoir. »

À nouveau, un long silence. « Pourquoi était-il nécessaire de dissimuler cette affaire ?

— Le sous-marin était un navire classé "secret défense". Nous n'avions pas le choix. Nous ne pouvions prendre le risque de laisser les Soviétiques mettre la main dessus. L'équipage n'était composé que de onze hommes : il n'a pas été bien difficile de dissimuler les faits.

— Et vous les avez laissés là-bas ?

— Votre époux a accepté cette clause. Il connaissait les risques de cette mission.

— Et vous autres Américains osez prétendre que les Allemands n'ont pas de cœur.

— Nous sommes pragmatiques, *Frau* Oberhauser. Vous autres vouliez conquérir le monde, nous, nous le protégeons. Votre époux a volontairement pris part à une opération périlleuse. L'idée même de cette mission est venue de lui, du reste. Beaucoup d'autres avant lui ont pris ce genre de décisions. »

Ramsey espérait que ce serait là la dernière fois qu'il entendrait parler d'Isabel Oberhauser. Il n'avait aucune envie que tout cela s'envenime.

« Au revoir, amiral. J'espère que vous rôtirez en enfer. »

Ramsey perçut l'émotion qui perçait dans sa voix, mais s'en moquait éperdument. « J'espère vous y retrouver. »

Et il raccrocha.

573

Il lui faudrait se rappeler de changer de numéro de portable. Afin de ne plus jamais être obligé de parler à cette vieille folle.

Charlie Smith adorait les défis. Ramsey lui avait assigné une cinquième cible, en insistant sur le fait qu'il devait s'acquitter de cette tâche le jour même. Rien ne devrait attirer les doutes des médias ou des autorités. Un meurtre propre, sans accroc. En temps normal, cela n'aurait été qu'une pure formalité. Mais cette fois, il ne disposait d'aucun dossier, rien qu'une poignée de faits soumis par Ramsey, et une fenêtre d'action de vingt heures à peine. S'il réussissait, Ramsey lui avait promis une prime impressionnante. Assez pour retaper Bailey Mill de fond en comble.

De retour d'Asheville, Smith s'était rendu directement à son appartement : c'était la première fois qu'il rentrait chez lui depuis au moins deux mois. Il avait dormi quelques heures, et était prêt à remplir cette ultime mission. Il entendit une douce sonnerie provenant de la table de la cuisine et alla chercher son téléphone portable dont il consulta l'écran. Il ne reconnut pas le numéro, bien qu'apparemment il s'agît d'une communication locale. Peut-être Ramsey essayait-il de le joindre sous couvert d'anonymat. Cela lui arrivait parfois. Cet homme était dévoré par sa propre paranoïa.

Smith décrocha.

« J'aimerais parler à Charlie Smith », dit une voix féminine.

L'emploi de ce nom le mit aussitôt sur ses gardes. Il ne l'utilisait qu'avec Ramsey. « Vous vous êtes trompée de numéro.

— Loin de là.

— J'ai bien peur que si.

— Je ne raccrocherais pas si j'étais vous, s'empressa-t-elle d'ajouter. Ce que j'ai à vous dire peut détruire votre vie, ou vous assurer de vieux jours à l'abri du besoin.

— Je vous l'ai déjà dit, madame, vous vous êtes trompée de numéro.

— Vous avez tué Douglas Scofield. »

Un frisson glacial parcourut l'échine de Smith. « Vous vous trouviez sur place, avec ce type ?

— Non, mais tous deux travaillent pour moi. Je sais tout de vous, Charlie. »

Il resta muet, mais le fait que cette femme dispose de son numéro de téléphone et qu'elle connaisse son pseudonyme constituait un réel problème. En vérité, c'était tout bonnement catastrophique. « Que voulez-vous ?

— Votre peau. »

Il ricana.

« Mais je préférerais l'échanger contre celle de quelqu'un d'autre.

— Laissez-moi deviner. Celle de Ramsey ?

— Vous êtes un type brillant.

— Je suppose que vous n'avez pas l'intention de me dire qui vous êtes ?

— Bien sûr que si. Contrairement à vous, je ne me cache pas derrière une vie d'emprunt.

— Alors qui êtes-vous, bordel ?

— Diane McCoy. Conseillère adjointe du président des États-Unis en matière de sécurité nationale. »

80

Malone était en train de discuter avec l'équipe de vol dans le cockpit lorsqu'il entendit un cri. Il se précipita à l'arrière et porta son regard à l'intérieur du LC-130 qui baignait dans la pénombre. Dorothea était debout dans l'étroit passage, face à Christl qui se débattait en hurlant, tentant de défaire sa ceinture de sécurité pour se libérer. Du sang coulait de son nez sur sa parka. Werner et Henn venaient tout juste de se réveiller et se levaient de leur siège.

Malone sauta les échelons de fer et fondit dans la mêlée. Henn avait déjà réussi à éloigner Dorothea.

« Espèce de malade mentale ! criait Christl. Qu'est-ce qui te prend ? »

Werner se saisit de Dorothea. Malone se recula quelque peu.

« Elle m'a cognée dessus comme une brute », dit Christl en essuyant son nez du revers de sa manche.

Malone trouva une serviette et la lui jeta.

« Je devrais te tuer, cracha Dorothea. Tu ne mérites pas de vivre.

— Vous voyez ? hurla Christl. C'est exactement ce que je vous disais. Elle est timbrée. Complètement timbrée. Bonne pour l'asile.

« — Pourquoi as-tu fait cela ? demanda Werner à sa femme.

— Elle détestait Georg », lui répondit Dorothea en se débattant entre ses bras.

Christl se leva pour faire face à sa sœur.

Werner desserra son étreinte afin que les deux lionnes puissent se regarder. Chacune parut évaluer l'autre, tentant de savoir ce qu'elle mijotait. Malone observait les deux femmes, vêtues de la même tenue, aux visages identiques et aux caractères si différents.

« Tu n'es même pas restée pour assister à son enterrement, dit Dorothea. Tout le monde est resté, mais tu es partie avant.

— Je déteste les funérailles.

— Et moi, c'est toi que je déteste. »

Christl se tourna vers Malone, en pressant la serviette contre son nez. Il croisa son regard et y perçut instantanément la menace qui y couvait. Avant qu'il ait pu réagir, elle lâcha la serviette, pivota sur elle-même et gifla de toutes ses forces sa sœur, qui chancela en arrière dans les bras de Werner.

Christl serra le poing, prête à lui décocher un autre coup.

Malone saisit son poignet. « Vous lui en deviez un. Ça suffit, maintenant. »

Son expression s'était assombrie, et le regard féroce qu'elle lui lança lui conseillait de se mêler de ses affaires.

Elle libéra son bras d'un coup sec et ramassa la serviette à terre.

Werner aida Dorothea à s'asseoir. Henn se contentait d'observer la scène, sans rien dire, comme à son habitude.

« Bien. Fin du match, conclut Malone. Je vous suggère à tous de dormir un peu. Il nous reste un peu moins de cinq heures de vol, et j'aimerais que nous nous attelions à la tâche dès que nous aurons atterri. Toute personne

577

qui s'aviserait de râler ou s'avérerait incapable de suivre le rythme devra rester à la base. »

Smith était assis dans sa cuisine, les yeux rivés sur le téléphone qui reposait sur la table. Il avait exprimé ses doutes quant à la véritable identité de celle qui l'avait appelé, aussi celle-ci lui avait donné un numéro auquel l'appeler et avait raccroché. Smith saisit son téléphone et composa le numéro. Trois sonneries, et une voix agréable l'informa qu'il était bien en relation avec la Maison Blanche, avant de lui demander quel service il désirait joindre.

« Bureau des conseillers en matière de sécurité nationale », répondit-il d'une voix blanche.

On transféra son appel.

« Vous en avez pris, un temps, Charlie », dit une femme en décrochant. La même voix que tantôt. « Satisfait ?

— Que voulez-vous ?

— Vous dire quelque chose.

— Je vous écoute.

— Ramsey a l'intention de mettre un terme à votre relation professionnelle. Il a de grands projets, des projets considérables, que votre présence ne saurait en aucun cas compromettre.

— Vous perdez votre temps.

— C'est ce que je dirais à votre place, Charlie. Mais je vais vous rendre la tâche plus facile. Je parlerai, et vous vous contenterez de m'écouter. Ainsi, si vous croyez que je suis en train d'enregistrer notre discussion, vous ne prendrez aucun risque. Ça vous va ?

— Si ça vous chante.

— Votre fonction est de résoudre les problèmes de

Ramsey. Voilà des années qu'il a recours à vos talents. Il vous paie plus que convenablement. Ces derniers jours, vous avez été très occupé. Jacksonville. Charlotte. Asheville. Est-ce que je brûle, Charlie ? Vous voulez que je cite des noms ?

— Vous êtes libre de dire ce que vous voulez.

— Ramsey vient de vous confier une nouvelle mission. » Elle observa une courte pause. « Moi, en l'occurrence. Ce doit être réglé aujourd'hui même. Ce qui est tout à fait logique, puisque je l'ai provoqué hier. Il vous en a parlé, Charlie ? »

Smith ne répondit pas.

« Non, c'est bien ce que je pensais. Vous voyez, c'est exactement ce que je vous disais : il a de grands projets, et vous n'en faites pas partie. Mais je n'ai pas l'intention de finir comme les autres. Voilà pourquoi nous sommes en train de discuter. Et, à ce propos, sachez que si j'étais vraiment votre ennemie, les services secrets se seraient déjà invités chez vous, et nous aurions cette discussion dans un lieu discret, rien que vous, moi, et quelqu'un de grand et de baraqué.

— J'avais déjà envisagé cette possibilité.

— Je savais que vous vous montreriez raisonnable. Et afin de vous convaincre que je ne parle pas dans le vent, laissez-moi énumérer quelques comptes que vous possédez, et sur lesquels Ramsey dépose les sommes convenues entre vous deux. » Elle exposa dans le détail trois comptes bancaires, noms des banques, numéros de compte et même mot de passe, qu'il avait changé pour deux d'entre eux une semaine auparavant. « Ces comptes ne sont pas réellement confidentiels, Charlie. Il suffit de savoir où chercher, et comment chercher. Malheureusement pour vous, j'ai le pouvoir de confisquer ces comptes en un clin d'œil. Mais afin de vous prouver ma bonne foi, je me suis refusée à y toucher. »

Elle ne bluffait pas. C'était à présent une certitude. « Que voulez-vous ?

— Comme je vous l'ai dit, Ramsey a décidé que vous deviez être éliminé. Il a conclu un marché avec un sénateur, un marché dans lequel vous n'avez pas votre place. Étant donné que vous n'avez ni identité réelle, ni attache, ni famille, pensez-vous qu'il serait si compliqué que cela de vous faire disparaître pour de bon ? Personne pour regretter votre mort. C'est triste, Charlie. »

Aussi triste que vrai.

« Mais j'ai bien mieux à vous proposer », dit-elle.

Ramsey était proche de son objectif. Tout s'était déroulé comme prévu. Il ne restait plus qu'un obstacle. Diane McCoy.

Il était tranquillement assis à son bureau, une larme de whisky à portée de main. Il repensait à ce qu'il avait dit à Isabel Oberhauser. Au sujet du sous-marin. Il repensait à ce qu'il avait trouvé dans le NR-1A et gardé près de lui depuis.

Le journal de bord du capitaine Forrest Malone.

Au fil des ans, il lui était arrivé à plusieurs reprises d'en lire quelques passages, plus par curiosité morbide que par réel intérêt. Il n'en restait pas moins que ce journal était à ses yeux le plus beau souvenir de cette aventure qui avait changé pour toujours son existence. Il n'était pas du genre sentimental, mais certaines choses méritaient qu'on s'en souvienne. Dans son cas, l'un de ces instants avait eu lieu sous la calotte glaciaire de l'Antarctique.

Lorsqu'il avait suivi le phoque.

Jusqu'à la surface.

En sortant la tête de l'eau, il braqua aussitôt le faisceau de sa lampe autour de lui. Il se trouvait dans une caverne de roche et de glace, aussi longue et deux fois moins large qu'un terrain de football, faiblement éclairée par une pénombre gris-mauve, et baignant dans un silence complet. Ramsey entendit sur sa droite le cri rauque d'un phoque et vit l'animal plonger dans l'eau. Il repoussa son masque de plongée sur son front, recracha l'embout de son détendeur et inspira l'air de la gigantesque grotte. Puis il l'aperçut. Une tour orange sortant de l'eau, plus petite que d'habitude, à la forme très particulière.

Le massif du NR-1A.

Sainte Marie mère de Dieu.

Il nagea en direction du navire.

Il avait servi à bord du NR-1 : il connaissait la conception révolutionnaire des deux sous-marins jumeaux, raison pour laquelle, entre autres, il avait été choisi pour mener cette mission. Le navire était long et fin, presque de la forme d'un cigare. Une superstructure en fibre de verre montée sur la coque permettait à l'équipage d'arpenter le sous-marin dans toute sa longueur. Le nombre d'issues avait été limité afin de réduire autant que possible tout risque lors des immersions les plus profondes.

Ramsey s'approcha et caressa du revers de la main le métal noir. Pas un son. Pas un mouvement. Rien. Seules les vagues battaient la coque du sous-marin.

Il était proche de la proue. Il se laissa dériver à bâbord. Une échelle de corde reposait contre la coque. C'était cette échelle qu'on utilisait pour monter à bord des canots de sauvetage, ou en sortir.

Il attrapa un des échelons et tira dessus.

L'échelle était parfaitement fixée.

Il retira ses palmes et en passa les boucles autour de son poignet gauche. Puis il accrocha sa lampe torche à *sa ceinture et se hissa hors de l'eau. En haut de l'échelle, il s'écroula sur le pont et reprit son souffle, avant de se débarrasser de sa ceinture de lest et de ses bouteilles. Il essuya l'eau glacée qui recouvrait son visage, se frotta les bras, reprit sa lampe et, se hissant sur les ailerons du massif, accéda au sommet de ce dernier.*

Le sas principal était grand ouvert.

Il frémit, sans savoir si c'était à cause du froid qui régnait, ou de l'appréhension qu'il éprouvait.

Il descendit les échelons de fer.

En bas, il constata que les plaques du sol avaient été enlevées. Il braqua le faisceau de sa lampe à l'endroit précis où auraient dû se trouver les batteries. Tout était calciné, ce qui indiquait les causes du sinistre. Un incendie en pleine plongée pouvait s'avérer fatal. Il se demanda ce qui était arrivé au réacteur du sous-marin, mais l'obscurité qui régnait semblait indiquer qu'il avait été arrêté.

Il se dirigea plus avant, vers le poste de commandement. Les postes étaient inoccupés, tous les cadrans et appareils étaient éteints. Il vérifia quelques circuits. Tout était hors tension. Il inspecta la salle des machines. Rien. Aucun bruit ne s'échappait du compartiment du réacteur. Il trouva le coin du capitaine, qui n'avait rien d'une cabine : le NR-1A était bien trop exigu pour un tel luxe, aussi se réduisait-il à une simple couchette au bout de laquelle se trouvait un petit bureau. Il aperçut le journal de bord, l'ouvrit, le feuilleta, jusqu'à trouver les dernières lignes écrites par le capitaine.

Ramsey se souvenait encore parfaitement des derniers mots. « De la glace sur les doigts, de la glace dans la tête, de la glace dans son regard vitreux. » Forrest Malone avait trouvé les mots justes pour évoquer ce qu'on ressentait ici.

Ramsey avait rempli à merveille sa mission. Tous

ceux susceptibles de poser problème étaient à présent morts. La réputation de l'amiral Dyals ne serait entachée par aucun scandale, pas plus que la sienne, ni celle de la Navy. Les fantômes du NR-1A resteraient sagement à leur place.

En Antarctique.

Son téléphone portable s'illumina, sans émettre le moindre son. Il l'avait mis en mode silencieux plusieurs heures auparavant. Il jeta un coup d'œil à l'écran. Enfin.

« Oui, Charlie. Qu'y a-t-il ?

— Je dois vous voir.

— Impossible.

— Faites en sorte que ça devienne possible. Dans deux heures.

— Pourquoi ?

— Un problème. »

Ramsey se souvint que cette ligne n'était pas sécurisée : il lui fallait choisir ses mots avec la plus grande circonspection.

« Grave ?

— Assez grave pour que je doive vous voir. »

Ramsey consulta sa montre.

« Où ?

— Vous savez où. Je vous y attendrai. »

81

Stéphanie avait un peu de mal avec les ordinateurs, mais Malone lui avait expliqué point par point dans son e-mail comment se servir du logiciel de traduction. Le colonel Gross lui avait fourni un scanner aussi puissant que rapide, ainsi qu'un accès à Internet. Elle avait téléchargé le programme et, après avoir scanné une page, en avait lancé la traduction.

Le résultat lui coupa le souffle. L'étrange suite de courbes et de boucles se transforma d'abord en phrases latines, puis anglaises. Maladroites par endroits. Certaines parties manquaient, çà et là. Mais il restait assez de passages entiers pour que Stéphanie comprenne que ce que contenait ce compartiment réfrigéré était un véritable trésor archéologique et historique.

Dans un vase en verre, suspendez deux sphères à un fin fil. Frottez vivement une verge de métal brillant sur un bout de tissu. Il ne s'ensuivra aucune sensation, aucun fourmillement, aucune douleur. Approchez la verge du vase : les deux sphères léviteront, s'éloigneront l'une de l'autre et resteront ainsi même lorsqu'on aura éloigné la verge. La force contenue dans la verge s'en dégage, sans qu'on puisse la voir ou la sentir, mais néanmoins bien présente, et c'est elle qui éloigne les deux sphères. Après un certain temps, celles-ci retomberont, attirées par la même force qui empêche toute chose jetée en l'air d'y demeurer indéfiniment.

*

Construisez une roue, fixez-y une poignée et attachez de petites plaques de métal sur son contour. Deux verges de métal devront être fixées afin que les fils de métal qui y seront attachés puissent entrer légèrement en contact avec les plaques. Un fil reliera chaque verge à deux sphères de métal. Placez-les à un demi-kommon l'une de l'autre. Faites tourner la roue à l'aide de la poignée. Lorsque les plaques de métal entreront en contact avec les fils, elles engendreront des étincelles. Faites tourner la roue plus rapidement et une foudre bleue jaillira des sphères de métal. Une étrange odeur se fera sentir, semblable à celle qu'on peut sentir après un orage féroce, dans ces terres où la pluie tombe en abondance. Émerveillez-vous de cette odeur et de cette foudre, car cette force et celle qui éloigne les deux sphères de la précédente invention sont une seule et même force, générée de deux façons différentes. Il est aussi peu dangereux de toucher les sphères de métal de cette invention que de toucher les deux verges de métal qu'on a frottées sur le tissu.

*

Pierre de lune, chaka-couronne, cinq laits de banian, figue, aimant, mercure, perles de mica, huile de saaras-vata, et nakha en parts égales, purifiées, devront être enterrés et laissés ainsi jusqu'à ce qu'ils soient congelés.

Ce but atteint, mélangez le tout à l'huile de bilva et faites bouillir jusqu'à obtenir une gomme parfaite. Étalez le vernis en une couche égale sur une surface et laissez sécher avant de l'exposer à la lumière. Pour le ternir, ajoutez au mélange racine pallatoire, maatang, cypraea, sel de roche, plomb noir et sable de granit. Appliquez abondamment sur toute surface afin de la rendre plus résistante.

*

Le peetha doit être large de trois kommons et haut d'un demi-kommon, qu'il soit rond ou carré. On fixe un pivot en son centre. Devant le peetha, on place une vasque d'acide dellium. À l'ouest est placé le miroir augmentant l'obscurité et à l'est le tube attirant les rayons du soleil. Au centre se trouve la roue aux fils de métal et au sud le commutateur principal. Lorsqu'on fera tourner la roue du sud-est, le miroir à deux faces fixé au tube collectera les rayons du soleil. Lorsqu'on fera tourner la roue du nord-ouest, l'acide sera activé. Lorsqu'on fera tourner la roue de l'ouest, le miroir intensificateur d'obscurité sera sollicité. Lorsqu'on fera tourner la roue centrale, les rayons attirés par le miroir rencontreront le cristal et l'envelopperont. C'est alors que la roue principale devra être actionnée très rapidement afin de produire une chaleur enveloppante.

*

Sable, cristal et sel suvarchala, en parts égales, disposés dans un creuset qu'on placera dans un fourneau, puis fondus, produiront une céramique pure, légère et résistante. Les conduits réalisés dans ce matériau transporteront et diffuseront la chaleur, et pourront être solidement joints entre eux avec du mortier de sel. Des pigments à base de fer, d'argile, de quartz et de calcite perdureront dans le temps, et adhéreront aisément après fusion.

Stéphanie releva les yeux en direction d'Edwin Davis. « D'un côté, ils s'amusaient avec l'électricité à un stade peu avancé, et, de l'autre, ils créaient des composites et des machines dont nous n'avons jamais entendu parler. Nous devons absolument découvrir l'origine de ces livres.

— Ça risque d'être difficile, étant donné qu'apparemment tous les documents relatifs à l'opération Highjump susceptibles de nous éclairer ont tout simplement disparu. » Davis hocha la tête. « Quelle bande d'abrutis. Ils ont tout classé "secret défense". Une poignée d'esprits étriqués a pris des décisions qui ont affecté nos existences. Nous sommes en présence d'une somme de connaissances qui pourraient changer la face du monde. Qui pourraient également être un ramassis de fariboles, évidemment. Mais nous n'en saurons jamais rien. Depuis la découverte de ces ouvrages, des mètres et des mètres de glace ont dû recouvrir les lieux où on les a trouvés. Le paysage n'a à présent plus rien à voir avec ce qu'il devait être à l'époque. »

Stéphanie savait que l'Antarctique était un véritable casse-tête pour les cartographes. Soumises aux fluctuations de la calotte glacière, les côtes de ce continent étaient en perpétuel changement. Davis avait raison. Retrouver les sites de Byrd relevait très probablement de l'impossible.

« Nous n'avons consulté qu'une poignée de pages au hasard de quelques ouvrages, dit-elle. Qui sait ce qui se trouve encore dans cette bibliothèque ? »

Son regard fut attiré par une autre page, remplie de texte et du croquis détaillé de deux plantes.

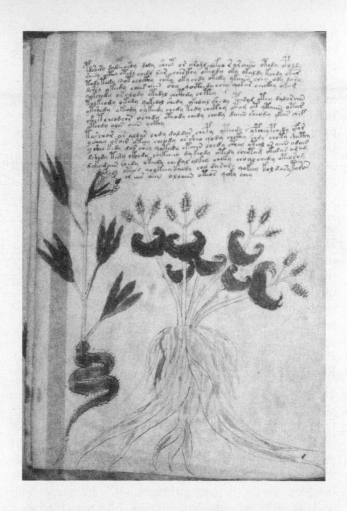

Elle scanna la page et la fit traduire par le logiciel.

La gyra pousse dans les crevasses humides et profondes, et doit être extraite de la terre avant le départ du soleil de l'été. Ses feuilles, écrasées et brûlées, chassent la fièvre. Mais prenez garde à ce que la gyra soit préservée de toute humidité. Les feuilles humides sont inefficaces et peuvent provoquer des maladies. *Idem* pour les feuilles jaunies. Les feuilles rouge vif ou orange doivent être préférées à toute autre. Elles apportent également le sommeil et peuvent être utilisées afin de supprimer les rêves. Une dose trop importante peut nuire à la santé : prudence donc en l'administrant.

Stéphanie éprouvait les mêmes sentiments qu'un explorateur se tenant sur une côte vierge et portant son regard sur une terre inconnue.

« Il faut poser des scellés sur cet entrepôt, déclara Davis.

— C'est une mauvaise idée. Cela ne manquera pas d'alerter Ramsey. »

Davis sembla se rendre à cette sage observation. « Alors nous demanderons l'aide de Gross. Si quelqu'un vient ici, il nous en avertira, et nous pourrons stopper l'intrus. »

C'était là une bien meilleure idée.

Stéphanie pensa à Malone. Il devait approcher de l'Antarctique. Mais suivait-il seulement la bonne piste ?

De leur côté, le plus difficile restait à faire.

Il leur fallait retrouver l'assassin.

Le bruit d'une porte s'ouvrant puis se refermant résonna dans tout l'entrepôt. Le colonel Gross avait monté la garde dans le vestibule afin que nul n'interrompe leurs recherches. Stéphanie se dit tout d'abord qu'il devait s'agir de lui, mais elle entendit l'écho des pas de deux hommes dans les ténèbres. Davis et elle étaient assis à une table installée devant le compartiment réfrigéré, avec pour seule lumière celle de deux lampes. Elle releva les yeux et aperçut Gross sortir de l'obscurité, suivi d'un autre homme, de haute taille, aux cheveux broussailleux, portant un coupe-vent bleu marine et un pantalon, et arborant à la poitrine l'emblème du président des États-Unis.

Danny Daniels.

82

Ramsey quitta l'autoroute plongée dans l'obscurité pour s'enfoncer dans les bois, en direction de la vieille ferme du Maryland où il avait rejoint Charlie Smith quelques jours auparavant.

Bailey Mill, c'était ce nom que Smith lui avait donné.

Le ton de Smith ne lui avait pas plu. Un ton de petit malin, suffisant, irritant : ça, c'était Charlie Smith tout craché. Mais un ton coléreux, impératif, agressif ? Cela ne lui ressemblait pas.

Quelque chose n'allait pas.

Il semblait que Ramsey avait gagné une nouvelle alliée en la personne de Diane McCoy, une alliée qui lui avait coûté 20 millions de dollars. Fort heureusement, il avait amassé bien plus d'argent, réparti judicieusement sur de nombreux comptes à travers le monde. De l'argent qu'il avait récupéré grâce à des opérations qui s'étaient achevées prématurément, ou qui avaient tout simplement avorté. À partir du moment où un dossier était estampillé de la mention « secret défense », ce qu'il contenait échappait à tout contrôle. Les circulaires stipulaient que toute ressource investie et non utilisée devait être retournée, mais cela n'arrivait pas systématiquement. Ramsey avait besoin de fonds pour payer Smith, des fonds secrets pour des missions encore moins avouables, même si ce besoin se réduisait à mesure qu'il s'approchait de son but. Le seul problème était que les risques augmentaient proportionnellement.

C'était le cas ici.

Les phares de sa voiture révélèrent la vieille ferme, une grange et un autre véhicule. Aucune lumière nulle part. Il se gara et retira son Walther semi-automatique de la boîte à gants, avant de sortir dans le froid.

« Charlie, appela-t-il. Je n'ai pas de temps à perdre avec vos conneries. Ramenez vos fesses par ici. »

Ses yeux, à présent habitués à l'obscurité, surprirent un mouvement sur sa gauche. Il visa et tira à deux reprises. Les balles se logèrent dans le vieux bois. D'autres mouvements, mais il ne s'agissait pas de Smith.

Il s'agissait des chiens, qui se précipitèrent hors de la maison pour disparaître dans les bois. Tout comme la dernière fois.

Il expira.

Smith adorait se livrer à ce genre de gamineries, aussi Ramsey décida-t-il, pour une fois, de jouer le jeu. « Vous savez quoi, Charlie ? Je vais crever les quatre pneus de votre voiture, histoire que vous vous geliez les miches ici toute la nuit. Vous me rappellerez demain, lorsque vous vous sentirez prêt à discuter.

— Vous n'êtes vraiment pas marrant, amiral, dit une voix. Vraiment pas marrant du tout. »

Smith s'extirpa des ténèbres.

« Vous avez de la chance que je ne vous abatte pas », rétorqua Ramsey.

Smith s'approcha. « M'abattre ? Quelle drôle d'idée. J'ai été sage comme une image. J'ai fait tout ce que vous m'aviez demandé. Ils sont morts, tous les quatre, proprement, sans trace. Et puis voilà que j'apprends à la radio que vous allez rejoindre le Comité des chefs d'état-major. Une petite promotion et un petit déménagement au Pentagone.

— Cela n'a aucune espèce d'importance dans le cadre de notre collaboration, précisa Ramsey d'un ton ferme. Cela ne vous concerne en rien.

— Je sais. Je ne suis engagé que pour donner des coups de main ponctuels. Ce qui importe, c'est que je reçoive la somme qui m'est due.

— Le virement a été effectué. Il y a deux heures.

— Bien. J'avais en tête de prendre quelques vacances. Quelque part au soleil, et au chaud.

— Pas tant que vous ne vous serez pas acquitté de votre part du contrat.

— Vous visez haut, amiral. La part du contrat en question se trouve au cœur de la Maison Blanche.

— Ce n'est qu'en visant haut qu'on arrive à quelque chose.

— Sur ce coup, le tarif sera double. Vous venez d'effectuer le virement de la première partie, la seconde sera versée une fois la tâche accomplie. »

Peu importait le coût. « C'est entendu.

— Autre chose », ajouta Smith.

Quelque chose se planta dans les côtes de Ramsey, à travers son manteau, dans son dos.

« Doucement et gentiment, Langford, dit une voix féminine. Ou je vous descends avant que vous ayez pu faire un geste. »

Diane McCoy.

De retour dans le cockpit, Malone consulta le chronomètre de l'avion (il était 7 h 40), puis contempla le panorama qui s'étendait dehors. L'Antarctique lui faisait penser à un bol retourné au col fracturé. Un vaste plateau de glace de plus de trois kilomètres était bordé, au moins sur les deux tiers de sa circonférence, par des montagnes noires au contour déchiqueté, ponctuées de glaciers qui jaillissaient de crevasses en direction de la mer, comme c'était le cas sur la côte nord-est où ils se rendaient.

Le pilote annonça qu'ils étaient à présent en phase d'approche finale de la base Halvorsen. Il était temps de se préparer à l'atterrissage.

« C'est exceptionnel, précisa le pilote à l'intention de Malone. Le temps est superbe. Vous avez de la chance. Le vent est bon, lui aussi. » Il ajusta les commandes et se saisit du palonnier. « Vous voulez vous charger vousmême de la manœuvre d'atterrissage ? »

Malone refusa d'un geste de la main. « Non merci. Ça dépasse de loin mes maigres talents. » Bien qu'il ait déjà posé des chasseurs sur des porte-avions, faire atterrir un aéronef de près de quarante-cinq tonnes sur une surface complètement gelée représentait un défi dont il pouvait parfaitement se passer.

La bagarre qui avait opposé Dorothea et Christl l'inquiétait. Elles s'étaient toutes deux tenues tranquilles au cours des dernières heures, mais leurs différends pourraient très bien s'envenimer par la suite.

L'avion amorça sa descente.

En plus de la dispute en elle-même, un autre détail était loin de rassurer Malone.

Ulrich Henn avait été pris de court.

Malone avait perçu dans ses yeux l'ombre fugace de la confusion, juste avant que son masque ne regagne toute sa froideur. Il n'avait manifestement pas prévu la réaction violente de Dorothea.

L'avion se stabilisa et les turbines des moteurs baissèrent d'un ton.

Le LC-130 était équipé de skis en lieu et place des trains d'atterrissage. Le copilote confirma qu'ils étaient sortis. Ils continuaient de tomber, et le sol gagnait en taille et en détail à chaque seconde qui s'écoulait.

Un impact. Puis un autre.

Malone entendit le puissant crissement des skis glissant sur la glace aussi dure que du béton. Tout freinage aurait entraîné une catastrophe. Seule la friction les arrêterait. Par chance, ils disposaient de toute la place dont on pouvait rêver pour glisser.

L'avion finit par s'immobiliser.

« Bienvenue au bout du monde », lança le pilote à l'ensemble de l'équipage.

Stéphanie se leva de sa chaise. Simple réflexe.

Davis en fit de même.

Daniels leur fit signe de ne pas se montrer si formels. « Il est tard et nous sommes tous fatigués. Asseyez-vous, je vous en prie. » Il attrapa une chaise. « Je vous remercie, colonel. Faites en sorte que nous ne soyons pas dérangés, je vous prie. »

Gross s'éloigna en direction de l'entrée de l'entrepôt.

« Vous avez des têtes pas possibles, tous les deux, commenta Daniels.

— Ça arrive quand on voit le crâne d'un homme exploser », répondit Davis.

Daniels soupira. « J'ai assisté à ce genre de spectacle une ou deux fois dans ma vie. Au Viêtnam. C'est le genre d'images qui ne vous lâchent plus jusqu'à la fin de vos jours.

— Un homme est mort par notre faute », insista Davis.

Les lèvres de Daniels se pincèrent. « Mais Herbert Rowland est toujours en vie, grâce à vous. »

Une piètre consolation, pensa Stéphanie avant de lui demander : « Comment avez-vous fait pour arriver ici ?

— Je me suis évadé de la Maison Blanche, et j'ai emprunté *Marine One*[1] pour me diriger plein sud. C'est Bush qui en a fait une habitude présidentielle. Il était capable de faire tout le chemin jusqu'en Irak avant que qui que ce soit ne s'en rende compte. À présent, nous disposons de procédures facilitant ce genre d'escapades. Je serai de retour dans mon lit avant que qui que ce soit ne s'avise de mon absence. » Le regard de Daniels glissa vers la porte du compartiment réfrigéré. « Je tenais à voir ce qui se trouve là-dedans. Le colonel Gross m'a tout dit à ce sujet, mais je voulais le voir de mes propres yeux.

— Cela pourrait radicalement changer notre perception de la civilisation, dit Stéphanie.

— Incroyable. » Daniels était véritablement très impressionné. « Malone avait-il vu juste ? Peut-on déchiffrer ces livres ? »

Stéphanie acquiesça. « Assez pour en tirer quelque chose très rapidement. »

L'attitude du Président était considérablement moins brusque qu'à son habitude. Stéphanie avait entendu dire qu'il était un véritable oiseau de nuit, ne consacrant que peu d'heures au sommeil. Ses plus proches collaborateurs ne cessaient de s'en plaindre.

« Nous avons perdu la trace du tueur », dit Davis.

Stéphanie remarqua son ton emprunt de défaitisme. À mille lieues de son comportement lors de la dernière affaire sur laquelle ils avaient travaillé ensemble, où il

1. Indicatif d'appel pour l'aéronef des marines transportant le président des États-Unis. La plupart du temps, un hélicoptère. (*N.d.T.*)

avait fait preuve d'un optimisme contagieux qui l'avait conduite jusqu'en Asie centrale.

« Edwin, répliqua le Président. Vous avez agi de votre mieux. Je croyais que vous étiez complètement siphonnés, mais vous aviez raison. »

Le regard de Davis était celui d'un homme qui avait abandonné tout espoir de recevoir de bonnes nouvelles. « Ça n'a pas empêché Scofield de se faire tuer. Et ça ne ramènera pas Millicent.

— La seule question qui importe, c'est de savoir si vous voulez vraiment mettre le grappin sur cet assassin.

— Je viens de vous le dire : nous l'avons perdu.

— Eh bien, c'est votre jour de chance, lança Daniels. Je viens de le retrouver. »

83

Ramsey était assis sur une chaise de bois branlante, les mains, la poitrine, les pieds attachés par du chatterton. Dehors, il avait envisagé d'attaquer McCoy, mais il s'était dit que Smith devait être armé, et il n'aurait pu les affronter simultanément. Aussi n'avait-il rien fait. Il avait préféré attendre le moment opportun. En espérant qu'ils commettent une maladresse.

Cela avait peut-être été une erreur.

Ils l'avaient conduit à l'intérieur de la maison. Smith avait allumé un réchaud à gaz dont émanaient une faible lumière et une chaleur fort bienvenue. Une partie du mur de la chambre s'ouvrait sur un rectangle de ténèbres absolues. Ramsey devait absolument savoir ce que tous deux voulaient, comment ils en étaient venus à s'allier, et ce qui parviendrait à les apaiser.

« Cette dame m'a appris que j'avais été ajouté à la liste des éléments indésirables, dit Smith.

— Il ne faut jamais se fier aux inconnus. »

McCoy était debout, appuyée contre le rebord d'une fenêtre ouverte, tenant toujours son pistolet. « Qui vous dit que nous ne nous connaissons pas ?

— Ça saute aux yeux, lui répondit Ramsey. Vous faites simplement cause commune contre votre dénominateur commun, moi, en l'occurrence. Vous a-t-elle dit qu'elle m'avait menacé afin de m'extorquer 20 millions de dollars, Charlie ?

— Elle m'a effectivement touché deux mots de cette affaire. »

Ça n'arrangeait pas Ramsey.

Il tourna le visage en direction de McCoy. « Le fait que vous ayez identifié et contacté Charlie m'impressionne réellement.

— Ce n'était pas si difficile que ça. Vous savez parfaitement qu'on peut espionner les téléphones portables, identifier les transferts bancaires, et qu'on peut même s'appuyer sur un certain nombre d'accords confidentiels passés entre États pour accéder à des comptes, ainsi qu'à d'autres types d'informations secrètes.

— Je ne m'étais pas rendu compte que je vous intéressais à ce point.

— Vous vouliez que je vous aide. C'est ce que je fais. »

Ramsey secoua ses liens. « Ce n'est pas l'idée que je me faisais de votre aide.

— J'ai offert à Charlie la moitié de mes 20 millions.

— Rubis sur l'ongle », ajouta Smith. Ramsey hocha la tête. « Vous êtes un abruti doublé d'un ingrat. »

Smith s'avança et gifla Ramsey à la volée. « Ça faisait longtemps que ça me démangeait.

— Charlie, je vous le jure, vous allez regretter ce geste.

— Quinze ans que j'accomplis vos volontés, dit Smith. Vous vouliez la mort de certaines personnes. Je les faisais disparaître. Je savais que vous complotiez quelque chose. J'ai le nez pour ce genre de choses. Et voilà qu'on vous ouvre les portes du Pentagone. Le Comité des chefs d'état-major. Et après ça, ce sera quoi ?

Vous ne vous contenterez pas de ce poste, vous ne prendrez pas votre retraite. Ça ne vous ressemble pas. Ce qui fait de moi un problème.

— Qui a dit que vous étiez un problème ? »

Smith pointa McCoy du doigt.

« Et vous la croyez ?

— Ce qu'elle dit est tout à fait logique. Qui plus est, elle avait 20 millions de dollars, et j'en ai à présent la moitié.

— Et nous vous avons pris au piège, ajouta McCoy.

— Aucun de vous deux n'a le cran d'assassiner un amiral, chef des renseignements de la Navy, en passe d'être nommé au Comité des chefs d'état-major. Ce serait bien trop compliqué à dissimuler.

— Vraiment ? lança Smith. Combien de personnes ai-je tuées pour vous ? Cinquante ? Une centaine ? Deux cents ? Je ne m'en souviens même plus. Aucun de ces crimes n'a été considéré comme un homicide. Sans prétention, je peux dire que la dissimulation est ma spécialité. »

Malheureusement, cette petite fouine suffisante avait raison. Ramsey opta donc pour la diplomatie. « Que puis-je faire pour vous assurer de mes bonnes intentions, Charlie ? Cela fait longtemps que nous travaillons ensemble. Je vais vraiment avoir besoin de vous, ces prochaines années. »

Smith ne répondit pas.

« Combien de femmes a-t-il tuées ? » demanda McCoy à Ramsey.

Celui-ci réfléchit un instant à la question. « Quelle importance ?

— Ça en a pour moi. »

Ramsey comprit. Edwin Davis. Le collaborateur de McCoy. « Vous voulez parler de Millicent ?

— Est-ce que M. Smith, ci-présent, l'a tuée ? »

Ramsey choisit la franchise et acquiesça.

« Elle était enceinte ?

— C'est ce que je me suis laissé dire. Mais qui sait ? Le propre de la femme est de mentir.

— Alors vous l'avez tuée ? Tout simplement ?

— Ça semblait être le moyen le plus simple d'éliminer ce problème. Charlie travaillait pour nous en Europe. C'est à cette occasion que nous avons fait connaissance. Il a parfaitement rempli sa tâche et, depuis, il n'a cessé d'être à mes ordres.

— Je ne vous appartiens pas, dit Smith d'un ton où perçait la colère. Je travaille pour vous. Et vous me payez en retour.

— Et il y a encore beaucoup d'argent à se faire », précisa l'amiral.

Smith s'approcha du battant ouvert qui dessinait un rectangle noir sur le mur. « Ce passage conduit à une cave secrète. Ça a dû s'avérer pratique durant la guerre civile. Parfait pour cacher des trucs. »

Ramsey reçut le message cinq sur cinq : *Comme un cadavre, par exemple.*

« Charlie, me tuer serait une très mauvaise idée. »

Smith se retourna en pointant un pistolet. « Peut-être bien. Mais ça me ferait aussi le plus grand bien. »

Ébloui par le soleil, Malone pénétra à l'intérieur de la base Halvorsen, suivi du reste de l'expédition. Leur hôte, qui les avait accueillis sur la calotte glaciaire à leur sortie de l'avion, était un Australien bronzé et barbu, trapu, robuste et apparemment compétent, qui répondait au nom de Taperell.

La base était constituée d'un ensemble de bâtiments perfectionnés ensevelis sous l'épaisse neige, alimentés par un système très sophistiqué d'énergie solaire et éolienne. Le fin du fin, précisa Taperell, avant d'ajouter :

« Vous avez de la chance, aujourd'hui. On a – 13 °C. Sacrément chaud dans ce foutu coin. »

Il les conduisit jusqu'à une vaste pièce aux murs recouverts de boiseries où se trouvaient des tables et des chaises, et régnait une odeur de cuisine. Un thermomètre digital accroché à l'autre bout de la pièce indiquait une température ambiante de 19 °C.

« Les hamburgers, les chips et les boissons arrivent dans cinq secondes, dit Taperell. Je me suis dit que vous auriez envie de manger un bout.

— Pourrons-nous partir aussitôt après avoir mangé ? » demanda Malone.

Taperell acquiesça. « Pas de problème, on m'a briefé. Mon hélico n'attend plus que vous. Vous voulez aller où ? »

Malone se retourna vers Henn. « C'est à vous de lui dire. »

Christl s'avança. « En fait, je peux le faire à sa place. »

Davis se releva de sa chaise dans un bond et demanda au Président : « Comment ça, vous l'avez retrouvé ?

— J'ai proposé à Ramsey d'occuper le poste laissé vacant au sein du Comité des chefs d'état-major. Je l'ai appelé, et il a dit oui.

— J'imagine que vous aviez une bonne raison d'agir de la sorte, lança Davis.

— Vous savez, Edwin, j'ai comme l'impression que la situation est un peu confuse depuis quelques jours. On dirait presque que c'est vous le Président, et que je suis conseiller adjoint en matière de sécurité nationale. Et j'insiste sur le terme "adjoint".

— Je sais qui est le patron. Vous aussi. Dites-nous

simplement ce que vous êtes venu faire ici, au beau milieu de la nuit. »

Daniels ne parut pas s'offusquer de son insolence. « Quand je suis allé en Angleterre, il y a de cela quelques années, on m'a proposé de participer à une chasse au renard. Les Anglais adorent ces conneries. Ils s'habillent tout bien comme il faut, se lèvent aux aurores pour grimper sur le dos d'un cheval qui pue, et piquent des deux éperons derrière une meute de chiens qui aboient de toutes leurs forces. On m'a dit que c'était vraiment génial. Sauf, bien sûr, pour le renard. De son point de vue, c'est l'enfer. L'âme infiniment compatissante que je suis ne cessait de penser au sort de cette pauvre bête, aussi ai-je décliné l'invitation.

— Nous partons à la chasse ? » demanda Stéphanie.

Les yeux du Président pétillèrent. « Oh oui ! Mais le meilleur, dans cette partie de chasse, c'est que le renard ne sait pas que nous allons lui tomber dessus. »

Christl déplia une carte avant de l'étaler sur l'une des tables. « Ma mère m'a tout expliqué.

— Et pourquoi ce traitement de faveur ? demanda Dorothea.

— Je suppose qu'elle s'est dit que je saurais garder toute ma tête, même si manifestement elle me prend pour une rêveuse vindicative prête à entraîner la ruine de notre famille.

— C'est comme ça que tu te définirais ? » rétorqua Dorothea.

Christl la regarda droit dans les yeux. « Je suis une Oberhauser. La dernière d'une longue lignée, et j'ai pour projet d'honorer mes ancêtres.

— Et si nous nous concentrions plutôt sur le problème

qui retient ici notre attention ? proposa Malone. Le temps est au beau fixe. Nous devons en profiter au maximum. »

Christl avait emmené avec elle la carte moderne de l'Antarctique qu'Isabel avait déjà mise sous le nez de Malone, à Ossau, sans pour autant la déplier. Il pouvait à présent voir qu'elle présentait l'ensemble des bases antarctiques, dont la majorité était située sur la côte, y compris celle où ils se trouvaient.

« Notre grand-père est allé ici et ici, dit Christl en indiquant deux points, intitulés « 1 » et « 2 ». D'après ses notes, la plupart des pierres qu'il a rapportées proviennent du site 1, bien qu'il ait passé beaucoup plus de temps sur le site 2. L'expédition avait emmené une cabane en pièces détachées, dont l'édification avait pour but d'affirmer clairement les revendications territoriales de l'Allemagne. Ils décidèrent de l'ériger sur le site 2, ici, non loin de la côte. »

Malone avait demandé à Taperell de rester. Il se retourna vers lui pour lui demander : « Ça vous dit quelque chose ?

— Oui. C'est à 80 kilomètres à l'ouest.

— La cabane existe encore ?

— Aucun doute, répondit Taperell. Intacte : le bois ne pourrit pas, ici. Elle doit être exactement dans le même état que le jour où ils l'ont montée. D'autant plus que toute cette région est une zone protégée. Un site "d'intérêt scientifique remarquable", déclaré comme tel par le traité relatif à la protection de l'environnement en Antarctique. On ne peut s'y rendre qu'avec l'accord des autorités norvégiennes.

— Pourquoi ça ? demanda Dorothea.

— La côte appartient aux phoques. C'est une zone de reproduction. Interdite à tout être humain. La cabane se trouve dans l'une des vallées sèches de l'intérieur des terres.

— Ma mère m'a révélé que notre père avait l'intention d'amener les Américains sur le site 2, dit Christl. Notre grand-père aurait aimé y retourner afin d'approfondir ses recherches, mais il n'en eut jamais l'occasion.

— Est-on *sûrs* que c'est bien là le site que nous cherchons ? » demanda Malone.

Les yeux de Christl étincelaient d'espièglerie. Elle tira de son sac à dos un carnet peu épais et coloré dont le titre était écrit en allemand. Malone traduisit mentalement : « Retour en Nouvelle-Souabe. Quinze ans plus tard. »

« Ceci est un reportage photographique, publié en 1988. Un magazine allemand a envoyé en Antarctique une équipe de tournage ainsi qu'un photographe. Ma mère est tombée dessus il y a environ cinq ans. » Elle feuilleta l'ouvrage, à la recherche d'une page bien précise. « Voici la cabane. » Elle leur montra une photographie très impressionnante, en couleurs, sur deux pages, d'un bâtiment de bois qui se dressait dans une vallée de roches noires zébrées de neige. La cabane semblait minuscule, encerclée par les montagnes grises et nues. Christl tourna la page. « Voici un cliché de l'intérieur. »

Malone examina la photographie. Il n'y avait pas grand-chose à voir. Une table recouverte de journaux, quelques chaises, deux couchettes, de solides étagères, un poêle et une radio.

Le regard amusé de Christl croisa le sien. « Vous voyez quelque chose ? »

Tous deux avaient vécu la même situation à Ossau, mais, cette fois-ci, c'était elle qui savait, et c'était à lui de trouver. Malone accepta le défi qu'elle lui lançait et se pencha très attentivement sur la photo, imité en cela par les autres.

Soudain, il l'aperçut. Sur le plancher. Gravé sur l'une des lattes de bois.

Malone posa son index dessus. « Le même symbole figurant sur la couverture du livre trouvé dans le tombeau de Charlemagne. »

Christl sourit. « C'est forcément le lieu que nous recherchons. Regardez ça. » Elle tira une feuille pliée de l'ouvrage. C'était une page de magazine, jaunie et fragile, avec une photo noir et blanc de l'intérieur de la cabane.

« Cette page provient d'un des magazines que j'ai réussi à me procurer, dit Dorothea. Je m'en souviens. Je l'ai vue à Munich.

— Notre mère a récupéré toutes ces publications, rétorqua Christl. Elle est tombée dessus par hasard. Regardez le plancher : on voit très distinctement le symbole. Cette page provient d'un magazine publié au printemps 1939. C'est un article de notre grand-père, traitant de l'expédition de l'année précédente.

— Je lui avais bien dit que ces documents avaient une valeur indiscutable », lança Dorothea.

Malone se retourna à nouveau vers Taperell. « On dirait que c'est par là que nous allons guider nos pas. »

Taperell tapota du doigt la carte. « Sur toute cette zone-là, sur la côte, ce n'est que de la calotte glaciaire, avec la mer en dessous. Elle s'étend jusqu'à huit kilomètres à l'intérieur des terres : ce serait une assez grosse baie si elle n'était pas complètement gelée. La cabane se trouve de l'autre côté d'une crête, à moins de deux kilomètres à l'intérieur des terres, sur ce qui serait la rive ouest de la baie. On peut vous déposer là-bas et venir vous chercher une fois que vous aurez fini. Comme je vous l'ai dit, vous avez un pot pas croyable avec le temps aujourd'hui. Un vrai cagnard. »

– 13 °C n'était pas vraiment la définition que Malone se faisait d'une chaleur tropicale, mais il comprenait parfaitement ce que Taperell voulait dire. « Nous aurons besoin de matériel supplémentaire, au cas où.

— J'ai déjà fait préparer deux luges. On vous attendait.

— Vous n'êtes pas du genre à poser des questions embarrassantes, dites-moi. »

Taperell secoua la tête. « Non, mon pote. Je suis là pour faire mon boulot, rien d'autre.

— Alors allons manger et partons au plus vite. »

84

FORT LEE

« Monsieur le Président, dit Davis. Vous serait-il possible de vous expliquer, sans histoires, sans énigmes ? Il est terriblement tard, et je n'ai plus la force d'être *à la fois* patient et respectueux.

— Edwin, vous savez que je vous aime bien. La plupart des cons auxquels j'ai affaire me disent soit ce qu'ils croient que je veux entendre, soit ce que je n'ai pas besoin de savoir. Vous, c'est tout le contraire. Vous me dites ce que je dois entendre. Pas de jolies formules, rien que les faits. C'est pour ça que, quand vous m'avez parlé de Ramsey, j'ai écouté très attentivement. Avec n'importe qui d'autre, ce serait entré par une oreille pour aussitôt ressortir par l'autre. Mais pas avec vous. Oui, j'étais assez sceptique, mais vous aviez raison.

— Pourquoi lui avoir dit que vous alliez le nommer ? demanda Davis.

— Je n'ai fait que lui donner ce qu'il désirait. Rien n'endort mieux la confiance d'un homme que la réussite de ses entreprises. Je suis bien placé pour le savoir : on a essayé de m'avoir de la sorte bien des fois. » Le regard de Daniels se posa sur la porte du compartiment réfrigéré. « Ce qui se trouve là-dedans me fascine. Les archives d'un peuple qui nous est inconnu. Ils ont vécu il y a bien longtemps. Ils ont créé, pensé. Et pourtant nous ignorions complètement qu'ils avaient existé. » Daniels sortit de sa poche un bout de papier. « Regardez ça. »

« C'est un pétroglyphe provenant du temple d'Hathor de Dendérah. Je l'ai visité il y a de ça quelques années. Ce temple est immense, avec des colonnes gigantesques. Il est assez récent, pour un monument égyptien : 1er siècle avant Jésus-Christ. Les serviteurs que vous voyez tiennent ce qui semble être des espèces de lampes, soutenues par des piliers, ce qui indique qu'elles doivent peser assez lourd, et reliées à une boîte posée par terre par un câble. Regardez au sommet des colonnes, juste en dessous des ampoules géantes. On ne dirait pas un condensateur ?

— J'ignorais complètement que vous vous intéressiez à ce genre de choses, fit remarquer Stéphanie.

— Je sais, je sais. Nous autres abrutis de la campagne,

on ne s'intéresse pas à des machins de cette importance…

— Ce n'est pas ce que je voulais dire. Simplement, je…

— Ne vous justifiez pas, Stéphanie. Ça fait partie de mon petit jardin secret. J'adore ce genre de trucs. Tous ces tombeaux découverts en Égypte, ces pyramides : on n'a jamais trouvé la moindre trace de combustion ou de fumée dans aucune des chambres mortuaires. Comment diable ont-ils réussi à s'éclairer pour y travailler ? Le feu était la seule source de lumière artificielle dont ils disposaient, et l'huile de leur lampe brûlait en dégageant une fumée très épaisse. » Il pointa le dessin du doigt. « Peut-être disposaient-ils d'une autre source de lumière. On a retrouvé une inscription dans le temple d'Hathor qui explique tout très clairement. Je l'ai notée. » Il retourna la feuille. « "Ce temple fut bâti selon les plans écrits en langue ancienne sur une peau de chèvre datant de l'époque des compagnons d'Horus." Vous vous rendez compte ? Ils ont écrit eux-mêmes qu'ils s'étaient reposés sur une source très ancienne pour construire leur temple.

— Vous ne croyez quand même pas que les Égyptiens disposaient de lumière électrique ? dit Davis.

— Je ne sais que croire. Et puis qui a dit que ces lampes étaient électriques ? Elles pourraient aussi bien être chimiques. L'armée utilise des lampes au tritium et au phosphore qui peuvent briller pendant des années sans le moindre courant. Je ne sais vraiment pas ce que je dois croire dans tout ça. Tout ce que je sais, c'est que ce pétroglyphe existe bel et bien.

« Voyez la chose sous un autre angle, Davis. Il fut un temps où les plus grands savants pensaient que les continents avaient toujours occupé la même place. Aucun doute là-dessus, la terre avait toujours été là où elle était, fin de l'histoire. Et puis certains chercheurs ont remarqué que l'Afrique et l'Amérique du Sud semblaient s'encastrer l'une dans l'autre à merveille. Pareil pour l'Amérique du Nord, le Groenland et l'Europe. Simple coïncidence, répondaient les autres. Rien de plus. Et puis on a trouvé en Angleterre et en Amérique du Nord des fossiles rigoureusement identiques. Les mêmes types de roche, également. La thèse de la coïncidence commença à vaciller. Et puis on a découvert au fond des océans que des plaques continentales bougeaient, et les savants les plus obtus comprirent enfin que la terre bougeait en fonction de ces glissements tectoniques. Enfin, dans les années 1960, la preuve définitive finit d'enterrer les anciennes théories immobilistes. Les continents étaient jadis tous réunis et s'étaient peu à peu éloignés les uns des autres. Ce qui jadis n'était que chimères était reconnu comme une vérité scientifique. »

Stéphanie se souvint de la discussion qu'elle avait eue avec Daniels, en avril dernier, à La Haye. « Il me semble que vous m'aviez dit que vous ne vous y connaissiez pas du tout en sciences.

— C'est vrai. Mais ça ne m'empêche pas de me tenir au courant. »

Elle sourit. « Vous êtes une contradiction ambulante.

— Je prends ça comme un compliment. » Daniels désigna l'ordinateur portable du doigt. « Ce logiciel de traduction fonctionne ?

— On dirait. Et vous avez parfaitement raison. Il s'agit d'une sorte de bibliothèque d'une civilisation disparue. Une très ancienne civilisation qui manifestement a eu de nombreux rapports privilégiés avec l'ensemble des peuples de cette planète, y compris, selon Malone, avec les Francs du IXe siècle après Jésus-Christ. »

Daniels se releva de sa chaise. « Nous nous croyons si intelligents. Si avancés. Comme si nous étions les premiers en tout. Conneries. Il y a tant de choses que nous ignorons.

— D'après le peu que nous avons traduit jusqu'à présent, dit Stéphanie, ces ouvrages semblent recéler un certain nombre de connaissances techniques. Des choses curieuses. Il va nous falloir beaucoup de temps pour tout comprendre. Ainsi que pas mal de travail de terrain.

— Il se pourrait que Malone regrette son voyage en Antarctique », murmura Daniels.

Le ton du Président fut loin de rassurer Stéphanie. « Pourquoi cela ? » s'empressa-t-elle de demander.

Le regard sombre de Daniels la dévisagea. « Le NR-1A possédait un réacteur à l'uranium, mais il se trouvait à bord plusieurs dizaines de mètres cubes d'huile lubrifiante. Pas une seule goutte ne s'est échappée du sous-marin. » Daniels observa un bref silence. « Or les sous-marins fuient lorsqu'ils sombrent. Et puis il y a ce journal de bord. Rowland vous a dit qu'il était complètement sec. Cela signifie que le sous-marin était intact lorsque Ramsey l'a retrouvé. Et toujours selon Rowland, ils se trouvaient sur le continent lorsque Ramsey a plongé. Près de la côte. Malone est en train de suivre la même piste que suivait le NR-1A. Je me demande ce qui arriverait si Malone retrouvait ce sous-marin. »

— Ce navire ne doit plus exister à l'heure qu'il est, dit Stéphanie.

— Et pourquoi il n'existerait pas ? Ça n'aurait rien d'étonnant, en Antarctique. » Daniels observa une nouvelle pause. « On vient de m'apprendre, il y a une demi-heure, que Malone et ses compagnons se trouvent dans la base Halvorsen. »

Stéphanie comprit que le Président se souciait autant de ce qui se passait ici qu'au pôle Sud.

« Bon, je vais vous en dire un peu plus, déclara Daniels. D'après ce que j'ai appris, Ramsey a recours aux services d'un tueur à gages qui se fait appeler Charles C. Smith Jr. »

Davis restait immobile sur sa chaise.

« J'ai ordonné à la CIA de s'intéresser de très près à Ramsey, et ils ont réussi à identifier ce fameux Smith. Ne me demandez pas comment, mais ils ont réussi. Apparemment, il utiliserait toute une gamme de noms d'emprunt, et Ramsey lui aurait versé au fil des ans des sommes astronomiques. C'est probablement cet individu qui a assassiné Sylvian, Alcxander et Scofield, et a failli éliminer Herbert Rowland, bien qu'il croie y être parvenu…

— Sans oublier Millicent », ajouta Davis.

Daniels acquiesça.

« Et vous avez retrouvé ce Smith ? demanda Stéphanie, se souvenant de cc que Daniels avait dit plus tôt.

— D'une certaine façon. » Le Président hésita. « Je suis venu ici pour régler tout ça. Je vous l'ai déjà dit, je tiens à voir cela de mes propres yeux. Mais je suis aussi venu pour vous exposer très clairement comment, selon moi, nous pouvons mettre un terme à tout ce cirque. »

Malone regardait à travers la vitre de l'hélicoptère, les orcilles pleines du vacarme des rotors. La lueur du soleil filtrait à travers les lunettes noires qui protégeaient ses yeux. Ils longcaient la côte plein ouest, survolant les phoques qui se traînaient sur la banquise, telles des limaces géantes, les orques qui fendaient les flots, arpentant le bord de mer en quête de proies imprudentes. Des montagnes se dressaient le long de la côte, semblables à des pierres tombales érigées dans un cimetière blanc et sans fin, leur noirceur contrastant très violemment avec la neige immaculée.

L'hélicoptère changea de cap pour se diriger vers le sud.

« Nous pénétrons dans la zone protégée », les informa Taperell par le biais de leurs casques radioémetteurs.

L'Australien était assis devant, à droite du pilote norvégien. Le reste de l'expédition se pressait à l'arrière, sans autre source de chaleur que celle de leurs corps. Des problèmes mécaniques repérés sur le Huey les avaient retardés de trois heures. Personne n'était resté à la base. Tous voulaient savoir ce qui se trouvait là-bas. Dorothea et Christl s'étaient même considérablement calmées, bien qu'elles se fussent assises chacune à un bout du compartiment arrière de l'hélicoptère. Christl avait enfilé une parka d'une autre couleur, laissant à la base celle qu'elle avait portée dans l'avion, à présent tachée de sang.

Ils aperçurent la baie en forme de fer à cheval qu'ils avaient repérée sur la carte. Devant elle, une barrière d'icebergs semblait monter la garde. Leur glace bleue reflétait une lumière aveuglante.

L'hélicoptère survola une crête dont les pics étaient si raides que la neige ne parvenait pas à s'y fixer. La visibilité était excellente et le vent faible. Seuls quelques cirrus s'effilochaient dans le ciel d'un bleu éclatant.

Malone contempla alors un tout autre paysage.

Il y avait très peu de neige au sol. Le sol et les parois rocheuses semblaient lacérés de veines de dolérite noire, de granit gris, de schiste marron et de calcaire blanc. Des blocs de granit de toute taille et de toute forme jonchaient le paysage.

« C'est ce qu'on appelle une vallée sèche, commenta Taperell. Ça fait deux millions d'années qu'il n'a pas plu ici. À l'époque, les montagnes s'élevaient bien trop rapidement pour que les glaciers parviennent à se frayer un chemin entre elles. Les vents soufflant du sud ont balayé la surface du plateau, empêchant presque totalement la glace et la neige de s'y fixer. Il existe de nombreuses vallées de ce type dans la partie la plus méridionale du continent. Beaucoup moins par ici, au nord.

— Est-ce que cette vallée a été explorée ? demanda Malone.

— Quelques chasseurs de fossiles passent de temps en temps. Cet endroit est une véritable caverne d'Ali Baba pour eux. Il y a des vestiges de météorites, aussi. Mais le nombre de ces missions est limité par le traité. »

La cabane apparut alors, curieuse apparition au pied d'un pic menaçant et sauvage.

L'hélicoptère survola le terrain rocailleux vierge de toute empreinte, puis fit demi-tour en direction d'une piste d'atterrissage et amorça sa descente vers les graviers.

Tous sortirent de l'appareil lorsqu'il se fut posé. Malone descendit en dernier et déposa à terre les luges chargées de matériel. Taperell lui décocha un clin d'œil en lui passant son sac à dos pour lui signaler qu'il avait bien suivi ses consignes. Les rotors se remirent à tourner à pleine vitesse, soulevant des rafales glaciales.

Deux radioémetteurs se trouvaient dans l'équipement supplémentaire. Malone avait convenu d'une communication toutes les six heures dès l'atterrissage. Taperell leur avait dit que la cabane pourrait leur servir d'abri, au cas où les conditions météorologiques se dégraderaient. Mais selon toute probabilité, le temps resterait au beau fixe au cours des dix à douze heures à venir. La nuit n'était pas à craindre, pour la simple et bonne raison que le prochain coucher de soleil aurait lieu au mois de mars.

Malone indiqua d'un pouce dressé que tout était OK, et l'hélicoptère redécolla. Le rythme bruyant des pales se fit plus discret lorsque l'appareil franchit la crête rocheuse et finit par se taire complètement.

Le silence s'abattit sur la vallée tout entière. Chaque bouffée d'air semblait craquer et tinter tant l'air était sec. Pourtant, ce calme absolu était loin de s'accompagner d'un sentiment de paix.

La cabane se dressait à moins d'une cinquantaine de mètres.

« Et maintenant ? » demanda Dorothea.

Malone se mit en route, traînant les luges derrière lui.

« Eh bien, commençons par le commencement. »

85

Malone s'approcha de la cabane. Taperell avait vu juste. Elle datait de soixante-dix ans, et pourtant ses murs blanc-brun semblaient tout droit sortis de la scierie. Pas la moindre trace de rouille sur aucun des clous. La corde enroulée sur un pieu à côté de la porte était comme neuve. Des volets de bois masquaient les fenêtres. Malone estima la superficie du bâtiment à environ deux mètres carrés. Le toit de tôle formait un auvent et était percé d'un conduit de cheminée. Un phoque éventré gisait contre l'un des murs, le pelage gris sombre, les yeux vitreux et les moustaches intactes. On l'aurait plus volontiers cru en train de dormir que mort et gelé.

La porte ne présentant aucune serrure, Malone la poussa simplement vers l'intérieur, remontant ses lunettes sur son crâne. Des tranches de chair de phoque et des luges pendaient aux poutres renforcées de fer. Les étagères en métal qu'ils avaient vues sur les photographies, conçues spécialement pour recevoir de grosses caisses de bois, se dressaient contre un mur marron et taché, chargées de bouteilles et de boîtes de conserve dont les étiquettes étaient encore parfaitement lisibles. Les deux couchettes recouvertes de sacs de couchage en peau de bête, la table, les chaises, le poêle de fonte et le radioémetteur étaient toujours à la même place. Les magazines eux-mêmes étaient encore là, comme sur les photos. On eût cru que les occupants de la cabane l'avaient quittée la veille, et s'apprêtaient à tout moment à rentrer.

« C'est très déstabilisant », dit Christl.

Malone était exactement du même avis.

En l'absence d'acariens et d'insectes capables de recycler les déchets organiques, le plancher devait être encore recouvert de la sueur glacée des anciens occupants, ainsi que des particules de peau et autres excrétions corporelles. La présence des nazis était presque palpable dans l'atmosphère silencieuse de la cabane, et, à cette simple idée, Malone ressentait une gêne certaine.

« Notre grand-père est bien passé par ici, déclara Dorothea en s'approchant de la table recouverte de revues. Ce sont les publications de l'Ahnenerbe. »

Malone reprit ses esprits, s'avança vers l'endroit où devait se trouver le symbole, qu'il aperçut aussitôt. C'était bien celui qui figurait sur la couverture du livre trouvé dans le tombeau de Charlemagne. Il était accompagné d'un croquis assez grossier.

« Ce sont les armoiries de notre famille, s'exclama Christl.

— On dirait que votre grand-père a voulu exprimer ses propres revendications territoriales, fit remarquer Malone.

618

— Que voulez-vous dire ? » demanda Werner.

Henn, qui se tenait sur le seuil de la porte, sembla comprendre et se saisit d'une barre de fer qui reposait contre le poêle. La surface du métal était vierge de toute oxydation.

« Vous aussi, vous connaissez le fin mot de l'histoire », dit Malone à Henn.

Celui-ci ne répondit pas. Il se contenta d'enfoncer le bout plat de la barre sous les lattes du plancher qu'il souleva d'un mouvement puissant, révélant un trou sombre creusé à même le sol et le sommet d'une échelle de bois.

« Comment avez-vous deviné ? demanda Christl à Malone.

— Cette cabane a été édifiée à un emplacement très curieux. Un très mauvais emplacement, en fait, à moins qu'elle ait été destinée à protéger quelque chose. Lorsque j'ai vu la photo dans l'ouvrage que vous nous avez montré, j'ai tout de suite compris ce dont il devait retourner.

— Nous allons avoir besoin de lampes torches.

— Il y en a deux sur l'une des luges, dehors. J'ai demandé à Taperell de les ajouter à l'équipement, avec une bonne réserve de piles. »

Smith se réveilla. Dans son appartement. 8 h 20. Il n'avait pu dormir que trois heures, mais la journée s'annonçait d'ores et déjà exceptionnelle. Il était plus riche de 10 millions de dollars, grâce à Diane McCoy, et il avait montré à Langford Ramsey qu'il n'était pas quelqu'un dont on pouvait se jouer.

Il alluma la télévision et tomba sur une rediffusion d'un épisode de *Charmed*. Il adorait cette série. L'idée même de trois sorcières sexy lui plaisait énormément. À la fois vilaines et gentilles. Une excellente définition de

Diane McCoy. Elle avait assisté froidement à la confrontation qui l'avait opposé à Ramsey. Il s'agissait clairement d'une femme insatisfaite, qui en voulait plus, et qui, c'était évident, savait comment l'obtenir.

Il regarda Paige disparaître de la maison. Quel pouvoir merveilleux. Se dématérialiser à un endroit donné pour se rematérialiser à un autre. Dans un sens, il jouissait de la même faculté. Il s'infiltrait quelque part, faisait son boulot et, tout aussi facilement, disparaissait.

Son téléphone portable retentit. Il reconnut le numéro.

« Et que puis-je faire pour votre service ? demanda-t-il à Diane McCoy en décrochant.

— Il reste encore un peu de ménage à faire.

— Ça semble être le jour idéal.

— Les deux individus d'Asheville qui ont failli sauver Scofield. Ils sont sous mes ordres et ils en savent beaucoup trop. J'aurais préféré que nous ayons assez de temps pour opérer en finesse, mais ce n'est pas le cas. Ils doivent être éliminés.

— Une suggestion quant au mode opératoire ?

— Je sais très précisément comment nous allons nous y prendre. »

Dorothea observa Cotton Malone s'enfoncer dans le trou béant. Qu'est-ce que son grand-père avait bien pu trouver ? Elle avait appréhendé sa venue en ces lieux, principalement à cause des risques que comportait l'expédition et des implications personnelles d'une telle aventure, mais, à présent, elle se félicitait d'avoir fait le voyage. Son sac à dos était posé à moins de deux mètres d'elle, et le pistolet qui se trouvait à l'intérieur lui redonna courage. Elle avait réagi trop vivement à bord de l'avion. Sa sœur savait parfaitement comment la manipuler, la déstabiliser, elle connaissait par cœur les cordes sensibles qu'il convenait de faire vibrer. Dorothea se jura de ne plus jamais mordre à l'hameçon.

Werner se tenait à côté d'Henn, près de la porte de la cabane. Christl était assise face au radioémetteur.

Le faisceau de la lampe de Malone dansait dans l'obscurité du souterrain.

« C'est un tunnel, cria-t-il pour que tous l'entendent. Il s'étend en direction de la montagne.

— Sur quelle distance ? demanda Christl.

— Une foutue distance. »

Malone remonta à la surface. « Il faut que je vérifie quelque chose. »

Il s'extirpa tout à fait et sortit aussitôt. Tous lui emboîtèrent le pas.

« Ces bandes de neige et de glace dans la vallée n'ont cessé de m'interloquer. Un sol nu et rocailleux à perte de vue, et puis, çà et là, des sortes de sentiers blancs qui s'entrecroisent. » Il désigna du doigt une bande neigeuse large d'environ sept mètres qui reliait la cabane au pied de la montagne. « Ça correspond au tunnel souterrain. L'air du tunnel est nettement plus frais que le sol, ce qui explique la fixation de la neige à cet endroit.

— Nettement plus frais ? répéta Werner.

— Vous allez voir. »

Henn fut le dernier à descendre l'échelle. Malone les observa tous, ébahis, contempler le tunnel. Celui-ci s'étendait tout droit, sur une largeur d'environ six mètres. Ses parois étaient constituées de roche volcanique noire, et son plafond d'un bleu lumineux baignait le passage souterrain d'une lueur crépusculaire.

« C'est incroyable, souffla Christl. Le plafond glaciaire

s'est formé il y a bien longtemps. En se déposant sur un support. » Malone braqua le faisceau de sa lampe sur les pierres qui jonchaient le tunnel et reflétaient la lumière en une myriade d'étincelles. « Une espèce de quartz, sans doute. Il y en a partout. Regardez leurs formes. À mon avis, ces sortes de tessons formaient autrefois le plafond qui a fini un jour par s'écrouler. La glace, elle, est restée telle quelle, formant une voûte naturelle. »

Dorothea se pencha pour examiner ces morceaux. Henn, qui tenait la seconde lampe torche, l'éclaira. Dorothea rapprocha deux pierres l'une de l'autre : elles s'encastraient telles deux pièces d'un puzzle. « Vous avez raison. Ces bouts épars formaient un ensemble.

— Jusqu'où mène ce tunnel ? demanda Christl.

— C'est ce que nous allons voir », répondit Malone.

Il faisait nettement plus froid ici qu'en surface. Malone consulta le thermomètre qu'il avait au poignet. –20 °C. Froid, mais encore supportable.

Le tunnel mesurait plus de soixante mètres, et était jonché sur toute sa longueur de débris de quartz. Avant d'y descendre, ils avaient laissé leur équipement, y compris les deux radioémetteurs, à l'abri dans la cabane. Ils n'avaient pris que leur sac à dos, et Malone avait mis dans le sien les piles des lampes torches. La lueur qui émanait du plafond du tunnel les éclairait pourtant bien assez.

Ce plafond quasi surnaturel prenait fin au pied de la montagne, où ils trouvèrent une arche imposante, flanquée de deux piliers noir et rouge qui soutenaient un tympan recouvert des lettres singulières du langage des cieux. Malone alluma sa lampe torche et remarqua que les colonnes parallélépipédiques se rétrécissaient à leur base. Leur surface polie d'une beauté éthérée étincelait de mille feux.

« On dirait que nous avons trouvé ce que nous cherchions », dit Christl.

Deux battants hauts de trois mètres cinquante leur

barraient le chemin. Malone s'approcha et passa une main sur la porte. « Du bronze. »

Des spirales ornaient les deux battants. Une barre de métal soutenue par de solides supports servait de verrou. À en juger par les six charnières massives, la porte devait s'ouvrir dans leur direction.

Malone saisit la barre et la souleva.

Henn posa la main sur la poignée d'un des battants, qu'il ouvrit non sans effort. Malone en fit de même avec l'autre battant : il avait l'impression de se retrouver à la place de Dorothy, sur le point d'entrer dans le pays d'Oz. L'autre côté des battants était orné des mêmes spirales décoratives. Le passage était assez large pour les laisser tous passer de front.

Ce qui avait semblé être une seule et même montagne recouverte de neige était en vérité trois pics montagneux, séparés par des crevasses qui avaient été comblées par une glace d'un bleu transparent, ancienne, froide et dure comme du béton. Manifestement, ces crevasses avaient jadis été comblées par des blocs de quartz identiques à ceux du tunnel, tel un gigantesque vitrail. Une bonne partie de ces parois artificielles s'était éboulée, mais il en restait assez pour que Malone se rende compte du défi architectural que leur construction avait dû représenter. De trois ensembles de blocs de quartz jaillissaient des rayons bleutés, qui faisaient baigner cette gigantesque grotte dans une lueur irréelle.

Devant eux s'étendait une ville.

Stéphanie avait passé la nuit chez Edwin Davis, un appartement comportant deux chambres et deux petites salles de bain, dans l'une des tours du Watergate. Les murs inclinés, la multiplication des lignes de fuite, les hauteurs variables du plafond et la multitude de courbes donnaient aux pièces une allure tout à fait cubiste. Les murs et les meubles minimalistes, couleur poire, étaient étonnamment agréables. Davis lui raconta que la décoration et le mobilier étaient le fait de l'ancien propriétaire des lieux, et qu'il avait fini par s'habituer à sa simplicité.

Daniels les avait raccompagnés à Washington à bord du *Marine One*, et ils avaient réussi à dormir quelques heures. Stéphanie avait pris une douche, et Davis lui avait acheté des vêtements de rechange dans l'une des boutiques qui se trouvaient au rez-de-chaussée de la tour. Elle avait quitté Atlanta pour Charlotte en pensant que le voyage ne lui prendrait qu'un jour, tout au plus. Elle en était à présent au troisième, et rien n'indiquait que cette affaire s'arrêterait là. Davis lui aussi s'était douché, il s'était rasé, et avait enfilé un pantalon de velours côtelé bleu marine ainsi qu'une chemise oxford jaune. Son visage présentait encore des ecchymoses, mais elles avaient meilleur aspect.

« Nous pouvons descendre manger quelque chose, proposa Davis. Je ne sais pas faire bouillir de l'eau, ce qui m'oblige à prendre quasiment tous mes repas au restaurant.

— Le Président est votre ami », dit-elle. Elle savait que Davis ne cessait de repenser à la nuit dernière. « Il prend un sacré risque, rien que pour vous. »

Il eut un bref sourire gêné. « Je sais. Et c'est à présent à votre tour. »

Stéphanie en était venue à l'admirer. Il ne ressemblait en rien à l'image qu'elle s'en était faite. Un peu trop téméraire pour éviter les ennuis, mais pleinement responsable de chacun de ses actes.

Le téléphone de l'appartement sonna, et Davis décrocha.

C'était le coup de fil qu'ils attendaient.

Dans le silence qui s'était soudain installé, Stéphanie put entendre chaque mot de l'interlocuteur.

« Edwin, dit Daniels. J'ai l'emplacement.

— Dites-moi tout, répondit Davis.

— Vous êtes sûr ? C'est votre dernière chance de faire marche arrière. Il se pourrait que vous n'en reveniez pas.

— Contentez-vous de me dire où. »

Daniels avait raison. Il était probable que tous deux n'en sortent pas vivants.

Davis ferma les yeux. « Finissons-en une bonne fois pour toutes. » Une courte pause. « Monsieur le Président.

— Prenez un stylo. »

Davis s'exécuta aussitôt, attrapant au passage un bloc-notes sur lequel il griffonna l'information que lui soumit Daniels.

« Prudence, Edwin, dit le Président. Il y a un tas d'inconnues dans l'équation.

— Et on ne peut se fier aux femmes ? »

Daniels pouffa. « J'aime autant que ce soit vous qui l'ayez dit et pas moi. »

Davis raccrocha et regarda Stéphanie droit dans les yeux. Son regard était un kaléidoscope d'émotions. « Il vaut mieux que vous restiez ici.

— C'est ça.

— Vous n'êtes pas obligée de venir. »

Sa remarque la fit éclater de rire. « Et depuis quand ? C'est vous qui m'avez mêlée à tout cela.

— J'ai eu tort. »

Elle s'approcha et caressa doucement son visage contusionné. « À Asheville, vous auriez tué un innocent si je n'avais pas été à vos côtés. »

Il saisit délicatement son poignet d'une main qui tremblait faiblement. « Daniels a raison. La situation est extrêmement imprévisible.

— Extrêmement imprévisible ? Ça résume assez bien ma vie. »

86

Malone avait déjà vu des choses extraordinaires par le passé. Le trésor des Templiers. La bibliothèque d'Alexandrie. Le tombeau d'Alexandre le Grand. Mais rien de tout cela n'était comparable à ce qu'il était en train de contempler.

Devant lui s'étendait une route processionnelle aux pavés irréguliers et polis, bordée de bâtiments aux tailles et formes variées, serrés les uns contre les autres. Des rues croisaient cette majestueuse avenue. Le ciel rocheux qui surplombait cette agglomération culminait à plus de deux cents mètres. Plus impressionnantes encore étaient les parois rocheuses qui se dressaient tels des monolithes, polies de haut en bas, gravées de symboles, de lettres et de représentations figuratives. Le faisceau de la lampe de Malone révéla sur le mur le plus proche un agglomérat de grès blanc-jaune et de schiste rouge verdâtre, strié de veines noires de dolérite. On eût dit du marbre, et on avait plus l'impression de se trouver dans un gigantesque édifice qu'au cœur d'une montagne.

Des piliers bordaient la route à intervalles réguliers, soutenant des blocs de quartz qui brillaient d'une lueur douce, enveloppant toute la scène d'une nuée de mystère.

« Grand-père avait raison, dit Dorothea. Tout cela existait vraiment.

— Oui, il avait raison, déclara Christl, haussant la voix malgré elle. Raison sur absolument tout. » Malone perçut dans son ton des accents de fierté et d'excitation.

« Vous tous, vous pensiez que ce n'était qu'un doux rêveur, poursuivit Christl. Notre mère le méprisait, comme elle méprisait notre propre père. Mais tous deux étaient des visionnaires. Ils avaient raison sur toute la ligne.

— Cette découverte va *tout* changer, souffla Dorothea.

— Tu n'as aucun droit sur cette découverte, rétorqua Christl. J'ai toujours cru en leurs théories. C'est précisément pour cette raison que j'ai étudié l'histoire. Tu te riais d'eux. Plus personne ne se moquera d'Hermann Oberhauser, dorénavant.

— Et si on arrêtait de se jeter des fleurs et qu'on explorait un peu ? » proposa Malone.

Le groupe reprit sa marche en avant, Malone en tête. Ils plongeaient leurs regards dans les rues adjacentes, aussi loin que portaient les faisceaux de leurs lampes. Malone était en proie à un mauvais pressentiment, mais la curiosité le poussait à continuer. Il s'attendait presque à voir surgir des personnes venues les accueillir, mais seuls les pas de l'expédition brisaient le silence qui régnait en ces lieux.

Les bâtiments étaient des assemblages de cubes et de parallélépipèdes de pierre de taille, disposés avec une précision infinie, parfaitement polis, et vierges de tout mortier. Les deux faisceaux de lumière révélaient sur les façades de véritables incendies de couleur. Roux, marron, bleu, jaune, blanc, or. Des toits presque plats encadraient des frontons recouverts de motifs en spirale et de cette écriture à présent familière. Tout semblait ordonné, pratique et bien agencé. Bien que le froid antarctique ait préservé cette cité, certains éléments témoignaient des forces géologiques qui étaient à l'œuvre au cœur de cette montagne. Un très grand nombre de blocs de quartz qui comblaient les crevasses supérieures étaient tombés. Quelques murs s'étaient écroulés, et les rues étaient déformées par endroits.

La grande avenue débouchait sur une place circulaire flanquée sur l'ensemble de sa circonférence d'autres bâtiments, parmi lesquels un édifice ressemblant à un temple, comportant des colonnes parallélépipédiques superbement décorées. Au centre de la place se dressait le symbole qui figurait sur la couverture du livre de Charlemagne, énorme monument d'un rouge brillant entouré de plusieurs rangées de bancs de pierre. La prodigieuse mémoire photographique de Malone ne lui fit pas faux bond : il se souvint aussitôt des mots d'Éginhard.

Les Conseillers apposent le symbole de la Vertu sur les lois pour signifier leur approbation. Ce symbole, sculpté dans la pierre rouge, se trouve au cœur de la ville, et leurs délibérations annuelles sont faites en sa présence. Au sommet de ce symbole se trouve le soleil, à moitié visible dans sa gloire. Puis vient la Terre, un simple cercle, et les planètes représentées par un point en son centre. La croix symbolise la terre, et, tout en bas, on peut voir les vagues de la mer.

D'autres piliers parallélépipédiques, hauts d'environ trois mètres, écarlates et coiffés de boucles ornementales, décrivaient un cercle sur la place. Malone en dénombra dix-huit. Leur surface était recouverte d'une infinité de lignes, écrites dans le langage du ciel.

Les lois sont édictées par les neuf Conseillers, et inscrites sur les Colonnes de Vertu qui se dressent sur la place centrale de chaque ville, afin que nul n'ignore les lois.

« Éginhard est venu ici », dit Christl. Elle venait très

certainement de se faire la même remarque que Malone. « Il a décrit cette place.

— Je serais bien incapable de te donner raison, répliqua Dorothea, puisque tu as jugé préférable de nous cacher ce qu'Éginhard a écrit. »

Christl ignora sa sœur et se mit à examiner l'une des colonnes.

Sous leurs pieds s'étendait une gigantesque mosaïque, qu'Henn éclaira du faisceau de sa lampe. Des animaux, des personnes, des scènes de la vie quotidienne, représentés dans des couleurs vives. À quelques pas de là se trouvait une sorte de puits circulaire, d'un diamètre d'environ neuf mètres, et d'une hauteur d'un mètre vingt. Malone s'approcha et jeta un coup d'œil à l'intérieur : un trou noir aux parois maçonnées s'enfonçait dans les entrailles de la Terre.

Les autres le rejoignirent autour du puits.

Malone ramassa une pierre de la taille d'un petit melon et l'y précipita. Dix secondes s'écoulèrent. Vingt. Trente. Quarante. Une minute. Et toujours aucun bruit d'impact.

« C'est ce qu'on appelle un trou très profond », conclut Malone d'un ton pince-sans-rire.

Presque aussi profond que le pétrin dans lequel il s'était mis.

Dorothea s'éloigna du puits. Werner la suivit et lui demanda à voix basse : « Ça va ? »

Elle acquiesça, incapable de s'habituer aux attentions de son mari. « Nous devons en finir, murmura-t-elle. Vas-y. »

Il acquiesça.

Malone était en train d'examiner l'un des piliers écarlates.

À chaque inspiration, Dorothea sentait le froid lui écorcher les lèvres.

Werner s'adressa à Malone : « Vous ne pensez pas que nous explorerions plus vite les lieux en nous divisant en deux groupes, avant de nous rejoindre ici même ? »

Malone se retourna. « Ce n'est pas une mauvaise idée. Nous avons cinq heures devant nous avant le prochain contact radio, et le chemin du retour est loin d'être court. Nous ferions mieux de ne faire qu'un voyage. »

Aucune objection ne se fit entendre.

« Afin d'éviter toute autre bagarre, j'explorerai les lieux en compagnie de Dorothea, déclara Malone. Christl et vous, vous irez avec Henn. »

Dorothea lança un regard furtif à Ulrich Henn. Les yeux de celui-ci lui firent comprendre que tout se passerait bien.

Rassurée, elle garda le silence.

Malone s'était dit que si quelque chose devait arriver, ce serait maintenant. Il s'était donc empressé d'abonder dans le sens de Werner. Il voulait savoir qui ferait le premier pas. Le fait de séparer les deux sœurs ainsi que le couple lui avait paru être la meilleure décision, et, chose assez surprenante, personne n'avait discuté son choix.

À présent, il lui faudrait jouer avec la main qu'il s'était lui-même distribuée.

87

Malone et Dorothea quittèrent la place centrale pour s'aventurer dans la ville, parmi les bâtiments serrés les uns contre les autres comme des dominos dans une boîte. Certains étaient des boutiques ne comportant que deux pièces, s'ouvrant sur la rue et ne remplissant apparemment pas d'autre fonction que celle de commerces. D'autres étaient plus en retrait, accessibles par des allées. Malone remarqua l'absence de corniches, d'auvents et de gouttières. L'architecture abondait en angles droits, diagonales et formes pyramidales : les courbes étaient rares. Des conduits en céramique, reliés les uns aux autres par d'épais joints gris, couraient de maison en maison, longeant les murs extérieurs dans toute leur longueur. Tous étaient superbement peints : ils étaient aussi esthétiques que pratiques.

Dorothea et Malone décidèrent d'inspecter l'une des habitations, dont ils poussèrent la porte de bronze sculpté. La cour centrale au sol de mosaïque était entourée de quatre pièces carrées, toutes conçues avec une précision et un savoir-faire incomparables. Les colonnes d'onyx et de topaze semblaient plus décoratives que fonctionnelles. Un escalier conduisait à l'étage supérieur. Aucune fenêtre. Le plafond était cependant constitué des mêmes briques de quartz jointes par un solide mortier. La faible lumière de l'extérieur passait au travers, gagnant en intensité, rehaussant la grâce des appartements.

« Il ne reste plus rien, commenta Dorothea. On dirait que les habitants ont tout pris avant de quitter les lieux.

— C'est sans doute ce qui s'est passé. »

Les murs étaient également recouverts de mosaïques. Des groupes de femmes élégamment vêtues étaient assises à une table, entourées d'autres personnes. En arrière-plan, un orque (mâle, à en juger par la taille de sa nageoire dorsale) nageait dans une mer d'azur. Des icebergs disloqués flottaient non loin, recouverts de colonies de pingouins. Un navire fendait les flots, long, fin, équipé de deux mâts, et arborant sur ses voiles carrées le symbole de la Vertu, rouge comme sur la place centrale. Le réalisme semblait primer dans toutes les représentations. Les proportions étaient belles et harmonieuses. Le faisceau de la lampe se refléta sur le mur en une gerbe de scintillements qui poussa Malone, malgré lui, à passer une main sur la surface de pierre.

Des conduits en céramique traversaient chaque pièce du sol au plafond, et leurs ornementations correspondaient aux fresques.

Malone les examina sans rien cacher de son émerveillement.

« Ce devait être un système de chauffage. Ils devaient nécessairement avoir un moyen de se chauffer.

— Avec quelle source d'énergie ? demanda Dorothea.

— Probablement géothermique. Ce peuple était intelligent, mais leur technologie était relativement rudimentaire. À mon avis, le puits de la place centrale devait être un puits de chaleur géothermique qui réchauffait toute la ville. À cela s'ajoutaient les conduits qui transportaient le même type de chaleur dans chaque habitation. » Il laissa glisser sa main sur l'une des canalisations. « Le seul problème, c'est que cette source d'énergie a dû se tarir. La vie en ces lieux est alors devenue une lutte quotidienne. »

Malone passa le faisceau de sa lampe sur une lézarde qui courait le long d'un des murs. « Cette cité a dû essuyer un certain nombre de séismes durant tous ces siècles. C'est un miracle qu'elle tienne encore debout. »

Ces observations n'avaient suscité aucune réaction chez son interlocutrice. Intrigué, Malone se retourna.

Dorothea Lindauer se tenait à l'autre bout de la pièce, pointant un pistolet dans sa direction.

Stéphanie observa la maison jusqu'à laquelle les indications de Danny Daniels les avaient menés. C'était une résidence ancienne, délabrée, isolée au beau milieu de la campagne du Maryland, entourée de bois touffus et de prairies. Derrière se trouvait une grange. Aucune autre voiture en vue. Davis et elle étaient tous deux armés : ils sortirent de leur véhicule pistolet au poing. Ni l'un ni l'autre ne prononça le moindre mot.

Ils s'approchèrent de la porte d'entrée, grande ouverte. La majorité des fenêtres étaient dépourvues de vitres. Stéphanie estima la superficie de la maison à environ deux cent cinquante mètres carrés. Sa beauté de jadis n'était plus qu'un vieux souvenir.

Ils entrèrent prudemment.

Il faisait froid, malgré les rayons de soleil éclatants qui pénétraient dans la maison par les fenêtres. Davis et Stéphanie se trouvaient dans le vestibule : à gauche et à droite, deux salons, et, devant eux, un couloir. La maison ne comportait qu'un rez-de-chaussée au plan complexe, parcouru de larges passages. Les pièces étaient pleines de meubles recouverts de couvertures répugnantes, les murs pelaient et le plancher gondolait.

Stéphanie perçut un faible bruit, comme un raclement. Puis un tapotement régulier. Un mouvement ? Les pas d'une personne ?

Elle entendit un feulement, puis un grognement.

Son regard se posa sur l'un des couloirs. Davis la devança, ouvrant à présent la marche. Ils arrivèrent à hauteur du seuil d'une des chambres. Davis repassa derrière Stéphanie, pointant toujours son pistolet devant lui. Elle comprit la tactique qu'il entendait adopter : elle s'approcha du montant de la porte et jeta un coup d'œil à l'intérieur de la chambre, où elle vit deux chiens. L'un était blanc et fauve, l'autre gris clair, et tous deux étaient occupés à manger quelque chose à même le sol. Ils étaient assez grands et très robustes. L'un des deux sentit sa présence et releva la tête. Sa gueule et sa truffe étaient recouvertes de sang.

L'animal grogna.

Davis pressentit un danger et s'approcha aussitôt de Stéphanie. « Vous voyez quelque chose ? » demanda-t-il.

Oui, elle voyait bien quelque chose.

Entre les deux chiens, gisant par terre, se trouvait leur festin.

Une main humaine, tranchée au niveau du poignet, et à laquelle manquaient trois doigts.

Malone regarda Dorothea droit dans les yeux. « Vous avez l'intention de me tuer ?

— Vous êtes de mèche avec elle. Je l'ai vue entrer dans votre chambre.

— Je doute qu'une nuit passée ensemble suffise pour me ranger de son côté.

— Elle est le mal incarné.

— Vous êtes toutes les deux folles à lier. »

Malone fit un pas dans sa direction. Elle secoua son pistolet. Il s'arrêta à hauteur du seuil d'une des pièces adjacentes. Dorothea se tenait à trois mètres de lui, face à un mur recouvert d'une des mosaïques scintillantes.

« Vous finirez par vous détruire l'une l'autre si vous ne mettez pas un terme à tout cela, déclara Malone.

— Il est hors de question qu'elle gagne.

— Qu'elle gagne quoi ?

— Je suis l'héritière de mon père.

— Non, vous l'êtes toutes les deux. Le problème, c'est que ni l'une ni l'autre n'arrive à comprendre une chose aussi simple.

— Vous l'avez entendue comme moi. Elle est prête à tout pour venger la mémoire de notre grand-père. Elle l'a dit elle-même. On ne peut pas la raisonner. »

C'était vrai, mais Malone en avait assez, et le moment était mal choisi. « Faites ce que vous avez à faire. Moi, je sors d'ici.

— Je vais vous tirer dessus.

— Allez-y. »

Il se retourna et s'engagea sur le seuil.

« Je vais le faire, Malone.

— Vous me faites perdre mon temps. »

Elle appuya sur la détente.

Un simple cliquetis. Malone poursuivit son chemin. Elle appuya à nouveau sur la détente. Encore un cliquetis.

Malone marqua le pas et se retourna dans sa direction. « J'ai fait fouiller votre sac pendant que nous mangions, à la base. On a trouvé votre pistolet. » Il lut la confusion se dessiner sur son visage. « À la suite de votre colère à bord de l'avion, j'ai cru bon de retirer les cartouches de votre chargeur.

— De toute façon, je visais le sol, répliqua Dorothea. Je ne vous aurais fait aucun mal. »

Malone tendit la main.

Elle s'avança et lui remit le pistolet. « Je hais Christl de tout mon être.

— On s'en serait rendu compte mais, pour l'instant, ce sentiment est tout à fait contre-productif. Nous venons de découvrir ce que vous recherchiez à tout prix. Ça ne vous enthousiasme même pas un peu ?

— Ce n'est pas ce que je cherche, moi. »

Malone sentit le trouble de Dorothea, mais décida de ne pas creuser plus loin.

« Et vous ? Avez-vous trouvé ce que vous cherchiez ? » lui demanda-t-elle.

La remarque était judicieuse. Jusqu'à présent, aucun signe du NR-1A. « L'affaire est toujours en suspens.

— Peut-être est-ce ce lieu que nos pères espéraient trouver. »

Avant qu'il eût pu répondre, deux déflagrations retentirent au loin.

Puis une troisième.

« Des coups de feu », dit Malone.

Ils se précipitèrent hors de la maison.

Stéphanie remarqua autre chose. « Regardez, sur la droite. »

Un pan du mur semblait grand ouvert, en un rectangle de ténèbres. Les empreintes laissées par les chiens dans la poussière et la saleté allaient et venaient entre ce panneau ouvert et l'endroit où ils se trouvaient. « Apparemment, ils ont découvert quelque chose dans ce mur. »

Les chiens se raidirent et se mirent à aboyer.

Elle reporta son attention sur les animaux. « Il faut s'en débarrasser. »

Les chiens refusaient de céder leur territoire et leur repas. Davis passa de l'autre côté du seuil.

L'un des chiens s'avança brusquement, pour s'immobiliser aussitôt.

« Je vais ouvrir le feu », dit Davis.

Il brandit son pistolet et tira sur le sol, entre les deux animaux. Ils glapirent et remuèrent dans tous les sens, effrayés. Il tira à nouveau, et ils s'enfuirent. Au milieu du couloir, ils se retournèrent cependant, constatant qu'ils avaient oublié d'emporter leur nourriture. Stéphanie tira à son tour dans le plancher, et les chiens détalèrent à toute vitesse, disparaissant par la porte principale de la maison.

Stéphanie poussa un soupir de soulagement.

Davis s'accroupit face à la main amputée. « Nous devons aller voir ce qui se trouve en dessous. »

Stéphanie n'en voyait pas la nécessité, mais elle savait que Davis insisterait. Elle s'avança jusqu'au panneau du mur. Des marches de bois étroites conduisaient au sous-sol, où un couloir s'enfonçait brutalement vers la droite dans l'obscurité la plus complète. « Sans doute une ancienne cave. »

Elle descendit les marches, et Davis lui emboîta le pas. Arrivée en bas, elle hésita un instant. Ses yeux s'accoutumèrent aux ténèbres, et elle parvint à distinguer la petite pièce dans laquelle elle se trouvait. Sa superficie ne devait pas dépasser les deux mètres carrés. L'une des parois avait été creusée dans la roche, et le sol était recouvert d'une terre poudreuse. D'épaisses poutres de bois soutenaient le plafond. Pas la moindre ventilation.

« En tout cas, il n'y a pas d'autres chiens », dit Davis.

Soudain, Stéphanie l'aperçut.

Un corps, vêtu d'un manteau, allongé au pied du mur opposé, amputé d'une main. Elle reconnut immédiatement son visage, bien qu'une balle ait anéanti le nez et l'un des deux yeux.

Langford Ramsey.

« Justice est faite », commenta-t-elle.

Davis la dépassa et s'approcha du cadavre. « J'aurais préféré la rendre moi-même.

— C'est mieux ainsi. »

Un bruit se fit entendre au-dessus de leurs têtes. Des pas. Stéphanie releva instinctivement les yeux.

« Ça, ce n'est pas un chien », murmura Davis.

88

Malone et Dorothea débouchèrent dans une rue déserte. Un quatrième coup de feu retentit. Malone détermina son origine.

« Par ici », lança-t-il.

Il résista à la tentation de courir, mais pressa tout de même le pas en direction de la place centrale. Leurs tenues et leurs sacs à dos les ralentissaient. Ils firent le tour du puits et s'engagèrent dans une autre rue, s'enfonçant plus avant au cœur de la cité. D'autres signes d'activité géologique étaient visibles. Plusieurs bâtiments s'étaient écroulés. Des murs s'étaient fissurés. La rue était jonchée de gravats et de pierres. Malone resta concentré. Le terrain pouvait à tout moment s'avérer traître.

Quelque chose attira son regard. Il ralentit, et Dorothea l'imita.

Une casquette ? Ici ? Dans cette cité millénaire et oubliée, c'était une bien curieuse apparition.

Malone s'approcha.

Le tissu orange lui était plus que familier.

Il s'accroupit. Au-dessus de la visière était brodé :

Nom de Dieu !

Dorothea lut pardessus son épaule. « C'est impossible. »

Malone regarda à l'intérieur de la casquette. À l'encre noire, on y avait écrit le nom « VAUGHT ». Il se souvint du rapport d'enquête : « Quartier-maître de deuxième classe Dough Vaught, mécanicien affecté au réacteur. » Un membre de l'équipage du NR-1A.

« Malone. »

On avait crié son nom au loin.

« Malone. »

C'était la voix de Christl. Il mit aussitôt un terme à sa brève rêverie.

« Où êtes-vous ? cria-t-il.

— Par ici. »

Stéphanie comprit qu'ils devaient immédiatement sortir de cette pièce souterraine. C'était bien le pire endroit pour affronter un ennemi.

Les pas d'une personne seule résonnaient au-dessus d'eux, à l'autre bout de la maison, loin de la pièce par laquelle on accédait à cette cave. Stéphanie gravit les marches de bois le plus silencieusement possible et s'immobilisa en haut. Prudemment, elle risqua un coup d'œil par l'encadrement du panneau ouvert. Ne voyant personne, elle sortit. Elle fit signe à Davis qui alla se poster à droite de la porte donnant sur le couloir, tandis qu'elle se positionnait à gauche.

Elle jeta un nouveau coup d'œil.

Personne.

Davis s'engagea sans la consulter. Elle le suivit en

direction du vestibule. Toujours personne. Soudain, Stéphanie perçut un mouvement à l'autre bout du salon qu'elle inspectait du regard, sans doute dans ce qui devait être la cuisine ou la salle à manger.

Une femme apparut dans l'encadrement de la porte.

Diane McCoy.

Conformément à ce que Daniels leur avait dit.

Stéphanie se dirigea droit vers elle. Davis traversa le vestibule, sur ses talons.

« Tiens donc, dit McCoy. Voici la cavalerie. »

McCoy portait un long manteau de laine, un pantalon, une chemise et des bottes. Ses mains étaient vides, et le son de ses talons correspondait à celui qu'ils avaient entendu dans la cave.

« Est-ce que vous vous rendez compte des ennuis que vous nous avez causés, tous les deux ? leur lança McCoy. Avec toutes vos gesticulations. En vous mêlant de choses qui ne vous regardent même pas de loin. »

Davis pointa son pistolet sur McCoy. « C'est vraiment le cadet de mes soucis. Vous êtes une traîtresse. »

Stéphanie ne fit pas un geste.

« Voilà qui est très vilain », dit une autre voix. Masculine.

Stéphanie se retourna.

Un homme assez petit, musclé et au visage rond, venait d'apparaître sur le seuil de l'autre salon donnant sur le vestibule. Il braquait un HK 53 dans leur direction. Stéphanie connaissait bien ce modèle de fusil d'assaut. Quarante cartouches dans le chargeur, tir automatique particulièrement destructeur. Et elle devina sans problème l'identité de celui qui le tenait.

Charlie Smith.

Malone fourra la casquette dans l'une des poches de son blouson et se mit à courir. Une volée de marches longues d'au moins six mètres chacune conduisait jusqu'à une place en demi-cercle, face à un grand édifice pourvu de majestueuses colonnes. Des statues coiffaient les piliers parallélépipédiques qui se dressaient sur la place.

Christl se tenait aux côtés des colonnes du portique. Elle tenait un pistolet à la main. Malone avait fait fouiller son sac, mais pas sa personne. S'il avait procédé à des fouilles au corps, tous auraient compris qu'il n'était pas aussi bête qu'il semblait être, et Malone n'avait pas voulu perdre l'avantage d'être pris pour un idiot.

« Que s'est-il passé ? demanda-t-il, légèrement essoufflé.

— Werner. Henn l'a tué. »

D'une voix blanche, Dorothea lança : « Pourquoi ?

— Réfléchis un peu, très chère sœur. Qui donne ses ordres à Ulrich ?

— Maman ? »

L'heure n'était pas aux débats familiaux. « Où est passé Henn ? demanda Malone.

— Nous nous sommes séparés en deux groupes. Je les ai rejoints juste au moment où il abattait Werner. J'ai saisi mon pistolet et j'ai ouvert le feu, mais Henn a pris la fuite.

— Et qu'est-ce que vous foutez avec un pistolet ?

— Apparemment, j'ai bien fait d'en apporter un.

— Où est Werner ? » demanda Dorothea.

Christl désigna l'intérieur de l'édifice d'un mouvement de la main. « Là-dedans. »

Dorothea gravit les marches du perron. Malone la suivit. Ils passèrent une porte à double battant finement ouvragée et pénétrèrent dans une énorme salle au plafond très haut et aux murs recouverts de carreaux d'azur et d'or. Plusieurs bassins aux parois recouvertes de galets polis se succédaient au ras du sol, et deux balustrades de pierre flanquaient respectivement les deux longueurs de la salle. Des fenêtres de bronze finement ouvragées et sans vitre perçaient les murs recouverts de mosaïques. Celles-ci représentaient des paysages, des animaux, de jeunes hommes portant ce qui semblait être des kilts et des femmes en jupe plissée, certains portant des amphores, d'autres des brocs, et emplissant les bassins. Dehors, Malone avait aperçu du cuivre sur le fronton du bâtiment, ainsi que de l'argent sur les colonnes. À présent, il apercevait des chaudrons de bronze et des tuyaux d'argent. Il apparaissait clairement que la métallurgie avait été l'une des disciplines de prédilection de cette civilisation éteinte. La voûte du plafond était constituée de quartz, et soutenue par une poutre horizontale qui parcourait toute la longueur de la salle. Les concrétions présentes sur les bords et au fond des bassins témoignaient qu'ils avaient jadis contenu de l'eau. Malone était convaincu qu'il s'agissait de thermes.

Werner gisait dans l'un des bassins.

Dorothea courut vers lui.

« Quelle scène touchante, n'est-ce pas ? dit Christl à Malone. L'épouse exemplaire pleurant la perte de son mari adoré.

— Donnez-moi votre arme », exigea-t-il.

Elle lui décocha un regard sombre mais lui tendit son pistolet. Malone remarqua qu'il s'agissait exactement du même modèle que celui de Dorothea. Apparemment, Isabel Oberhauser s'était assurée que les chances de ses deux filles soient égales. Il sépara pistolet et chargeur, et fourra les deux objets dans ses poches.

Il s'approcha de Dorothea et constata que Werner avait été tué d'une seule balle dans la tête.

« J'ai tiré deux fois sur Henn », dit Christl. Elle pointa du doigt le seuil de la porte qui se trouvait à l'autre bout de la salle. « Il s'est échappé par là. »

Malone enleva son sac à dos, ouvrit le compartiment

central et en tira un 9 mm semi-automatique. Lorsque Taperell lui avait dit qu'il avait découvert un pistolet dans le sac de Dorothea, Malone lui avait demandé d'en mettre un dans le sien.

« Vous ne suivez pas les règles que vous nous imposez ? » lança Christl.

Il l'ignora.

Dorothea se redressa. « Je veux la peau d'Ulrich. » Sa voix débordait de haine.

« Qu'est-ce qui aurait pu le pousser à tuer Werner ? demanda Malone.

— Notre mère. Qui d'autre ? hurla Dorothea, ses mots résonnant dans la vaste salle. Elle a fait tuer Sterling Wilkerson afin qu'il ne s'approche plus de moi. Et à présent, c'est au tour de Werner. »

Christl s'avisa de l'incompréhension de Malone. « Wilkerson était un agent américain envoyé par Ramsey pour nous espionner. Il est devenu l'amant de Dorothea. Ulrich l'a abattu en Allemagne. »

Malone était d'accord avec Dorothea : il fallait retrouver Henn au plus vite.

« Je peux donner un coup de main, proposa Christl. Deux personnes armées valent mieux qu'une. Et puis je connais Ulrich. Je sais comment son esprit fonctionne. »

Malone n'en doutait pas. Il renfonça le chargeur dans le pistolet, qu'il rendit à Christl.

« Je veux le mien, moi aussi, dit Dorothea.

— Elle est venue avec une arme ? » demanda Christl à Malone.

Il secoua la tête. « Vous êtes vraiment pareilles, toutes les deux. »

Dorothea se sentait vulnérable. Christl était armée, et Malone avait refusé tout net de lui rendre son pistolet.

« Pourquoi lui donner cet avantage ? demanda-t-elle. Vous êtes stupide ou quoi ?

— Votre époux est mort », commenta laconiquement Malone.

Le regard de Dorothea se posa sur Werner. « Cela faisait déjà bien longtemps qu'il n'était plus mon mari. » Ses mots étaient pleins de remords. De tristesse, également. « Mais je ne souhaitais pas pour autant qu'il meure. » Elle envoya un regard menaçant à Christl. « Et certainement pas comme ça.

— Le prix à payer pour arriver au bout de cette quête ne cesse d'augmenter. » Malone observa une courte pause. « Pour l'une comme pour l'autre.

— Notre grand-père avait raison, lança Christl. Les livres d'histoire devront être réécrits, du simple fait des Oberhauser. Il est de notre devoir de nous en assurer. Au nom de notre famille. »

Christl était convaincue que leur grand-père et leur père avaient pensé et dit exactement la même chose en leur temps. « Et en ce qui concerne Henn ? demanda Dorothea.

— Impossible de savoir quels ordres lui a donnés notre mère, répondit Christl. À mon avis, il a reçu pour mission de nous tuer, Malone et moi. » Elle pointa fugacement le canon de son arme en direction de Dorothea. « Tu étais censée être la seule survivante.

— Tu n'es qu'une menteuse, siffla Dorothea.

— Vraiment ? Dans ce cas, où est Ulrich ? Pourquoi a-t-il pris la fuite lorsque je lui ai tiré dessus ? Pourquoi aurait-il tué Werner ? »

Dorothea ne sut quoi répondre.

« Inutile de discuter de ça, trancha Malone. Attrapons-le et finissons-en. »

Malone sortit de la vaste salle pour s'engager dans un couloir qui distribuait une série de pièces attenantes. À en juger par leur couleur terne, leur forme banale et l'absence de mosaïque, il devait s'agir de réserves ou d'ateliers. Le plafond était également constitué de quartz et suffisait à éclairer les lieux. Christl avançait à côté de lui, et Dorothea les suivait, quelques pas en retrait.

Ils passèrent devant une enfilade de petites cabines (c'était sans doute là que les occupants de cette ville se changeaient après s'être baignés), suivies d'autres réserves et ateliers. Les canalisations en céramique couraient au niveau du sol le long des murs, telles des plinthes.

Ils arrivèrent à une intersection.

« Je prends par là », dit Christl.

Malone acquiesça. « Nous partirons de l'autre côté. »

Christl s'engagea à droite et disparut au détour d'un coude.

« Vous savez parfaitement que cette salope ment », murmura Dorothea.

Malone avait toujours les yeux fixés sur le couloir qu'avait emprunté Christl. « Vous croyez ? »

89

Charlie Smith s'était rendu maître de la situation. Diane McCoy l'avait bien briefé, en lui disant d'attendre dans la grange que les deux intrus soient entrés dans la maison, pour venir se poster dans le grand salon. McCoy était ensuite entrée comme prévu, en signalant sa présence, et il ne leur restait à présent plus qu'à se débarrasser des derniers obstacles qui barraient leur route vers le succès.

« Lâchez vos armes », ordonna-t-il.

Le métal cliqueta contre le plancher.

Smith ne put s'empêcher de leur demander : « C'était vous, les deux empêcheurs de tourner en rond, à Charlotte ? »

La femme acquiesça. Stéphanie Nelle. De l'unité Magellan. Département de la Justice. McCoy l'avait informé des noms et fonctions des deux individus.

« Comment saviez-vous que j'irais voir Rowland ?

— Vous êtes terriblement prévisible, Charlie », répondit Nelle.

Smith était convaincu du contraire. Pourtant, ils s'étaient retrouvés sur son chemin. À deux reprises.

« Je sais depuis longtemps que vous existez, lui dit Edwin Davis. Je ne connaissais ni votre nom, ni votre tête, ni l'endroit où vous viviez, mais je savais que quelqu'un s'occupait du sale boulot pour le compte de Ramsey.

— Vous avez aimé mon petit numéro, au domaine Biltmore ?

— Vous êtes un vrai pro, il faut le reconnaître, répondit Nelle. Vous avez remporté ce point.

— J'aime le travail bien fait. Malheureusement, vous me voyez présentement pressé par un changement inopiné d'employeur et de mission. »

Il avança de quelques pas, pénétrant dans le vestibule.

« Vous vous rendez compte que d'autres personnes sont au courant de notre venue ici ? » dit Nelle.

Smith ricana. « Ce n'est pas ce qu'elle m'a dit. » Il désigna McCoy d'un mouvement de la tête. « Elle sait que le Président se méfie d'elle. C'est lui qui vous a envoyés, afin que vous lui mettiez le grappin dessus. À tout hasard, Daniels vous aurait-il informés de ma présence ? »

La surprise se lut dans les yeux de Nelle.

« C'est bien ce que je pensais. Vous étiez censés vous retrouver rien que tous les trois. Histoire de discuter de tout ça, n'est-ce pas ?

— Vous lui avez dit ça ? demanda Nelle à McCoy.

— C'est la vérité, répondit McCoy. Daniels vous a chargés de m'arrêter. Le Président ne peut laisser toute cette histoire s'ébruiter. Cela soulèverait bien trop de questions. C'est aussi pour cette raison qu'il a réduit les effectifs de cette mission spéciale à deux agents. Davis et vous. »

McCoy observa un bref silence.

« Comme je le disais à l'instant : vous êtes la seule cavalerie. »

Malone ignorait totalement où débouchait ce dédale de couloirs. Il n'avait pas la moindre intention de faire ce qu'il avait dit à Christl. « Suivez-moi », lança-t-il à Dorothea.

Ils rebroussèrent chemin, entrant à nouveau dans la vaste salle des bains.

Trois autres portes s'y trouvaient. Malone tendit la lampe torche à Dorothea : « Allez voir ce qu'il y a dans ces pièces. »

Elle lui lança un regard empreint d'une perplexité qui, presque aussitôt, laissa place à la compréhension. Elle avait l'esprit vif, c'était indéniable. Elle ne trouva rien d'intéressant dans la première salle, mais, sur le seuil de la deuxième, elle lui fit signe de la rejoindre.

Il s'approcha et vit le cadavre d'Ulrich Henn, gisant au sol.

« Elle l'a sûrement abattu en premier, commenta Malone. C'était la cible la plus dangereuse. Elle croit sûrement que vous vous êtes alliée à votre mère afin de l'emporter.

— Cette chienne galeuse, murmura Dorothea. Elle les a tués tous les deux.

— Et elle a également l'intention de vous tuer.

— Et vous ? »

Il haussa les épaules. « Je vois mal ce qui pourrait la pousser à me laisser sortir d'ici vivant. »

Il avait baissé sa garde face aux avances de Christl. Le danger et l'adrénaline étaient responsables. Le sexe avait toujours été le moyen le plus sûr pour apaiser ses peurs : cela lui avait valu de se mettre dans un sacré pétrin, plusieurs années auparavant, lorsqu'il était entré dans l'unité Magellan.

Mais pas cette fois. Il reporta son regard sur les bassins de la vaste salle, réfléchissant à ce qu'il convenait de faire à présent. Les événements se succédaient à une vitesse vertigineuse. Il devait garder son...

Quelque chose s'abattit sur le côté de son crâne.

La douleur se propagea dans tout son corps. La vaste salle parut vaciller.

Un autre coup. Plus fort encore.

Ses jambes faiblirent. Ses poings se crispèrent.

Il perdit connaissance.

Stéphanie évalua leur situation. Daniels les avait envoyés ici en ne leur soumettant qu'un nombre très limité d'informations. Mais la principale qualité d'un agent, c'était sa faculté d'improvisation. L'heure était venue d'appliquer cette qualité.

« Ramsey avait bien de la chance de pouvoir compter sur vos talents, dit-elle à Smith. La mort de l'amiral Sylvian était un véritable chef-d'œuvre.

— C'est également mon avis, répondit Smith.

— Réduire sa pression artérielle, c'était une idée de…

— C'est comme ça que vous avez assassiné Millicent Senn ? coupa Davis. Une jeune femme. Lieutenant de la Navy affectée à Bruxelles. Il y a quinze ans. »

Smith sembla fouiller sa mémoire. « Ah oui ! Pareil. Même mode opératoire. Mais l'époque était bien différente, et c'était dans un pays très différent du nôtre.

— Moi, je suis resté le même, dit Davis.

— Vous étiez là-bas, vous aussi ? »

Davis acquiesça.

« Que représentait-elle pour vous ?

— Que représentait-elle pour Ramsey ? Voilà ce qui importe vraiment.

— Ah, vous m'avez eu ! Je ne le lui ai jamais demandé. Je me suis toujours contenté de faire ce pour quoi il me payait.

— Ramsey vous a-t-il également payé pour que vous le tuiez ? » lança Stéphanie.

Smith gloussa. « Si je ne l'avais pas éliminé, je n'aurais pas vécu longtemps. Quels que soient les plans qu'il avait en tête, il ne voulait pas m'avoir dans les pattes, alors je l'ai abattu. » Smith indiqua une direction du bout de son fusil d'assaut. « Il est là-bas, dans une chambre, avec un joli trou dans son cerveau dérangé.

— J'ai une petite surprise pour vous, Charlie », dit Stéphanie.

Il lui lança un regard intrigué.

« Le cadavre a disparu. »

Dorothea abattit une dernière fois la lourde lampe torche en acier sur le crâne de Malone.

Il s'écroula au sol.

Elle ramassa son pistolet.

Le conflit qui l'opposait à Christl allait se terminer.

Ici et maintenant.

Stéphanie sut qu'elle avait réussi à déstabiliser Smith.

« Qu'est-ce qui s'est passé ? Il s'est levé et il s'est barré tout seul ?

— Allez voir par vous-même. »

Il pointa le canon de son fusil sous son nez. « Après vous. »

Elle inspira profondément, contrôlant sa peur.

« Un de vous deux va ramasser ces flingues et les jeter par la fenêtre », ajouta Smith sans la lâcher du regard.

Davis obéit à ses ordres.

Smith abaissa son arme. « Bien, maintenant, allons voir ça. Vous trois, passez devant. »

Ils empruntèrent le couloir et entrèrent dans la chambre.

Elle était complètement vide, à l'exception d'une fenêtre sans vitre, le panneau ouvert dans le mur, et une main amputée et sanguinolente.

« Vous vous êtes fait avoir, commenta Stéphanie. Par elle. »

McCoy balaya l'accusation. « Je vous ai versé 10 millions de dollars. »

Mais Smith semblait s'en moquer. « Où est passé ce putain de cadavre ? »

Dorothea pressa le pas. Elle savait que Christl l'attendait, quelque part. Elles avaient passé leur vie en compétition l'une contre l'autre. Chacune essayant de vaincre l'autre. Et Dorothea n'avait surpassé Christl qu'à un seul titre : elle avait mis au monde Georg.

Elle s'était toujours demandé pourquoi Christl n'avait jamais eu d'enfants.

À présent, elle savait.

Dorothea chassa toute pensée déstabilisante de son esprit et se concentra sur l'instant présent. À plusieurs reprises, elle avait chassé de nuit, traquant ses proies dans la forêt bavaroise sous une lune argentée, attendant le bon moment pour tuer. Dans le meilleur des cas, sa sœur était coupable de deux homicides volontaires. Tout ce qu'elle avait toujours pensé à son sujet venait d'être confirmé. Personne ne lui reprocherait le meurtre de cette déséquilibrée.

Le bout du couloir se trouvait à trois mètres à peine.

Face à elle, deux portes ouvertes. Une à gauche, une à droite.

Elle réprima un frisson de panique.

Quel chemin prendre ?

90

Malone rouvrit les yeux en sachant pertinemment ce qui venait de lui arriver. Il massa l'énorme bosse qu'il avait au crâne. Dorothea était complètement inconsciente.

Il se releva à grand-peine et fut pris d'une nausée fugace.

Merde.

Elle lui avait peut-être fêlé la boîte crânienne.

Il resta immobile, laissant l'air glacé chasser les brumes de son cerveau.

Réfléchis. Concentre-toi. La mise en scène qu'il avait élaborée était en train de prendre une tournure qu'il n'avait pas du tout prévue. Il balaya la foule de questions qui se pressaient dans son esprit et sortit le pistolet de Dorothea de sa poche.

Lorsqu'il avait rendu à Christl son arme, identique à celle de sa sœur, il en avait profité pour y enfoncer le chargeur vide du pistolet de Dorothea. Il enfonça le chargeur plein dans le HK USP, faisant un effort pour se concentrer et remuer ses doigts.

Puis il chancela en direction de la porte.

Stéphanie improvisait, essayant par tous les moyens de maintenir Charlie Smith dans le doute et la peur. Diane McCoy avait joué son rôle à la perfection. Daniels leur avait dit qu'il avait chargé McCoy d'entrer en contact avec Ramsey, d'abord pour lui proposer de faire cause commune, puis pour le menacer, le but ultime étant que Ramsey soit en perpétuel mouvement. « Une abeille qui vole ne peut pas vous piquer », avait judicieusement remarqué le Président. Il leur avait dit en outre que, lorsqu'on lui avait parlé de Millicent Senn et de ce qui s'était passé à Bruxelles des années auparavant, McCoy s'était immédiatement portée volontaire pour cette périlleuse mission. Afin que le piège eût une chance de fonctionner, il devait impliquer une personne d'un rang hiérarchique au moins égal au sien : Ramsey n'aurait jamais accepté de traiter avec un sous-fifre, pas plus qu'il ne l'aurait cru. Par la suite, lorsque le Président en avait appris un peu plus sur Charlie Smith, McCoy avait également, et très facilement, manipulé ce dernier. Smith était un être vain, avide, trop habitué à la réussite. Daniels avait informé Stéphanie et Davis de la mort de Ramsey (abattu par Smith) ainsi que du fait que Smith serait également de la partie, mais c'était là les seuls renseignements dont ils disposaient. Le fait que McCoy continuât à jouer son rôle de traîtresse jusqu'au bout figurait également dans le scénario. Mais ce qui arriverait par la suite n'était écrit nulle part.

« Par ici », ordonna Smith en indiquant une direction du bout de son fusil d'assaut.

Ils cheminèrent jusqu'au vestibule, entre les deux salons.

« On dirait que ça se complique un peu pour vous, dit Stéphanie.

— C'est pour vous que ça se corse, répliqua Smith.

— Vraiment ? Vous comptez vraiment tuer deux conseillers adjoints à la sécurité nationale et un agent de premier rang du département de la Justice ? Je doute que vous ayez vraiment envie de la publicité que ce triple assassinat vous vaudra. Ramsey ? Qui va le regretter ? Personne, et surtout pas nous. Bon débarras. Vous ne serez pas inquiété à ce sujet. Nous, en revanche, c'est tout à fait différent. »

Elle lut sur le visage de Smith qu'il commençait à se laisser convaincre par ses arguments.

« Vous vous êtes toujours montré d'une prudence remarquable, poursuivit Stéphanie. C'est votre marque de fabrique. Pas de trace. Pas de preuve. Notre triple meurtre irait à l'encontre de tout ce que vous avez toujours fait. Et il se pourrait bien que nous ayons recours à vos talents par la suite. Après tout, vous avez fait du beau boulot. »

Smith ricana. « Mais bien sûr. Je vous vois mal me demander mes services. Mettons les choses au clair une bonne fois pour toutes. » Il désigna McCoy. « Je suis venu ici pour l'aider, elle, à résoudre un problème. Elle m'a reversé 10 millions de dollars et m'a permis de tuer Ramsey : le moins que je puisse faire, c'est de lui rendre un petit service. Elle voulait vous faire disparaître. Mais je constate à présent que c'était une très mauvaise idée. Aussi, je crois que le plus sage serait pour moi de vous laisser.

— Racontez-moi comment ça s'est passé, pour Millicent », lança Davis.

Stéphanie s'était étonnée de son silence.

« Quelle importance ? demanda Smith.

— Ça en a à mes yeux. J'aimerais que vous m'en disiez plus avant de partir. »

Dorothea s'adossa au mur de droite, face aux deux seuils, et, immobile, guetta le moindre mouvement suspect dans la pénombre des deux pièces.

Rien.

Elle s'approcha du seuil de droite et jeta un coup d'œil dans la salle. Rien, à l'exception d'une silhouette assise au pied du mur opposé.

Un homme portant une combinaison en nylon orange, une couverture sur les épaules. Faiblement éclairé, semblable à une vieille photographie noir et blanc, il était assis en tailleur, la tête légèrement inclinée sur la gauche, et la regardait de ses yeux qui ne clignaient pas.

Elle se sentit attirée malgré elle dans sa direction.

Il était jeune, approchant peut-être la trentaine, avec des cheveux châtains et un visage anguleux. Il était mort à l'endroit même où il se trouvait, et le froid l'avait parfaitement conservé. Elle s'attendait presque à le voir parler. Il ne portait pas même un manteau, et sa casquette orange était identique à celle que Malone et elle avaient vue. Estampillée « MARINE DES ÉTATS-UNIS. NR-IA ».

Lors de leurs parties de chasse, son père avait coutume de la mettre en garde contre les dangers du froid. Exposé trop longtemps à des températures extrêmement basses, le corps sacrifiait doigts, orteils, mains, nez, oreilles et menton afin que le sang continue à alimenter les organes vitaux. Et si la durée fatidique était dépassée, sans amélioration de quelque sorte, les poumons subissaient des hémorragies et le cœur s'arrêtait. C'était une mort lente, graduelle et sans douleur. C'était la longue lutte de l'esprit contre la mort qui constituait le véritable supplice. Surtout lorsqu'il n'y avait rien à faire.

Qui était ce jeune homme ?

Dorothea perçut un bruit derrière elle.

Elle se retourna en un éclair.

Une silhouette se dessinait dans l'encadrement de

la porte qui se trouvait à l'autre bout du couloir. À vingt mètres environ.

« Eh bien, qu'est-ce que tu attends, ma très chère sœur ? cria Christl. Viens me chercher. »

Malone passa à nouveau le seuil de la porte de la salle des bassins et entendit Christl appeler Dorothea. Il tourna à gauche, en direction de la voix, et emprunta un long couloir qui au bout de douze mètres débouchait sur une pièce. Tout en avançant, Malone guettait les portes ouvertes sur sa gauche et sa droite, par lesquelles il jetait un rapide coup d'œil. À nouveau, des réserves et des ateliers. Rien d'intéressant.

Sur l'avant-dernier seuil, il s'arrêta.

Quelqu'un gisait par terre.

Un homme.

Il pénétra dans la pièce.

À en juger par ses traits, il était d'âge moyen. Ses cheveux étaient brun clair. Il était allongé sur le dos, les bras le long du corps, les pieds tendus, semblable à un gisant de pierre reposant sur une couverture. Il était vêtu d'une salopette orange de la Navy, dont la poche avant gauche portait le nom « JOHNSON ». Il se souvint à nouveau du rapport d'enquête. « Technicien de deuxième classe Jeff Johnson, électricien de bord. » Un autre membre de l'équipage du NR-1A.

Le cœur de Malone sursauta.

Il semblait que le matelot se soit simplement étendu sur sa couverture pour laisser le froid l'envahir. Malone avait appris dans la marine qu'on ne pouvait mourir de congélation. Bien avant que le froid n'ait figé la totalité d'un corps, les vaisseaux sanguins les plus proches de la peau se contractaient, réduisant ainsi la perte de chaleur, repoussant le sang vers les organes vitaux. Le dicton « Mains froides, cœur chaud » était vrai. Il se souvint des signes avant-coureurs. Tout d'abord des picotements, qui s'accentuaient peu à peu jusqu'à devenir une douleur sourde, puis un engourdissement et, enfin, une suppression soudaine de toute sensation. La mort survenait lorsque la température corporelle chutait au point d'affecter les organes vitaux, dont l'activité cessait alors.

Ce n'était qu'après que le corps gelait.

Ici, dans cet univers exempt d'humidité, le corps aurait dû être parfaitement conservé, mais Johnson avait joué de malchance. Des lambeaux de peau nécrosés pendaient de ses joues et de son menton. Des croûtes jaunâtres maculaient son visage, qui n'était plus qu'un masque grotesque. Ses paupières étaient closes par la glace qui emprisonnait ses cils, et son dernier souffle s'était figé en deux stalactites qui pendaient de ses narines jusque sur ses lèvres, semblables à la moustache d'un morse.

La colère que Malone éprouvait déjà envers la Navy s'embrasa littéralement. Ces fils de pute d'incapables avaient laissé mourir ces hommes.

Seuls.

Sans aide.

Dans l'oubli absolu.

Il entendit des pas et regagna le couloir, juste à temps pour apercevoir Dorothea dans la pièce du fond. Elle disparut aussitôt en passant un autre seuil.

Il attendit qu'elle prenne un peu d'avance.

Puis la suivit.

91

Smith baissa les yeux sur la femme couchée dans son lit, immobile. Il avait attendu qu'elle perde connaissance : l'alcool avait parfaitement joué son rôle de sédatif. Elle avait beaucoup bu, plus que d'habitude, fêtant ce qu'elle croyait être un futur mariage avec un capitaine de la Navy en pleine ascension hiérarchique. Mais elle avait choisi un bien mauvais prétendant. Le capitaine Langford Ramsey n'avait aucune intention de l'épouser. Il voulait qu'elle meure, et il avait versé une jolie somme pour que son désir devienne réalité.

Elle était ravissante. De longs cheveux fins et noirs. Une peau sombre et soyeuse. Des traits magnifiques. Il tira la couverture et observa son corps nu. Elle était mince et athlétique, et ne présentait aucun signe de la grossesse qu'elle avait révélée. Ramsey lui avait fourni le dossier médical de la jeune femme, dans lequel était mentionnée une arythmie cardiaque qui avait nécessité deux traitements au cours des six dernières années. Héréditaire, très probablement. Sa tension basse était également surveillée.

Ramsey lui avait promis d'autres boulots s'il s'acquittait de celui-ci avec la plus grande discrétion. Smith se réjouissait de travailler en Belgique : les Européens *lui paraissaient beaucoup moins méfiants que les Américains. Mais peu importait de toute façon : il ne laisserait derrière lui aucun élément permettant de déduire qu'il s'agirait d'un homicide.*

Il prit la seringue. L'aisselle lui sembla être le point d'injection le plus approprié. Elle laisserait un trou minuscule qui, avec un peu de chance, ne serait pas détecté : il n'y aurait aucune raison d'avoir recours à une autopsie. Et même si l'on en pratiquait une, on ne trouverait rien dans le système sanguin de la victime, pas plus que dans ses tissus.

Rien qu'un minuscule trou sous son bras.

Il souleva délicatement son coude et planta l'aiguille.

Smith se souvenait très précisément de ce qui s'était passé cette nuit à Bruxelles, mais décida sagement de n'en soumettre aucun détail à l'homme qui se tenait à moins de deux mètres de lui.

« J'attends, dit Davis.

— Elle est morte.

— Vous l'avez tuée. »

La curiosité de Smith était piquée au vif. « C'est à cause d'elle que vous avez fait tout cela ?

— C'est à cause de vous. »

Il n'apprécia pas le ton amer de Davis. « Je vous laisse », conclut-il.

Stéphanie assistait à la confrontation de Davis et de l'homme qui les menaçait de son arme de guerre. Smith ne désirait sûrement pas les tuer, mais il n'hésiterait pas à le faire si le besoin s'en faisait sentir.

« C'était une femme bien, dit Davis. Elle ne méritait pas de mourir.

— Vous auriez dû parler de ça à Ramsey. C'est lui qui a décidé de sa mort.

— C'est également lui qui passait son temps à la tabasser.

— Peut-être qu'elle aimait ça ? »

Davis s'avança, mais Smith l'arrêta en pointant le fusil d'assaut vers lui. Stéphanie savait que, d'une simple pression sur la détente, il ne resterait plus grand-chose de Davis.

« Vous êtes du genre nerveux, vous », dit Smith.

Le regard de Davis brûlait de haine. Son univers semblait se résumer uniquement à Charlie Smith.

Stéphanie surprit un mouvement derrière Smith, à travers l'encadrement de la fenêtre, sous l'auvent du perron, à contre-jour sous le soleil resplendissant et froid.

Une ombre.

Qui s'approchait.

Un visage apparut à la fenêtre.

Celui du colonel William Gross.

Stéphanie s'aperçut que McCoy l'avait également vu, et elle se demanda pourquoi Gross ne se contentait pas d'abattre Smith sur-le-champ.

Elle comprit soudain.

Le Président le voulait vivant.

Il n'avait pas forcément envie que l'affaire s'ébruite (ce qui expliquait l'absence d'agents du FBI ou des services secrets) mais il voulait récupérer Smith en un seul morceau.

McCoy acquiesça presque imperceptiblement à l'attention de Gross.

Smith surprit son geste.

Il tourna la tête en un éclair.

Dorothea quitta l'édifice et descendit une étroite volée de marches pour se retrouver dans la rue. Elle était toute proche des thermes, au-delà de la place en demi-cercle, non loin de la paroi de cette gigantesque grotte.

Elle tourna à droite.

Christl se trouvait à trente mètres, courant dans une galerie zébrée de zones d'ombre dans lesquelles elle disparaissait par intermittence.

Dorothea la suivit.

Comme elle aurait chassé un cerf dans la forêt. Il fallait lui laisser de l'espace. Lui donner l'impression d'être en sécurité. Puis frapper au moment où la proie s'y attendait le moins.

Au bout de la galerie, elle déboucha sur une autre place, similaire à celle des thermes. Vide, à l'exception d'un banc de pierre sur lequel était assis un homme. Il portait une combinaison épaisse dont la partie supérieure avait été roulée à la taille, dévoilant le pull de laine dont il était vêtu. Ses yeux semblaient deux gouffres obscurs dans son visage émacié, les paupières closes. Son cou gelé était incliné d'un côté, et la noirceur de ses cheveux contrastait avec la clarté de cendre de ses oreilles. Sa barbe d'un gris d'acier était recouverte de givre, et un sourire extatique soulevait ses lèvres immobiles. Ses mains étaient simplement croisées sur ses jambes.

Son père.

Son esprit se vida tout d'un coup. Son cœur battit la chamade. Elle aurait voulu détourner son regard, mais elle en était incapable. Les cadavres étaient censés être inhumés, et pas assis sur des bancs.

« C'est bien lui », dit Christl.

Dorothea se concentra aussitôt sur le danger qui pesait sur elle. Elle entendait sa sœur mais ne la voyait nulle part.

« Je l'ai trouvé tout à l'heure. Il nous attendait.

— Montre-toi », lança Dorothea.

Un éclat de rire brisa le silence qui régnait. « Regarde-le, Dorothea. Il a ouvert sa combinaison pour se laisser mourir. Tu te rends compte ? »

Dorothea ne comprenait pas ce qui avait pu le pousser à agir ainsi.

« C'est un acte courageux, expliqua la voix désincarnée. Quand il écoutait maman parler, il n'avait aucun courage. Quand il t'écoutait parler, il n'était plus qu'un pantin à ta merci. Mais aurais-tu été capable de faire ce qu'il a fait, Dorothea ? »

Dans la paroi rocheuse de la caverne, au loin, elle remarqua une autre grande porte, semblable à celle qu'ils avaient traversée pour pénétrer dans cette cité. Elle était flanquée de deux colonnes parallélépipédiques, et ses battants de bronze étaient grands ouverts. Par-delà le seuil, un escalier descendait. Un courant d'air glacial s'en dégageait.

Dorothea reporta son regard sur l'homme mort.

« Notre père. »

Elle se retourna brusquement. Christl se trouvait à tout juste sept mètres, pointant un pistolet dans sa direction.

Le bras de Dorothea se raidit, et elle commença à lever son arme en direction de Christl.

« Non, Dorothea, dit Christl. Baisse ton pistolet. »

Dorothea s'immobilisa.

« Nous l'avons retrouvé, reprit Christl. Nous sommes arrivées au bout de la quête de maman.

— Ça ne résout rien entre nous.

— Je suis entièrement d'accord. C'est moi qui avais raison. Sur tout. Et toi, tu avais tort sur toute la ligne.

— Pourquoi as-tu tué Henn et Werner ?

— Maman a envoyé Henn pour m'empêcher de gagner. Ce bon vieux et loyal Ulrich. Quant à Werner, je me suis dit que tu te réjouirais de sa disparition.

— Tu as aussi l'intention de tuer Malone ?

— Je dois être la seule à sortir d'ici en vie. La seule et unique survivante.

— Tu es malade.

— Regarde-le, Dorothea. Notre père adoré. La dernière fois que nous l'avons vu, nous avions dix ans. »

Dorothea ne voulait pas le regarder. Elle l'avait assez vu. Elle préférait se souvenir de lui tel qu'elle l'avait connu.

« Tu ne voulais pas le croire, dit Christl.

— Toi non plus.

— Jamais de la vie !

— Tu es une meurtrière. »

Christl éclata de rire. « Comme si je me souciais de l'opinion que tu te fais de moi ! »

Dorothea savait que Christl aurait appuyé sur la détente bien avant qu'elle ait pu brandir son pistolet et lui tirer dessus. Mais puisque de toute façon elle allait mourir, elle décida d'agir.

Son bras se releva brusquement. Christl appuya sur la détente. Dorothea ferma les yeux, prête à recevoir la balle fatale. Mais rien ne se passa. Rien d'autre qu'un cliquetis.

Christl semblait perdue. Elle appuya à plusieurs reprises, mais en vain.

« Fourni sans cartouches, dit Malone en arrivant sur la place. Je ne suis pas aussi bête que vous le pensez. »

C'en était assez.

Dorothea visa et tira.

La première balle s'enfonça en plein milieu de la poitrine de Christl, transperçant les diverses couches de vêtements. La deuxième, très proche de la première, la déséquilibra. La troisième, en pénétrant dans le crâne, répandit sur son front un panache écarlate que le froid figea instantanément.

Deux balles supplémentaires, et Christl Falk s'effondra au sol.

Inerte.

Malone s'approcha.

« Il le fallait, murmura Dorothea. Elle nous aurait tués tous les deux. »

Son regard se posa sur son père. Elle eut l'impression de se réveiller d'une anesthésie générale, certaines pensées gagnant en clarté, d'autres demeurant vagues et lointaines. « En définitive, ils ont réussi à arriver jusqu'ici. Je suis heureuse de savoir qu'il a trouvé ce qu'il était venu chercher. »

Elle regarda Malone et lut sur son visage qu'un espoir insensé s'était emparé de lui. Il avait les yeux rivés sur la grande porte aux battants de bronze. Elle n'eut même pas besoin de prononcer le moindre mot. Elle avait retrouvé son père. Pas lui.

Pas encore.

92

Smith, pris de panique, s'était adossé au mur, tâchant de les surveiller tout en jetant un coup d'œil par la fenêtre.

Dehors, l'ombre avait disparu.

Smith tira une brève rafale dans un mur dont le bois vola en éclats.

McCoy en profita pour se ruer vers lui.

Stéphanie craignit qu'il ne l'abatte, mais il se contenta de lui enfoncer la crosse de son fusil dans l'estomac. Elle se plia en deux, le souffle coupé, et le genou de Smith percuta son menton, la faisant tomber au sol.

Avant que Davis ou Stéphanie aient pu réagir, Smith braqua à nouveau son arme dans leur direction, le regard tantôt sur eux, tantôt sur la fenêtre, comme s'il essayait d'évaluer d'où viendrait la plus grande menace.

Rien ne bougeait dehors.

« J'avais décidé de ne pas vous tuer, dit Smith, mais, tout bien réfléchi, je crois que j'ai à nouveau changé d'avis. »

McCoy gisait par terre, gémissant en position fœtale, les mains posées sur son abdomen.

« Je peux m'occuper d'elle ? demanda Stéphanie.

— C'est une grande fille.

— Je vais m'occuper d'elle. »

Sans attendre la moindre permission, elle s'agenouilla à côté de McCoy.

« Vous ne sortirez pas d'ici, lança Davis à Smith.

— C'est très courageux de votre part de dire ça. »

Mais Charlie Smith semblait peu sûr de lui, comme s'il était prisonnier dans une cage, et qu'il regardait à l'extérieur pour la première fois.

Quelque chose heurta dans un bruit sourd le mur extérieur, près de la fenêtre. Smith réagit aussitôt en pointant son fusil d'assaut en direction du bruit. Stéphanie voulut se relever, mais il lui frappa le cou de la crosse de son arme.

Elle retomba lourdement, la main sur la gorge.

Elle n'avait jamais connu une douleur de cette sorte. Malgré tous ses efforts, elle étouffait. Elle roula au sol et vit Edwin Davis bondir sur Charlie Smith.

Elle essaya de se relever, luttant pour inspirer ne serait-ce qu'une bouffée d'air. Smith tenait toujours son fusil, mais Davis tentait de le lui arracher. Tous deux roulèrent par terre jusqu'au mur du bout de la pièce. Smith tentait de se libérer avec ses jambes, refusant de lâcher son arme.

Où était passé Gross ?

Smith finit par lâcher le fusil, mais passa son bras droit derrière la tête de Davis, pressant contre le cou de celui-ci un petit pistolet semi-automatique qu'il venait de sortir de nulle part.

« Ça suffit ! » hurla Smith.

Davis cessa de se débattre.

Tous deux se relevèrent, et Smith précipita Davis par terre, à côté de McCoy.

« Vous êtes complètement timbrés », dit Smith.

Stéphanie parvint enfin à se relever, les idées plus claires, tandis que Smith se saisissait du fusil d'assaut. La situation avait complètement basculé. La seule chose dont Davis et elle étaient convenus avant d'arriver ici avait justement été de ne pas énerver Smith.

Et pourtant, c'était exactement ce qu'Edwin venait de faire.

Smith s'approcha à nouveau de la fenêtre et jeta un coup d'œil dehors. « Qui c'est, celui-là ?

— Vous me permettez de regarder ? » parvint à dire Stéphanie.

Il acquiesça.

Elle s'approcha lentement et aperçut Gross gisant sur le perron, la jambe droite perforée d'une balle et saignant abondamment. Il semblait encore conscient, mais il souffrait beaucoup.

« Il travaille pour McCoy », dit Stéphanie dans un murmure presque inaudible.

Le regard de Smith se porta au loin, sur les prairies brunes et les bois touffus. « Qui est une putain de menteuse. »

Stéphanie réunit tout son courage. « Mais qui vous a quand même versé 10 millions de dollars. »

Smith n'apprécia pas du tout sa remarque.

« Décision difficile, hein, Charlie ? reprit-elle. D'habitude, c'est vous qui décidez quand tuer. Et comment. Mais pas cette fois.

— Je n'en serais pas si sûr, à votre place. Retournez là-bas. »

Elle obéit, mais ne put s'empêcher de lui demander : « Et à votre avis, qui a déplacé Ramsey ?

— Fermez votre gueule une bonne fois pour toutes, cria Smith sans cesser de jeter de rapides coups d'œil par la fenêtre.

— Je ne le laisserai pas s'enfuir, cette fois », murmura Davis sans que Smith puisse l'entendre.

McCoy roula sur le dos, le visage déformé par la douleur.

« Manteau… poche », articula-t-elle sans prononcer le moindre son.

Malone descendait les marches qui se trouvaient au-delà de la grande porte comme s'il s'était dirigé vers l'échafaud. Des frissons de terreur lui parcouraient l'échine, chose qui était loin de lui être habituelle.

En bas de l'escalier s'étendait une énorme grotte dont la plupart des parois étaient formées de glace, baignant tout l'espace dans une lueur bleutée, y compris le massif orange du sous-marin. De dimension modeste, arrondi, coiffé d'une superstructure plate, le navire était emprisonné dans la glace. L'escalier laissait place à un passage pavé qui faisait le tour de la caverne, à moins d'un mètre cinquante de la glace.

Cela avait dû être une sorte de quai.

Peut-être ce port avait-il donné jadis directement sur la mer ?

Les grottes de glace étaient légion en Antarctique, et celle-ci était si grande qu'elle aurait pu accueillir plusieurs sous-marins.

Mus par une même impulsion, Dorothea et Malone avancèrent sur le quai. Tous deux tenaient fermement leur pistolet au poing, même s'ils représentaient l'un pour l'autre la seule menace en ces lieux.

La partie des parois constituée de roche avait été polie et décorée des mêmes lettres et symboles présents un peu partout dans la cité. Des bancs de pierre se trouvaient au pied de l'affleurement rocheux. Sur l'un d'eux était assise une ombre. Malone ferma les yeux, espérant qu'il ne s'agisse que d'une hallucination. Mais lorsqu'il les rouvrit, la silhouette fantomatique était toujours à sa place.

Il était assis, le dos droit. Il portait un pantalon et une chemise kaki de la Navy, le pantalon enfoncé à l'intérieur de ses bottes lacées, et à côté de lui, sur le banc, reposait une casquette orange.

Malone s'approcha lentement.

Tous ses sens s'affolèrent. Sa vue se troubla.

C'était là le même visage qui figurait sur cette photo, chez lui, à Copenhague, à côté du présentoir en verre où se trouvait le drapeau que l'officier de la Navy avait tendu à sa mère au terme de la cérémonie funéraire, ce drapeau qu'elle avait refusé. Un long nez. Une forte mâchoire. Des taches de rousseur. Une coupe de cheveux militaire, gris-blond. Les yeux ouverts, fixes, comme plongés dans une méditation infinie.

Malone resta pétrifié, bouche bée.

« C'est votre père ? » demanda Dorothea.

Il acquiesça, et la tristesse le transperça, telle une longue flèche pénétrant dans sa gorge pour se planter dans ses tripes.

« Ils sont morts sans manteau, sans se protéger, dit-elle. Comme s'ils avaient accepté leur sort de bonne grâce. »

C'était exactement ce qui s'était passé, Malone le savait. Il aurait été inutile de prolonger l'agonie.

Des feuilles étaient posées sur les genoux de son père, recouvertes de lettres dont l'encre semblait aussi fraîche que trente-huit ans auparavant. La main droite du défunt reposait sur le petit tas, comme pour s'assurer qu'elles ne s'envolent pas. Malone tendit le bras et s'en saisit délicatement, avec l'impression de profaner un lieu sacré.

Il reconnut l'écriture empâtée de son père.

Une boule se forma dans sa poitrine. La frontière entre rêve et réalité s'était effacée. Il refoula la douleur du deuil qu'il avait cachée au fond de lui au long de toutes ces années, et qui menaçait à présent d'exploser. Il n'avait jamais pleuré. Ni lorsqu'il s'était marié, ni à la naissance de Gary, ni lorsque son couple s'était écroulé, ni lorsqu'il avait appris que Gary n'était pas son fils naturel. Afin de lutter contre cette soudaine pulsion, il se rappela que ses larmes gèleraient avant même de quitter ses yeux.

Il s'obligea à se concentrer sur les pages qu'il tenait.

« Pourriez-vous lire à voix haute ? demanda Dorothea. Il se pourrait que ces pages concernent également mon père. »

Smith devait les tuer tous les trois et sortir de là. Il allait devoir agir sans la moindre information, après s'être fié à une femme à laquelle, il l'avait toujours su, il n'aurait jamais dû faire confiance. Et qui avait déplacé le cadavre de Ramsey ? Il l'avait laissé dans la chambre, avec l'intention de l'enterrer plus tard, quelque part dans la propriété.

Il regarda par la fenêtre en se demandant si d'autres ennemis se trouvaient dans les parages. Quelque chose lui disait qu'ils n'étaient pas seuls.

Ce n'était qu'un pressentiment.

Mais il n'avait d'autre choix que d'agir selon cette vague impression.

Il serra le fusil d'assaut dans ses mains et s'apprêta à se retourner brusquement pour faire feu. Il éliminerait ces trois-là d'une simple rafale, puis achèverait celui qui se trouvait dehors.

Et il partirait en laissant les cadavres sur place.

Quelle importance ? Il avait acheté cette propriété sous un faux nom, en liquide, rubis sur l'ongle. Impossible de remonter jusqu'à lui.

Autant laisser le gouvernement faire le ménage.

Stéphanie vit la main droite de Davis se glisser discrètement dans la poche du manteau de McCoy. Charlie Smith se tenait toujours à côté de la fenêtre, armé du HK 53. Elle savait qu'il avait l'intention de les tuer tous, et s'inquiétait du fait que personne ne les aiderait : leur seul renfort se trouvait sur le perron et était en train de se vider de son sang.

Davis s'immobilisa.

Smith venait de tourner la tête dans leur direction. Satisfait de voir qu'ils restaient bien sages, il reporta son attention sur l'extérieur de la maison.

Davis retira sa main de la poche de McCoy pour en sortir un 9 mm semi-automatique.

McCoy pria tous les saints pour qu'il sache s'en servir.

Davis posa sa main armée à côté de McCoy, afin de dissimuler le pistolet derrière son corps. Edwin avait compris qu'il n'avait pas le choix. Il lui fallait abattre Charlie Smith. Mais s'en rendre compte et le faire étaient deux choses bien différentes. Quelques mois auparavant, Stéphanie avait tué pour la première fois. Par chance, elle n'avait pas eu le temps de réfléchir à cet acte : elle avait été obligée d'agir dans l'instant. Davis n'avait présentement pas ce luxe. Il devait être en train de peser le pour et le contre, désirant de tout son être éliminer Smith, tout en ne le voulant pas. Un meurtre n'avait rien de léger. Quelles qu'en soient les raisons ou les circonstances.

Soudain, Davis parut habité d'une froide résolution.

Ses yeux fixaient Charlie Smith, son visage était détendu et inexpressif. Où avait-il puisé le courage de se résoudre à tuer un homme ? L'instinct de survie ? Peut-être. Millicent ? Sûrement.

Smith commença à se retourner, tout en faisant pivoter son fusil d'assaut.

Davis brandit son arme et tira.

La balle perfora la poitrine étroite de Smith, le poussant contre le mur. Il tendit un bras pour s'appuyer, lâchant le fusil d'une main. Davis, pointant toujours son pistolet, se releva et tira à quatre reprises, déchirant Charlie Smith de ses balles. Davis continua à tirer, chaque coup de feu tonnant bruyamment dans la petite pièce, jusqu'à ce que le chargeur soit vide.

Le corps de Smith était pris de soubresauts, il se cambrait et se tortillait malgré lui. Ses jambes se raidirent enfin, et il tomba par terre, roulant sur le dos avant de s'immobiliser, fixant le plafond de ses yeux morts écarquillés.

93

L'incendie qui s'est déclaré en immersion a détruit les batteries. Le réacteur s'était déjà arrêté. Par chance, le feu a été assez lent pour que nous arrivions à repérer au radar un trou dans la glace, et que nous puissions refaire surface avant que l'air devienne irrespirable. Nous nous sommes empressés de quitter le sous-marin pour nous retrouver dans une grotte dont certaines parois polies, à notre grande surprise, étaient recouvertes de la même écriture que nous avions observée sur les blocs de pierre reposant au fond de la mer. Oberhauser a trouvé un escalier menant jusqu'à une porte à battants de bronze, fermée de notre côté par une barre de fer, et qui une fois ouverte nous permit d'accéder à une cité à couper le souffle. Oberhauser l'a explorée pendant plusieurs heures, tâchant de trouver une sortie, tandis que nous faisions le point sur l'étendue des dommages. Nous avons essayé à plusieurs reprises de faire repartir le réacteur, en allant à l'encontre de tous les protocoles de sécurité, mais sans succès. Nous ne disposions que de trois tenues de grand froid, et nous étions onze. Le froid impitoyable qui régnait nous engourdissait tout entiers. Nous avons brûlé tout le papier et les déchets qui se trouvaient à bord, mais cela ne nous a valu que quelques heures de répit. Nous n'avons rien trouvé de combustible dans toute la ville. Tout n'y est que pierre et métal, les maisons et les édifices sont complètement vides. Il existe trois autres issues, mais elles sont bloquées de l'extérieur. Nous ne disposons d'aucun équipement pour forcer ces battants de bronze massif. Au bout d'à peine douze heures, nous avons compris que notre situation était sans espoir. Qu'il nous était impossible de sortir de ce piège. Nous avons activé notre transpondeur, sans vraiment croire que son signal parviendrait à traverser la roche, la glace et les centaines de milles nous séparant du navire le plus proche. Oberhauser s'est montré plus révolté par notre sort que les autres membres de l'équipage. Il avait trouvé ce qu'il était venu chercher, mais il ne lui serait pas donné de vivre assez longtemps pour l'étudier comme il l'aurait voulu. Nous avons tous compris que nous allions mourir ici. Nous savions que personne ne viendrait nous chercher : nous avions accepté cette clause avant de quitter le port d'attache. Le sous-marin est mort, et nous aussi. Chacun a pu choisir la façon dont il s'éteindrait. Certains se sont isolés, d'autres ont préféré rester ensemble. J'ai décidé de rester ici pour surveiller mon navire. J'écris ces mots pour que tous sachent que mon équipage est mort dignement. Chaque membre de l'équipage, y compris Oberhauser, a accepté son destin avec courage. J'aurais aimé en apprendre plus sur le peuple qui a bâti ce lieu. Oberhauser nous a dit qu'ils étaient nos ancêtres, que notre culture était issue de la leur. Hier encore, je l'aurais pris pour un fou. Mais la vie nous réserve toujours des surprises. J'ai reçu le commandement du sous-marin le plus sophistiqué de la Navy, si ce n'est du monde. Ma carrière était toute tracée. J'aurais fini capitaine de vaisseau. Et en fin de compte, je mourrai seul dans le froid. Je ne ressens aucune douleur, rien qu'un manque de vigueur dans

*tout le corps. J'arrive à peine à écrire. J'ai servi mon
pays de mon mieux. Mon équipage en a fait tout autant.
J'ai ressenti une immense fierté lorsque, chacun à son
tour, ils m'ont serré une dernière fois la main avant de
s'en aller. À présent que tout autour de moi commence à
disparaître, je ne peux que penser à mon fils. Mon seul
regret est que jamais il ne saura la profondeur des sentiments que j'éprouve pour lui. Il m'a toujours été difficile de lui dire ce que j'avais sur le cœur. Même lorsque
j'étais en mission, durant de très longues périodes, il
ne s'est jamais passé un jour sans que je pense à lui,
au-dessus de toute autre considération. Il est tout pour
moi. Il n'a que dix ans, et ne sait pas encore ce que
la vie lui réserve. Je regrette de ne pas pouvoir être là
pour l'aider à devenir l'homme qu'il sera. Sa mère est
la femme la plus merveilleuse que j'aie jamais connue,
et je sais qu'elle prendra soin de lui comme aucune
autre. Je supplie celle ou celui qui trouvera ces mots de
les transmettre à ma famille. Je veux qu'ils sachent que
je suis mort en pensant à eux. À mon épouse : sache que
je t'aime. Je n'ai jamais eu aucun mal à te le dire. Et à
mon fils, je veux dire ici ce qui me fut si difficile à lui
dire. Je t'aime, Cotton.*

*Forrest Malone, USN[1]
17 novembre 1971*

La voix de Malone trembla lorsqu'il lut les quatre
derniers mots de la lettre. Oui, son père avait eu beaucoup de mal à les dire. En fait, il ne se rappelait pas qu'il
les lui ait dits un jour.

Mais Malone avait toujours su qu'il l'aimait.

Il regarda le cadavre, son visage figé pour l'éternité.
Trente-huit ans avaient passé, durant lesquels Malone

---

1. *United States Navy*, « Marine des États-Unis ». *(N.d.T.)*

était devenu un homme, s'était engagé dans la Navy, avant de devenir un agent du gouvernement américain. Et durant tout ce temps, le capitaine de frégate Forrest Malone était resté assis là, sur un banc de pierre.

À attendre.

Dorothea dut ressentir la douleur qu'il éprouvait : elle serra délicatement son bras. Il la regarda dans les yeux et y lut ses pensées.

« On dirait que nous avons tous trouvé ce que nous cherchions », dit-elle.

Il y lisait de la résolution. Et une paix intérieure absolue.

« Il ne me reste plus rien, dit-elle. Mon grand-père était un nazi. Mon père était un rêveur qui ne vivait pas dans le monde réel. Il est venu jusqu'ici en quête de vérité, et a affronté la mort avec courage. Ma mère a passé les quarante dernières années à tenter de le remplacer, mais tout ce qu'elle est parvenue à faire, c'est dresser Christl et moi l'une contre l'autre. Jusqu'ici. Jusqu'à maintenant. C'est par sa faute que Christl est morte. » Elle observa le silence, et son regard reflétait la soumission à son sort. « Lorsque Georg est mort, une grande partie de moi-même est morte avec lui. J'ai cru qu'en misant tout sur mon confort matériel je retrouverais le bonheur, mais c'était une erreur.

— Vous êtes la dernière Oberhauser.

— C'est tout sauf une gloire.

— Vous pouvez changer les choses. »

Elle hocha la tête. « Pour changer les choses, il faudrait que je loge une balle dans la tête de ma mère. »

Elle se retourna et se dirigea vers l'escalier. Il la vit s'éloigner, et éprouva un curieux mélange de respect et de colère, sachant pertinemment ce qu'elle allait faire.

« Cette découverte aura des répercussions considérables, dit-il. Christl avait raison. L'histoire de l'humanité en sera complètement bouleversée. »

Dorothea ne s'arrêta pas. « Cela ne me concerne pas. Toute chose a une fin. »

Sa voix tremblait sous le coup d'une angoisse certaine. Mais elle avait raison. Malone le savait bien. Tout avait une fin. Sa carrière militaire. Sa carrière d'agent du gouvernement. Son mariage. La vie en Géorgie. Sa vie de père de famille.

Le choix que s'apprêtait à faire Dorothea Lindauer était le sien. Nul ne pouvait s'y opposer.

« Bonne chance », lui cria-t-il.

Elle s'arrêta, se retourna et lui lança un sourire triste. « Je vous en prie, *Herr* Malone. » Elle poussa un long soupir et parut se ressaisir. « Je dois le faire seule. » Son regard était suppliant.

Malone acquiesça. « Je ne bougerai pas d'ici. »

Il l'observa gravir les marches et passer le seuil de la porte, en direction de la cité.

Puis il regarda son père, dont les yeux morts ne reflétaient pas le moindre éclat de lumière. Il avait tant de choses à lui dire. Il aurait aimé lui dire qu'il avait été un bon fils, un bon officier de marine, un bon agent du gouvernement et, il le pensait, quelqu'un de bien. On l'avait décoré à six reprises. Il avait été un époux déplorable, mais s'efforçait d'être un meilleur père. Il voulait faire partie de la vie de Gary, pour toujours. Durant toute sa vie d'adulte, il s'était demandé ce qui était arrivé à son père, et s'était imaginé le pire. Bien tristement, la réalité était plus atroce que tout ce qu'il avait pu envisager. La vie de sa mère aussi en avait été bouleversée. Elle ne s'était jamais remariée. Elle avait enduré les années qui s'étaient écoulées, se raccrochant à son deuil et se faisant un point d'honneur à ce qu'on l'appelât Mme Forrest Malone.

Pourquoi le passé semblait-il ne jamais finir ?

Un coup de feu retentit au loin, tel un ballon éclatant sous un drap.

Dorothea Lindauer venait de mettre un terme à sa vie. La plupart du temps, les suicides étaient attribués à des troubles psychologiques plus ou moins graves. Mais dans ce cas précis, c'était le seul moyen de mettre fin à une folie. Malone se demanda si Isabel Oberhauser parviendrait à comprendre ce dont elle s'était rendue responsable. À présent, son époux, son petit-fils et ses filles n'étaient plus de ce monde.

Dans ce silence de tombeau, un profond sentiment de solitude saisit Malone à la gorge. Il se souvint des Proverbes de l'Ancien Testament.

Une vérité simple et sans âge.

« Celui qui jette le trouble dans sa maison ne possédera que du vent. »

94

Stéphanie entra dans le Bureau ovale. Danny Daniels se leva pour l'accueillir. Edwin Davis et Diane McCoy étaient déjà assis.

« Joyeux Noël à vous », dit le Président.

Elle lui rendit la politesse. Il l'avait convoquée la veille en fin d'après-midi, en envoyant à Atlanta le jet des services secrets que Davis et elle avaient déjà utilisé, plus d'une semaine auparavant, pour relier Asheville et Fort Lee.

Davis avait l'air en forme. Son visage ne présentait plus la moindre ecchymose. Il était vêtu d'un costume-cravate, assis le dos raide sur un fauteuil confortable, et affichait à nouveau l'expression impassible que tous lui connaissaient. Elle avait réussi à jeter un bref coup d'œil sur le cœur qui battait sous sa carapace, et se demandait à présent si ce privilège ne lui interdirait pas à l'avenir de faire plus ample connaissance avec Davis. De toute évidence, il n'était pas du genre à aimer mettre son âme à nu.

Daniels l'invita à prendre place à côté de McCoy. « Je me suis dit qu'il serait bon que nous discutions tous ensemble, dit le Président en regagnant son fauteuil. Ces deux dernières semaines ont été dures pour tout le monde.

— Comment se porte le colonel Gross ? demanda Stéphanie.

— Plutôt bien. Il se remet très bien, mais cette balle a fait du dégât. Il en veut un peu à Diane de l'avoir fait repérer, mais il se félicite qu'Edwin ait su tirer droit.

— Il faut que j'aille lui rendre visite, dit McCoy. Je ne voulais pas qu'il se fasse tirer dessus.

— Je serais vous, je laisserais passer encore une semaine ou deux. Je ne plaisantais pas quand je disais qu'il vous en voulait. » Le regard de Daniels, en se posant sur Edwin, se fit presque triste. « Edwin. Je sais que vous détestez mes histoires, mais écoutez quand même celle-ci. Deux lumières dans le brouillard. D'un côté, un amiral qui se tient sur le pont de son navire, radio en main. Il informe l'autre qu'il commande un vaisseau de guerre et lui ordonne de mettre la barre à tribord. L'autre lui répond par radio que c'est lui qui devrait virer de bord. L'amiral, qui est plutôt du genre têtu, comme moi, réitère son ordre de virer à tribord. Et l'autre de lui répondre : "Amiral, je suis le gardien de ce foutu phare, et vous feriez mieux de virer de bord." Je me suis mis en danger pour vous, Edwin. Vraiment en danger. Mais vous étiez le gardien du phare, le plus malin des deux, et je vous ai fait confiance. Diane, ici présente, signa aussitôt qu'elle sut pour Millicent, et a pris elle aussi de sacrés risques. Stéphanie, c'est vous qui l'avez enrôlée, et elle s'en est très bien sortie. Et Gross ? Il a pris une balle.

— Et j'apprécie tout ce qui a été fait, dit Davis. Plus que je ne saurais le dire. »

Stéphanie se demandait si Davis regrettait ne serait-ce

qu'un peu d'avoir tué Charlie Smith. Probablement pas, mais cela ne signifiait pas pour autant qu'il oublierait un jour ce qu'il avait fait. Elle posa son regard sur McCoy. « Étiez-vous déjà au courant lorsque le Président m'a appelée pour la première fois, afin de savoir où se trouvait Edwin ? »

McCoy hocha la tête. « Il m'a mise au courant juste après avoir raccroché. Il craignait que la situation ne dégénère. Il s'était dit qu'un plan de rechange pourrait s'avérer utile. Voilà pourquoi il m'a chargée d'entrer en contact avec Ramsey. » McCoy observa une courte pause. « Et il a eu raison. Même si, tous les deux, vous avez réussi à merveille à rabattre Smith vers nos filets.

— Il n'en demeure pas moins que nous avons encore une affaire en suspens », dit Daniels.

Stéphanie savait ce dont il s'agissait. On avait imputé l'assassinat de Ramsey à un tueur à gages, sans doute engagé par des services de renseignement étrangers. La mort de Smith avait tout bonnement été ignorée, pour la simple raison que son existence même était inconnue de tous. On avait fait passer la blessure de Gross pour un accident de chasse. Le second de Ramsey, un certain capitaine Hovey, fut interrogé et, sous la menace d'être traîné en cour martiale, avait tout révélé. En l'espace de quelques jours à peine, le Pentagone avait tout nettoyé, remplaçant l'équipe dirigeante des renseignements de la Navy dans sa totalité, mettant un terme définitif au règne de Langford Ramsey et de tout son entourage.

« Aatos Kane m'a rendu visite, poursuivit Daniels. Il tenait à m'informer que Ramsey avait voulu l'intimider. Bien entendu, il s'est répandu en jérémiades, et il est resté très discret sur la nature des pressions exercées sur lui. »

Stéphanie surprit une étincelle dans les yeux du Président.

« Je lui ai montré un dossier que nous avons trouvé

chez Ramsey, à l'abri dans un coffre-fort. Un dossier fascinant, je dois l'avouer. Inutile d'entrer ici dans les détails : disons simplement que notre bon sénateur ne sera pas candidat à la présidence et qu'il prendra très bientôt sa retraite, effective au 31 décembre, quittant ainsi définitivement le Sénat pour passer plus de temps avec sa famille. » Daniels se redressa. « Le pays n'aura pas à pâtir de sa présence au sommet de l'État. » Puis il hocha la tête. « Vous avez fait du sacré bon boulot, tous les trois. Avec Malone. »

Forrest Malone avait été enterré deux jours auparavant dans un petit cimetière du sud de la Géorgie, près de la maison où habitait sa veuve. Son fils avait refusé qu'il soit inhumé au cimetière national d'Arlington.

Et Stéphanie comprenait parfaitement ce refus de Malone.

Les neuf autres membres de l'équipage avaient également été rapatriés, leurs corps rendus aux familles, et les véritables circonstances de la disparition du NR-1A avaient été révélées à la presse. Dietz Oberhauser avait été rapatrié en Allemagne, où sa veuve avait réclamé sa dépouille et celles de ses filles.

« Comment va Cotton ? demanda le Président.

— Il ne décolère pas.

— Si ça peut le soulager un peu, dit Daniels, l'amiral Dyals est sous les feux de la Navy et des médias. L'histoire du NR-1A a suscité énormément de sympathie dans l'opinion publique.

— Je suis sûre que Cotton rêve de lui tordre le cou en personne, commenta Stéphanie.

— En outre, ce logiciel de traduction est en train de nous fournir un nombre incroyable d'informations sur cette cité et ses habitants. On trouve des références aux diverses relations qu'entretenait ce peuple avec les autres cultures. Ils partageaient leurs connaissances et leurs techniques, mais, Dieu merci ! ils n'étaient pas aryens.

Rien à voir avec une quelconque race supérieure. Ils n'étaient même pas belliqueux. Les chercheurs sont tombés hier sur un texte qui pourrait peut-être expliquer les raisons de leur déclin. Apparemment, ils auraient vécu en Antarctique il y a plusieurs dizaines de milliers d'années, à une époque où ce continent n'était pas recouvert par la glace. À mesure que les températures chutaient, ils s'approchèrent de plus en plus des montagnes. Et un beau jour, leur source d'énergie géothermique se tarit. Alors ils abandonnèrent les lieux. Difficile d'estimer une date. Leur calendrier était différent du nôtre. Et comme c'est le cas dans notre civilisation, aucun d'eux ne possédait la somme de toutes leurs connaissances : suite à leur exil, ils ne purent donc recréer leur civilisation autre part. On n'en retrouve que des bouts, ici et là, dans les autres cultures. Les plus savants furent les derniers à quitter l'Antarctique, où ils écrivirent ces textes et les laissèrent derrière eux comme un ultime témoignage. Au fil du temps, les migrants se fondirent dans les autres civilisations, l'histoire de leur peuple fut oubliée, et il ne subsista de leur passé que contes et légendes.

— C'est plutôt triste, dit Stéphanie.

— Je trouve aussi. Mais tout ce que ça implique est considérable. La National Science Foundation[1] va envoyer une équipe en Antarctique pour étudier le site. La Norvège a accepté de nous laisser mener les recherches sur cette zone. Le père de Malone et le reste de son équipage ne sont pas morts en vain. Nous pourrions en apprendre beaucoup sur nous-mêmes, sur notre histoire, grâce à eux.

— Je doute que ça suffise à apaiser la douleur de Cotton et des familles des défunts.

1. « Fondation nationale pour la science », agence gouvernementale américaine. *(N.d.T.)*

— "Étudiez le passé si vous désirez connaître l'avenir", dit Davis. Confucius. Un excellent conseil. » Il observa une pause. « Pour nous, tout comme pour Cotton.

— En effet, rétorqua Daniels. J'espère que nous en avons fini avec toute cette affaire. »

Davis acquiesça. « En ce qui me concerne, j'en ai fini. »

McCoy abonda en son sens. « Cela ne servirait à rien de déballer tout ça. Ramsey n'est plus. Smith également. Kane est définitivement hors compétition. Fin de l'histoire. »

Daniels saisit un carnet qui reposait sur son bureau. « Ceci provient également de chez Ramsey. C'est le journal de bord du NR-1A. Celui dont vous a parlé Herbert Rowland. Cet enfoiré de Ramsey l'avait gardé toutes ces années. » Le Président tendit le carnet à Stéphanie. « Je me suis dit que Cotton aimerait le conserver.

— Je le lui donnerai, dit-elle. Quand il se sera un peu calmé.

— Lisez les derniers mots. »

Elle ouvrit le carnet à la dernière page et lut ce que Forrest Malone y avait écrit. « De la glace sur les doigts, de la glace dans la tête, de la glace dans son regard vitreux. »

« C'est un extrait de *La Ballade de Bill le Blasphémateur*, dit le Président. De Robert W. Service. Début du XXe siècle. Apparemment, le père de Cotton aimait beaucoup ce poète. »

Malone avait raconté à Stéphanie comment il avait retrouvé le corps congelé de son père, *de la glace dans ses yeux vitreux.*

« Malone est un professionnel, dit Daniels. Il connaît les règles du jeu, et son père les connaissait aussi. Il est très difficile de juger ce qu'ont pu faire certaines personnes il y a quarante ans, à l'aune de notre époque. Malone doit prendre du recul vis-à-vis de tout ça.

— Plus facile à dire qu'à faire, fit remarquer Stéphanie.

— Nous devons révéler la vérité à la famille de Millicent, dit Davis. C'est bien la moindre des choses.

— Tout à fait d'accord, répondit Daniels. Je suppose que vous aimeriez vous en charger ? »

Davis acquiesça.

Daniels sourit. « Il y a tout de même eu quelque chose de très positif dans toute cette affaire. » Il pointa Stéphanie du doigt. « Vous ne vous êtes pas fait virer. »

Elle afficha un large sourire. « Et j'en suis extrêmement reconnaissante.

— Je vous dois des excuses, dit Davis à McCoy. Je vous ai mal jugée. C'est une faute professionnelle autant que personnelle. Je vous prenais pour une imbécile.

— Vous êtes toujours aussi franc ? répliqua McCoy.

— Vous n'étiez pas obligée de faire ce que vous avez fait. Vous avez risqué votre peau pour quelque chose qui ne vous concernait pas.

— Je ne dirais pas cela. Ramsey représentait une menace pour la sécurité nationale. Le fait de la protéger est notre principale prérogative. Et de plus, il a fait assassiner Millicent Senn.

— Je tiens à vous remercier. »

McCoy adressa à Davis un acquiescement.

« Voilà le genre de scènes auxquelles j'aime assister, déclara Daniels. Tous mes collaborateurs en train de se réconcilier. Vous voyez ? Ça a ses bons côtés, de traquer des pourritures. »

L'atmosphère tendue qui régnait quelques minutes plus tôt dans le Bureau ovale s'était considérablement apaisée.

Daniels se redressa dans son fauteuil. « Ceci étant dit, nous avons malheureusement un autre problème. Un problème qui implique également Cotton Malone, que ça lui plaise ou non. »

Malone éteignit les lumières du rez-de-chaussée et grimpa jusqu'à son appartement au quatrième étage. La librairie n'avait pas désempli de toute la journée. Trois jours avant Noël, tout Copenhague semblait vouloir acheter des livres. Il avait engagé trois personnes pour tenir la boutique en son abscnce, idée qu'il était loin de regretter. Au point qu'il verserait à chaque employé une prime supplémentaire.

Son père ne quittait pas ses pensées.

Ils l'avaient enterré là où reposait la famille de sa mère. Stéphanie avait assisté à la cérémonie. Pam, son ex-femme, également. Gary avait été très ému, en voyant pour la première fois son grand-père, allongé dans son cercueil. Grâce au froid de l'Antarctique et aux talents d'un embaumeur, on aurait dit que Forrest Malone était mort quelques jours auparavant.

Lorsque la Navy lui avait proposé une cérémonie militaire avec tous les honneurs, Malone les avait envoyés au diable. Trop tard pour ces simagrées. Peu importait qu'aucun des responsables actuellement cn poste n'eût sa part de responsabilité dans la terrible décision de ne pas rechercher le NR-1A. Malone en avait assez des ordres, du sens du devoir et de la responsabilité. Où étaient passées les notions de respect, de droiture et d'honneur ? Il semblait qu'on oubliait commodément ces mots lorsqu'ils prenaient vraiment un sens. Lorsque onze hommes disparaissaient en Antarctique, et que tout le monde s'en foutait.

Malone alluma quelques lampes chez lui. Il était très fatigué. Ces deux dernières semaines avaient été très dures, couronnées par les sanglots de sa mère lorsqu'on avait déposé lc ccrcucil au fond de la fosse. Tous s'étaient attardés autour du trou que les employés du cimetière avaient comblé, avant d'y planter la pierre tombale.

« Ce que tu as fait est merveilleux, lui avait dit sa mère. Tu l'as ramené à la maison. Il aurait été si fier de toi, Cotton. Si fier de toi. »

Et ces mots l'avaient fait pleurer.

Enfin.

Il avait failli rester en Géorgie pour Noël, mais avait finalement décidé de rentrer chez lui. Étrange. Le Danemark était finalement devenu son « chez lui ».

Malone alla dans sa chambre et s'allongea sur son lit. Il était presque 23 heures, et il était exténué. Il devait en finir avec tout cela. Il était censé être à la retraite. Mais il était heureux d'avoir demandé à Stéphanie de lui retourner sa faveur.

Demain, il se reposerait. Le dimanche était toujours un jour plus tranquille. La plupart des magasins étaient fermés. Il prendrait peut-être sa voiture pour rendre visite à Henrik Thorvaldsen, plus au nord. Cela faisait trois semaines qu'il n'avait pas vu son ami. Ou peut-être pas. Thorvaldsen voudrait savoir où il était passé, ce qui lui était arrivé, et Malone n'était pas prêt à revivre tout cela.

Mais, pour l'heure, il allait dormir.

Malone se réveilla et tâcha aussitôt d'éclaircir son esprit ensommeillé. Son réveil indiquait 2 h 34. Les lampes de l'appartement étaient toujours allumées. Il venait de dormir trois heures.

Quelque chose l'avait réveillé. Un bruit. Un son qui avait fait partie de son rêve, mais aussi du monde réel.

Il l'entendit à nouveau.

Trois sons se succédant rapidement.

L'immeuble datait du XVIIe siècle, et avait été complètement remis en état quelques mois après l'incendie criminel. Depuis, les marches du nouvel escalier en bois reliant le deuxième et le troisième étage grinçaient systématiquement de la même façon, chacune à son tour, comme une gamme jouée sur un piano.

Quelqu'un se trouvait ici.

Malone tira de sous son lit le sac à dos qui s'y trouvait toujours, une habitude qu'il avait gardée de ses années au sein de l'unité Magellan. Il en sortit son Beretta semi-automatique, une cartouche déjà dans la chambrée.

Il passa le seuil de la pièce sans faire un bruit.

NOTE DE L'AUTEUR

Ce livre fut une aventure personnelle autant pour Malone que pour moi. Alors que lui retrouvait son père, je me mariai. Ce n'est pas en soi quelque chose de nouveau pour moi, mais cela reste une aventure. En ce qui concerne les voyages, cette histoire m'a conduit en Allemagne (Aix-la-Chapelle et la Bavière), dans les Pyrénées françaises et à Asheville, en Caroline du Nord (au domaine Biltmore). Des lieux très froids et enneigés.

À présent, il est temps de séparer la fiction de la réalité.

Le sous-marin secret NR-1 (voir le prologue) existe, et son histoire, autant que ses hauts faits, est vraie. Le NR-1 est à ce jour toujours en activité, après presque quarante ans de bons et loyaux services. Le NR-1A est de mon invention. Il existe peu de sources écrites concernant le NR-1, mais celle dont je m'inspire est *Dark Waters*, de Lee Vyborny et Don Davis, qui représente un témoignage rare de la vie à bord du sous-marin. Le rapport d'enquête sur la disparition du NR-1A (chapitre 5) a pour modèle de véritables rapports d'enquête concernant la disparition en mer du *Thresher* et du *Scorpion*.

La Zugspitze et Garmisch sont fidèlement décrits

(chapitre 1) de même que l'Hôtel de la Poste. C'est un vrai plaisir que de passer ses vacances de fin d'année en Bavière, et les marchés de Noël évoqués dans les chapitres 13, 33 et 37 représentent, cela va sans dire, l'un des attraits de la région. L'abbaye d'Ettal (chapitre 7) est fidèlement décrite, sauf pour les souterrains.

Charlemagne est bien évidemment un élément crucial de l'histoire. La description de son époque est juste (chapitre 36), et sa signature (chapitre 10) est authentique. Il demeure l'un des personnages historiques les plus énigmatiques et est toujours considéré comme le père de l'Europe. L'authenticité de l'histoire d'Othon III pénétrant dans le tombeau de Charlemagne en 1000 après Jésus-Christ est sujette à débat. La légende exposée au chapitre 10 est bien connue, et j'y ai ajouté le livre singulier qu'Othon trouve aux côtés de Charlemagne. Selon d'autres versions, Charlemagne aurait été inhumé allongé dans un sarcophage de marbre (chapitre 34). Il n'existe aucune certitude à ce sujet.

La *Vie de Charlemagne* d'Éginhard est considérée comme l'une des grandes œuvres de cette époque. Éginhard était un savant, très proche de Charlemagne. Leurs relations avec les Très Saints relèvent quant à elles de mon invention. Les récits d'Éginhard présentés aux chapitres 21 et 22 sont vaguement inspirés d'extraits du Livre d'Hénoch, un texte ancien et énigmatique.

Les opérations Highjump et Windmill se sont déroulées comme il est exposé (chapitre 11). Toutes deux furent des opérations militaires d'envergure. Elles sont restées classées durant des décennies, et sont encore entourées d'un voile de mystère. L'amiral Richard Byrd a codirigé l'opération Highjump. Ma description des moyens dont disposait Byrd (chapitre 53) est fidèle à la réalité, et il a effectivement exploré ce continent comme je le mentionne. Son journal secret (chapitre 77) est fictif, à l'instar des pierres gravées et des livres qu'il est censé avoir découverts. L'expédition allemande de l'Antarctique en 1938 (chapitre 19) a réellement été menée, et elle est décrite fidèlement (jusqu'au lâcher de drapeaux portant la croix gammée sur la calotte polaire). Seules les tribulations d'Hermann Oberhauser sont de mon fait.

Les étranges pages manuscrites (chapitres 12 et 81) sont issues du manuscrit de Voynich. Ce dernier est conservé à la Beinecke Rare Book and Manuscript Library de l'université de Yale, et est considéré par beaucoup comme l'un des manuscrits les plus mystérieux de la planète. Personne n'est parvenu à en déchiffrer le texte. On pourra lire en guise d'entrée en matière *The Voynich Manuscript*, de Gerry Kennedy et Rob Churchill. Le symbole présenté pour la première fois au chapitre 10 est tiré de leur ouvrage : il s'agit d'une représentation archétypale issue d'un traité remontant au XVIe siècle. Les curieuses armoiries des Oberhauser (chapitre 25) sont également tirées du livre de Kennedy et Churchill : il s'agit en vérité de celles de la famille Voynich, créées par Voynich lui-même.

L'histoire véridique du terme « aryen » (chapitre 12) montre bien comment quelque chose d'assez inoffensif peut être utilisé à des fins monstrueuses. L'Ahnenerbe a bel et bien existé. Les historiens n'ont commencé que récemment à révéler la pseudo-science sur laquelle ses membres s'appuyaient et les atrocités qui en découlèrent (chapitre 26). L'un des ouvrages de référence en la matière est *The Master Plan*, d'Heather Pringle. Les nombreuses expéditions internationales de l'Ahnenerbe, évoquées au chapitre 31, ont réellement eu lieu, et ont servi à donner plus de poids aux thèses de l'organisation. L'implication d'Hermann Oberhauser dans l'Ahnenerbe est tout aussi fictive que ce personnage, mais ses recherches et le discrédit dont il fut victime s'inspirent de l'expérience de membres réels de cette organisation.

Je ne suis pas l'inventeur de la thèse d'une civilisation

première (chapitre 22). Cette idée a servi de base à beaucoup de mes livres, mais *Civilization One* de Christopher Knight et Alan Butler n'en demeure pas moins excellent. Tous les arguments avancés par Christl Falk et Douglas Scofield à propos de l'existence d'une civilisation première sont ceux de Knight et Butler. Leur thèse n'est pas si tirée par les cheveux que ça, et les réactions qu'elle suscite me rappellent l'accueil fait par la majorité de la communauté scientifique à la théorie de la dérive des continents, lorsqu'elle fut proposée pour la première fois (chapitre 84). Bien entendu, des questions évidentes demeurent. Si une telle civilisation a vraiment existé, pourquoi n'en est-il resté aucune trace ?

Mais peut-être en existe-t-il.

Les histoires exposées par Scofield au chapitre 60, au sujet des liens qui auraient uni un peuple en apparence divin avec d'autres cultures, existent bel et bien, tout comme les objets singuliers dont il est question, et le récit de l'accueil qui fut fait à Christophe Colomb. Le pétroglyphe et l'inscription du temple d'Hathor en Égypte sont encore plus étonnants (chapitre 84). Fort malheureusement, les propos de Scofield, selon lesquels 90 % des connaissances antiques seraient perdus à tout jamais, sont potentiellement vrais. Ce qui signifie que nous ne trouverons peut-être jamais de réponse définitive à ce sujet.

C'est moi seul qui ai décidé de placer cette civilisation première en Antarctique (chapitres 72, 85 et 86), et leur culture et leur technologie rudimentaire sont également de mon invention (chapitres 72 et 81). Je ne me suis jamais rendu en Antarctique (cette destination figure néanmoins tout en haut de ma liste de sites à visiter absolument), mais la beauté et le danger de ce continent tels qu'ils sont décrits s'inspirent de témoignages authentiques. La base Halvorsen (chapitre 62) est fictive, mais la tenue de grand froid revêtue par Malone et compagnie existe bel et bien (chapitre 76). Le statut politique du continent antarctique (chapitre 76), fort de ses multiples traités internationaux et ses lois de coopération uniques, demeure complexe. La zone explorée par Malone (chapitre 84) est bien contrôlée par la Norvège, et certaines sources la désignent comme interdite pour des raisons écologiques. Les scènes de plongée de Ramsey s'inspirent des témoignages de ceux qui s'aventurèrent dans ces eaux pures et glaciales. Les vallées sèches (chapitre 84) existent, même si elles se trouvent généralement dans la partie la plus méridionale du continent. Les effets à la fois destructeurs et conservateurs du froid sur les corps humains sont fidèles à la réalité (chapitres 90 et 91). *Ice*, de Mariana Gosnell, décrit merveilleusement ces phénomènes.

La cathédrale d'Aix-la-Chapelle (chapitres 34, 36, 38 et 42) vaut le détour. L'Apocalypse a joué un rôle clef dans sa conception, et sa chapelle reste l'un des derniers édifices datant de l'époque de Charlemagne encore debout. Bien évidemment, l'influence des Très Saints sur sa création est inventée.

Sur le trône de Charlemagne figure bien un plateau de jeu de mérelles, ou jeu du moulin, gravé sur l'un de ses côtés (chapitre 38). Il n'existe aucune explication quant à sa présence sur le trône. On jouait à ce jeu tant dans l'Antiquité romaine qu'à l'époque carolingienne, et certains continuent encore à y jouer de nos jours.

Le Mystère de Charlemagne, avec ses multiples pistes et énigmes, y compris le testament d'Éginhard, est de mon invention. Ossau (chapitre 51) et son abbaye (chapitre 54) sont fictifs, mais Bertrand est inspiré d'un abbé ayant réellement vécu dans cette région.

Fort Lee (chapitre 45) existe, mais pas l'entrepôt ni le compartiment réfrigéré. J'ai récemment acheté un iPhone, aussi Malone se devait-il d'en posséder un également. Toutes les recherches et enquêtes citées sur les phénomènes paranormaux et les ovnis ont bien été menées par le gouvernement américain durant la guerre froide (chapitre 26). Je n'ai fait qu'en ajouter une de plus.

Le domaine Biltmore (chapitres 58, 59 et 66) est l'un de mes lieux préférés, surtout à Noël. Le village, l'hôtel, le restaurant, le château et les environs sont fidèlement décrits. Bien sûr, la conférence « Mystères anciens enfin révélés » n'a jamais existé, mais elle s'inspire d'un grand nombre de réunions du même type.

La carte de Piri Reis et les autres portulans cités (chapitre 41) existent, et chacun soulève de nombreuses questions. *Maps of the Ancient Sea Kings*, de Charles Hapgood[1], est considéré comme l'ouvrage de référence en la matière[2].

Le débat autour du choix du méridien de référence s'est déroulé comme présenté au chapitre 41, et Greenwich fut choisi de façon arbitraire. Le fait de prendre pour méridien de référence la longitude passant par la pyramide de Gizeh (chapitre 71) suggère pourtant des liens fascinants entre plusieurs sites sacrés dans le monde entier. Le yard mégalithique (chapitre 71) est une autre thèse intéressante qui permettrait d'expliquer rationnellement des similarités remarquées par des ingénieurs sur divers sites archéologiques. Aucune preuve n'est venue cependant étayer cette thèse jusqu'à présent.

L'histoire de ce roman repose sur une idée intéressante. Non pas celle d'une Atlantide de légende, dotée d'une technologie inimaginable, mais celle, toute simple, selon laquelle nous ne serions peut-être pas les premiers à avoir atteint un niveau intellectuel tel que le

---

1. *Cartes des anciens rois des mers*, éditions du Rocher.
2. On pourra lire également à ce titre *Archaeological Fantasies : How Pseudoarchaeology Misrepresents the Past and Misleads the Public*, sous la direction de Garrett G. Fagan, Routledge, ouvrage qui n'a malheureusement pas encore été traduit en français. *(N.d.T.)*

nôtre. Peut-être a-t-il existé une autre civilisation, dont l'existence nous est inconnue, et dont l'histoire s'est perdue dans le temps, parmi les 90 % des connaissances antiques que nous ne pourrons jamais découvrir.

Tiré par les cheveux ? Impossible ?

Combien de fois les soi-disant experts ont-ils été contredits par les faits ?

Lao-Tseu, le grand philosophe chinois qui vécut il y a deux mille sept cents ans, et est encore considéré de nos jours comme l'un des plus grands penseurs de l'histoire de l'humanité, n'a peut-être pas écrit ces mots à la légère :

« Les Anciens étaient subtils, mystérieux, profonds et avisés.

La profondeur de leurs connaissances est inestimable.

Parce qu'elle est inestimable, on ne peut que décrire leur apparence.

Ils étaient prudents, tels des hommes traversant une rivière gelée en hiver.

Alertes, tels des hommes conscients du danger.

Courtois, tels des hôtes de passage. Accommodants, telle la glace sur le point de fondre.

Simples, tels de grossiers blocs de bois. »

Collection Thriller

Des livres pour serial lecteurs

Profilers, détectives ou héros ordinaires, ils ont décidé de traquer le crime et d'explorer les facettes les plus sombres de notre société. Attention, certains de ces visages peuvent revêtir les traits les plus inattendus... notamment les nôtres.

Vos enquêteurs favoris vous donnent rendez-vous sur www.pocket.fr

LES DANGEREUX MYSTÈRES DU PASSÉ

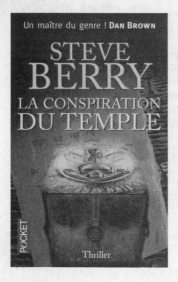

◀ Steve BERRY
La conspiration du temple

La ministre de la Fédération d'Asie centrale ne rêve que d'envahir ses voisins afghans et iraniens. Elle dispose d'une arme secrète, des virus qui peuvent éliminer des populations entières. Pourtant, l'attaque ne peut avoir lieu tant qu'elle ne disposera pas des huit décadrachmes de Poros, des médaillons frappés à l'époque d'Alexandre le Grand. Quel rapport entre l'invasion militaire et ces pièces archéologiques ? Cotton Malone, ex-agent du département de la Justice américaine, va mener son enquête...

Pocket n° 14090

Steve BERRY ▶
Le musée perdu

Surnommée « la huitième merveille du monde », la Chambre d'ambre, offerte en 1716 par le roi de Prusse au tsar de Russie, s'est volatilisée en 1945. Elle n'a jamais été retrouvée... Jusqu'à ce que le père de Rachel Cutler meure dans d'étranges circonstances et qu'elle entreprenne une enquête qui la mène aux portes de la Chambre d'ambre...

Pocket n°13290

Pour en savoir plus : www.pocket.fr

Steve BERRY ▶
L'énigme Alexandrie

50 avant J.-C. : la bibliothèque d'Alexandrie,
qui renferme plus de 700 000 volumes, disparaît
en fumée.
2007 : Cotton Malone, ex-agent du département
de la Justice américaine, a repris à Copenhague
ses activités d'expert en manuscrits lorsque son
fils est kidnappé par une mystérieuse organisation. Le compte à rebours a commencé. Il a
72 heures pour décrypter 2 000 ans d'énigme
historique...

Pocket n° 13672

◀ Steve BERRY
L'héritage des Templiers

1307 : Le grand maître de l'ordre des
Templiers, est arrêté et livré à l'Inquisition. Il
garde le silence sur le déjà célèbre trésor des
Templiers.
2006 : Cotton Malone, ex-agent du département de la Justice américaine, et son amie
Stéphanie entrent en possession de
documents troublants relatifs à la nature du
trésor des Templiers. Commence alors une
quête érudite et périlleuse...

Pocket n° 13273

Pour en savoir plus : www.pocket.fr

David GIBBINS ▶
Le Chandelier d'Or

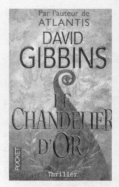

Quelque mois après avoir localisé l'Atlantide, un nouveau défi s'annonce pour l'archéologue Jack Howard. Les révélations d'une carte médiévale laissent supposer que la menora, le chandelier sacré du peuple juif, n'aurait pas été perdue lors de la dernière croisade. L'histoire se répète : depuis la chute de l'Empire romain jusqu'à l'apogée du régime nazi, la sainte relique a toujours suscité des convoitises. Et dans l'ombre se réveillent des appétits, loin d'être purement scientifiques...

Pocket n° 13058

◀ Eric GIACOMETTI &
Jacques RAVENNE
Lux Tenebrae

Été 2010. On retrouve le commissaire franc-maçon Antoine Marcas plongé dans le coma. À son réveil, il ne se souvient de rien, hormis un tunnel sans fin. Une expérience de mort imminente... Lancé sur la piste de son agresseur, Marcas remonte aux origines des rites d'initiation égyptiens. Pour comprendre, il va devoir à nouveau franchir les portes de la mort...

Pocket n° 14595

Pour en savoir plus : www.pocket.fr

◀ James ROLLINS
La malédiction de Marco Polo

Venise, 1325
Qu'est-il advenu des six cents compagnons de Marco Polo mis à sa disposition par le grand Khan pour son retour de Chine ? Il n'en reste qu'une poignée...

Île Christmas, océan Indien, de nos jours
Une pandémie inconnue fait rage. Une organisation occulte semble s'intéresser à la redoutable souche d'un virus baptisé Judas. Le compte à rebours est lancé pour éviter à l'humanité le pire des fléaux...

Pocket n° 14497

Eric GIACOMETTI & ▶
Jacques RAVENNE
Conjuration Casanova

En Sicile, cinq couples réunis afin de pratiquer des rituels sont immolés. À Paris, le ministre de la Culture, franc-maçon, est retrouvé près du cadavre de sa maîtresse. Le commissaire Marcas, frère d'obédience, va remonter la piste meurtrière d'un manuscrit signé de la main du sulfureux Casanova...

Pocket n° 13 152

Pour en savoir plus : www.pocket.fr

Achevé d'imprimer en mars *2012*
par
en Espagne

POCKET – 12, avenue d'Italie
75627 Paris – Cedex 13

Dépôt légal : février 2012
S20400/03